たまひよ 名づけ博士

1年間使い放題 web鑑定サービス

完全版

ログインID
・・・
アクセスキー

「たまひよ名づけ博士」web鑑定サービスの全メニューをお使いになれます。「読み指定検索」「イメージ指定検索」「漢字指定検索」の名前例検索と姓に合わせた「候補名鑑定」があります。キリトリ線を切ると、中にあなた専用のログインID、アクセスキーが印刷されています。ぜひ、赤ちゃんの名づけに役立ててくださいね。

■注意事項

- 姓に使われていたり、名づけに使える漢字であってもweb上では表示できない文字があります。また、お使いのパソコン、スマートフォンによっては入力と異なる字形の文字が表示される場合があります。ご了承ください。
- 姓は、一度設定したら変更はできません。間違いのないようにご入力ください。姓は5文字まで入力できます。
- 名づけ博士の名前例はたまひよの商品・サービスをご利用のお客さまからお寄せいただいた実例です。あて字も含まれていますので、ご注意ください。
- 推奨動作環境は下の表のとおりです。
- スマートフォン以外の携帯電話からはお使いになれません。

推奨動作環境

デバイス	OS/ブラウザ
パソコン	Windows10以上 ・Google Chrome 最新 ・Microsoft Edge 最新 Mac OSX(10.15)以上 ・Safari 最新
スマートフォン	iOS 13以上 Android 9以上 ・標準ブラウザ

※1）ただし、左記の環境でも、お客様の接続環境などにより、一部の機能が動作しない場合や画面が正常に表示されない場合があります。

※2）このサイトでは、Cookie、JavaScriptおよびスタイルシートを使用しております。ブラウザの設定でCookie、JavaScriptおよびスタイルシートを有効にした上でご利用ください。

※3）JIS90字形で定められている文字のみご利用いただけます。JIS2004字形セットのパソコンをご利用の場合、一部、入力と異なる文字表示となります。

ご利用方法
※P.18〜22にスマホ画面での使い方を掲載

① 「たまひよ名づけ博士」web鑑定のページにアクセスし、左記のログインIDとアクセスキーを入力します。

［アクセス方法］

パソコン、スマートフォンから

 名づけ博士  検索

または直接アクセス
https://st.benesse.ne.jp/hakaseweb/

② 初回のみ、お客様の姓の設定が必要です。
* 一度設定した姓は変更できません。間違いのないようにご入力ください。姓は5文字まで入力できます。
* web上で入力できない漢字は、一度代わりの漢字を入力したあと、元の字の画数を指定してください。
* 姓の設定後、1年間お使いになれます。

③ 姓の設定が終わりましたら、「読み指定検索」「イメージ指定検索」「漢字指定検索」「候補名鑑定」に進めます。

こちらから、各検索・候補名鑑定画面に進めます。

たまひよ 名づけ博士 1年間使えます

web鑑定用ログインID・アクセスキーのお知らせ

ログインID   c6a5w7t4

アクセスキー   0g4188D4

※ログインID・アクセスキーは再発行できません。大切に保管してください。
※「たまひよ名づけ博士」web鑑定サービスのすべての機能をご利用できるログインID・アクセスキーとなります。ベネッセの他のサービスにはご利用になれません。
※web鑑定サービスをお使いになれるのは、姓の設定後1年間です。

の方法を見つけよう！

〜プをチェック！　あなたに合った名づけ方法が見つかるはず♪

> チェックが多かった名づけ方法のページへ！

音にこだわるタイプ P.10へ

- ☐ 響きのいい名前にしたい
- ☐ 胎児ネームがある
- ☐ 呼びたい愛称がある
- ☐ 音の持つパワーにこだわりたい

たまひよ名づけ博士web鑑定の「**読み指定検索**」なら、お気に入りの読みや、その読みを含めた良運の名前が、約3万件の豊富な名前例の中から探せます！（詳しくはP.18〜22）

画数にこだわるタイプ P.11へ

- ☐ 運勢のいい画数が気になる
- ☐ 姓名判断による名前の吉凶を調べたい
- ☐ 姓と相性のいい名前をつけたい
- ☐ 陰陽五行説による名前の吉凶も気になる

たまひよ名づけ博士web鑑定の「**漢字指定検索**」「**候補名鑑定**」なら、良運の名前を探したり、運勢を鑑定したりできます。
面倒な画数計算が不要で便利！
（詳しくはP.18〜22）

タイプ別チェックテストで **あなたにピッタリの名づけ**

「何から考えていけばいいのかわからない…」。そんな人は、下記のタイ

漢字にこだわるタイプ P.12へ

- ☐ すでに使いたい漢字が決まっている
- ☐ 親や祖父母などの名からとりたい漢字がある
- ☐ 漢字が持つ意味にこだわりたい
- ☐ 使う漢字に親の願いを込めたい

たまひよ名づけ博士web鑑定の「漢字指定検索」なら、使いたい漢字を含んだ良運の名前を、約3万件の豊富な名前例の中から探せます！（詳しくはP.18〜22）

イメージにこだわるタイプ P.13へ

- ☐ こんな子になってほしいという強い願いがある
- ☐ イメージのいい名前をつけてあげたい
- ☐ 夫婦の趣味にちなんでつけたい
- ☐ 好きなものから発想を広げたい

たまひよ名づけ博士web鑑定の「イメージ指定検索」なら、イメージに合う良運の名前を、約3万件の豊富な名前例の中から探せます！（詳しくはP.18〜22）

STEP 1 呼びたい響きから考える

名前決定までのアプローチ

まずは好きな響き、いいなと思う読み方をリストアップ。思いついた名前は実際に声に出して、その名前が発音しづらくないか、聞き取りやすいかどうかを確認します。「れんくん」「ひなちゃん」など、気に入った愛称から考えてもOK。

直感派の人向け

音にこだわるタイプ

「読み」や「愛称」を重視する人向け。音の持つイメージは、その人の印象や性格にも影響するといわれています。一生を通してその音で呼ばれるので、親しみのある名前を選んで。

STEP 2 名前例をたくさん見る

たとえば「ひな」にしたいと読みが決まっている人は、「ひな」の名前例を見てみて。愛称を「ひなちゃん」や「ひな」にしたい人は、「ひなか」「ひなこ」「ひなた」などの名前例もチェック。いくつか読みの候補があって迷っている人は、候補の読みの名前例をたくさん見て、気に入ったものに○をつけていきながら絞るのもよいでしょう。

スマホでも探せる！

"読み指定検索"をタップ！

STEP 4 姓とのバランスを確認

オカシクナイ？

あてはめた漢字の意味や読みがおかしくないかチェックしましょう。「みつき」を「海月」とした場合、「くらげ」とも読めます。また、姓と合わせると「大庭佳代（おおばかよ）」のような意図しない意味になってしまうこともありますから、実際に書いたり、読み上げたりして確認するのがおすすめ。

詳しくはP.71へ

STEP 3 決まった読みに漢字をあてはめる

読みが決まったら、それに合う漢字を考えていきます。明るいイメージなら「陽南」、かわいいイメージなら「日菜」など、漢字の組み合わせで与える印象も変わります。「読み別漢字リスト」（P.197参照）や「万葉仮名風漢字一覧」（P.214参照）も活用してみて。ただし、こだわりすぎて読みにくくならないように注意。音の持つパワー、「ことだま（言霊）で見る名前」（P.74参照）も参考に。

占いが好きな人向け
画数にこだわるタイプ

赤ちゃんの幸せを願って、つけたい名前の画数が吉数（運勢のいい画数）になる名前を考える方法。姓名判断は、流派がいろいろあるので、一つの流派に決めて考えるとよいでしょう。

\ 名前決定までのアプローチ /

STEP 1 画数名づけを確認する

姓名を構成する文字の画数を5つの部位ごとに計算した「五格」を基本とします。まず五格それぞれの意味と数え方を理解しましょう（P.217参照）。姓と名前の文字数が違う場合、「仮成数」（P.218参照）を加える必要があるので、該当する人は確認しておきましょう。「陰陽五行」（P.220参照）も気になる人は参考にしてみて。

STEP 2 「姓別吉数リスト」と「画数組み合わせリスト」を活用

画数を重要視するなら、「姓別吉数リスト」（P.241参照）を活用！ 姓に合う名前の画数がわかるリストです。いい画数、吉数がわかったら、今度は「画数組み合わせリスト」（P.279参照）を活用。たとえば佐藤の「姓別吉数リスト」の中の5・18を「画数組み合わせリスト」で探すと、「未織」「史織」などの名前が見つかります。

\\ スマホでも探せる！ //

"候補名鑑定"をタップ！

STEP 4 響きや漢字を決めたあと画数をチェックする

画数を重視するあまり、読みや漢字など、全体的にバランスが悪くなっていないかチェックしましょう。また、音や漢字重視の名前でも、画数が気になる場合は、最後にチェックしてみて。画数重視で名前を決めていく以外では、吉数になる確率は高くはないので、あまりこだわりすぎないように。吉数にしたい場合は、漢字を1字変更するとうまくいく場合も。

STEP 3 吉数になるよう組み合わせを探す

つけたい読みがある場合、吉数の漢字を探してみて。たとえば「佐藤」さんが「まい」とつけたい場合、「姓別吉数リスト」（P.241参照）の吉数の組み合わせの中の15・8を「音から選ぶ女の子の名前リスト」（P.87参照）から探すと、「舞依」が該当します。使いたい漢字がある場合は、その漢字の画数を基にして、組み合わせる漢字を「おすすめ漢字から選ぶ名づけ」（P.327参照）から選んでいきます。

愛唯	舞依	真唯	麻依	真依
24	23	21	19	18

← 詳しくはP.215へ

意味重視の人向け
漢字にこだわるタイプ

使いたい漢字が決まっている人向け。漢和辞典を使いこなすのは大変ですが、「おすすめ漢字から選ぶ名づけ」(P.327参照)には、画数、主な読み、意味、願い、名前例があって便利!

\ 名前決定までのアプローチ /

STEP 1 使いたい漢字から考える

好きな漢字を書き出してみましょう。「ママやパパの名前の1字を使いたい」「生まれる季節にちなんだ漢字を」「願いを込めたい」など、思いついたものを書き出してみて。「おすすめ漢字から選ぶ名づけ」(P.327参照)を見ながら、好きな漢字を抜き出していっても。

STEP 2 漢字の意味や願いをチェック

使いたい漢字の意味を「おすすめ漢字」や市販の漢和辞典で調べてみましょう。たとえば「逸」は「すぐれている、ぬきんでる」などのいい意味もありますが、「はずれる、わがまま」などのマイナスの意味も。辞典によって載っている意味は異なりますが、悔いのない範囲で調べておいて。「おすすめ漢字」内の「願い」も参考に。

// スマホでも探せる! \\

"漢字指定検索"をタップ!

STEP 3 メインの漢字に組み合わせる漢字を選ぶ

メインの漢字が決まったら、組み合わせる漢字を選びます。「おすすめ漢字」からもう1字選んでもいいでしょう。「おすすめ漢字」には名前例もありますから、それも見てみて。「添え字一覧」(P.142、P.196参照)や「人気添え字から引く名前」(P.210参照)も参考にしてください。

STEP 4 姓とのバランスを最終確認

名前が決まったら姓と名前を書いてみて。漢字の意味や願いにこだわりすぎて、不本意な名前になっていないか、バランスが悪くないかをチェックしてみましょう。さらに声に出して、読んでみましょう。気になる場合は画数も最後にチェックしてみて。

詳しくはP.327へ

12

願いを込めたい人向け
イメージ
にこだわるタイプ

季節、自然、子どもへの願いなど、まずイメージを決定。そこからイメージを表す漢字と名前例を探していきます。ほかに、漢字の持つ意味からイメージを広げていく方法もあります。

STEP 1 どんなイメージがいいか考える

\ 名前決定までのアプローチ /

「明るい子に」と願いを込めたり、パパとママの共通の趣味から考えたり、赤ちゃんが生まれる季節や干支にちなんだり。海や花、音楽など、パパやママが好きなものから発想を広げていってもいいですね。

STEP 2 イメージから連想する名前例をチェック

「イメージから選ぶ名づけ」(P.423参照)には、季節、干支、自然、込めたい願いなど、いろいろなイメージから連想される「イメージ漢字」と「名前例」があります。これを読んでみて、気に入ったものを見つけたり、さらに発想を広げていったりしてもいいでしょう。

\\ スマホでも探せる! //

"イメージ指定検索"をタップ!

STEP 4 姓とのバランスを最終確認

名前だけのイメージにこだわりすぎて、姓とのバランスが悪くなっている場合もあります。必ず紙に書いて確認してみましょう。また、声に出して読んでみるのも大事。姓とのイメージがあまりにかけはなれているのも考えものです。気になる場合は画数も最後にチェックしてみて。

STEP 3 イメージの漢字から発想を広げる

「幸福」のイメージでつけたいなら、そのイメージの漢字を探してみます。たとえば、「幸」「和」「祥」「慶」。メイン漢字を決めたら、それに合う漢字を探します。「笑う」という意味のある「咲」を合わせて「咲幸(さゆき)」、添え字をつけて「幸乃(ゆきの)」などのように考えてみましょう。名前例から選んでもOK。

詳しくはP.423へ

ほかにも 名づけのヒントはいっぱい！

名づけの方法はまだまだたくさんあります。
下記にヒントを挙げましたので、選択肢を広げてみてください。

人気のある名前にしたい！ 人気のある名前は避けたい

2024年のたまひよ名前ランキングでは、人気名前、人気読み、人気漢字、人気共通名前、人気頭音（「ゆ」など）、1字名の人気名前などを紹介しています。「人気の名前は避けたいけど、音が好きだから別の漢字にしよう」「人気漢字からヒントをもらおう」など、ランキングも使い方はいろいろ。ぜひ、参考にしてみてください。

▶ ランキング とじ込みシート、P.27、P.29、P.47、P.52

最後の文字（添え字）から決めてみる

女の子だったら「子」がつく名前、男の子だったら「郎」がつく名前にしたいという人は、「人気添え字から引く名前」で名前例をチェック！「添え字一覧」を見て添え字を決めてから、組み合わせる漢字を考えるという方法もあります。

▶ 人気添え字から引く名前 P.210
▶ 添え字一覧 P.142、P.196

国際的な名前にしたい！

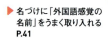

「国際的な名前にしたい」という人は、「イメージから選ぶ名づけ・国際的」のページの名前例を見てみましょう。注意する点はP.41やP.470にも載っているので、押さえておいて。国際的な名前は、漢字・かなだけでなく、ローマ字でも書いてみるのが◎。そのときは、P.42、43も参考にしてください。

▶ 名づけに「外国語感覚の名前」をうまく取り入れる P.41
▶ イメージから選ぶ名づけ・国際的 P.470

異体字（旧字）も取り入れたい

「特徴のある字にしたい」ときは、異体字を使う手も。中でも「来」の旧字「來」は、とても人気があります。また、「つけたい名前が人気名前だったので避けたい」「つけたい名前の画数がよくない」などの場合も、異体字にしてみてもいいでしょう。上手に取り入れてみて。

▶ 名前に使える人名用漢字の異体字 P.35

Contents

- 「たまひよ名づけ博士」web鑑定サービス ログインID・アクセスキー
- 〈とじ込みシート〉 2024年たまひよ名前ランキング あなたにピッタリの名づけの方法を見つけよう！……8
- 「たまひよ名づけ博士」web鑑定の使い方……18

第1章 名づけの基礎知識

名づけの基本
- 名前を決めるときの注意点27……24
- 名前に使える人名用漢字の異体字……26
- 名づけに「外国語感覚の名前」をうまく取り入れる……35
- ヘボン式ローマ字一覧表……41, 42

賢く考える名づけテク
- ヘボン式ローマ字表記で注意する点……43
- 1字名の人気名前……44
- たまひよ読者の人気漢字……47
- 間違えやすい漢字……52
- 名づけなんでもQ&A……53
- 避けたほうがいい名前……54
- 出生届の書き方と出し方……61
- 出生届記入のポイント……62
- 出生届を出すまでの注意点……64
- 出生届なんでもQ&A……66
- '17年〜'23年人気名前ランキング……68
- 人気共通名前 読みトップ10……70
- 人気頭音ランキング ベスト5……27
- 姓と名の意味が違いすぎる・合いすぎる……29
- 左右対称の名前……30
- 説明しにくい名前の例……31
- 聞き間違えやすい名前の例……33
- 姓と名の音がダブっている名前の例……36
- 複数の読み方がある名前の例……37
- たまひよ読者の新・万葉仮名……38, 45

15

第2章 音から選ぶ名づけ

- 音から選ぶ名づけについて … 72
- 読み別人気名前 … 73
- ことだま（言霊）で見る名前 … 74
- 50音別 響きによる性格の違い … 78
- 音から選ぶ女の子の名前リスト … 87
  - 添え字一覧・女の子編 … 142
- 音から選ぶ男の子の名前リスト … 143
  - 添え字一覧・男の子編 … 196
- 読み別漢字リスト … 197
- 人気添え字から引く名前 … 210
- 万葉仮名風漢字一覧 … 214

第3章 画数から選ぶ名づけ

- 画数から選ぶ名づけについて … 216
- 文字数別五格の数え方 … 218
  - 三才吉凶表 … 223
  - ひらがな&カタカナの画数一覧表 … 224
  - 間違えやすい漢字リスト … 225
- 名づけ吉数表 … 226
- 姓別吉数リスト … 241
  - 名前には使わないほうがいい漢字 … 278
- 画数組み合わせリスト … 279
  - 女の子の名前 … 280
  - 男の子の名前 … 302

第4章 おすすめ漢字から選ぶ名づけ

- 1画 … 328
- 2画 … 328
- 3画 … 329
- 4画 … 332
- 5画 … 335
- 6画 … 340
- 7画 … 347
- 8画 … 354
- 9画 … 365
- 10画 … 375
- 11画 … 386
- 12画 … 397
- 13画 … 408
- 14画 … 414
- 15画 … 417
- 16画 … 419
- 17画 … 421
- 18画 … 421
- 19画 … 422
- 20画 … 422

第5章 イメージから選ぶ名づけ

イメージから選ぶ名づけについて ... 424

- 春のイメージ ... 425
- 夏のイメージ ... 426
- 秋のイメージ ... 427
- 冬のイメージ ... 428
- 暦・干支のイメージ ... 429
- 大地のイメージ ... 430
- 山・河のイメージ ... 431
- 海・水のイメージ ... 432
- 豊か／生命のイメージ ... 433
- 光・風のイメージ ... 434
- 宇宙のイメージ ... 435
- 色・香のイメージ ... 436
- 幻想／清潔のイメージ ... 437
- さわやかなイメージ ... 438
- 夢・希望のイメージ ... 439
- 未来のイメージ ... 440
- 若さ／自由のイメージ ... 441
- 超えるイメージ ... 442
- 生物／めでたいイメージ ... 443
- 誠実なイメージ ... 444
- 平和／調和のイメージ ... 445
- 思いやりのイメージ ... 446
- 愛されるイメージ ... 447
- 勇気のイメージ ... 448
- かわいいイメージ ... 449
- 幸福のイメージ ... 450
- おおらかなイメージ ... 451
- 知的なイメージ ... 452
- 論理的／リーダーのイメージ ... 453
- 華やかなイメージ ... 454
- 芸術的なイメージ ... 455
- 創造的なイメージ ... 456
- 努力／正直なイメージ ... 457
- 行動的なイメージ ... 458
- 文学的なイメージ ... 459
- 無邪気なイメージ ... 460
- ユーモア／心のイメージ ... 461
- 明るいイメージ ... 462
- 強い／独立心のイメージ ... 463
- 気品のイメージ ... 464
- 学業優秀／満足感のイメージ ... 465
- 情熱的なイメージ ... 466
- 日本的なイメージ ... 467
- 名声のイメージ ... 468
- 歴史のイメージ ... 469
- 国際的なイメージ ... 470

〈イメージヒント集〉
- 季語や月の異名から探す ... 429
- 日本の自然の色から探す ... 435
- 人気の俳優から探す ... 449
- 芸術家から探す ... 455
- 『源氏物語』から探す ... 459
- 日本の地名や四字熟語から探す ... 467
- 歴史上の人物から探す ... 469
- 海外に行くと性別が逆転する名前 ... 470

名前に使える漢字リスト ... 471

最終チェック10＆メモ ... 481

［本書について］

字形
本書で使われている漢字の字形については、法務省の定めた字形に基づいています。書体により微細な相違点はありますが、それらの相違は活字のデザイン上の相違に属するもので、字体の違いではないと考えられるものを使用しています。

読み方
名前の漢字の読み方に関しては、漢和辞典にない読み方をしているものもありますので、ご注意ください。
※令和7年5月より施行予定の改正戸籍法により、戸籍に氏名のふりがなが記載され、名前の読み方にも一定の規律が設けられることになりました。

画数
本書に使われている漢字の画数は『福武漢和辞典』『ベネッセ新修漢和辞典』（以上ベネッセコーポレーション刊）と監修者の栗原里央子先生の見解を参考にしていますが、お使いになる辞典、姓名判断の流派によっては、画数の異なる場合があります。名づけの際に、ご自分でしっかりと確認されることをおすすめします。

名前例・データ
本書で紹介している名前やデータは、2005年1月から2024年9月までに、たまひよの商品・サービスに寄せられた赤ちゃんのお名前の中から、テーマに合ったものを抽出して掲載しています。

届け出の受理
名前の届け出が受理されるかどうかは、各自治体により判断が異なります。掲載した名前の例が必ず受理されるとは限りませんので、ご了承ください。

Staff
表紙デザイン／フロッグキングスタジオ
本文デザイン／小出大介（COLORS）
表紙・扉イラスト／きどふみか
校正／聚珍社、岡野 啓、くすのき舎、風讃社校閲室
本文イラスト／mahicotori、新家亜樹、仲川かな、Cotton's（田岡佳純、瀬戸枝里子、大塚悦子、roxo、近藤みずほ）、小倉ともこ、ふじわらてるえ

17

 まずは、スマホまたはパソコンで st.benesse.ne.jp/hakaseweb にアクセス

たまひよ名づけ博士web鑑定の使い方

 **ログインIDとアクセスキーを入力します**
※スマホ画面の場合で説明します。

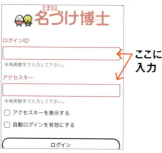

ここに入力

この袋とじの中のログインIDとアクセスキーを確認

本書＋webで最高の名前探しができます!

約3万件のデータから名前例検索が簡単にできる「たまひよ名づけ博士web鑑定」は候補の絞り込みや姓に合わせた鑑定ができて便利! 名づけに関する知識が詰まった本書で赤ちゃんの名前候補を挙げ、さらに名前例が豊富なwebを併用すれば、わが子にぴったりの最高の名前が見つかります。

たまひよ名づけ博士web鑑定って?

約3万件のデータから姓の画数に合った名前例を検索できるサービスです

気になる「読み」「漢字」「イメージ」の条件を選択するだけで、あなたの姓に合った名前例が検索できます。また、候補名を入力して鑑定することも!

●**読み指定検索**
「はるちゃん」「ゆうくん」など、呼び方や名前の読み方、音の響きから検索できます。

●**漢字指定検索**
「悠」「幸」など名前に使いたい漢字がある場合に、漢字1字から検索できます。

●**イメージ指定検索**
「健康・元気な」など、名前のイメージから検索できます。

●**候補名鑑定**
「悠真」など具体的な候補名を画数、その名になったときの性格、運勢など、総合的に鑑定できます。

※名づけ博士の名前例は実例です。あて字も含まれていますのでご注意ください。

 **初回のみ「姓」を設定します**

ここに入力

必ず確認を
●一度設定した姓は変更できません。間違いのないように十分注意して、入力してください。姓は5文字まで入力可能
●web上で入力できない漢字は、一度代わりの漢字を入力したあと、元の字の画数を指定してください

webサービスは、姓の設定後、1年間使えます

 **読みor漢字orイメージ指定検索、候補名鑑定から好みのweb鑑定をやってみよう**

ここをタップするとこの画面に。やってみたい項目をタップします

下にスクロールすると出てくる「候補名の鑑定・検索機能を使い分けよう!」内をタップしてもそれぞれの機能を使えます

★パソコンの場合は画面上部のタブか下部にある「候補名の鑑定・検索機能を使い分けよう!」内の各ボタンをクリック

●ログインIDとアクセスキーを入力すれば、スマホとパソコンなど複数の端末で利用することも可能です。

読みを指定して検索したい

「ゆうま」といった名前そのものの読みや、「ゆう」という読みを一部に使いたい、名前の最初の音を「ゆ」にしたい場合などは「読み指定検索」で探せます。

手順 1 メニューを開いて「読み指定検索」をタップします

★パソコンの場合は画面上部のタブか下部のボタンをクリック

ここをタップ

手順 2 「読み」を入力して「一致条件」
(それぞれの説明は下記参照)
「性別」を選択。
最後に「検索する」をタップします

ここに入力

ここを選択

Ⓐ 完全一致
Ⓑ 部分一致
Ⓒ 前方一致

手順 3 候補名が表示されます。さらに詳しい説明を見たい場合は「候補名鑑定」をタップ。お気に入りの名前は「候補名リスト」に登録
(詳しくはP.22参照)

Ⓒ 前方一致
その読みから始まる名前を検索するとき、または最初の音だけ決まっている場合は、これを選択。たとえば「ゆ」で検索すると「千翔(ゆきと)」など「ゆ」で始まる名前が出てきます。

Ⓑ 部分一致
その読みが含まれている名前を検索するときは、これを選択。たとえば「ゆう」で検索した場合は「史悠(しゆう)」「友基(ゆうき)」など、「ゆう」が含まれる名前が出てきます。

Ⓐ 完全一致
名前の読み方そのものを検索するときは、これを選択。たとえば「ゆうま」で検索した場合は「由真」「夕真」など、読み方に一致した名前が出てきます。

イメージを指定して検索したい

「季節にちなみたい」「願いを込めたい」など具体的なイメージが決まっている場合は、「イメージ指定検索」を使って探してみましょう。

「イメージ指定検索」をタップします

★パソコンの場合は画面上部のタブか下部のボタンをクリック
ここをタップ

好きなイメージを選択します

どれか1つを選択
下にスクロールしていくと全部で30のイメージがあります。好きなものを1つ選んで

下にスクロールして性別を選択し「検索する」をタップ

どれか1つを選択
ここをタップ

漢字を指定して検索したい

使いたい漢字が決まっている場合は、「漢字指定検索」を使って。好きな漢字を1字入力すると、候補名が表示されます。

「漢字指定検索」をタップします

★パソコンの場合は画面上部のタブか下部のボタンをクリック
ここをタップ

使いたい漢字を1字入力して「性別」を選択。「字形を確認する」をタップ

漢字を入力
どれか1つを選択
最後にここをタップ

入力した漢字が正しく表示されているか確認したあと「検索する」をタップ

ここをタップ
※入力内容が違っていた場合は「入力に戻る」をタップ

候補名が表示されます。さらに詳しい説明を見たい場合は「候補名鑑定」をタップ。お気に入りの名前は「候補名リスト」に登録 （詳しくはP.22参照）

候補名を鑑定したい

「悠真」など具体的な候補名を漢字の意味、画数のよさ、その名になったときの性格、運勢などとのバランスまで総合的に鑑定したい場合は「候補名鑑定」を活用して。

手順 1
「候補名鑑定」をタップします

★パソコンの場合は画面上部のタブか下部のボタンをクリック

ここをタップ

手順 2
候補名を入力
1回につき最大10件まで入力できます

ここに入力

手順 3
下にスクロールして「字形を確認する」をタップして候補名が正しく表示されているか確認したあと「鑑定する」をタップ

ここをタップ

※入力内容が違っていた場合は「入力に戻る」をタップ

手順 4

鑑定結果が表示されます。お気に入りの名前は「候補名リスト」に登録
（詳しくはP.22参照）

「候補名鑑定」で詳しい「鑑定結果」が！リスト登録もOK！

読みor漢字orイメージ指定検索で表示される名前例の下の「候補名鑑定」をタップするか、P.21のように「候補名鑑定」を活用すると詳しい鑑定結果が！　候補名は100件までリストに登録できるので、その中から検討してくださいね。

最大100件まで「候補名リスト」に登録できます

トップ画面で「候補名リストの履歴」が確認できます

「**候補名リスト**」の表示は**メニュー**をタップして選択

使い方がわからなくなったらここを見て

気に入った名前はここをタップ

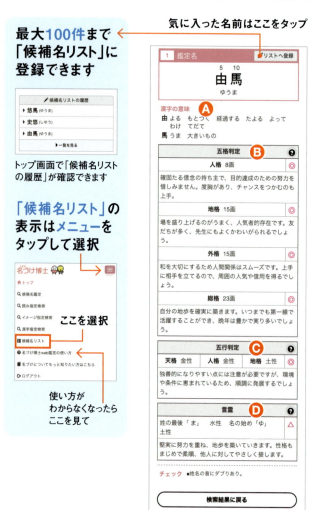

ここをタップすると**左記の詳しい鑑定**が出てきます

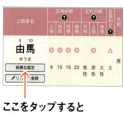

A 漢字の意味
名前にふさわしくない意味が含まれていないか、ここで確認

B 五格判定
すべてが◎になる名前には限りがあります。五格の詳細はP.217でチェック

C 五行判定
陰陽五行占いの結果。詳細はP.220をチェック

D 言霊
音が持つパワー占いの結果。詳細はP.74をチェック

名づけの基礎知識

ここでは、名づけにおける注意点や出生届の書き方・出し方、
名づけに関しての素朴な疑問などをまとめて紹介しています。
名前を考え始めるとき、
そして決まった名前の最終チェックのときに読んでください。

名づけの基本

最高の名前をつけるための第一歩

名づけにはいろいろ気をつけなくてはいけないことがあります。
ここでは、注意点や出生届の書き方・出し方、名づけに関しての素朴な疑問などを紹介。名前を考え始めるときや最終チェックのときに読んでください。

最高の名前をつけてあげるために

赤ちゃんが一生つき合っていく名前だから、あれこれ悩むのは当然のことです。ママとパパの思いを込めた名前であることはもちろんですが、それ以外にも押さえるべきポイントがあります。

赤ちゃんに贈る最初のプレゼントが名前。数文字の組み合わせではありますが、赤ちゃんの幸せを思う気持ちと、こんな人に育ってほしいという願いがたくさん込められたもの。心を込めてつけてあげたいですね。

- パパとママの気に入った名前である
- 響きや文字の意味、画数などがよいかどうか
- 赤ちゃんが将来親しんでくれる名前かどうか

BESTな名前

名前に使われる文字自体がどんな意味を持つか、響きがどんなイメージを持つかも大切な要素。漢字の名前をつける場合は、その漢字を意味や画数の面などから多角的に調べることが大切です。

ママ、パパの思いを込めるのはもちろんですが、名前と一生つき合っていく赤ちゃん自身が、その名前を好きになってくれるかどうかということも、ちゃんと配慮してあげましょう。

コレを押さえておけば名づけは成功！
名づけで押さえておく3つのポイント

名づけの基礎知識

1 名前に使える漢字は決まっています

名前に使える漢字は、戸籍法で決められたものだけです。それ以外の漢字を使った名前では、役所に受け付けてもらえません。届け出の前に、使える漢字かどうか必ずチェックしておきましょう。

現在、名前に使える漢字は常用漢字と人名用漢字合わせて約3000字です（P.471～参照）。使える漢字は字体も定められています。詳しくは法務省のホームページの「戸籍統一文字情報」の検索機能を使えば、名前に使える漢字の字形が正しく判別できます。

2 外国の文字や記号を使用するときは…

アルファベットなど、外国の文字は基本的に使用できないことになっています。また、算用数字、ローマ数字、記号も基本的には使えません。ただし、「イチロー」のような長音符号「ー」や「奈々子」「寧々」のような繰り返し符号「々」「ゞ」は使うことができます。この場合、姓の最後の字を繰り返して名前の1字目に使用することはできません。

3 漢字における自由と制限

●**読み方** 漢字の読み方には漢字本来の読みに関係ない当て字も使用できますが、常識の範囲内のほうがいいでしょう。また、漢字には音読み、訓読みのほか、「名のり」と呼ばれる名前だけに用いられる読み方があります。「大」＝「ひろし、まさる」などがそうです。

●**長さ** 名前の長さも法律上では決まりはなく、凝った長い名前も可能ではあります。ただし、あまり長い名前だと、読んだり書いたりするときに、子どもにも負担がかかってしまいます。

名前を決めるときの注意点 27

名づけのルールを知りましょう

自由な発想で赤ちゃんに最高の名前をつけてあげたいものですが、まずは名づけの注意点を知りましょう。

1 平凡な姓では平凡な名を避ける

人気の名前をつけようと思っている場合は、その前にちょっと自分の姓を見直してみましょう。人気がある名前は、言い換えれば平凡な名前でもあります。

もし、姓が下の表にあるような日本人に多いものであるなら、気づけば「同姓同名がたくさんいる」という状態になりかねません。平凡な姓の場合、人気名前は避け、少し凝ったものにしてみてもいいでしょう。

「さとうゆうこ」は3人おいますが、どの「さとう」でしょうか

またか。

2 読みにくい姓では人気名をアレンジ

読みにくい姓の場合、名前にまで凝ってしまうと、姓、名前とも読みにくく、赤ちゃんが将来、社会生活を送るうえでもとても不便なことになってしまいます。姓が読めなくても名前で呼びかけてもらえるでしょう。

このような場合は、人気の名前も大いに参考にしてください。

「人気の名前をそのままつけるのはちょっと……」というなら、読みはそのままに、その名前の漢字を一部変えてみるなど、少しアレンジしてみてはいかがでしょうか。

東海林 迪
A・しょうじ すすむ

東海林 蓮

男の子にも女の子にも大人気！ 人気共通名前 読みトップ10

名づけの基礎知識

		男の子例		女の子例	
1位	あおい	碧	葵	葵	葵衣
2位	ひなた	陽向	日向	ひなた	陽菜多
3位	はる	晴	陽	波瑠	はる
4位	すい	翠	粋	翠	澄依
5位	せな	星凪	世凪	星那	世奈
6位	そら	空	昊	そら	空
7位	つむぎ	紬	紬生	紬	紬葵
8位	なぎ	凪	梛	凪	なぎ
9位	りお	理央	理生	莉緒	莉央
10位	あお	碧	蒼	彩央	あお

ここ数年の名づけの傾向として、男の子、女の子の区別がはっきりとつく名前とともに、中性的な名前も好まれています。ここでは、男の子、女の子のどちらにも読み方が人気の名前を挙げました。

※2024年たまひよ調べ

名づけの基礎知識

3 姓の画数とのバランス

● 少画数の姓の場合

たとえば「川田」は姓だけで8画です。姓の画数の合計が10画未満の場合は、少画数と考えてよいでしょう。

ただし、「辻」などの1字姓はこの例に当てはまりません。

少画数の姓の場合、「大介（だいすけ）」など同じように少画数の名前にすると、頼りない感じになってしまいます。この場合、「大輔（だいすけ）」のようにほどの画数の名を考えたほうがいいでしょう。目標とする画数は、名前の合計画数が15〜20画ぐらいです。

女の子の名前の場合は、ひらがなでまとめるというのも、一つの方法です。

● 多画数の姓の場合

逆に、たとえば「遠藤」は姓だけで31画です。通常、姓の画数が30画以上なら、多画数姓と考えてよいでしょう。こうした姓で、名前にもまた多画数のものを持ってくると、見た目がベタッと黒っぽい姓名になってしまいます。

かといって、あまりに名前の画数が少なすぎるのも、頭でっかちで不安定な感じを与えます。

多画数の姓の場合、名前の画数は10〜20画くらいで収めるのがコツです。

4 1字姓の場合の名前のつけ方

「林」「原」「辻」などの1字姓では、名前は2字名または3字名でまとめるのが無難です。1字姓1字名では、見た目があまりにも寸詰まりの感じを受けてしまいます。

1字姓3字名はバランスが悪そうに思いがちですが、姓にくらべて名前の文字数が多いので、安定感のある名前になります。

5 3字姓の場合の名前のつけ方

「長谷川」「佐々木」などの3字姓には、2字名がフィットします。3字姓3字名では、いかにも長い感じがしますし、かといって1字名では、見た目が頭でっかちの、少し落ち着きの悪い名前になってしまいます。

とくに女の子の場合は、万葉仮名風の名前やひらがなの名前は3字名になりやすいので、避けたほうがいいかもしれません。

6 置き換えが起こりやすい姓

ケースとしてはあまり多くありませんが、置き換えが起こりやすい姓というものがあります。「中山」「松村」などの姓がそうです。

これらの姓は、「中山」→「山中」、「松村」→「村松」といった具合に勘違いされやすいものです。

こうした姓で、名前にもまた置き換えが起こりやすい、「理恵（りえ）」→「恵理（えり）」や「和敏（かずとし）」→「敏和（としかず）」などを持ってくると、一度では覚えてもらえないような名前になってしまいますので、名前には置き換えが起きにくいものを考えましょう。

ただし、「貴大（たかひろ）」や「大貴（だいき）」のように、読みが異なる場合はこのかぎりではありませんが、避けたほうが賢明です。

人気頭音ランキング トップ5

女の子

1位	ゆ	結月・結愛・結衣
2位	み	澪・美桜・美月
3位	あ	葵・杏・杏奈
4位	り	凛・莉子・莉緒
5位	ひ	陽菜・陽菜乃・光莉

男の子

1位	り	律・律希・理玖
2位	あ	朝陽・碧・旭
3位	は	陽翔・晴・颯
4位	ゆ	結翔・悠真・悠月
5位	そ	颯真・颯太・蒼真

※2024年たまひよ調べ

7 姓の持つイメージを考えて

漢字は元来、表意文字ですから、文字それぞれがイメージを持っています。「小田大成」（おだたいせい）、「北沢南」（きたざわみなみ）などのように、文字のイメージを無視した結果、姓と名のイメージがあまりにも懸け離れてしまうような名前をつけるのは考えものです。

また、「山田登」（やまだのぼる）、「大川渡」（おおかわわたる）などのように、あまりに合っていれば逆に、ふざけたような印象を与えることになるでしょう。芸名ならともかく、本名の場合、安易な発想で名づけをするのは禁物です。

姓と名の意味が違いすぎる

細川 大河	ほそかわ たいが
細井 太一	ほそい たいち
湯本 水江	ゆもと みずえ
石黒 純白	いしぐろ ましろ
深井 浅海	ふかい あさみ

姓と名の意味が合いすぎる

剛田 猛	ごうだ たけし
旭日 昇	あさひ のぼる
青井 大空	あおい おおぞら
木野 芽衣	きの めい
森 緑	もり みどり
秋野 楓	あきの かえで
草野 花	くさの はな
福岡 湊	ふくおか みなと

8 姓と名の切れをよくする

姓と名の切れの悪い名前があります。たとえば「堀江美子」の場合、「堀江・美子」なのか「堀・江美子」なのかわかりません。

このようなときは姓と名の「切れ」がはっきりする別の名前にしたほうがよいのですが、どうしてもこだわりがあるなら、「堀江芳子」「堀英美子」などとしてみる方法もあります。

9 姓名のタテワレを避ける

「松浦沙紀（まつうらさき）」のように、姓名を構成している文字が左右に割れてしまうことを「タテワレ」（縦割れ）といいます。

姓名を横書きにするとあまり感じませんが、縦書きにしてみると、左右がバラバラな印象を受けます。こうした姓の場合は、名前に左右をつなぐ線のある漢字を使うと、落ち着きが出ます。

例
松浦沙紀 ← 松浦由美

10 姓名の濁音は2音まで

濁音が姓名のなかに多すぎると、濁った音になります。姓に濁音があるときは、できれば名前には濁音を使わないほうがよいでしょう。目安は、姓名を合わせて、濁音は2音まで。

たとえば「曽我部一成（そがべかずしげ）」と「曽我部康成」（そがべやすなり）

という2つの名前を比べてみると印象の違いは一目瞭然です。

左右対称の名前

最近ではタレントの芸名といっても、本名か本名をもじったものが多いですが、以前は左右対称の名前が好まれていました。理由はよくわかりませんが、バランスがいい、字形が安定しているなど、験（げん）をかついだのでしょう。

たしかに、左右のバランスはいいのですが、あまりに対称的だと、おもしろみがないともいえます。とくに「大木」「吉田」のような左右対称の姓に組み合わせてしまうと、バランスのよさというより、むしろ偏りと感じることも。

男の子		女の子	
一平	いっぺい	亜美	あみ
一喜	かずき	杏奈	あんな
圭介	けいすけ	華音	かのん
幸介	こうすけ	朋美	ともみ
大喜	だいき	真央	まお
太市	だいち	真奈	まな
立春	たつはる	未来	みき
日出人	ひでと	美貴	みき
文太	ぶんた	里奈	りな
元章	もとあき	菫	すみれ

名づけの基礎知識

11 姓と名の構成文字の重複に気をつけて

名前ばかりに注意をとられていて陥りやすいのが、漢字を構成しているへん（偏）やつくり（旁）が姓名で重複してしまうことです。たとえば「池沢浩江（いけざわひろえ）」などでは、「さんずい（氵）」ばかりが並び、見た目によくありません。このようなときは「池沢裕恵（いけざわひろえ）」などに変えると、ずっとよくなります。名前の候補が決まったら、一度、姓と名を縦書きにしてチェックしましょう。

例
池沢浩江 ← 池沢裕恵

12 植物系の姓の名は慎重に

最近、とくに女の子の名前では植物をイメージした名前が人気です。ここで気をつけたいのは、「松村」「森」など、植物系の漢字を含んだ姓の場合。

たとえば、「松村楓（まつむらかえで）」という名前だと、木の名前が1つの名前に2つも入ってしまい、違和感があります。また、「きへん」ばかりが続いてしまいますね。植物系の名前をつけるのに用いられる「名のり」があります が、これもごく一般的なもの以外は避けたほうが無難です。

姓が「きへん」なら名を「くさかんむり」にするなどバランスをとって。

13 フリガナが必要となるような読みにくい名前は避ける

「弥麗」「索真」「聡計」……。それぞれ「いより」「もとまさ」「としかず」と読みます。このように、フリガナなしで読めない名前はやはり損。なぜ素直に「伊代里」「元雅」「俊和」でないのでしょう。

名前に凝るということと、読めない読みをつけるということとは、別のものです。漢字には音読みや訓読み以外に名前だけに用いられる「名のり」がありますが、これもごく一般的なもの以外は避けたほうが無難です。

また、法的に認められた〝名前に使える文字〟を使用すれば読み方は自由なので、「絹」と書いて「しるく」と読ませるなど、いわゆる「当て字」を使うことも可能です。ただし、読みにくい当て字は、将来子どもが苦労することにもなりますので、やはり漢字の読みは音訓を主体に考えましょう。

14 姓名の総画は40画以内に

一般的に、姓名の画数は総画数で20〜30画台に集中しています。姓名の合計画数が20画未満だと、すっきりしすぎた感じになりやすく、40画を超えると、全体的に黒々として重い印象を受けがちです。姓の画数が多い場合は、名前の画数が増えすぎないようにするとよいでしょう。姓名の総画数を40画以内に抑えるというのを目安にすると、名前が決めやすいかもしれません。

15 文字をきちんと伝えられるか考える

メールやファクスのやりとりが多くなったこのごろとはいえ、電話で名前の確認をしなければいけないこともあるでしょう。「斉藤」「斎藤」「川野」「河野」など、説明の必要な姓も多くあります。このようなとき「令・玲・怜・伶」、「巳・己」のような、似た漢字の多い名前をつけると、1字ごとに説明しなければならなかったり、間違えられてしまうことも。伝えやすいかも考えてみて。

また、漢字にこだわりすぎて名前をつけた場合も、書いて見せることができないときに苦労してしまうという例も少なくありません。自分ではちゃんと説明できたつもりでも、相手にうまく伝わらずに、不愉快な思いをする場合も多いので、日常生活であまり見なかったり、使用しないような漢字を名前につけるのは避けたほうが賢明でしょう。

説明しにくい名前の例

書いて見せることができれば、説明にも苦労しないのですが、電話などの口頭で名前を説明しなければならないときに困る名前もあります。なるべくなら、説明しにくい漢字は避けたほうが賢明です。

男の子
- 欣爾　きんじ
- 朔太郎　さくたろう
- 智嗣　ともつぐ
- 肇　はじめ
- 惇　まこと
- 亨　とおる
- 稜太　りょうた

女の子
- 慧　けい
- 乃々花　ののか
- 雪寧　ゆきね
- 友鞠　ゆま
- 琉璃　るり
- 黎子　れいこ

16 タテ・ヨコの線のみの姓の場合

「田中由里（たなかゆり）」という姓名の場合、いかにも角張った印象を受けます。この「田中」のように、タテ・ヨコの線ばかりでできている姓に、斜線の入った漢字を配するとバランスがよくなります。

「田中由里」も「田中友梨（たなかゆり）」とすると、ずいぶん印象が変わります。女の子の名前では、曲線の多いひらがなの名前などもよいでしょう。

これとは別に、「八木」「大木」などの左右に開いた文字で構成されている姓の場合は、名前にそういった文字は不向きです。「八木大介（やぎだいすけ）」「大木未来（おおきみき）」など、見た目が落ち着きのない名前になってしまいます。読みや漢字の意味だけでなく、書いたときの見た目もチェックしましょう。

17 多画数漢字を使いたいときは

「舞」「樹」のような、15画以上になる多画数漢字を名前に使いたいときは、組み合わせる字を15画未満に抑えたほうがいいでしょう。多画数漢字を2文字組み合わせると、名前だけで30画を超え、重々しい感じになってしまいます。

複雑な文字が続くと、実際に書くのも大変です。たとえば「としき」と名づけるとき、「駿樹」とするよりは「俊樹」としたほうがすっきりします。

18 画数差のある姓では字の配置に注意

たとえば「藤井」の場合、「藤」が18画なのに対して、「井」は4画、14画の差があります。このとき「藤井大樹（ふじいだいき）」とすると、見た目がアンバランスな感じに。このように姓を構成している字に画数差があるときは、重い字と軽い字を交互に配置することによってバランスがとれます。この場合も「藤井隆之（ふじいたかゆき）」とすると印象が変わるでしょう。

名前に使える人名用漢字の異体字

使いたい漢字の画数が合わない場合はその漢字の異体字（旧字）をあたってみてもいいでしょう。
ただ異体字のなかには、名前には避けたい「悪」というような字も含まれているので、
ここでは名づけに活用できそうな字の一部を紹介しています。

旧字	新字	読み
亞(8)	亜(7)	あ
櫻(21)	桜(10)	おう
樂(15)	楽(13)	がく
器(16)	器(15)	き
勳(16)	勲(15)	くん
劍(15)	剣(10)	けん
嚴(20)	厳(17)	げん
兒(8)	児(7)	じ
祝(10)	祝(9)	しゅく
涉(10)	渉(11)	しょう
讓(24)	譲(20)	じょう
盡(14)	尽(6)	じん
莊(10)	荘(9)	そう
燈(16)	灯(6)	とう
勉(9)	勉(10)	べん
每(7)	毎(6)	まい
龍(16)	竜(10)	りゅう

旧字	新字	読み
朗(11)	朗(10)	ろう
琢(12)	琢(11)	たく
逸(12)	逸(11)	いつ
溫(13)	温(12)	おん
寬(14)	寛(13)	かん
響(22)	響(20)	きょう
薰(17)	薫(16)	くん
顯(23)	顕(18)	けん
廣(15)	広(5)	こう
社(8)	社(7)	しゃ
緒(15)	緒(14)	しょ
奬(14)	奨(13)	しょう
神(10)	神(9)	じん
粹(14)	粋(10)	すい
靜(16)	静(14)	せい
藏(18)	蔵(15)	ぞう
德(15)	徳(14)	とく

旧字	新字	読み
步(7)	歩(8)	ほ
謠(17)	謡(16)	よう
祐(10)	祐(9)	ゆう
海(10)	海(9)	かい
氣(10)	気(6)	き
曉(16)	暁(12)	ぎょう
惠(12)	恵(10)	けい
驗(23)	験(18)	けん
壽(14)	寿(7)	じゅ
將(11)	将(10)	しょう
條(11)	条(7)	じょう
穗(17)	穂(15)	ほ
禪(17)	禅(13)	ぜん
都(12)	都(11)	と

旧字	新字	読み
祈(9)	祈(8)	き
應(17)	応(7)	おう
穰(22)	穣(18)	じょう
彌(17)	弥(8)	び
壘(18)	塁(12)	るい
來(8)	来(7)	らい
飜(21)	翻(18)	ほん
梅(11)	梅(10)	ばい

旧字	新字	読み
敍(11)	叙(9)	じょ
渚(12)	渚(11)	しょ
郞(10)	郎(9)	ろう
福(14)	福(13)	ふく
壯(7)	壮(6)	そう
祥(11)	祥(10)	しょう
國(11)	国(8)	こく
藝(18)	芸(7)	げい

名づけの基礎知識

19 発音しづらい名前は聞き取りにくい

漢字の組み合わせはよくても、声に出してみると発音しづらかったり、聞き取りにくい場合があります。発音しづらい名前は、聞いたほうも理解しにくいものです。

名前だけで見ていると気づかないもの。姓名の組み合わせでチェックすることが大切です。

●カ行・サ行・タ行・ハ行

カ行・サ行・タ行・ハ行の音が姓名のなかに多いと耳障りで聞き取りにくい名前になります。とくに「キ、ク、シ、チ、ツ、ヒ、フ」などは母音が無声化するため、聞き取りにくくなります。「佐々木」（ささき）、「加来」（かく）など、姓がこうした音でできている場合は、名前の音にも気をつけたほうがいいでしょう。

●ラ行

ラ行の音が姓名のなかに多いと、発音しづらい名前になります。たとえば「川原蘭（かわはら・らん）」を声に出してみると、発音しづらいのがわかります。姓の最後がラ行の人は、名前の最初の音はラ行を避けたほうが賢明です。

聞き間違えやすい名前の例

男の子
えいじ	↔	れいじ
しょう	↔	そう
しょうた	↔	そうた
りゅう	↔	ゆう
りゅうへい	↔	ゆうへい
りょう	↔	りお
りょうすけ	↔	ようすけ

女の子
あみ	↔	まみ
みお	↔	みよ
みう	↔	みゆ
		みゆう
まりい	↔	まり

20 似た響きの名前がないかもチェック

たとえば「せいあ」と「せいや」、「りお」と「りょう」など、声に出したときに聞き取りづらい名前があります。文字にするとまったく違っても、同じ母音を持っていると似た音に聞こえがちです。神経質になる必要はありませんが、聞き間違いが起こる可能性があるということを頭に入れておきましょう。

21 姓と名の音の重複にも注意

姓名の音は10音にも満たないものです。わずかにこれだけのなかで、いくつも音が重複していると、これもやはり音感を悪くします。まず、気をつけたいのは2音の重複で、

★ 高橋孝夫（たかはし・たかお）
★ 大友朋美（おおとも・ともみ）

などがそうです。音感を損ねない、重複具合によっては発音しづらいこともあります。

1音の重複で気をつけたいのは、

★ 森田達也（もりた・たつや）
★ 川上美咲（かわかみ・みさき）

のように、とくに姓の最後の音と名前の最初の音が同音になるケースです。これもやはり避けたいものです。

こうしたことを防ぐ意味でも、名前を考えついたら一度仮名書きにしてみることをおすすめします。

姓と名の音が重複している名前の例

男の子
野島 昌樹	のじま・まさき
大橋 勝太	おおはし・しょうた
生田 太陽	いくた・たいよう

女の子
丸山 真由	まるやま・まゆ
井上 恵美子	いのうえ・えみこ
宇佐美 美樹	うさみ・みき

名づけの基礎知識

22 何通りにも読める姓は一発で読める名を

たとえば「角田」のように「かどた」「かくた」「つのだ」などと何通りかに読める姓に「裕紀」という名前をつけたとしましょう。

すると、「ひろのり」「ひろき」「ゆうき」と、名前も複数に読まれてしまい、場合によっては性別もわからないこともあります。読みが何通りもある姓では、「博則」などのように、ひと通りにしか読めないものを選びましょう。

複数の読み方がある名前の例

漢字	読み方
有紀	ゆき／ゆうき
美月	みつき／みづき
詳子	あきこ／しょうこ
智子	ともこ／さとこ
麻美	あさみ／まみ
幸	さち／ゆき
伸也	しんや／のぶや
晶	あきら／しょう
歩	あゆむ／あゆみ
亘	わたる／こう

Check!! 他に読み方あるかしら？

23 あだ名になりやすいものを避ける

どんな名前がついてもニックネームは生まれるものです。ただ、明らかに奇異な連想を生むような名前はいじめやすかいを生じないともかぎりません。「真平」など読み方から連想を生むもの、イニシャルにしたときに「W・C」「N・G」となるようなものなどです。

また、「大場佳奈子」（大バカな子）など、姓名を合わせたときにおかしくないかチェックしておくことが大切です（61ページに例があります）。

24 愛称が同じ人が周囲にいないかもチェック

名前が違っても愛称が同じになってしまうことはよくあります。たとえば「こうた」「こうすけ」「こうじ」「こういち」「こうへい」……これらの名前の子の愛称は、みな「こうちゃん」になってしまいがち。近所やスーパーなどの外出先で子どもを呼ぶとき、「こうちゃーん」と呼ぶと何人もの子どもが振り向くといったことも考えられます。せめて、身近なところに同じ愛称になる人がいないか確かめて。

ぼく ゆういち
ゆうきだよ
ゆうじ
ゆうさくです
えっと…左はしの「ゆうちゃん」

25 キャラクターや芸能人の名前からつける場合

珍しい名前をつけたいという理由から、アニメやゲームのキャラクターから名前をとる人も多いのですが、キャラクターの名前や、芸能人の芸名と同じものをつけたい場合は注意が必要です。漢字の名前の場合、実際には使えない漢字を名前に用いている場合があるからです。漢字が使えるかどうかを確かめずに出生届を出しに行ったばかりに、出生届を受理してもらえない場合もあるのです。

また、アニメやゲームのキャラクターなどは、架空の存在なので、その世界観を表すために、（たとえ名前に使える漢字であったとしても）忌み嫌われがちな意味や内容を持つ文字を使用している場合もあります。

キャラクターや芸能人の芸名からとって名づけるときは、その漢字の意味も必ず調べるようにしましょう。

名づけの基礎知識

26 性別がわかりづらい名前の場合

男女の区別がつきづらい、中性的な名前を好む人も今は多いです。中性的な名前には個性的で素敵なものが多いですが、一方、人に名前を告げたときに性別を間違われることも。

とくに小さいうちは、顔立ちや髪型では判断しにくく、赤ちゃんが一緒にいるときに名前を伝えても、性別を間違われやすいということは頭に入れておいたほうがいいでしょう。

27 親が気に入った名前を

名づけのポイントの最後は、「赤ちゃんの名前は親が気に入った名前であること」です。

ここまで、いい名前をつけるためのポイントを述べてきました。なかにはぜひ守ってほしいものもあります。

しかし、これらはあくまでガイドラインにすぎません。それに縛られすぎて、没個性的な名前をつけるより、多少は枠からはみ出しても存在を主張できる名前だってあるのです。

そして、なにより名づけで最も大切なのは、赤ちゃんの親がいかにその名前を気に入り、何度も呼びたくなるかどうかなのです。

満足のいく名づけができるよう頑張ってください！

名づけに「外国語感覚の名前」をうまく取り入れる

「海外で活躍して」「外国の人と自由に交流できるような子に」といった願いを名づけに託すママやパパが増えています。そんなときには外国語感覚の名前探しの旅を。

「音」から入るアプローチ中心に

従来の日本語にない「音」の組み合わせが、外国語にはたくさんあります。個性的でちょっとカッコいい感じの名づけなら、この「外国語の音→日本語の音や意味に当てはめる」やり方はおすすめの一つです。

「音」「意味」を取り入れるにも主に2つの方法があります。

一つは、外国語の人名・地名・形容詞などの「音」をそのまま日本語に当てはめていくこと。アンナ(女性の人名)→杏奈、アリス(物語の主人公)の意)→華恋、ナイル(地名)→乃琉、ルイ(男性の人名)→瑠以などがこれに当てはまります。注意すべきは、元の単語が人名の場合、同じ性別のものを選んで。レオ(男性)は「怜緒」なら女の子にも使えそうですが、やはり「礼央」などで男の子に使うのが無難です。

また、せっかくつけた外国語感覚の名前が、「外国で通用するか」についてもよく吟味する必要があります。たとえば、イタリア語で「カツオ」は男性自身を、フランス語では「コン」が女性の局部を意味し、ひんしゅくを買ってしまうそうです。

また別の観点からというと、フランス語の場合、h(アッシュ)は発音しませんから、日本語でハ行の音から始まる名前の人はア行の音で呼ばれる可能性が大です。ハル(陽)くんは「アル」くんと呼ばれたりするわけです。

注意するポイントは…

外国語感覚の名づけは、ぜひ決定前に辞書で調べたり、語学に強い人にアドバイスをもらってくださいね!

※令和7年5月より施行予定の改正戸籍法により、戸籍に氏名のふりがなが記載され、名前の読み方にも一定の規律が設けられることになりました。

外国語の意味では…

ヘボン式ローマ字一覧表

名前は漢字やカナだけでなく、ローマ字表記することも多いもの。
名づけのときはもちろん、赤ちゃんのパスポートを取得するときに役立ててください。

ヘボン式ローマ字つづり一覧表

あ a	い i	う u	え e	お o	きゃ kya	きゅ kyu	きょ kyo
か ka	き ki	く ku	け ke	こ ko	しゃ sha	しゅ shu	しょ sho
さ sa	し shi	す su	せ se	そ so	ちゃ cha	ちゅ chu	ちょ cho
た ta	ち chi	つ tsu	て te	と to	にゃ nya	にゅ nyu	にょ nyo
な na	に ni	ぬ nu	ね ne	の no	ひゃ hya	ひゅ hyu	ひょ hyo
は ha	ひ hi	ふ fu	へ he	ほ ho	みゃ mya	みゅ myu	みょ myo
ま ma	み mi	む mu	め me	も mo	りゃ rya	りゅ ryu	りょ ryo
や ya		ゆ yu		よ yo	ぎゃ gya	ぎゅ gyu	ぎょ gyo
ら ra	り ri	る ru	れ re	ろ ro	じゃ ja	じゅ ju	じょ jo
わ wa				を o	びゃ bya	びゅ byu	びょ byo
ん n(m)					ぴゃ pya	ぴゅ pyu	ぴょ pyo
が ga	ぎ gi	ぐ gu	げ ge	ご go			
ざ za	じ ji	ず zu	ぜ ze	ぞ zo			
だ da	ぢ ji	づ zu	で de	ど do			
ば ba	び bi	ぶ bu	べ be	ぼ bo			
ぱ pa	ぴ pi	ぷ pu	ぺ pe	ぽ po			

ヘボン式ローマ字表記で注意する点

ヘボン式ローマ字の表記には、いくつかのルールがあります。
ルールをマスターして正しく表記しましょう。

❶ 撥音（"ん"で表記する音）

ヘボン式ではB・M・Pの前に
Nの代わりにMを置きます。

例 Jumma（じゅんま）

❷ 促音（つまる音。"つ"では子音を重ねて示します。）

例 Ippei（いっぺい）　**Issa**（いっさ）

※ただし、チ（chi）、チャ（cha）、チュ（chu）、
チョ（cho）音にかぎり、その前にtを加えます。

❸ 長音表記

「おう」または「おお」はOかOHによる
長音表記のいずれかを選択できます。

氏名のふりがな	パスポートに記載することができる表記一覧	
	ヘボン式ローマ字表記	OHによるローマ字表記
オオ	O	OH
オオノ	ONO	OHNO
コオリ	KORI	KOHRI
オウ	O	OH
コウノ	KONO	KOHNO
オウギ	OGI	OHGI
カトウ	KATO	KATOH
ヨウコ	YOKO	YOHKO

※ヘボン式ローマ字表記またはOHによる長音表記のいずれかの表記をパスポートでいったん選択したら、それ以降のパスポートの申請は必ず選択した方式を一貫して使用し、途中で変更することがないようにしましょう。

※長音が入る姓の人で、家族間で姓の表記が異なっている場合、外国で入国する際にトラブルが生じる場合があります。姓の表記の選択では、家族が同一の表記になるように注意しましょう。

賢く考える名づけテク

ポイントを押さえれば、スムーズに!

「名づけには制限があって大変……!」という人のために、名づけをスムーズにするためのテクニックをお教えします。決めかねているときにも活用してくださいね。

1 添え字と好きな漢字を組み合わせて

使いたい漢字があっても、なかなか名前を思いつかないときは、添え字を有効に使うといいでしょう。添え字とは、「健太(けんた)」の「太」、「夕奈(ゆうな)」の「奈」などのことです。たとえば、「英」という漢字を使いたいときは、ここにどんどん添え字を合わせてみることによって「英太、英人、英輔、英輝、英悟、英作……」などと次々にできます。

人気のある添え字がある一方で、あまり使われていない添え字もあります。添え字を上手に使うと個性度もアップするでしょう(添え字一覧 男の子…196ページ、女の子…142ページ)。

2 50音表をフル活用してみよう

女の子の場合、男の子に比べて名前に適する漢字が限られてしまいます。そのため、ひらがなの名前も多いのですが、常識的な名前になりがち。せっかくですから、個性的な響きを探したいものです。そんなとき、50音表で音を次々と組み合わせてみては? たとえば、「なみ」にもう1音を組み合わせると、なみえ・なみか・なみき、など個性的な名前ができ上がります。そのままひらがなの名前にしてもいいし、漢字を当てはめてみるのもいいでしょう。

3 3字名は「挟み字」を利用

万葉仮名風の名前のとき、1字目には同じような字が使われていることが多いもの。そこで、まずはこれらの字を1字目に置き、3字目に通常の添え字を持ってきて名前としてまとめます。たとえば「麻○香」としてみます。その次に○の部分に、次々と万葉仮名風漢字一覧（214ページ参照）で漢字を探して、入れてみます。「麻衣香、麻奈香、麻保香……」と印象の違うさまざまな名前ができます。これが挟み字のテクニックです。

4 音を生かして万葉仮名風の名前に

万葉仮名とは、『万葉集』などに用いられている表現法で、漢字の音訓によって、日本語の発音を写したものです。ここでいう万葉仮名風の名前とは、「亜紗美」（あさみ）のように1字が1音を表す名前のことです。

最近では、女の子の名前によく使われていますが、男の子の名前に用いてみても新鮮です。

たまひよ読者の新・万葉仮名

名前の音が決まっても、ぴったりの漢字が見つからないこともあります。本来の音訓や名のり一覧表からは多少ずれるものも含まれていますが、音を表す文字として、たまひよ読者の間で使用例が多い最近の漢字や名づけ例を紹介します。

あ 杏、愛、彩
杏実（あみ）、杏里紗（ありさ）、彩結（あゆ）、愛真（えま）、愛美里（えみり）、愛花莉（あかり）、愛美あみ）、愛優（あゆ）、佳愛（かえ）

え 愛
愛真（えま）、愛美里（えみり）、佳愛（かえ）

お 桜
咲桜里（さおり）、詩桜（しお）、美桜（みお）

せ 星
星詩流（せしる）、星那（せな）、星奈（せな）

と 音
和音（かずと）、雷音（らいと）

み 望、海
望央（みお）、七海（ななみ）

名づけの基礎知識

5 人気名前をアレンジして

人気名前をそのままつけたくはないものの、今風の名前にしたい人には、人気名前のアレンジがおすすめです。字をアレンジする方法、音をアレンジする方法と二通りあります。

たとえば女の子に人気の「明日香（あすか）」。字のアレンジなら「香」の代わりに「加、佳、果、華、歌……」などが使えます。

音をアレンジするなら「香」のところに「希、菜、乃、葉、穂、美」などを持ってくることができるでしょう。新鮮な名前が数多くできます。

添え字一覧（女の子…142ページ、男の子…196ページ）を参考にして、個性的な名前にすることを考えてみてはどうでしょうか。

6 男の子のひらがな・カタカナ名前

ひらがな・カタカナの名前というと、女の子のものというイメージが強いのですが、これからは男の子の名前にも使われるようになってくるでしょう。現に芸名では「氷川きよし」「藤井フミヤ」など違和感もなくなっています。これを一歩先取りしてみてはどうでしょうか。

ただし、この場合、特徴のシャープさを生かすなら3文字までにとどめておいたほうが無難です。

7 人気の1字名の名づけテク

人気の1字名ですが、これもどうもみんなが同じような発想をするので、特定の漢字に人気が集中しています。思いのほか、個性的な名前が少ないのが現状です。見慣れた漢字ではなく、新鮮な漢字を選びたいときは、常用漢字ではなく人名用漢字から選ぶとよいでしょう。

「旭（あさひ）」「苺（いちご）」など、新鮮で個性的な印象を与える漢字が少なくありません。

46

1字名の人気名前

最近、ひそかに人気なのが1字名です。呼びやすさが理由のよう。
2024年の「たまひよ」の調査では以下の1字名が人気でした。

男の子 BEST名前
- 1位 碧 あお
- 2位 蓮 れん
- 3位 凪 なぎ

女の子 BEST名前
- 1位 凛 りん
- 2位 翠 すい
- 3位 紬 つむぎ

男の子

翔 しょう	悠 ゆう	颯 そう	薫 かおる	仁 じん	湊 みなと	優 ゆう	櫂 かい	陸 りく	蒼 あおい	然 ぜん	歩 あゆむ	陽 はる	諒 りょう	遼 りょう	晴 はる
航 わたる	柊 しゅう	健 たける	樹 いつき	響 ひびき	空 そら	想 そう	匠 たくみ	楓 かえで	藍 らん	暖 だん	奏 かなで	葵 あおい	凌 りょう	心 しん	律 りつ
潤 じゅん	旬 しゅん	瞬 しゅん	舜 しゅん	迅 じん	昴 すばる	怜 れい	翠 すい	新 あらた	聖 しょう	涼 りょう	慶 けい	晃 あきら	司 つかさ	旭 あさひ	岳 がく	朔 さく	慧 けい

女の子

楓 かえで	愛 あい	結 ゆい	遥 はるか	奏 かなで	杏 あん	心 こころ	凛 りん	桜 さくら	優 ゆう	希 のぞみ	蘭 らん	咲 さき	唯 ゆい	栞 しおり	雫 しずく
彩 あや	舞 まい	鈴 すず	麗 うらら	悠 はるか	華 はな	雅 みやび	澪 みお	柚 ゆず	桃 もも	碧 あお	琳 りん	茜 あかね	光 ひかり	蒼 あお	藍 らん	和 なごみ
詩 うた	渚 なぎさ	空 そら	凪 なぎ	麗 うらら	晴 はる	綾 あや	菫 すみれ	萌 もえ	椿 つばき	歩 あゆみ	葵 あおい	陽 はる	蓮 れん	花 はな	絃 いと

※4位以降は順不同です。

8 漢字にこだわる名づけテク

名づけの基礎知識

Ⓐ こだわりの漢字 人名に使える？

名前に使えるのは常用漢字と人名用漢字の2種類だけです。漢字は1文字1文字意味があるので、その漢字に対して強い思い入れがあることも。好きな漢字や使いたい漢字があるなら、そこから名前を考えるのも名づけの早道です。

ただ、注意しなければならないのは、人名に使える漢字には制限があるということ。使いたい漢字が人名に使える漢字かどうかもきちんと調べましょう。また、当て字の名前を役所で受け付けてもらえなかったケースも。名づけはママ＆パパの特権ですが、名は法的な役割があることも知っておきたいですね。

Ⓑ 読み方・漢字の組み合わせの工夫を

名前を考えるとき、気をつけたいのは姓とのバランス。名前を考えたら、フルネームを紙に書き出してみましょう。字形のバランスが悪かったり、声に出して読みにくいときは検討の余地がある証拠です。字形が悪いときは、同じ読み方ができる別の漢字に入れ替えてみるのも一つの方法。偏が違う漢字にするのもいいですね。

漢字は気に入っているのに読みづらいときは、常識の範囲内で、当て字としてその漢字を使う方法もあります。

Ⓒ 意味や画数の確認

名前の読み方や意味も検討する必要があります。たとえば「雄大（ゆうだい）」くんは、英語では"You die."(あなたは死ぬ)と聞こえてしまいます。

また、たとえば（姓）水田＋（名前）真理「沙倫」も字形はきれいですが、神経ガスの一種サリンを連想してしまいます。では、続けて読むと「水たまり」になってしまうから注意。

最近は気にしない人も増えていますが、祖父母に聞かれたときに答えられるように、名前の意味や画数も確認しておくとよいでしょう。

D 漢字名づけ 最終チェック

一度つけた名前は大きな理由がないかぎり、改名しにくいもの。最終決定の前に、ミスがないかどうか、見直すことをおすすめします。とくに使用漢字は注意が必要。使っているのは人名に使える漢字ですか？ もし、使えない漢字のときは、出生届を受理してもらえませんから、念には念を入れて確認を。「己」「巳」「巴」のようによく似た漢字を混同していないかも注意。ほかに、読みやすいか、聞き取りやすいか、変な意味はないかなども、二重三重にチェックして。

訓読み　漢字を日本語として読み下した読み方

訓読みは「縦横」を「たてよこ」、「生物」を「いきもの」と読む読み方です。「歩く」「開く」「香る」のように、多くの場合、送りがながつきます。ただし、「橋」「森」「星」のように送りがながないものも。漢和辞典では、ひらがなで表記されています。

音読み　漢字を中国の読みそのままで読んだもの

音読みとは、たとえば「縦横」を「じゅうおう」、「生物」を「せいぶつ」と読む読み方です。漢字を音のまま読むので、送りがなはありません。どの漢和辞典でも「縦」は「ジュウ」、「横」は「オウ」というように、音読みは必ずカタカナで表記されているので、訓読みとの見分けはすぐにつきます。

当て字※　漢字に好きな読み方を当てたもの

「心愛」を「ここあ」、「大空」を「そら」など、漢字の本来の読みとは関係なく、その漢字の意味などから好きな読み方をつけるのが当て字です。好きな読み方とはいっても、凝りすぎて難読名前になってしまうと子どもが苦労することも。その漢字の読みや意味とつながりのある常識的な読み方にしておきましょう。

名のり　名前に使うときだけに用いられる読み

音読み・訓読み以外の読み方で、名前に使うときだけに用いられる特別な読み方のことです。たとえば「優」は音読みで「ユウ」、訓読みで「やさしい」「すぐれる」ですが、「まさる」と読むのは名のりでの読み方です。辞典では「人の名」「名のり」または、その辞典で定めた記号などで示されています。

※令和7年5月より施行予定の戸籍法改正に注意

9 漢和辞典を使いこなそう

名づけの基礎知識

A 漢和辞典は名づけの強い味方

漢和辞典は漢字の宝庫です。使用漢字の確認や画数などを調べるのはもちろんですが、ぱらぱらめくれば、今まで気がつかなかった漢字に出合えたり、知らなかった漢字の意味がわかったりします。また、一般の漢字の読みのほかに、人の名に使える特殊な読み方（名のり）も紹介されています。名づけのヒントがいっぱい詰まった漢和辞典をフルに活用してください。

B 使える漢字を知っておきましょう

人名に使える漢字かどうかを調べるには、漢和辞典を活用してみましょう。1文字ごとに、その漢字が名づけに使える常用漢字や人名用漢字であるかが明記されています。名前を考えるときは、常に漢和辞典を手元に置きながら、まめにチェックしてください。

画数が変わった漢字もいくつかあるので、なるべく新しい辞典を用意すると安心です。ちなみに、ここでは『福武漢和辞典』を使用しています。

人名用漢字

常用漢字以外で名前に使うことが認められている漢字のことです。この漢和辞典では「囚」と表示してありますが、辞典によっては違うマークで示していることもあります。辞典を使う前に、凡例（マークの解説など、その辞典の使い方の説明）をチェックしておきましょう。

名づけの基礎知識

常用漢字

一般の社会生活の中で、日常的に使う漢字の目安として定められた漢字のことです。この辞典では「常」と表示されています。

常用漢字のうち、小学校で学習するものを「教育漢字」といい、「教」で示している辞典もあります。常用漢字はすべての文字を名前に使うことができます。

画数

この辞典では漢字の下に総画数、漢字の上に部首を除いた画数の画数が記されています。辞典によって表示のしかたが違うこともありますので気をつけて。

人の名

音読み・訓読み以外の、名前だけに使われる漢字の読み方です。「名のり」と記されていたり、記号で示されている辞書もあるので、各辞典の凡例を確認しておきましょう。

意味

その漢字の持っている意味が記されています。327ページ以降でも漢字の意味の一部を紹介していますが、1つの文字でも実にさまざまな意味があるので、漢和辞典もチェックしてみて。なかにはよくない意味の漢字もあります。漢字を決めるときは、ぜひ目を通して。

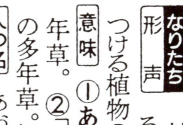

2024年 人気漢字

2024年の「たまひよ」の調査から、男の子・女の子それぞれによく使われる人気の漢字トップ50を紹介。

男の子

順位	漢字	順位	漢字	順位	漢字
1位	翔	18位	湊	35位	理
2位	陽	19位	奏	36位	朔
3位	斗	20位	叶	37位	玖
4位	大	21位	仁	38位	月
5位	真	22位	凪	39位	律
6位	太	22位	音	40位	心
7位	蒼	24位	結	41位	士
8位	悠	25位	葵	42位	汰
9位	人	26位	樹	43位	郎
10位	晴	27位	海	44位	桜
11位	颯	28位	輝	45位	柊
12位	琉	29位	和	46位	佑
13位	空	30位	優	47位	暖
14位	生	31位	都	48位	龍
15位	碧	32位	央	49位	志
16位	希	33位	千	50位	介
17位	一	34位	蓮		

女の子

順位	漢字	順位	漢字	順位	漢字
1位	菜	18位	凪	35位	香
2位	乃	18位	羽	36位	実
3位	莉	20位	依	37位	瑠
4位	愛	21位	紗	38位	千
5位	花	22位	希	39位	梨
6位	結	23位	月	40位	子
7位	心	24位	華	41位	里
8位	奈	25位	夏	42位	來
9位	陽	26位	那	43位	帆
10位	咲	27位	衣	43位	唯
11位	彩	28位	柚	45位	琴
12位	美	29位	芽	46位	楓
13位	音	30位	杏	47位	翠
14位	葉	31位	凛	48位	叶
15位	桜	32位	紬	49位	晴
16位	茉	33位	優	50位	日
17位	葵	34位	和		

間違えやすい漢字

×がついている漢字は名前には使えない字体です。使える漢字とよく似ているので、とくに注意が必要。出生届を提出するときに指摘されて、「画数が変わってしまった」「考え直さなくてはならなくなった」ということがないよう、よく確認しておきましょう。

新米ママ・パパにもすぐわかる！名づけなんでもQ&A

初めて名づけをするママ・パパにとっては、わからないことだらけ。これまで、新米ママ・パパたちから、たまごクラブ編集部に多く寄せられた疑問の数々に、監修の栗原里央子先生が答えてくれました。

Q1 よい画数の名前をつけないと不幸せな子どもになる？

音の響きがかわいらしいので、女の子に「楓（かえで）」という名前をつけたいのですが、姓の「大下」と合わせるとあまりよい画数ではありません。画数のよい名前をつけないと、子どもが不幸になってしまうということが本当にあるのでしょうか？

A

名前は画数だけで吉凶が決まってしまうわけではありません。姓名判断では、画数以上に字形や字音なども重視しています。人の名前は、何度となく口にされ、何度となく書かれていきます。口にしたときや書いたときの感じなども「いい名前」を決めるために大切なこと。名づけが単なる画数合わせだけに終わっては、それこそ「いい名前」から離れてしまいます。

Q2 親子間で相性のよい名前を

私は父と折り合いが悪く、しょっちゅうケンカばかりしていました。そのせいもあって、子どもとはなんとかうまくやっていきたいと思っています。親子間で相性のよい名前をつけることは可能でしょうか？

A

親の名前から1字をもらう方法がありますが、その場合、発音も同時にもらってしまったほうがいいでしょう。発音が近いと、耳から入ったり、口にしたときに親近感を覚えやすいものです。ただ、親から1字もらう場合、その字の応用度が高いかどうかがポイントになります。応用しにくい字を無理して使うと誤読されやすくなります。「親の名か

54

ら1字もらうと、親を超えられない」というのはまったくの迷信です。

Q3 兄弟仲よくやっていける名前を

昨年長男が生まれ、おおらかな心の広い子になるようにと「広大（こうだい）」とつけました。続いて2人目を妊娠、数カ月後には生まれるのですが、兄弟末永く仲よくしてほしいと願っています。兄弟間で相性のよい名前をつけることは可能でしょうか？ もしくは、兄弟で対になるような、呼びやすい名前がつけられたらと思うのですが……。

A この場合なら、ファミリーネーム風に「大」の字で統一してみたらどうでしょう？「大」の字は、ダイ、ヒロという読み方で男の子に人気のある漢字です。幸い、この字は応用のきく字ですから、「大〇」とする方法も考えられます。

例：大輔（だいすけ）、大地（だいち）、大成（たいせい）、大貴（だいき）、大和（やまと）、大海（ひろみ）

いくつかサンプルを挙げますので参考にしてください。

Q4 3姉妹におそろいのかわいらしい名前を

私は男兄弟に囲まれて育ちましたが、姉妹のほうが大人になってからいろいろと相談できていいみたい。先日、今、妊娠している子が女の子とわかりました。前から子どもは3人欲しいと思っていたので、続けて女の子を3人産みたいと勝手なことを考えています。今から3人の名前を考えておきたいのですが、おそろいのかわいらしい名前はないでしょうか？

A 3兄弟に「太平洋」の文字を1字ずつ使った人がいますが、このように3人の名前を合わせてある言葉になるというのも一つのアイデアですね。あるいは、一つのイメージをつくり出し、そのなかから1文字ずつ当てはめてもいいでしょう。たとえば日・月・星のイメージから左のような名前が候補に挙がります。

例：日……日菜子（ひなこ）日登美（ひとみ）
月……美月（みづき）歌月（かづき）
星……星子（せいこ）星羅（せいら）

Q5 双子の子どもにおそろいの名前を

双子がおなかにいます。2人まとめて呼びやすい、おそろいの名前をつけたいのですが、何かよいアイデアはないでしょうか？ 男の子と女の子とそれぞれ教えてください。

A 双子の場合、せっかくですから2人の名前になんらかの共通項を持たせ

名づけの基礎知識

るのもいいでしょう。2人とも1字名で決めてみる方法、おそろいの添え字でまとめてみる方法などが考えられます。

ここでは後者の例を挙げてみます。人気の添え字を使う場合は、平凡になりすぎないよう、組み合わせる字にひと工夫が必要です。

例：男の子同士の双子……北斗・勇斗
　　女の子同士の双子……真帆・志帆
　　男の子と女の子の双子
　　　　　　　　……将希・美沙希

Q6 かわいらしい名前は年を取ったら変？

女の子に「里菜（りな）」という名前をつけたいのですが、パパと冗談で「この子がおばあさんになったら『りなばあさん』だね。何か変かなあ」という話になりました。やはり、子どもの名前は年を取ったときのことを考えてつけなければならないのでしょうか？

A 「里菜」という名前、とてもかわいいですね。おばあさんになったときのことまで考えるのは考えすぎというもの。そのころになったら「里菜ばあさん」「翼じいさん」も多いですから、なんの違和感も感じないはずです。

Q7 歴史上の人物と同じ名前を

夫は、だれもがわかる、スケールの大きい、歴史に残る武将の名前をつけたいと言っています。「将門」「家康」「信長」などの候補を挙げていますが、私は古くさいのではと反対です。主人を説得できるような、別のカッコいい名前があればと思うのですが……。

A 歴史上の人物にあやかる場合は、すでに業績がわかっているため、つけたあとにいやな思いをするなどの心配がありません。あやかるには安心な名前で

すね。ただ、さすがにこれらの名前は現代人の名前としては古めかしいようにも思います。むしろ幕末から明治にかけて活躍した人になら現代にも通用する名前が見られます。

例：竜馬、晋作、新平、博文、隆盛

Q8 長男ではないのに「一」を使ってもよい？

2人目の男の子を出産しました。長男は「拓也（たくや）」という名前ですぐ決まったのですが、二男はなかなかよい名前が浮かばず、夫婦でやっと合意に達したのが「星一（せいいち）」という名前。でも「二男に『二』を使ったらまぎらわしいのでは？」という夫の両親の意見もあり、迷っています。

年子ということもあり、二男が長男に間違われる心配もあるので、やめたほうがよいでしょうか？

名づけの基礎知識

Q9 結婚して姓が変わってもおかしくない名前を

A 長男に二郎、二男に一郎とつけても法的に問題はありません。ただ、数詞は通常、序列を表していますから、間違いのもとであることは事実です。

上のお子さんが「拓也」なのでしたら、下のお子さんもこれに合わせる意味で「星一」の「星」をとって「星也（せいや）」とするのはどうでしょうか？「也」は人気の添え字ですが、「星也」なら人気の名前ベスト100にも入っておらず、新鮮な名前です。

私の名前は「由子（ゆうこ）」。結婚前は「黒崎」という画数が多い姓だったので、「由子」という名前でもバランスがよかったのですが、結婚したら「山田由子」になってしまい、なんとなく間の抜けた感じです。娘にはこんなことがない

ように、もし姓が変わってもそれなりにバランスのよい名前にしたいと思うのですが、いまの「山田」という姓だけで考えてしまってよいでしょうか？

A 結婚後に姓が変わることを考え始めたら切りがありません。また、夫婦別姓の時代も間もなくやってくるかもしれません。ですから、基本的には今の姓で考えればいいでしょう。

気になるようなら、日本人の姓に多く使われている字を参考にして、これらの字、字形の似ている字を避けては？　使用頻度の高いものは、田・藤・山・野・川・木・井・村・本・中です。

Q10 代々伝わる名の漢字で工夫をしたい

夫の家は代々、男の子に「義」の字を使うのがしきたりになっているらしく、祖父は「義助」、父は「義太郎」、主人は

「義雄」、主人の弟は「義彦」です。当然、私たちの子どもも「義」を使うものと決められており、ちょっと憂うつです。

私は「翔（しょう）」や「歩（あゆむ）」など1字の現代的な名前をつけたかったのですが、やはり夫の家への手前もあり、「義」の字を使わざるをえないようです。古くて堅いイメージの「義」ですが、なんとか読み方や組み合わせる字で今風の名前にできませんか？

A 「義」の字の意味自体はとてもいいものですから、あまり憂うつにならないで。発音的には「ぎ」より「よし」の音をとると今風に。

例：義生（よしき）、義登（よしと）、義弥（よしや）

名づけの基礎知識

Q11 ミドルネームはつけられる?

私の姓は「鈴木」。子どもにはなるべく個性的な名前をつけたいと思っています。ふと思いついたのが欧米人の名前でよく見かける「ミドルネーム」。日本人でミドルネームがあればかなりインパクトの強い名前になると思うのですが、日本の法律では認められているのでしょうか?

A 基本的には、ミドルネームや名前の長さについて、法律上の決まりはありません。ただ、姓が平凡だからという理由で「鈴木キャサリン優香」という名前を届け出て、戸籍上に登録されると、キャサリン優香という名前を今後、ずっと書き続けなければなりません。子どもにとってもかなりな負担です。やはり外国人との子どもの場合は別として、ミドルネームは避けたほうが無難です。

Q12 名前にアルファベットは使える?

子どもにアニメの主人公の名前をつけた友人の話を夫にしていたところ、「じゃあ、おれたちは子どもにはQ太郎とつけるか!」と冗談で言っていました。そういえば、アルファベットを使った名前は見かけたことがありません。名前に使える文字は法律で決まっているそうですが、実際にアルファベットは名前に使えるのでしょうか?

A アルファベットは名前には使えません。名前に使える文字は常用漢字、人名用漢字、ひらがな、カタカナのみです。そのほか、例外として「奈々」の「々」、「すゞ子」の「ゞ」などの繰り返し符号、「ヨーコ」の長音符号の「ー」などは使用することができますが、これも名前のいちばん上の文字としては使えません。

また、数字のうち、漢数字(一、二、三……壱、弐、参……)は常用漢字ですから使うことができます。算用数字(1、2……)、ローマ数字(Ⅰ、Ⅱ……)、○や☆などの記号は使用できません。

Q13 名前の読みはいっさい自由?

名前に使える文字なら、読み方は自由であると聞いています。たとえば「一郎」を「じろう」と読ませるような極端な読み方も許されているのでしょうか? 許容の範囲がどのくらいであるのか、教えてください。

A 令和7年5月に戸籍法等の改正が決定し、今後読み方は「氏名に用いる文字の読み方として一般に認められているもの」が基準になります。「一郎」を「じろう」と読ませたり、「低」を「たかし」と読ませたりといった極端なケースでは、

役所の窓口で受理されない可能性があります。

私も名づけ相談をしていて思うのですが、なぜ他人が読めないような無理な読み方をしたがるのか、少し理解に苦しむところがあります。もっとも、あまり厳密に考えすぎると、「優香」に「ゆか」の読みはない、ということにもなってしまいます。音訓を主体にして、その他は常識や慣用の範囲内で、ということになるのでしょう。

Q14 旧字体の場合、何画と数えるのが正しい？

わが家では、ふだんは「小沢」と表記していますが、戸籍上では「小澤」です。子どもの名前を考えるに当たって、姓の画数はどちらが基準ですか？

A

この場合、字が2つあるということではなく、字体が2種類あるととらえます。姓については決まりがないため、1字1字体とは限らないからです。従って戸籍上が「小澤」であれば、「小澤」で画数を数えるのが基本です。しかし、姓名判断とは姓名全体の画数で占うものです。ふだん、姓を書くときに常に「小沢」と表記しているならば、「小沢」で画数を数えるのが実際的でしょう。

なお、姓の旧字体を新字体に改めることもできます。この場合は、戸籍の筆頭者とその配偶者が連名で、本籍地の役所の戸籍係に書面で申し込みます。

新字体の方が使いやすいわ

Q15 ひらがなの名前をつけるコツは？

私の名前は、ひらがなで「かおり」です。これが結構気に入っているので、できれば子どもにもひらがなの名前をつけたいと思っています。しかし、意外に難しく、よい名前が浮かんできません。ひらがなの名前をつけるときのコツを教えてください。

また、男の子の場合、ひらがなの名前はやわらかすぎるでしょうか？ もし、男の子に合うひらがなの名づけ方があれば、それも教えてください。

A

ひらがなの名前は、全体としてまだそれほど多くはありませんが、字の意味にとらわれる必要がないことから女の子の名前として好まれているようです。漢字の意味にとらわれる必要がないということは、音だけの勝負ともいえ、ユニークな名前が生まれる可能性は大いに

名づけの基礎知識

あります。ただ、そうはいっても、その音を考え出すのがひと苦労です。一般的には、まず漢字で考えたものをひらがなに直すというのが、とっかかりがいいかもしれません。

男の子の名前としては、ひらがなの名前はまだまだ少ないのですが、ひらがなの名前があっても少しも不思議ではありません。ひらがなの名前の俳優に「大沢たかお」さんがいますが、こうして見ても違和感は感じないでしょう。

男の子のひらがなの名前の場合、音でいえば3音程度で、通常漢字1字で表記されるような名前を考えてみるとよいでしょう。

Q16 夫の両親がつけた名前が気に入らない

夫の両親にとっては、初孫の長男が佐々木家に誕生し、義父も義母も大喜び。さっそく以前から決めていたとかで、奉書紙に書いた「英夫（ひでお）」を披露。義父の「英治」からとった名前だそうですが、私たちは男の子なら「翼（つばさ）」と決めていたため、お互いに顔を見合わせてしまいました。しこりが残らないようにうまく説得したいのですが……。

A

「英夫」という名前自体は悪いものではないのですが、今の子どもといういうよりは、親の世代に多い名前ですね。姓名を合わせると「(佐々)木英夫」という具合に似た形の字が並ぶので、バランスはあまりよくありません。

そこで、ご両親を説得するのにいちばんいいのは、姓名判断という方法です。「英夫」は12画で「薄縁逆境の苦難数」といわれています。

一方、「翼」は17画で「積極的、地位と財産を築く」といわれる吉数です。それをお話しすれば、ご両親も考えを変えられるかもしれませんね。

Q17 「艹」くさかんむりの数え方

子どもの名に「薫」という漢字を使いたいと思っています。くさかんむりは3画と思っていましたが、パパはくさかんむりを4画だと言います。どちらが正しいのでしょうか？

A

姓名判断で文字の画数を数える場合は、名については公認された文字（常用漢字・人名漢字）の見たままの字体の画数で数える。これが基本です。

くさかんむりについては常用漢字・人名用漢字についてはともに字体は3画となっています。ですから、お尋ねの「薫」についても16画と数えましょう。また姓に関しては日常使用している字体で画数を数えます。

60

避けたほうがいい名前

「名前だけだととてもいい名前なのに、姓と続けて読むとへんてこだった」
「いい響きだと思ったのに、NGな意味だった」……
ということがないように多角的に見てみましょう。

その候補の名前は大丈夫ですか？

漢字というのは表意文字なので、組み合わせによっては、おかしな意味になってしまうことも。名前だけを一生懸命考えていると本来の意味をうっかり忘れてしまうこともあるのでよく注意して。親の教養まで疑われかねません。

とくに男の子の名前ではこのようなことが起こりがちなので、変なあだ名をつけられたり、からかわれたりする可能性もあります。名前を思いついたら、漢和辞典で漢字の意味や単語なども確認してみましょう。

男の子

和尚 かずなお
……おしょう

完治 かんじ
……かんち＝病気が治ること

公司 こうじ
……コンス＝中国語で会社の意味

信士 しんじ
……仏門に入った男性、戒名に添える語

心太 しんた
……ところてん

徳利 のりとし
……とっくり

佳人 よしひと
……かじん＝美女のこと

良人 よしと
……りょうじん＝夫のこと

陵 りょう
……天皇、皇后の墳墓

女の子

麻賀恵里 あさか・えり
……朝帰り

大場佳奈子 おおば・かなこ
……大バカな子

小田真理 おだ・まり
……お黙り

原真紀 はら・まき
……腹巻き

中田留美 なかた・るみ
……中だるみ

中川留衣 なかがわ・るい
……仲が悪い

水田真理 みずた・まり
……水たまり

海月 みつき
……くらげ

梨園 りえん
……演劇界、とくに歌舞伎の世界

これでバッチリ！ スムーズな提出
出生届の書き方と出し方

赤ちゃんの名前が決まったら、速やかに出生届を提出しなければいけません。スムーズに出せるよう、これでばっちり予習をしておきましょう。

どこでもらうの？

出生届の用紙は、役所の戸籍係の窓口に備えられているほか、病院や産院にも用意されています。出産入院前に確認してもらっておきましょう。

だれが届けるの？

法律では「届け出義務者」が定められており、①子の父親または母親、②子の母親の同居者、③出産に立ち会った医師、助産師、またはその他の者、となっています。なお、ここでいう「届け出義務者」とは、出生届の「届出人」の欄に記名、押印する人のことで、窓口に提出するのは代理人でも可能です。

いつ届けるの？

赤ちゃんが生まれた日から数えて14日以内に提出します。たとえば、10月1日に生まれた場合は、10月1日を1日目として数え、10月14日が提出期限となります。この期間の土・日・祝日も含めて数えますが、14日目が役所の休日や連休に当たった場合は、休み明けの日まで延長されます。役所は通常午後5時までですが、出生届は夜間窓口でも受け付けてもらえます。

どこに届けるの？

提出するところは、現在の居住地の役所とはかぎらず、親の本籍地、親の住民票がある地、子どもの出生地、親の滞在地のいずれかに提出できます。ですから、実家に里帰りして出産した場合でも、実家の所在地の役所に届け出られますし、夫の転勤先で出産した場合も、その土地の役所に提出することができます。

※マイナンバー制度により、今後、手続きや書類が変更になる可能性があります。

提出時に必要なものは？

さあ、提出！ 持っていくものに不備はないか、再度確認しましょう。出生届を提出したあとには、母子健康手帳の「出生届出済証明」に役所の証明をもらうことを忘れずに。

- ☐ 医師の証明がある出生証明書と記入済みの出生届
  ※親の本籍地に提出する場合でも、それ以外のところで提出する場合でも1通でかまいません。
- ☐ 届け出人の印鑑
- ☐ 母子健康手帳
- ☐ 国民健康保険証（加入者のみ）

名づけ&主な行事 タイムスケジュール

出生届の提出期限をうっかり忘れてしまうことのないように、あらかじめチェックしておきましょう。お祝い事の行事日程も参考にしてね。

スタート　　妊娠

予定日までに候補選び
名前は赤ちゃんの顔を見てからという人も、出産予定日までには男女それぞれの候補をいくつかずつは考えておいたほうが安心です。出産後14日間なんて、あっという間ですよ。

1日目　誕生　〇月〇日
赤ちゃんとの対面はどうでしたか？ 赤ちゃんにぴったりの名前を選んであげましょう。まだ考えていなかった人は、これからが勝負！ 期限に間に合うように急いで考えましょう。

7日目　お七夜　〇月〇日
赤ちゃんの命名式とお披露目を行います。誕生した日から7日目に行うのがしきたりですが、最近では日にこだわらなくても。半紙や奉書紙に赤ちゃんの名前を書いて、神棚や床の間などへ。

14日目　出生届提出期限　ゴール
市区町村の役所に出生届、印鑑、母子健康手帳を持参して、出生届を提出します。提出期限が役所の休日の場合は、休み明けが提出期限となります。くれぐれも遅れないように！

30日前後　お宮参り　〇月〇日
お宮参りとは、赤ちゃんが生後30日前後のころに神社にお参りをする習慣のこと。現在ではあまり時期にこだわらず、赤ちゃん・ママの体調のいいときにお参りすることも増えています。

100〜120日　お食い初め　〇月〇日
一生食べ物に困らないように、健康に過ごせますようにとの願いを込めて、初めておっぱい・ミルク以外のものを食べさせる行事。実際にはお赤飯などを食べさせるまねをします。

名づけの基礎知識

名づけの基礎知識

出生届 記入のポイント

記入するとき、提出する前には必ずチェック！

出生届の書き込みが不完全だと、役所で受理されない場合があります。提出する前には記入もれ、記入ミスがないか、よく見直しておくことが大切です。

記入前、記入後には必ずチェック！これで名づけは終了です。

「出生証明書」は出産した施設で記入してもらいます。

記入の注意

鉛筆や消えやすいインキで書かないでください。

子が生まれた日からかぞえて14日以内に出してください。

子の本籍地でない市区町村役場に提出するときは、2通提出してください（市区町村役場が相当と認めたときは、1通で足りることもあります。）。2通の場合でも、出生証明書は、原本1通と写し1通でさしつかえありません。

子の名は、常用漢字、人名用漢字、かたかな、ひらがなで書いてください。子が外国人のときは、原則かたかなで書くとともに、住民票の処理上必要ですから、ローマ字を付記してください。

よみかたは、戸籍には記載されません。住民票の処理上必要ですから書いてください。

☐には、あてはまるものに☒のようにしるしをつけてください。

筆頭者の氏名には、戸籍のはじめに記載されている人の氏名を書いてください。

子の父または母が、まだ戸籍の筆頭者となっていない場合は、新しい戸籍がつくられますので、この欄に希望する本籍地を書いてください。

届け出られた事項は、人口動態調査（統計法に基づく指定統計第5号、厚生労働省所管）にも用いられます。

出生証明書

子の氏名		男女の別	1男 2女	
生まれたとき	令和　年　月　日	午前午後	時　分	
出生したところ及びその種別	出生したところの種別	1病院　2診療所　3助産所　4自宅　5その他		
	出生したところ		番地番号	
	(出生したところの種別1〜3)施設の名称			
体重及び身長	体重	グラム	身長	センチメートル
単胎・多胎の別	1単胎　2多胎（　子中第　子）			
母の氏名		妊娠満週数	週　日	
この母の出産した子の数	出生子（この出生子及び出生後死亡した子を含む）死産児（妊娠満22週以後）		人　胎	
	上記のとおり証明する。			
			令和　年　月　日	
1医師　2助産師　3その他	(住所)		番地番号	
	(氏名)		印	

名づけの基礎知識

赤ちゃんの名前の読み方 ※

出生届には赤ちゃんの名前の読み方を記入しますが、これは住民票の処理のために必要なもので、戸籍には記載されません。

※令和7年5月以降、戸籍法改正により変更予定

嫡出子って？

「嫡出子」とは、正式に婚姻の手続きをした夫婦の間に生まれた子のことを指します。「嫡出でない子」とは、正式に婚姻の手続きをしていない女性から生まれた子を指します。婚姻届を出す前に赤ちゃんが生まれた場合は、出生届と同時に婚姻届を出せば「嫡出子」として記載されます。ただし、婚姻届を出していなければ、認知した子も認知していない子も「嫡出でない子」となります。

日付

出生日の記入ではなく、役所に提出する日を記入します。提出当日の最終チェックの際に記入するのがベストです。

生まれたところ

赤ちゃんが生まれた産院の所在地になります。都道府県から記入しましょう。

世帯主の欄

世帯主がパパでなく、赤ちゃんの祖父の場合は、祖父の氏名を記入し、「世帯主との続き柄」には「子の子」と記入します。

年月日は元号で

父母の生年月日などは、昭和、平成などの元号で書く決まりになっています。西暦表記ではないので注意しましょう。

本籍の欄

本籍と現住所が違い、本籍が正しくわからない場合は、本籍地が記載された住民票をもらって確認しましょう。筆頭者とは、戸籍のいちばん初めに記載されている人のこと。

届出人

届出人とは役所の窓口に持参した人を指すのではありません。法律で決められた「届け出義務者」（62ページの「だれが届けるの？」を参照）を指し、赤ちゃんの父親か母親となるのが一般的です。

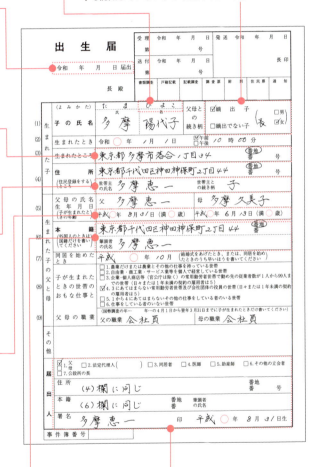

名づけの基礎知識

出生届を出すまでの注意点

こんなところもチェックして！

記入上、注意するところ以外にも気を配らなければならないところがあります。

1 わかりやすく読みやすい字で記入しましょう

役所では、出生届に書かれた赤ちゃんの名前を戸籍に書き記します。出生届に書かれた名前の字が読みにくいと、戸籍のほうに誤って記載されてしまう可能性もあります。くずし字や行書はやめ、読みやすい楷書で記入しましょう。

とくにカタカナの「ツ」と「シ」、「ソ」と「ン」「リ」「ハ」と「ル」「ク」と「ワ」などは間違えやすいので、意識して書き分けたほうがいいでしょう。

2 名前に使える字かどうか、再確認しましょう

名前に使える字以外のものが使われていると、出生届を受理してもらえません。一見、使えそうに思えるものでも、実は使えないという漢字もいくつかあります。使える漢字かどうかを、471ページからの「名前に使える漢字リスト」でもう一度、チェックしておきましょう。

簡単に変えられない名前

名前は、単に気に入らない、画数が悪いなどの理由から簡単に変えられるものではありません。一度戸籍に記載されてしまった名前は、家庭裁判所に「名の変更許可」の申し立てをしなければなりません。

「名の変更許可申請書」の中には、「申し立ての実情」の欄があり、次の8項目が載っています。

① 奇妙な名である
② 難しくて正確に読まれない
③ 同姓同名者がいて不便である
④ 異性と紛らわしい
⑤ 外国人と紛らわしい
⑥ ×年×月神官・僧侶となった（辞めた）

3 14日以内に名前が決まらなかったら…

出産後14日たっても、どうしても名前が決まらなかった場合、次の方法が考えられます。

その方法とは、出生届の「子の氏名」欄だけ空白のまま届け、後日、名前が決まった時点で追完手続きを行うというものです。追完手続きとは、出生届を提出した役所に「○月○日に提出した出生届の赤ちゃんの名前は△△です」という追完届を提出することです。

ただし、この場合、戸籍には、名前の届け出が遅れたという記載が残ります。これはよほどやむをえない場合のときの制度として覚えておくことはいいのですが、最初から当てにすべきものではありません。

また正当な理由がないのに提出期限を大幅に過ぎてしまうと、簡易裁判所に通知され、過料に処せられる場合も。

あらかじめ、男の子の場合、女の子の場合と、ある程度候補を絞っておくなどの準備は必要です。

⑦ 通称として長年使用した

これらのいずれかに当てはまったとしても、それが「正当な事由」と認められなければ、改名することはできません。改名するための労力や精神的な負担を考えると、改名しないですむに越したことはありません。

ただし、旧字体で届けてしまった名前を新字体に改めたい場合は、役所への手続きでできます。同様に、姓の旧字体、俗字もそれぞれ、新字体、正字に改めることは役所への手続きで可能です。

⑧ その他

注意 提出が大幅に過ぎてしまうと……

5万円以下の過料が科せられる場合があります

14日以内に届け出ができなかった場合でも受理はしてもらえます。

ただし、1日でも遅れたら「戸籍届出期間経過通知書」に遅れた理由を記入しなければならず、戸籍には届け出が遅れたことが記載されます。

遅延の理由が、災害などの正当なものでない場合を除いては、届け出義務者に5万円以下の過料が科せられる場合もあるので要注意！

名づけの基礎知識

こんなときはどうすればいい？
出生届 なんでもQ&A

出生届の提出にまつわる疑問を集めてみました。参考にしてみてください。また、わからないことがあれば役所に尋ねてみましょう。

Q1 実家の近くの産院でお産。出生届はどこへ？

私は、実家の両親が住んでいる栃木県宇都宮市の産院で出産をしました。本籍および現住所は東京都板橋区で、主人は、現在1人で東京におります。出生届は、だれが、どこへ届ければよいのでしょうか？

A

この場合、出生届の提出先は、板橋区でも宇都宮市でもかまいません。赤ちゃんの父親が板橋区で提出するなら、産院でもらった「出生証明書」を郵送しなければなりません。そのような余裕がなければ、宇都宮市に提出するとよいでしょう。その場合でも届出人の欄には赤ちゃんの父親の名を記入してかまいません。

また、実際に届けに行くのは母親でも祖父でもOKです。

Q2 海外で出産をした場合

妊娠がわかって間もなく、夫のアメリカ転勤が決まりました。私もついていこうと思うのですが、アメリカは生まれたところが国籍となる国と聞いていますので、自分の子どもがアメリカ国籍になってしまうのでは、と不安です。現地ではどういう手続きを取ればよいのでしょうか？

A

海外で出産した場合は、その国にある日本大使館などで用紙をもらい、出生届を提出します。この場合も、赤ち

名づけの基礎知識

ゃんが生まれた産院で「出生証明書」を書いてもらい、出生届に添えて生後3カ月以内に提出します。このとき注意したいのは、ご質問のアメリカなど、生まれたところを国籍とする国では、出生届の「その他」の欄に「日本国籍を留保する」と明記し、届出人の署名、押印をすることです。現地の在外公館で手続きすると、本籍地の戸籍に登録されるまでかなりの時間がかかってしまいます。また、海外では出生証明書は独立した書面であることがほとんどで、和訳をつけて提出しなければなりません。その他、記入上の注意点は現地の大使館などで確認を。

Q3 届けてすぐに間違いに気がついた

よい画数を、と考えに考えて「里紗（りさ）」と命名。ところが、出生届を提出するときにうっかりして「里沙」と書いてしまいました。翌日になって間違いに気がつきましたが、すぐに申し出れば訂正がきくでしょうか？

A

もし、まだ戸籍に記載されていなければ、印鑑を持参して窓口に行けば訂正がきく可能性があります。しかし、一度、戸籍に記載されてしまうと、そう簡単には直すことができません。どうしても訂正したい場合は、家庭裁判所に「名の変更許可」を申し立てる必要があります。

ただ、「画数がよくない」という理由では難しい場合が多いでしょう。画数がよくないからといっても、それで運命が決まってしまうわけではありません。無理に改名するよりは、現在のままをおすすめします。

Q4 双子の場合は2通必要？

双子を出産しました。この場合、出生届も2通必要なのでしょうか？

A

もちろんです。1枚の出生届に2人分の記入欄はありません。双子が生まれたら、出生証明書も忘れずに2通もらっておきましょう。そして、出生届にも、1人ずつ、間違いのないように記入します。

'17年〜'23年 人気名前ランキング

	2017年 (平成29年)	2018年 (平成30年)	2019年 (令和元年)	2020年 (令和2年)	2021年 (令和3年)	2022年 (令和4年)	2023年 (令和5年)
男の子							
1位	大翔	蓮	蓮	蓮	蓮	碧	蓮
2位	蓮	陽翔/陽太	律	陽翔	陽翔	陽翔	碧
3位	樹		湊	蒼	蒼	蒼	陽翔
4位	悠真	樹/悠人	樹	樹	樹	朝陽	湊
5位	陽太		蒼	湊	湊/朝陽	蓮	蒼
6位	蒼	湊	陽翔/悠真	悠真		湊	朝陽
7位	湊/颯真	大翔		大翔	碧	結翔	凪
8位		蒼/朝陽	大翔	律	大翔	悠真	湊斗
9位	陽翔/陽斗		新	朝陽	律	陽向/樹	暖
10位		陽斗/颯真/奏太	大和		暖		律
女の子							
1位	陽葵	陽葵	陽葵	陽葵	陽葵/紬	陽葵	陽葵
2位	葵	芽依	凛	結菜		凛	凛
3位	陽菜	莉子	芽依	莉子	凛	結菜	翠
4位	結衣	葵	結菜	芽依	芽依	芽依	紬
5位	凛	澪/結菜/凛	紬	紬	葵	詩	結菜
6位	咲良/結菜		咲良	葵	陽菜	陽菜	陽菜
7位			莉子	陽菜	澪	葵	芽依
8位	結愛	結愛/琴音	葵	凛	莉子	莉子	葵
9位	心春		澪	結月	結菜	紬	結愛
10位	杏/紬	陽菜	結月	澪	杏	咲茉	莉子/咲茉

音から選ぶ名づけ

「こんな響きの名前をつけたい！」
といったこだわりの音がある人は、音から名前を考えてみましょう。
この章では、音の持つ性格や実例から名前を考えていきます。

※読み仮名の「ず」「づ」の区別については実例に基づいています。

音から選ぶ名づけについて

名づけの決め手ではずせないのが「音」。響きによって印象が変わってくるからこだわりたいところです。発音のしやすさや、呼び名なども考え、すてきな名前を見つけてね。

耳に残った音や響きが決め手に

名づけを考えるときに、漢字（字形）よりも先に音が決まっているという人はもちろん、なんとなく「こんな呼び名（音）がいいな」とおぼろげな候補がある人も多いと思います。思いついた名前があったら、まずは、読みやすい名前かどうか、声に出してみましょう。

その際、発声する音量によって印象も変わってきますから、大きな声で呼んだり、小さな声で呼んだり、変化をつけてみるとよいでしょう。

また、名前だけでなく姓から通して呼んだときの印象はどうか、その名前をつけたとき将来どんな愛称で呼ばれるようになるかを考えておくのも大切です。

次に、音が決まったら、その音に合う漢字（字形）を選びましょう。選んだ字の印象が呼び名に合っているかどうかをチェックすることも忘れずに。

音から字を選ぶときは、字を区切る場所をいろいろ変えてみるのもおすすめです。

たとえば、「なつみ」ならば漢字を「な・つみ」と当てるのか、「なつ・み」とするのか、また「な・つ・み」と1音に1字を当てる万葉仮名風漢字（214ページを参照）にするのかでも違ってきます。

バランスや意味も考えて音にふさわしい字を探しましょう。

音から選ぶ名づけのコツ

① 好きな響きを声に出して候補を選定

好きな響きを思いつくまま挙げてみましょう。思いついた名前は何度も繰り返し声に出すのがコツ。また、「こうくん」「なっち」など、こんなふうに呼んでほしいという愛称の響きから考えてみるのも◎。

② 全体的なバランスがとれているか確認

名前が決まったら、姓から通した名前を紙に書き、氏名全体の漢字（字形）の組み合わせや、読み上げて響きのバランスを確認します。このときに、漢字と響きの統一感があるかも確認しましょう。

③ 響きが決まったら漢字を選ぼう

気に入った響きが見つかったら、次にその名前に漢字をあてましょう。思ったような漢字が浮かばないときは、字を区切る場所をいろいろ変えて探してみるのがおすすめです（327〜422ページを参照）。

④ 人名に使える漢字？もう一度最終チェック！

最後に画数など気になるところをチェックして。また、せっかく名前を決めても、実は人名に使用できない漢字ということも。出生届を提出する前に、漢字の見直しも忘れずに（471〜480ページを参照）。

たまひよ調べランキング 読み別人気名前

男の子
- 1位 はると
- 2位 りく
- 3位 あおと
- 4位 はるき
- 5位 そうた
- 6位 そら
- 7位 ゆいと
- 8位 ひなた
- 9位 はる
- 10位 あおい
- 11位 あさひ
- 12位 さく
- 13位 そうま
- 14位 あお
- 15位 —

女の子
- 1位 さな
- 2位 えま
- 3位 めい
- 4位 みお
- 5位 つむぎ
- 6位 こはる
- 7位 すい
- 8位 えな
- 9位 なぎさ
- 10位 りお
- 11位 ひまり
- 12位 ゆめ
- 13位 あおい
- 14位 ゆい
- 15位 ひな

コメント
女の子は「さな」が昨年の3位から上昇し初の1位に。女の子の読みは、10位までに2音の読みが7つ。男の子は「はると」が16年連続1位。男の子は3音の名前が主流といえそう。

※2024年たまひよ調べ

音から選ぶ名づけ

ことだま（言霊）で見る名前

「候補は挙がったけれどどれにしよう」など名前を決める際に迷ってしまったら、音の持つパワー「ことだま」を用いて絞り込むのもいいでしょう。どんな子に育ってほしいか考えながら選んでね。

● ことだまとは？

文字に画数のパワーがあるように、音にもパワーが

音（言葉）にはそれぞれパワーが宿っていると昔からいわれていました。そのパワーをことだま（言霊）といいます。文字の場合の画数のパワーは、名前を書くたびに増していきますが、同様にことだまは名前を呼ばれることでそのパワーを増します。

呼ばれる頻度が高いほど、その音のパワーが増すわけですから、愛称と名前が違う場合は、よく呼ばれる愛称の音のパワーが増す、ということになります。人の一生のなかでは、書くことより呼ばれることのほうがはるかに多いため、ことだまのパワーは大切になってくるのです。

姓名判断では音は5つに分類されます

ことだまは大きく分けて「木性」「火性」「土性」「金性」「水性」の5つに分けられます。とくに名前の第1音が大切で、その人の性格に大きく影響してきます。

名前をことだまで見るときは、まず、第1音がどれに分類されるかを、ことだま早見表で探し出してください。その後、第2音、第3音……と見ていくといいでしょう。

ことだま早見表

分類	音
土性	アイウエオ
木性	カキクケコ
金性	サシスセソ
火性	タチツテト
水性	ナニヌネノ
水性	ハヒフヘホ
土性	マミムメモ
火性	ヤユヨ
火性	ラリルレロ
土性	ワヲ
土性	ン

※濁音（゛）、半濁音（゜）の音は、清音と同じに。また、「キョ」「イッ」などの拗音や促音はそれぞれ「キ」「イ」と考えます。

ことだまを名づけに生かすには

姓のいちばん下の音と隣り合う性の音から名前の第1音を選ぶのがベスト

姓と名のつながりにことだまを生かすことができます。5つの性は右下の図のようになり、隣り合う音同士は相性がいいとされています。とくに、矢印は調和の関係を示しています。

ことだまを名づけに生かすには、この性の関係をもとに、姓のいちばん下の音に隣り合う性の音を、名前の第1音に持ってくるようにすればいいのです。

たとえば、「クリハラ・ユイ」という姓名の場合、姓のいちばん下の音は「ラ」で火性です。名前のいちばん上の音は「ユ」でヤ行なので土性となり、隣り合う性同士なのでことだま的にも音のつながりがいいことになります。

ことだまの性の関係は、画数における五行の考え方と同じです。隣り合う性同士の関係がよく、矢印の関係は調和を表し、とくによい関係とされます。

例

近藤颯太 コンドウソウタ

姓のいちばん下の1音 → ア行（土性）

名前の第1音 → サ行（金性）

※例に挙げた「近藤颯太」という名前を見ると、姓のいちばん下の1音は「ウ」でア行、名前の第1音は「ソ」でサ行となり、ことだま早見表で見ると、それぞれ、土性と金性であることがわかります。これを右の図に当てはめると、隣り合う性同士で調和の関係になりますから、例の名前はことだまで見るといい名前であるといえます。

ことだまの頼りすぎにご注意

ことだまは、名づけを考えるときのいいヒントとなりますが、ことだまだけにとらわれてしまっては、名づけの本来の意味を見失ってしまうことになりかねません。

生まれてきた赤ちゃんに贈る最初のプレゼントが名前です。ママ、パパの願いや、感覚を大切にしてください。なお、名前の候補をいくつか挙げたうえで、そのなかの1つを決めるときの最後の絞り込みのためにことだまを使う、という方法をおすすめします。

木性 カキクケコ

意志が強く 向上心にあふれる

カ行は「牙音（がおん）」とも呼ばれ、息が奥歯に触れて出てくる音です。木性の音で始まる名前は「カイト」「コウタ」「ケンジ」などの男の子の名前が多く、女の子の名前でも木性音で始まる「カナ」「キョウコ」などがありますが、男の子の名前ほど数は多くありません。

名前の第1音が木性音の人は早熟型でいうちから運気が開けるでしょう。交際範囲も広く、社交的なので、いろいろな人とのつき合いを通じてネットワークを広げていきます。社会的にも信用や人望を得るでしょう。人間関係においては話術が巧みなことと、温和な性格が手伝って、だれからも好かれる人になります。その半面、肝心なときに優柔不断になったり、重要な場面で逃げ腰になって、度胸に欠けることがあります。また、考えすぎてチャンスを逃したり、器用貧乏になりやすいところもあります。

火性 タチツテト ナニヌネノ ラリルレロ

知識欲が旺盛で 美的センスにすぐれる

火性音は「舌音（ぜつおん）」とも呼ばれるように、舌で発する音です。男の子の名前では「タクミ」「ナオユキ」「リョウ」、女の子では「チナミ」「ナナコ」「レイカ」などがそうです。

名前の第1音が火性の人は、頭の回転が速く、知識欲が旺盛です。知識の収集に熱心なため、学問や研究を好みます。美的センスはファッションなどにも向けられ、おしゃれなので周囲に華やかな印象を与えるでしょう。半面、華やかさを好むあまり、生活が華美になったり、浪費しやすいので、経済観念をしっかり持つことが大切です。華やかさは人間関係にも及び、いつも周囲の目を集めようとしますが、つき合いが長続きせず、広く浅くの交際を繰り返すことになりがちです。また、すぐ感情を表に出しがちな傾向もあるでしょう。

土性 アイウエオ ヤユヨ ワヲン

きまじめな努力家 潤滑油の役割も果たす

「喉音（こうおん）」とも呼ばれ、喉から発する音が土性です。男女ともに人気のある音で、男の子では「ユウキ」「ユウタ」など、女の子では「アヤカ」「ユウ」のように明朗感のあるア音で始まる名前が人気です。

名前の第1音が土性の人は、他人に優しく、奉仕的に接します。人の輪の中で、潤滑油的な役割に向いています。努力型で、着実に地位を築いていきます。一見地味ですが、最終的にはそれまでの努力が実を結び、大きな成功を収める人です。人生設計も堅実で、危なげがないのも特徴です。

ただ、きまじめさが裏目に出て、視野が狭くなりがちです。思い込みも激しく頑固なので、一度こうと思ったらなかなか他人の意見に耳を貸しません。また、自分からすすんで新しいことに挑戦するようなことも少ないでしょう。

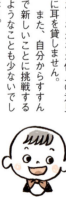

金性 サシスセソ

リーダーシップを取れる人生エンジョイ型

「歯音」と呼ばれ、息が前歯に触れて出る音です。音感が硬いので、名前を音で分けた場合、数はそれほど多くありません。男の子では「ショウ」や「ソウタ」、女の子では「サキ」や「サクラ」などが人気です。

名前の第1音が金性音の人は活発で行動力があります。人をまとめ、先導する力があるので、人の上に立つようになるでしょう。経済観念も発達していて豊かな生活が送れます。動き回ることで運気を引き寄せられる人なので、よく働きよく稼ぐことで人生を楽しむことができるでしょう。交際範囲が広く、目上の人にかわいがられたり、有力者からの引き立ても受けそうです。

半面、自分の実力以上のことをしようとする面があります。度が過ぎると社会的信用を失いがち。さらに過労や美食が過ぎて健康を損ねやすい面もあります。

水性 ハヒフヘホ マミムメモ

コツコツと努力をしどんな環境にも順応

「唇音」と呼ばれ、息が唇に触れて出てくる音が水性の音です。女の子の場合は、土性音に次いで人気のある音です。よく使われる名前では「ハルキ」「マサシ」「ミホ」「モモカ」などがあります。

第1音が水性音の人は、どんな環境にも順応できる能力があります。また、小さなことから始め、しだいに大きくしていくといった創業者的な気質も備えています。華やかさを嫌い、人に見えないところで着実に努力を重ねていくので、気がつくとかなりの成功を収めているでしょう。

その半面、気苦労が多かったり、ネガティブ思考の傾向もあります。困難にぶつかったときに、安易に逃避する道を選んだり、人を拒絶して引きこもりがちになることもあります。対人関係は淡泊ですが、相手の気持ちをとらえるのは上手です。

名前の第1音以外の音にも意味があります

第1音はその人の性格形成に大きく影響することはこれまでに述べてきましたが、この第1音が願いを込められた理想の性格とすると、第2音にはその人がいちばん自然でいるときの性格を、第3音には最終的にたどりつく性格を表します（2音の名前の場合は、左図のように第2音が持つそれぞれの意味については、78〜86ページに掲載していますので、それを参考にしてください。

- 1番目の音 こ：理想とする性格
- 2番目の音 う：自然でいるときの性格
- 最後の音 た：たどりつく性格

（例：ゆこうた / かた）

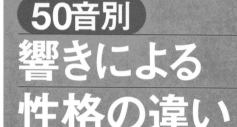

50音別
響きによる性格の違い

響きひとつで性格も変わってきます。
とくに名前の最初の音は、とても重要。
あなたはどんな願いを込めますか……？

う　縁の下の力持ち。大事なものを守ります

思いやりのある優しい性格。親孝行で自分の家族を大切に守ります。社交性があるとはいえないため、人の上に立って大きな事業を成し遂げるのは苦手ですが、コツコツと几帳面に自分の役目をこなします。消極的で心配性、優柔不断な一面もあり、クヨクヨ思い悩まないことが大切です。

あ　前向きに発展するすべての音の始まり

50音の始まりの音「あ」が名前につく人は、発展的な性格です。創造力や決断力にすぐれ、何事にも前向き。実行力もあるためリーダーシップを発揮します。一方、自己主張が強く、独断で強引に物事を推し進めようとすると、人との間で争いを起こし、孤立してしまうことも。

え　明朗快活に困難にも立ち向かいます

明るく活発な人です。多少の困難や苦労にもめげずに、積極的に立ち向かっていく行動力で成功を収めます。ただし、移り気で集中力が持続しないところもあり、失敗を恐れて逃げ腰になってしまうと、さらに失敗を重ねる悪循環に陥ります。また、人に利用されて苦労することもあります。

い　静穏な性格の内に強さを秘めています

穏やかで控えめな性格。外には目立って表れないものの、粘り強さもあります。困難にも負けず地道な努力を続けて成功を収めるタイプですが、引っ込み思案が過ぎればせっかくの運も逃しがち。だれからも愛されますが、求められると断りきれないところも。異性とのつき合いは慎重に！

お・を　簡単には譲れないこだわりがあります

こだわりが強く、綿密に計画を立ててから熱心に打ち込むタイプ。仕事の面でも成功します。おおらかで温和な態度を身につければ人から好かれますが、強情な面が出すぎるとトラブルに。人を信頼できずに心の中に不満をためると、ささいなことでも腹を立ててしまいます。

人生の浮き沈みも持ち前の明るい性格でクリア

明朗快活な性格です。情に厚く、誠実で人から信頼されます。ただし盛運と衰運を繰り返す暗示もあります。ついているときも調子に乗りすぎず、不運なときに備えることが大切です。活発さが短気・粗暴というマイナスの形で現れることもあり、浮き沈みの激しい人生を送る可能性も。

気配りと決断力で信頼を集め躍進します

穏やかで万事によく気が回り、冷静な判断ができるので周囲の信頼を集めます。一度取りかかったことは、たとえ困難があってもそれを乗り越え、成功に導く能力を秘めています。しかし、しっかりしているようで気弱な部分もあり、実行力が伴わない場合は中途半端に終わってしまうことも。

用心深く、努力家で堅実な人生を歩み人気者になります

物静かで誠実な性格がだれからも好感を持たれます。コツコツと努力を続け、大きな失敗や波乱も少ない堅実な人生を歩みます。消極的で小心なため、いつも周囲に遠慮しすぎてチャンスを逃しがち。用心深く、リスクはできる限り避けようとするので、大きな成功は難しいかもしれません。

外見はとても華やかですが内面は寂しがり屋

華やかな雰囲気をまとい、たいていのことでは成功を収める知力・体力にも恵まれています。ただ、他人の意見を聞き入れず、性急に自分の思いどおりに事を運ぼうとすると、友人や家族からも疎まれがちになりそう。交友関係はにぎやかですが、内面は寂しがり屋です。

社交的で負けず嫌い。周囲の人から支えられ成功します

意志が強く負けず嫌いな性格です。社交的で人当たりもよく、才気に恵まれていますから、まわりの人たちから引き立てや援助を受けて困難なことも成し遂げることができます。ただし、飽きっぽい性格が前面に出ると、何をしても長続きせず、大きな成功を収めることはできません。

せ　プライドの高い情熱的な野心家。抜群の行動力で成功します

頭脳明晰で情熱にも満ちあふれています。野心を持って物事に意欲的に取り組みますから、学業や仕事でまずまずの成果を上げることができます。ただし、高望みをしすぎたり、プライドの高さが災いして失敗することも。地道な努力を続けていれば、平穏無事で幸福な日々を送れます。

さ　知らない土地に行っても笑顔と向上心で成功します

陽気で華やかなことが好き。常に向上心を忘れず、実行力もあるため周囲からリーダーとして頼りにされます。独立心も旺盛で、自分をアピールする才能にも恵まれているので成功します。故郷を離れてより大きく発展する暗示があります。ただし陽気さを失うと不運に見舞われることも。

し　広く浅いつき合いよりも長く続く人間関係を結べます

表向き温和な態度が人から好意を持たれますが、実は頑固で警戒心の強い性格。交際範囲はあまり広がることはありませんが、誠実にじっくりとつき合うことができます。潜在的な能力を秘めていますから、不平不満を抑えて能力を発揮するように心がければ成功を収めることができます。

そ　だれとでも仲よくなれるなごみ系。平和を愛する正直者です

穏やかな性格の平和主義者です。だれとでも平等に正直につき合い、友好的な関係を保てますが、それが過ぎれば八方美人と言われることもあります。また何事もよく考えたうえで慎重に行動するタイプです。他人と争うのが苦手で、大きな勝負や競争の激しい仕事にはあまり向いてません。

す　気前よく散財してしまう、NOと言えないお人好し

世話好きでお人好し。頼まれるとイヤと言えない性格で、損な役回りを引き受けてしまうことも多いでしょう。また、派手好きで、気前よく散財する傾向があります。意志の強さを発揮して、こまかいことに悩まず、自信を持って物事に取り組んでいけば幸運が訪れます。

音から選ぶ名づけ

た　曲がったことは許せない正義感の強い猪突猛進タイプ

外見は温和な印象を与えますが、内には闘争心を秘めて、走りだすと止まらないタイプです。計画性もあり、熱心に働くので成功を収めます。正義感が強く、自分とは直接かかわりがなくても、曲がったことは見逃せずに人と衝突することも。異性関係でも思い込んだら一途になるタイプです。

て　交際上手で人から好かれ、いつも真剣に挑戦します

何事にも真剣に取り組み、困難も乗り越えることができる性格。誠実で人当たりもいいため対人関係もスムーズで、成功への足がかりとなるでしょう。ただし、見栄を張って浪費したり、思うように成果が上がらないことにあせると、苦労を重ねたにもかかわらず失敗が続くことがあります。

ち　持ち前の勤勉さで身につけた知識や技術で成功します

意志が強く努力を惜しまない人です。探究心や知識欲も旺盛で、すぐれた技術を身につけることができます。困難を物ともせずに目標に向かってやりぬく力を持っています。多少の苦労やトラブルはあるものの、年齢を重ねるにつれて成果が現れ、経済的にも豊かになっていきます。

と　慎重さと気配り・根気強さで成功します

冷静沈着。根気強く忍耐力もあります。こまかいところにもよく心配りが行き届き、成功を手にすることができます。しかし、あまりに消極的になってしまうと、せっかくの努力も効果が上がらず、チャンスを逃してうまくいかないことも。異性関係では用心深い反面、気が多いところも。

つ　自分の意見を持ち強気で自我を押し通します

自我が強く、人の助言に耳を貸したがらないタイプ。強い性格がよい方向に向かえば、能力もありますから大きな成功を収めることができます。虚栄心や頑固な面が出すぎると、独裁者になるおそれも。対人関係でトラブルを起こしたり、自分も他人も平穏ではいられなくなるので気をつけて。

消極的で引っ込み思案。チャンスを生かせば幸運に

知性や才能もありますが、意志が弱く優柔不断でうまく生かされません。ここぞというときにためらってしまったり、踏み切れずにチャンスを逃しがちです。引っ込み思案もほどほどにして、ときには勇気を出して目標に向かっていく努力をすれば、運が開けていきます。

常に進歩を続ける頑張り屋。人より一歩先をめざします

負けず嫌いで、常に他人より一歩進んだポジションを取ろうとします。何事にも全力を傾け、熱心に取り組みますから成功を収めます。ただし、その性格が悪いほうに出てしまうと、短気で意地悪になりがち。家族や周囲の人たちとトラブルを起こして、停滞してしまうので注意が必要です。

人に好かれる穏やかな性格。和を大切にします

穏やかで人と争うことをしないため、だれにでも好かれます。力のある先輩や上司の引き立てがあって成功します。また円満な家庭を築くこともできます。しかし、積極性や自立心が足りないと、何事も中途半端で終わりがち。あれこれ思い悩むより、まず行動を起こすことも大切です。

頼りになる冷静沈着な知恵者。優しさもあります

広い視野を持ち、落ち着いて判断することができる人です。包容力があり、人情に厚い性格で、他人からも慕われ、頼りにされます。ときにはその寛容さをうまく利用されることもありますが、全般的に幸運を手に入れることができます。ただし、冷静さが表に出すぎると嫌われてしまいます。

リーダーを陰で支える責任感の強い努力家です

温和で責任感の強い性格です。人を引っ張っていくより、トップを補佐する立場に向いています。とても思慮深く人情にも厚いため、周囲からの人望を集めます。ただし、怠け心に負けると責任逃れな態度が目立つようになり、何事もうまくいかなくなるおそれがあります。

批判にもめげず自分の道を進んでいきます

　直感力にすぐれ、聡明で決断も速い人です。人の言葉に惑わされず、自分の進むべき道に迷いがないので、交渉事も有利に運ぶことができます。ただし理想が高すぎると思わぬ失敗を招くことも。手が届かないと思えば早々にあきらめてしまい、判断が早急すぎることもあります。

自分の道は自分で開く、独立心の旺盛な行動派です

　思ったことはすぐに行動に移す、積極的な性格です。社交的で交際上手。強い意志を持ち、自分で道を切り開いて成功につなげます。半面、強引でひとりよがりな行動に走ってしまうと、対人関係がうまくいかなくなったり、家族ともギクシャクして孤独を感じてしまう場合もあるようです。

あわてず騒がず慎重に行動。晩年に運が開けます

　どんなときもよく考えて慎重に行動する人です。経済観念が発達し、無駄づかいを嫌ってコツコツと努力を続けます。中年期までは苦労も多いですが、しだいに運が開けて晩年には恵まれた生活を送ることができます。ただし、困難から逃避しようとすれば、不運が続きます。

強運の持ち主。満ち足りた生活を手に入れます

　目標に向かい地道な努力を重ねるタイプです。どんな困難にもくじけずに自分の信念を貫き、強運にも守られて成功を手にします。物質的・精神的にも満たされた幸福な生活が送れます。しかし、頑固な性格が表に出ると、他人との関係につまずき、努力しても報われない不運を嘆くことに。

クリエイティブな才能があり努力を重ねて成功します

　創造力に恵まれ、高い技術を身につけることができます。派手なパフォーマンスはありませんが、堅実な努力に結果が伴います。しかし、人間関係ではあまり深いかかわりを好まず、他人を信じられずに非社交的になってしまうことも。人とうまくつき合うようにすれば、幸運に恵まれます。

何事にも熱心。話術が巧みでみんなの人気者に

頭の回転が速く、ウイットに富んだ会話も得意です。仕事にも誠実に取り組み、熱意が実を結んで成功するでしょう。才知におぼれず謙虚であれば周囲の人からも好かれます。口先だけで、着実に努力を続けることを怠ると、成果は上がらず、不遇な生活に甘んじることになってしまいます。

音 から選ぶ名づけ

穏やかなようで内面には情熱を秘めています

おとなしく温和な印象を与えますが、内面の感情の起伏は激しい人です。そのエネルギーを前向きな行動に向ければ成功への道が開けます。物事を悲観的にとらえ、不安におそわれて心の平静を失ったり、見栄を張って失敗することも。勇気を出して積極的に物事に取り組むことが大切です。

華やかでおはなし好き。美的センスのある情熱家

明るくにぎやかなことが好きな性格。情熱的で美的な才能に恵まれています。熱意と明るさがプラスになって仕事では成功し、家庭生活も豊かなものに。しかし、軽はずみなおしゃべりや他人の悪口をつい口にしてしまい、誤解を受けることも。嫉妬心からの異性とのトラブルにも注意。

魅力的でみんなに好かれます。一途なところも

社交的で人をひきつける魅力があります。体も丈夫で精力的に働くので、多くの人からの信頼を得られます。人脈をつくることも得意なので成功するでしょう。ただ、自分の才能を過信したり、情にもろく、異性に一途になりがちな面も。異性とのつき合いには注意が必要です。

外見は控えめ。しんの通った強さを持っています

温厚で控えめな性格。家庭に恵まれ、円満に暮らすことができます。知的でよく考えてから行動に移すタイプで、自分の意志を貫く強さも持っているため、人知れずいつのまにか成功を収めています。しかし積極性に欠けるため、せっかくのチャンスを逃したり、目立たず孤独を感じることも。

頭の回転が速く世渡り上手。気まぐれな一面も

頭脳明晰、世渡りが上手で、物事を自分に有利に運べる才能があります。まとまった財産を築くこともできるでしょう。しかし、気まぐれな言動で、他人に不誠実な印象を与えてしまうと、寂しい晩年を送ることになります。誠意のある振る舞いを心がけていれば、心豊かに暮らせます。

チャンスを自分の味方につけ抜群の実行力で活躍します

精力的に仕事をこなすやり手タイプ。知識も豊富で実行力があり、チャンスをつかんで成功します。強い運があり、たいていのことはうまくやり遂げる才覚もあります。ただし、わがままや自我を押し通しすぎると、周囲の人たちとトラブルを起こしたり、人望を失って失敗につながります。

さばさばした性格。華やかな雰囲気を好みます

性格は明るく華やかなことを好みます。たくさんの人に囲まれているのが好きで、交友関係は広く浅く……。思うところははっきりと主張しますが、あまりに自分の考え方にこだわりすぎれば、まわりの人から敬遠され、人間関係がうまくいかなくなることも。協調することも大切です。

自分の感性を頼りに先を見通す賢さがあります

感受性が強く、先見の明があります。上手に時流に乗って成功を収めることができます。困難に直面してもあきらめない根気強さを身につければ、何事もうまくいきます。また、頑固なところがあり、一度思い込むと人の意見を聞く耳を持ちません。新しいことに挑戦するのもやや苦手です。

目立つことは苦手ですが平凡な幸せをつかみます

おとなしく、あっさりした性格。平凡でも穏やかな生活を好みます。人を出し抜こうという野心を持たないタイプ。誠実な人柄が好感を呼び、目上の人からなにかと引き立てがあり、仕事面での成功につながります。異性関係などでは、消極的で人頼みな性格が災いすることもあります。

周囲の人を笑顔にする思いやりにあふれています

思いやりがあり、人のためになることを喜んでするタイプです。円満な人柄でだれからも信頼され、人と人との間をうまく取り持ったり、リーダーとして慕われることも多いでしょう。賢さと熱意も備わって成功を収めますが、情が深く、異性関係では、深みにはまって思わぬ失敗も。

気配りができお金に困らない財運の持ち主

頭がよく、タフな精神力の持ち主。金銭を手に入れる才覚と財運に恵まれ、豊かな一生を送ることができます。何事にも細心の注意を払って大きな成功を収めますが、したたかな印象をもたれがちなので、物欲に走ると、周囲から油断のならない人物と見られてしまいます。

豊富な知識と賢さでリーダーのサポート役に

頭脳明晰で知識欲があり、鋭い洞察力を持っています。事務的な仕事を処理する能力にすぐれ、リーダーを補佐する役目に向いています。その一方で、やきもちやきなところもあるため、家族や仲間から疎まれることも。心をおおらかに他人を受け入れるようにすると運も開けてきます。

まじめな努力を続けることでいつか報われます

まじめで優しい性格です。派手なところはありませんが、人知れずに地道な努力を続けて、いつかその才能が開花します。他人に対してもよく気づかいするので、だれからも好かれます。自分が思い込んだことは、容易に変えようとしないため、回り道をすることもあるでしょう。

責任感の強さと誠実さで自然とみんなのリーダーに

責任感が強く、誠実な人柄でまわりの人から尊敬を集めます。リーダーとなってその才能や指導力を思う存分発揮し、大いに活躍するでしょう。地位や財産を手に入れ、充実した人生を送ることができます。しかし、自分のプライドにこだわりすぎると、周囲の人に嫌われてしまいます。

音から選ぶ名づけ

音から選ぶ 女の子の名前リスト

あ

あい
和 8 / 5
亜衣 7+6 13
愛 13
杏衣 7+6 13
亜依 7+8 15
彩生 11+5 16
明依 8+8 16
彩衣 11+6 17
愛生 13+5 18
藍 18
愛依 13+8 21

あいか
和花 8+7 15
和香 8+9 17
亜衣加 7+6+5 18
愛加 13+5 18
愛禾 13+5 18
愛花 13+7 20
愛佳 13+8 21
愛果 13+8 21
愛香 13+9 22
愛夏 13+10 23
愛華 13+10 23
彩衣花 11+6+7 24

あいさ
愛紗 13+10 23
愛彩 13+11 24
藍咲 18+9 27
愛依紗 13+8+10 31

あいこ
愛子 13+3 16
藍子 18+3 21

あいな
あいな 10
愛七 13+2 15
和奈 8+8 16

あいか (continued)
藍花 18+7 25
藍果 18+8 26
藍香 18+9 27
藍華 18+10 28

あいの
あいの 6
愛乃 13+2 15
藍乃 18+2 20

あいね
愛音 13+9 22
藍音 18+9 27

あいね
あいね
愛依菜 13+8+11 32

あいな (continued)
愛那 13+7 20
亜衣奈 7+6+8 21
愛奈 13+8 21
杏衣奈 7+6+8 21
愛菜 13+11 24
藍凪 18+6 24
藍那 18+7 25
藍奈 18+8 26

あいみ
あいみ 8
愛未 13+5 18
愛実 13+8 21
愛海 13+9 22
亜依美 7+8+9 24
藍海 18+9 27

あいら
あいら 8
愛来 13+7 20
愛良 13+7 20
愛來 13+8 21

あいは
あいは
愛羽 13+6 19
藍羽 18+6 24
愛葉 13+12 25

※漢字の右側の数字は画数です。名前下の数字は「仮成数」を加えていない地格になります。
※実例の名前ですので、あて字も含まれています。ご注意ください。
※ここでは「仮成数」を加えて吉数にする場合も考えて、画数としてそのままでは吉数ではない名前例も掲載しています

音から選ぶ名づけ — 女の子名

あ — あいら〜あおは

あいり
- 愛桜 10 … 23
- 藍良 11 … 25
- 藍羅 13 … 32
- 愛蘭 13 … 32
- あいり 3 … 7
- 和里 10 … 15
- 和莉 13 … 18
- 明衣里 13 … 21
- 愛莉 13 … 23
- 亜衣梨 14 … 24
- 愛梨 14 … 24
- 愛理 14 … 24
- 彩衣里 17 … 24
- 碧莉 24 … 24

- 明衣莉 14 … 24
- 藍里 13 … 25
- 愛鈴 26 … 26
- 愛璃 28 … 28
- 愛衣莉 29 … 29
- 藍梨 29 … 29
- 愛依莉 31 … 31
- 藍璃 33 … 33

あいる
- あいる 3 … 8
- 愛留 23 … 23
- 愛琉 24 … 24
- 藍瑠 27 … 27
- 藍琉 29 … 29
- 愛依琉 32 … 32
- 碧瑠 32 … 32

あお
- あお 2 … 7
- あお 4 … 8
- 青 8 … 12
- 亜央 13 … 13
- 青央 13 … 13
- 蒼 14 … 14
- 碧 16 … 16
- 彩央 17 … 17
- 葵央 17 … 18
- 愛央 18 … 18
- 碧央 19 … 19
- 蒼央 21 … 21
- 亜緒 21 … 21
- 愛桜 23 … 23
- 蒼桜 23 … 23

あおい
- 碧桜 … 24
- 葵 … 9
- あおい 12 … 12
- あおい 13 … 13
- 蒼 … 14
- 碧 … 16
- 青依 18 … 18
- 葵衣 18 … 18
- 蒼生 20 … 20
- 碧依 20 … 20
- 蒼依 21 … 21
- 蒼泉 22 … 22
- 碧依 22 … 22
- 亜桜衣 23 … 23
- 葵惟 23 … 23

- 葵彩 … 23
- 葵唯 … 23
- 碧泉 … 23
- 愛央衣 … 24
- 蒼彩 … 24
- 蒼唯 … 24
- 藍衣 … 24
- 碧彩 … 25
- 碧唯 25 … 25
- 亜緒衣 27 … 27
- 彩緒衣 31 … 31

あおか
- あおか … 19
- 葵佳 … 20
- 葵花 … 21
- 碧花 … 24
- 碧夏 14 … 24

あおな
- 碧華 … 24
- あおな … 21
- 蒼南 … 21
- 蒼奈 … 21
- 碧那 … 21
- 葵菜 … 23
- 碧菜 … 25

あおね
- あおね … 21
- 碧音 … 23
- 葵音 … 23

あおの
- あおの 14 … 14
- 葵乃 15 … 15
- 蒼乃 16 … 16
- 碧乃 …

あおは
- あおは 3 … 11

音から選ぶ名づけ

女の子名

あ あおは〜あきら

名前	画数
葵巴[12]	16
葵羽[12]	18
碧芭[14]	18
碧巴[14]	21
葵晴[12]	24
葵葉[12]	24
蒼葉[13]	25
碧葉[14]	26
あおば	13
青葉[8]	16
葵羽[12]	18
碧巴[14]	18
青葉[8]	20
碧羽[14]	20
蒼波[13]	21

名前	画数
碧芭[14]	21
碧波[14]	22
葵羽[12]	24
蒼葉[13]	25
碧葉[14]	26
あかね	9
茜[9]	10
あかね	15
朱音[6]	17
明音[8]	18
茜音[9]	24
あかり	6
灯[6]	8
あかり	13
朱李[6]	

名前	画数
朱里[6]	13
灯里[6]	13
朱李[6]	15
茜里[9]	16
朱莉[6]	16
灯莉[6]	16
燈[16]	16
朱梨[6]	17
朱理[6]	18
明梨[8]	19
明莉[8]	21
亜花里[7]	21
杏花里[7]	21
朱璃[6]	23

名前	画数
明璃[8]	15
明凛[8]	23
亜花莉[8]	24
明香里[8]	24
彩花里[11]	25
明花莉[8]	25
明佳梨[8]	26
明香梨[8]	27
明香莉[8]	27
愛香里[13]	29
愛果莉[13]	31
あき	7
瑛[12]	12
晶[12]	12
亜希[7]	14
亜季[7]	15

名前	画数
明希[8]	15
亜紀[7]	16
彩生[11]	16
明季[8]	16
彩希[11]	16
愛希[13]	18
彩季[11]	20
彩喜[11]	23
彩稀[11]	23
愛稀[13]	25
あきな	16
明奈[8]	16
晃奈[10]	18
明菜[8]	19
晶奈[12]	20
晃菜[10]	21

名前	画数
陽菜[12]	23
あきの	11
秋乃[9]	11
翠乃[14]	16
あきは	19
陽花[12]	
晶葉[12]	24
陽葉[12]	24
あきほ	16
晃帆[10]	16
明歩[8]	23
明穂[8]	27
あきら	
瑛[12]	12
暁[12]	12

音から選ぶ名づけ — 女の子名

あ（あきら〜あづき）

Row 1:
晶 12 ／ 翠 14 ／ **あこ** ／ 亜子 5 ／ 杏子 10 ／ 杏子 10 ／ 葵子 11 ／ 彩心 15 ／ 亜香 15 ／ 愛心 16 ／ 愛來 17 ／ 彩瑚 21 ／ **あさ** ／ あさ 6 ／ 朝 12

Row 2:
亜咲 16 ／ 安紗 16 ／ 杏咲 16 ／ 亜紗 17 ／ 明桜 18 ／ 朝咲 21 ／ 葵彩 22 ／ 愛彩 23 ／ **あさひ** ／ 旭 6 ／ あさひ 8 ／ 朝日 16 ／ 旭陽 18 ／ 明咲日 21 ／ 朝陽 24

Row 3:
彩咲陽 32 ／ **あさみ** ／ 麻未 16 ／ 愛紗美 32 ／ **あず** ／ あず 8 ／ 杏寿 14 ／ 愛珠 23 ／ **あすか** ／ あすか 9 ／ 明日禾 17 ／ 明日花 19 ／ 飛鳥 20 ／ 明日華 21 ／ 明日香 22 ／ 彩日香 24

Row 4:
あずき ／ あずき 12 ／ 梓希 18 ／ **あずさ** ／ あずさ 11 ／ 梓 11 ／ 杏紗 17 ／ 梓沙 18 ／ 杏彩 20 ／ 梓咲 21 ／ 梓桜 21 ／ 梓紗 21 ／ 明日咲 22 ／ **あすな** ／ あすな 8 ／ 明日奈 20

Row 5:
明日南 21 ／ 明日菜 23 ／ **あすは** ／ あすは 18 ／ 明日羽 18 ／ 明日晴 24 ／ 明日葉 24 ／ **あずは** ／ あずは 13 ／ 杏羽 17 ／ 梓花 18 ／ 梓葉 23 ／ **あすみ** ／ あすみ 16 ／ 有純 17 ／ 杏純 18 ／ 明純 18 ／ 明日海 21

Row 6:
明日美 21 ／ 明澄美 32 ／ **あずみ** ／ あずみ 11 ／ 杏実 15 ／ 杏末 16 ／ 有純 16 ／ 彩純 21 ／ **あづき** ／ あづき 10 ／ 杏月 11 ／ 彩月 15 ／ 葵月 16 ／ 絢月 16 ／ 愛月 17 ／ 梓希 18

音から選ぶ名づけ / 女の子名

あ　あの〜あやな

読み	漢字	画数	ページ
あの	愛乃	15	
あのん	あのん		
あのん	愛音	6	
あのん	杏音	16	
あまね	彩音	20	
あまね	愛音	22	
あまね	愛乃音	24	
あまね	彩暖	24	
あまね	周	8	
あまね	弥	8	
あまね	あまね	11	
あまね	天音	13	
あまね	明弥	16	
あまね	弥音	17	

あみ	あみ	6	
あみ	亜実	15	
あみ	杏実	15	
あみ	亜美	16	
あみ	杏海	16	
あみ	杏美	16	
あみ	彩未	16	
あみ	愛未	18	
あみ	彩実	19	
あみ	愛実	21	
あみ	愛海	22	
あみか	愛望	24	
あみか	亜美佳	24	
あみか	愛美香	31	

あみな	綾美香	32	
あみな	愛美菜	33	
あみな	愛海菜	33	
あむ	あむ	23	
あめり	彩結	23	
あめり	愛結	25	
あめり	愛夢	26	
あめり	あめり	7	
あめり	天莉	14	
あや	あや	3	
あや	文	4	
あや	礼	5	
あや	あや	6	
あや	采	8	

あや	彩	11	
あや	亜矢	12	
あや	絢	12	
あや	綾	14	
あや	綺	14	
あや	亜弥	15	
あや	亜耶	16	
あや	彩矢	16	
あやみ	愛弥	21	
あやか	あやか	9	
あやか	文香	13	
あやか	礼佳	13	
あやか	礼果	13	
あやか	礼華	15	
あやか	彩加	16	

あやか	彩禾	16	
あやか	彩花	18	
あやか	絢花	19	
あやか	彩佳	19	
あやか	彩香	20	
あやか	絢香	21	
あやか	綾花	21	
あやか	彩夏	21	
あやか	彩華	23	
あやか	綾香	24	
あやか	綾華	24	
あやか	綺夏	24	
あやこ	あやこ	7	
あやこ	文子	7	
あやこ	彩子	14	

あやこ	絢子	15	
あやこ	綾子	17	
あやこ	綺子	17	
あやさ	あやさ	20	
あやさ	彩紗	20	
あやさ	綾紗	21	
あやさ	綾咲	23	
あやせ	あやせ	16	
あやせ	彩世	16	
あやせ	絢世	17	
あやせ	彩聖	24	
あやな	あやな	11	
あやな	文奈	12	
あやな	彩七	13	
あやな	礼奈	13	

音から選ぶ名づけ　女の子名　あ　あやな〜あゆな

読み	名前
(あやな)	礼菜16　彩那18　彩奈19　絢奈20　綾那21　彩夏22　綾奈22　絢菜23　綾菜25
あやね	文音13　郁音18　彩音20　亜矢音21　絢音21　綾音23　綺音23　亜弥音24　彩寧25
あやの	文乃6　あやの7　礼乃7　郁乃8　彩乃11　絢乃13　綾乃14　彩也乃16　綺乃16
(あやは)	彩巴15　文葉16　彩羽17　絢葉23　綾葉24
あやみ	礼実13　彩実16　彩心16　彩未19　彩実20　彩海20　絢美21　絢海21　綾美23
あやめ	あやめ8　菖11　礼芽13　采芽16　彩芽19　絢芽20　綾芽22　絢芽22　綺芽23　絢萌24　彩愛24　菖蒲24
あやり	彩里18　彩莉21
あゆ	歩8　彩友15　彩由16　愛由18　亜優23　杏優24　愛悠25　明優25　愛優30
(あゆ)	絢莉22　絢梨23　綾莉24
あゆか	歩叶13　歩花15　歩佳16　歩果16　歩華18　愛由花25　愛結花32　彩結香32　愛結花37
あゆな	歩那11　歩奈15　彩由奈16　愛結菜24 あゆな36

92

音から選ぶ名づけ 女の子名

あ (あゆは〜いお)

名前	画数
あゆは	
歩羽	14
歩華	18
愛結羽	31
あゆみ	
歩	8
愛弓	9
歩実	16
歩海	17
彩美	17
彩結美	32
愛結実	33
愛優美	39
あゆむ	
歩	8

名前	画数
歩結	20
歩夢	21
あゆり	
歩莉	18
愛友莉	27
愛結莉	32
ありさ	
有沙	13
有咲	15
有桜	16
有紗	16
有彩	17
杏里紗	21
杏里沙	24
有梨沙	24

名前	画数
アン	4
あん	
有里彩	24
愛里紗	30
愛梨沙	31
愛里沙	31
愛梨紗	31
愛理彩	31
愛莉咲	31
彩梨咲	32
彩梨紗	33
愛理彩	35
ありす	
アリス	6
ありす	8
愛莉珠	33

名前	画数
あん	5
杏	7
晏	10
杏音	16
あんじゅ	
安寿	13
杏朱	13
安寿	14
安珠	16
杏珠	17
晏朱	18
明珠	17
杏樹	23
あんず	
杏	7
あんず	10

名前	画数
杏子	10
あんな	
安那	10
杏那	13
杏凪	13
杏那	14
杏奈	15
杏南	17
杏夏	18
杏菜	18
あんり	
あんり	7
安里	13
杏吏	13
杏里	14
安莉	16

い

名前	画数
杏浬	17
杏莉	17
杏梨	18
晏梨	18
晏梨	21
杏理	21
杏璃	22
杏凛	22
いお	
いお	6
一桜	11
依央	13
惟央	16

音から選ぶ名づけ — 女の子名 — い いお～いと

【いお～】
- 衣桜 16
- 唯央 16
- 彩桜 21
- **いおな**
- 依央奈 31
- 衣緒菜 21
- 衣栞 8
- **いおり**
- 衣栞 16
- いおり 18
- 一桜里 19
- 一織 21
- 伊織 24
- 依央莉 24
- 衣央梨 24
- 衣織 24
- 依織 26

【いずみ】
- 泉織 27
- 彩織 29
- 唯織 29
- いくみ 6
- 育実 16
- 郁実 17
- 郁美 18
- **いずみ**
- 泉 9
- いずみ 10
- 泉水 13
- 和泉 17
- 泉海 18
- 泉美 18
- 泉澄 24

【いち～】
- **いちか**
- 一禾 6
- 一花 8
- 一果 8
- 一香 10
- 一夏 11
- 一華 11
- 一千花 11
- 一栞 12
- いち花 13
- 一千香 13
- 苺禾 14
- 一楓 15
- いち華 15
- 市華 15

- 苺花 15
- 衣千花 16
- 一知花 16
- 唯禾 16
- 苺佳 16
- 苺果 16
- 苺香 17
- 依千香 18
- 衣千香 18
- 唯花 18
- 苺華 21
- 衣知花 21
- 唯華 21
- 唯千花 21
- 依知佳 24

【いち乃／いちは／いつき】
- 維千花 24
- 唯千夏 24
- 唯千華 24
- **いちの**
- 一乃 3
- 市乃 7
- 伊千乃 11
- 依千乃 13
- 莞千乃 15
- **いちは**
- いちは 9
- 一華 11
- 一葉 13
- 市葉 17
- **いつき**
- いつき 7

【いと】
- 一希 8
- 乙希 8
- 伊月 10
- 依月 12
- 一葵 13
- 乙葵 13
- 泉月 13
- 惟月 15
- 唯月 15
- 樹月 16
- 維月 18
- 樹希 24
- 樹季 28
- **いと**
- いと 4

音から選ぶ名づけ 女の子名 い いと〜うみ

読み	漢字候補（画数）
いと	一叶6 糸5 絃11 綸14 衣音15 依音16 伊音17 衣都17 依都19 維音23 維都25 糸花13 絃禾16 糸華16
いとか	(see above)
いとの	糸乃5 絃乃8 綸乃16
いとは	絃巴15 絃羽17 絃花18 愛羽19 絃葉23
いのり	祈8
いよ	いよ3 衣代11
いぶき	祈里18 祈莉18 いぶき12 伊吹13 彩吹15 依蕗24
いまり	未莉15 いまり8
いろは	彩羽17 彩巴18 いろは8 いろは11 彩花18 色葉18 彩晴23 彩葉23
いよ	(see above)
うい	依世13 羽衣12

うた	唄10 詠12 詩13 歌14 うた6 うた2 初花14 初果15 初香16 初華17 歌乃15 詩乃16 うたの18 詩歌16 うたは16 詠羽16 詠巴19 詠葉24 詩葉25
うたこ	詠子15 詩子16
うみ	うみ5 海9 羽未11

95

漢字	画数
海心	13
羽海	15
羽海	15
羽望	17
海美	18
優海	26
うみか	—
海禾	14
海花	16
海佳	17
海香	18
海夏	19
うらら	8
麗	19
羽麗	25

漢字	画数
麗来	26
うるは	15
美羽	25
麗羽	31
えいか	—
英佳	16
英香	17
瑛香	21
えいみ	8
瑛末	17
瑛美	21

漢字	画数
詠美	21
えな	8
永那	12
衣那	13
永那	13
英那	15
依奈	15
英那	16
恵凪	16
咲那	16
映奈	17
恵那	17
笑那	17
恵奈	18

漢字	画数
笑奈	18
瑛奈	20
瑛南	21
恵菜	21
笑菜	21
瑛菜	23
えま	5
エマ	7
永茉	13
恵茉	13
衣茉	14
永真	15
瑛万	15
依茉	16
衣真	16

漢字	画数
永麻	16
英茉	16
衣麻	17
映茉	17
咲茉	17
依眞	18
恵茉	18
笑茉	18
咲真	19
瑛真	20
詠茉	20
絵茉	20
恵眞	20
笑眞	20
愛茉	21

漢字	画数
衣舞	21
恵麻	21
笑麻	21
瑛麻	23
絵麻	23
咲舞	24
恵舞	25
笑舞	25
瑛舞	27
絵舞	27
えみ	6
えみ	9
咲心	13
永実	13
恵末	15

音から選ぶ名づけ　女の子名　う　うみ〜えみ

音から選ぶ名づけ ― 女の子名

え（えみ〜えれん）

えみか
- 笑花 17
- 咲果 17
- 咲花 16
- 笑叶 15

えみ
- 絵美 21
- 瑛美 21
- 瑛実 20
- 恵美 19
- 笑実 18
- 咲実 18
- 恵実 18
- 咲実 18
- 瑛実 17
- 依美 17
- 笑末 15

えみな
- 咲那 16
- 咲奈 17
- 笑奈 18
- 咲菜 20
- 笑菜 21
- 恵美奈 27

えみり
- 咲里 16
- 笑里 17
- 咲莉 19

えみか
- 英美佳 25

えみる
- 笑瑠 23
- 恵美留 29

えり
- 衣里 13
- 英里 15
- 依莉 18
- 恵莉 20

えりか
- 英里香 24
- 絵里花 28
- 恵理佳 29
- 恵莉香 29

えさき
- 愛咲莉 32

えみり（続）
- 絵美莉 31
- 笑美莉 29
- 恵美莉 29

えみり
- 英美里 24
- 笑梨 21

えり
- 恵梨 21
- 恵理 21
- 笑梨 21
- 瑛莉 22
- 絵莉 22
- 瑛梨 23
- 絵理 23
- 愛理 24
- 恵璃 25

エリカ
- エリカ 7

えりな
- 絵梨香 30
- 絵梨香 32
- えりな 10
- 英里奈 23
- 衣里菜 24
- 瑛里那 24
- 恵里那 27
- 絵里奈 27
- 恵莉那 29
- 恵理奈 29
- 瑛梨奈 31
- 絵梨奈 31
- 絵理奈 31

えれん / えれな
- **えりん** 笑鈴 23
- 絵梨香 30
- **えれな** エレナ 6
- 恵礼奈 11
- 英玲奈 23
- 英玲那 24
- 英怜奈 25
- 恵怜奈 26
- 恵玲奈 27
- 愛玲菜 33
- 恵麗奈 37
- **えれん** えれん 8
- 映蓮 22

| 恵蓮13 | 瑛蓮25 | 絵蓮25 | | | 央佳13 | 央華15 | 旺花15 | 桜禾15 | 凰禾16 | 桜花17 | 凰花18 | 桜香19 | 桜華20 |

おうか

| 凰華21 | 桜嘉24 | 桜歌24 | | | 音6 | 桜叶15 | 央叶16 | 凰叶16 | 桜采18 | 桜音19 | 緒都21 | 音澄23 | 緒音24 | 乙華11 |

おとか

| 乙歌15 | 音花16 | 音佳17 | 音果17 | 音香18 | 音奏18 | 音華19 | | | 乙音10 | 乙寧15 | 音寧23 | 乙葉7 | 音巴13 | 音羽15 |

おとは・おとね

| 音芭16 | 音波17 | 音晴21 | 音葉21 | | | 浬10 | 海李16 | 海里16 | 快莉17 | 海莉19 | 海璃24 | 禾依13 |

かいり・かえ

| 花衣13 | 花依15 | 叶笑15 | 夏衣16 | 花咲16 | 華衣16 | 花笑17 | 果恵18 | | | 楓13 | 花央12 | 佳央13 | 果央13 | 可桜15 |

かえで・かお・かおり

| 夏央15 | 華央15 | 華生15 | 花桜17 | 佳桜18 | 果緒22 | 香緒23 | 夏緒24 | 華緒24 | | | 圭織24 | 佳桜里25 | 花織25 | 香央里21 | 香里16 |

音から選ぶ名づけ 女の子名 か かおり〜かなえ

佳織 26 ・ 香織 27 ・ かおる 20 ・ 薫 16 ・ 馨 23 ・ 薫子 19 ・ かおるこ 19 ・ 花音 16 ・ 夏音 23 ・ 華音 23 ・ 歌音 11 ・ 花穂 ・ かこ ・ 佳子 11

果子 11 ・ 華子 13 ・ 栞子 13 ・ 佳香 17 ・ 嘉子 17 ・ 歌子 23 ・ 夏瑚 11 ・ かずさ 11 ・ 一紗 15 ・ 和沙 18 ・ 一那 8 ・ 和那 15 ・ かずな ・ 和奈 16

一羽 7 ・ かずは ・ 一華 11 ・ 一葉 13 ・ 和羽 14 ・ 和波 16 ・ 和葉 20 ・ かすみ 9 ・ 可純 15 ・ 禾純 15 ・ 叶純 15 ・ 花純 17 ・ 佳純 18 ・ 果純 18 ・ 華純 20

花澄 22 ・ 佳澄 23 ・ 歌純 24 ・ 香澄 24 ・ 華澄 25 ・ かづき 13 ・ 香月 14 ・ 華月 18 ・ 嘉月 8 ・ かな 9 ・ 奏 12 ・ 加那 13 ・ 加奈 13 ・ 可奈 13 ・ 禾奈

叶奈 13 ・ 佳那 15 ・ 果那 15 ・ 花奈 16 ・ 佳奈 16 ・ 加菜 16 ・ 夏凪 16 ・ 果奈 16 ・ 香那 17 ・ 佳南 17 ・ 夏那 17 ・ 珂奈 17 ・ 華那 17 ・ 香奈 18 ・ 佳夏 18 ・ 夏奈

果夏 18 ・ 花奈 18 ・ 華奈 18 ・ 栞奈 18 ・ 香菜 19 ・ 夏菜 20 ・ 楓菜 21 ・ 嘉菜 24 ・ かなう 25 ・ 叶 5 ・ 奏羽 15 ・ 叶恵 15 ・ 奏衣 15 ・ かなえ ・ 佳苗 16

音から選ぶ名づけ 女の子名

かなえ〜かほ

かなこ
- 香苗 17
- 夏苗 18
- 奏恵 19
- 奏笑 19
- 奏瑛 21
- 奏絵 21
- 花菜恵 28
- 佳菜恵 29
- 奏子 12
- 加奈子 16
- 可奈子 16
- 佳那子 18
- 佳奈子 19
- 華奈子 21
- 佳菜子 22

かなで
- 香菜子 23
- 夏菜子 24
- かなで 9
- 奏 9
- かなで 12
- 花奏 16
- 果奏 17

かなは
- 奏羽 15

かなみ
- 奏花 16
- 叶葉 17
- 奏葉 21

かなほ
- かなほ 15
- 奏歩 17
- 奏穂 24

かなみ
- かなみ 11
- 叶実 13
- 奏心 15
- 花波 16
- 叶望 17
- 奏実 18
- 華波 18
- 奏海 18
- 佳美 19

かなめ
- 佳奈実 24
- かなめ 9
- 要 9
- 叶芽 13
- 奏芽 17
- 奏愛 22

かの
- かの 7
- 禾乃 7
- 叶乃 9
- 花乃 10
- 佳乃 10
- 果乃 11
- 香乃 11
- 奏乃 11
- 夏乃 12
- 華乃 12
- 栞乃 12
- 椛乃 13
- 楓乃 15
- 嘉乃 16
- 歌乃 16
- 樺乃 16

かのあ
- かのあ 16
- 叶彩 18

かのこ
- 叶愛 18
- かのこ 6
- 佳乃子 13
- 果乃子 13
- 華乃子 15
- 栞乃子 15

かのは
- かのは 11
- 叶羽 11

かのん
- 叶葉 17
- かのん 6
- 叶音 14
- 花音 16

かほ
- かほ 8
- 禾帆 11
- 花帆 13
- 佳帆 14
- 果帆 14
- 佳音 17
- 果音 17
- 香音 18
- 奏音 19
- 夏音 19
- 華音 20
- 花暖 21
- 佳暖 21
- 果穏 23

音から選ぶ名づけ 女の子名

か かほ〜きい

名前	画数
花歩	15
香帆	15
奏帆	15
佳歩	16
夏帆	16
果歩	16
華帆	16
夏歩	18
華歩	18
栞歩	18
花穂	22
佳穂	23
果穂	23
香穂	24
夏穂	25
華穂	25

かや

名前	画数
茅	8
花弥	15
伽耶	16
果弥	16
花耶	16
果耶	17
香弥	17
果椰	21

かやの

名前	画数
茅乃	10
華也乃	15
佳弥乃	18
佳世	13
佳代	13

かりな

名前	画数
佳里奈	23
香里奈	24
香莉奈	27
夏梨菜	32

かりん

名前	画数
花梨	18
花鈴	20
果鈴	21
花凛	22
香鈴	22
佳凛	23
夏鈴	23
果凛	23

かれん

名前	画数
カレン	5
花怜	15
佳恋	18
華蓮	18
叶蓮	18
香恋	19
花蓮	20
華恋	20

名前	画数
華鈴	23
香凛	24
夏凛	25
華凛	25

かんな

名前	画数
カンナ	6
かんな	10
栞那	16
柑奈	16
栞奈	17
柑南	17
栞和	18

名前	画数
佳蓮	21
可憐	21
楓怜	21
香蓮	22
夏蓮	23
華蓮	23

き

きい

名前	画数
きい	4
希生	12
希衣	13
季生	13
希依	15
季依	16

名前	画数
柑菜	20
栞菜	21
栞愛	23
環那	24
環奈	25
環菜	28

き	桔衣16	絆生17	葵生17	絆生17	葵衣18	喜衣18	稀衣18	葵唯23	き	希生12	妃希13	葵々15	季希15	希紀16	希姫17

きこ	希子10	希心11	季子11	紀子12	葵子15	喜子15	希來15	貴香15	希香16	樹子19	きさ	希沙14	希紗16	希咲17	喜咲21

ききさ	妃咲15	希咲16	季咲17	貴咲21	綺咲23	きずな	絆11	絆菜22	絆愛24	きっか	桔花17	きづき	希月11	葵月16	綺月18

きな	妃奈14	希奈15	來那15	葵南21	樹奈24	きの	基乃13	葵乃14	綺乃16	樹乃18	きはる	希春16	喜春21	葵晴24	葵陽24

きほ	希帆13	來帆14	希歩15	紀帆15	希保16	葵帆16	喜帆18	稀歩18	輝帆21	希穂22	綺歩22	季穂23	紀穂24	貴穂27

きょう	杏7	京8	きょうか	杏花14	杏佳15	叶華15	杏果15	京花15	杏香16	京佳16	恭花17	京香17	京夏18	京華18

音から選ぶ名づけ 女の子名 き きい〜きょうか

音から選ぶ名づけ 女の子名

き きょうか〜ここな

きょうこ
- 恭佳 18
- 杏歌 21
- 京楓 21
- 京子 10
- 恭子 13
- 恭子 13
- 馨子 23
- 清花 18
- 清華 21
- 聖華 23
- きわ
- 希羽 13
- 希和 15
- 季和 16

く

くみ
- 久実 11
- 久美 12
- 來未 13
- くらん
- 來蘭 27
- 紅蘭 28
- くるみ
- くるみ 7
- 來未 12
- 來実 13
- 来実 15
- 来美 16

け

けい
- 圭 6
- くれあ
- 紅愛 21
- くれは
- 紅愛 22
- 紅羽 15
- 紅芭 16
- 紅葉 21
- 來実 16
- 來美 17
- 来望 18
- 胡桃 19
- けいか
- 恵花 16
- 桂花 17
- 恵花 17
- けいこ
- 恵子 13
- 恵歌 24
- 敬子 15
- 景子 18
- 慶子 18
- けいと
- けいと 5
- 恵叶 15

恵 10
- 啓 11
- 景 12
- 慧 15
- 恵衣 16

こ

こ
- 光 6
- 幸 8
- 紅 9
- 香 9
- 佳音 17
- 恵都 21
- 景都 23
- けいな
- 圭那 13
- 佳那 15
- 佳奈 16
- 桂奈 18

ここ
- 虹 9
- 倖 10
- 瑚々 13
- 瑚子 16
- 瑚心 16
- 心瑚 17
- ここあ
- 心彩 17
- 心愛 17
- ここな
- ここな 11
- 心那 12
- 心奈 15
- 心々奈 15
- 心絆 15

音から選ぶ名づけ　女の子名　こ　ここな〜このか

- 心愛 17
- 瑚々奈 24
- 瑚々菜 27
- ここね 8
- 心音 13
- 心寧 18
- ここは
- 心華 14
- 心晴 16
- 心葉 16
- ここみ 7
- 心実 12
- 心海 13
- 心美 13

- 心望 15
- 心々実 15
- こころ 4
- 心 6
- こずえ 10
- 梢 11
- 梢恵 21
- こと 4
- こと 12
- 心都 15
- 琴都 23
- 湖都 23
- 瑚都 24

- ことか
- 采花 15
- 琴花 19
- 琴香 21
- 琴楓 25
- ことこ 15
- 琴子 15
- ことな 15
- 采那 16
- 寿奈 18
- 采奈 19
- 琴凪 18
- 琴那 20
- 琴奈 21
- 琴南 21
- 琴菜 23

- ことね 8
- ことね 15
- 寿音 16
- 采音 17
- 琴音 21
- 心都音 24
- 琴寧 26
- ことの 5
- ことの 6
- 琴乃 14
- 小都乃 16
- ことは 8
- 琴巴 16
- 琴羽 18

- 琴春 21
- 琴葉 24
- ことみ 7
- ことみ 13
- 采心 13
- 寿実 16
- 采実 16
- 琴末 17
- 采美 17
- 琴実 20
- 琴海 21
- 琴美 21
- 琴望 23
- 心都実 23

- ことり
- 采莉 18
- 琴莉 22
- 琴梨 23
- こなつ 8
- 小夏 13
- 湖夏 22
- 瑚夏 23
- このか 6
- このか 13
- 好花 13
- 好香 15
- 心乃香 15
- 心乃華 16

瑚乃香13,2,9	このは2	好花6	心晴4	心乃華4,2	心葉4	好葉6	心乃葉4,2	このみ2	このみ2	心乃美4,2,9	心望4,11	こはく	琥珀13
24		7	13	16	16	18	18	6		15	15	7	21

こはな	心花4	來花8	虹花9	瑚花13	瑚華13	こはね	心羽4	虹羽9	倖羽10	小羽音3	瑚羽13	こはる2	小春3	心春4
11	15	16		20	23		10	15	16	18	19	9	12	13

小晴3	小遥3	小陽3	杏晴7	心晴4	心遥4	心陽4	来春7	來春8	心暖4	來春8	香春9	香陽9	こゆき	心幸4	小雪3	心雪4
15	15	15	16	16	16	16	15	16	17	17	18	21		12	14	15

来幸7	來幸8	恋雪10	こよみ2	こよみ2	暦14	暦美14	さあや	紗礼10	沙彩7	紗采10	沙絢7	咲彩9
15	16	21	8		14	23		15	18	18	19	20

沙綾7	咲絢9	桜彩10	紗彩10	彩彩11	咲綾9	紗綾10	さいか	彩加11	彩花11	彩華11	冴7	沙英7	咲衣9	紗永10
21	21	21	21	21	23	24		16	18	21	7	15	15	15

紗衣10	沙恵7	咲恵9	紗依10	紗英10	紗栄10	紗恵10	彩笑11	彩恵11	彩瑛11	彩絵11	さえこ	咲栄子9	紗英子10	紗恵子10	彩恵子11
16	17	17	18	19	20	21	21	21	23	23		21	21	23	24

紗央 さ お	彩桜	咲緒	さおり	沙央梨	沙央里	早織	紗央莉	紗織	咲織	彩織	さき	咲
15	21	23	23	23	24	25	25	27	28	29	7	9

沙妃	早希	沙希	沙季	咲妃	紗生	早紀	咲希	紗妃	咲季	咲來	紗希	彩希
13	13	14	15	15	15	16	16	16	17	17	17	18

咲紀	桜季	紗季	早稀	彩季	咲葵	咲稀	紗葵	沙貴	彩樹	咲輝	咲樹	さきか	咲花	咲佳
18	18	18	18	19	21	21	22	23	23	24	25		16	17

さきな	咲那	咲奈	咲南	咲希奈	咲帆	咲穂	さきほ	朔	紗久	咲来	咲空	さくら	さくら	桜
	16	17	18	24	15	24		10	13	16	17	7		10

咲来	咲良	沙久良	朔良	桜良	桜來	櫻	咲楽	桜楽	紗来良	さくらこ	桜子	桜瑚	櫻子	さこ	咲心
16	16	17	17	17	18	21	22	23	24		13	23	24		13

紗子	咲幸	咲香	さ々	紗々	咲沙	紗彩	さち	幸	紗千	沙知	紗知	咲智	紗智	彩智
13	17	18		13	16	21		8	13	15	18	19	21	22	23

音から選ぶ名づけ／女の子名／さ（さちか〜さやか）

- さちか
  - 倖禾 10 / 15
  - 倖花 10 / 15
  - 幸花 8 / 17
  - 幸香 8 / 17
  - 幸夏 8 / 18
- さつき
  - 沙月 8 / 11
  - 皐月 11 / 11
  - 咲月 9 / 13
  - 彩月 11 / 15
  - 皐月 11 / 15
  - 颯希 14 / 21
- さと
  - さと 3 / 5

- 沙都 7 / 18
- 紗都 10 / 21
- さとか
  - 怜花 8 / 15
  - 里香 7 / 16
  - 聡花 14 / 21
- さとみ
  - 怜未 8 / 13
  - 里実 7 / 15
  - 里海 7 / 16
  - 怜実 8 / 16
  - 怜美 8 / 17
  - 智美 12 / 21
  - 聡美 14 / 23

- さな
  - さな 6 / 8
  - 早那 6 / 13
  - 沙那 7 / 14
  - 沙奈 7 / 15
  - 沙南 7 / 16
  - 咲那 9 / 16
  - 咲奈 9 / 17
  - 彩那 11 / 18
  - 彩菜 11 / 18
  - 咲南 9 / 18
  - 紗奈 10 / 18
  - 彩奈 11 / 19
  - 紗南 10 / 19

- 咲菜 9 / 20
- 紗菜 10 / 21
- さなえ
  - 沙苗 7 / 15
  - 咲苗 9 / 17
  - 紗苗 10 / 18
- さなこ
  - 咲菜子 9 / 23
  - 紗菜子 10 / 24
- さほ
  - 沙帆 7 / 13
  - 咲帆 9 / 15
  - 桜帆 10 / 16
  - 紗帆 10 / 16
  - 彩帆 11 / 17
  - 咲歩 9 / 17

- 早穂 6 / 21
- 咲穂 9 / 24
- 紗穂 10 / 25
- 彩穂 11 / 26
- さや
  - さや 6 / 6
  - 沙弥 7 / 13
  - 沙也 7 / 15
  - 紗矢 10 / 16
  - 咲矢 9 / 16
  - 彩矢 11 / 18
  - 咲耶 9 / 18
  - 紗耶 10 / 19
  - 紗彩 10 / 21
  - 彩椰 11 / 24

- さやか
  - さやか 6 / 9
  - 沙也花 7 / 17
  - 彩花 11 / 18
  - 沙也香 7 / 19
  - 沙矢香 7 / 21
  - 彩夏 11 / 21
  - 咲也香 9 / 21
  - 清華 11 / 22
  - 紗也香 10 / 23
  - 彩也香 11 / 23
  - 紗也加 10 / 23
  - 紗弥香 10 / 24
  - 沙弥香 7 / 24
  - 早耶香 6 / 24

音から選ぶ名づけ 女の子名

さ さやか〜しいな

さやこ
- 沙耶香 25
- 沙弥華 25
- 沙弥花 25
- 紗弥香 27

さやか
- 咲也子 13
- 沙也子 15
- 咲也子 16
- 紗弥子 21

さゆ
- 紗夕 13
- 紗由 15

さゆき
- 咲幸 17
- 沙雪 18
- 紗幸 18
- 咲雪 20
- 紗雪 21
- 紗由季 23

さゆみ
- 紗弓 13
- 紗由美 24

さゆり
- さゆり 8
- 小百合 15
- 早百合 18
- 紗友里 21
- 紗友莉 24

さよ
- さよ 6
- 沙代 12
- 紗世 15
- 紗代 15
- 彩世 16
- 彩代 16

さら
- さら 6
- 沙良 14
- 沙來 15
- 咲来 16
- 咲良 16
- 咲來 17
- 桜良 17

さり
- さり 7
- 咲里 16
- 沙莉 17
- 紗里 17
- 彩莉 21

さりな
- さりな 8
- 紗里奈 25
- 桜里奈 25

さわ
- さわ 7
- 沙羽 13
- 佐和 15
- 咲和 15
- 咲羽 15
- 咲芭 16
- 桜羽 16
- 紗羽 16
- 彩羽 17
- 桜和 18
- 紗和 18

さわこ
- さわこ 16
- 沙羽子 18
- 桜和子 21
- 紗和子 21

し

しい
- しい 12
- 椎 12

しいな
- しいな 20
- 椎奈 20
- 詩奈 21
- 椎菜 23

咲優里 33

紗梨 21

栞衣 16

詩唯 24

読み	漢字	画数
しお	詩菜	24
しお	汐	6
	史桜	15
	志桜	17
	紫央	17
	詩央	18
	志緒	21
	詩桜	23
しおな	汐那	13
しおね	汐音	15
しおり	しおり	7
	栞	10
	しをり	10

しおり	史栞	13
	汐莉	15
	志栞	16
	汐梨	17
	栞里	17
	栞莉	20
	汐璃	21
	栞梨	21
	史織	23
	詩栞	23
	志桜里	24
	汐織	24
	栞織	25
	志織	25
	栞織	28

しおん	紫織	30
	詩織	31
	詩桜莉	33
しおん	しおん	7
	志音	14
	史音	14
	心温	16
	志音	16
	紫音	21
	詩音	22
	志穏	23
	紫温	24
	詩穏	29
しき	しき	5
	四季	13
	志季	15

しずく	詩季	21
	しずく	7
	雫	11
	雫月	15
	雫来	16
	澪	16
	雫玖	18
しづき	しづき	7
	志月	11
	雫月	15
	紫月	16
	詩月	17
しの	しの	2
	史乃	7

しほ	しほ	6
	史帆	11
	史歩	13
	志帆	13
	志保	15
	栞帆	16
	詩帆	19
	詩歩	21
しの	志乃	9
	紫乃	14
	詩乃	15
	志野	18
	詩野	24

しま	志穂	22
	紫穂	27
	詩穂	28
しま	しま	15
	志万	16
	志麻	18
	詩茉	21
	詩真	23
しゅう	しゅう	—
	心結	16
	志優	24
	秀佳	15
	朱華	16
	柊花	16

柊香9	しゅな	朱那6	珠奈10	朱李7	朱里6	朱莉6	朱梨6	朱理6	朱璃6	じゅな	寿奈7	珠那10	珠奈10
18		13	18	13	13	16	17	17	21		15	17	18

珠菜10	樹奈16		じゅん	珠里11	寿莉7	珠莉11	珠梨11	樹梨16	樹莉16	じゅん	純4	絢12	潤15	じゅんな	純那10	純奈10
21	24			17	17	20	21	23	26		10	12	15		17	18

純菜10	潤奈15			すい	粋10	彗11	翠14	すず	すず	紗10	寿々7	涼々11	珠々10	鈴13
21	23				10	11	14	8	10	10	10	11	13	13

珠寿10	紗加10	紗花10	寿々花7	涼花11	涼佳11	寿々夏7	涼香11	涼華11	鈴香13	鈴華13	涼楓11	すずな	すずな	すずな
17	11	15	17	17	19	20	20	21	22	23	24	13		13

紗奈10	寿々菜7	鈴奈13	鈴菜13	すずね	紗音10	涼音11	鈴音13	紗寧10	すずの	涼乃11	鈴乃13	すずは	すずは	涼羽11
18	21	21	24	12	19	20	22	24	13	15	13	12		17

涼葉11	鈴葉13	すずほ	涼帆11	鈴穂13	すみか	純禾4	純花4	純佳4	澄香15	すみれ	菫11	純令4	菫礼11	純怜10	純蓮10
23	25		17	28		15	17	18	24		11	15	16	18	23

せ

漢字	ページ
せいか	
星花 9	16
星香 8	18
聖加 8	18
聖歌 13	23
聖華 14	23
せいな	
星七 9 2	11
星那 9 7	16
星奈 9 8	17
星菜 9 11	20
聖那 13 7	20
惺奈 12 8	20
聖奈 13 8	21
誠奈 13 8	21
晴菜 12 11	23
惺菜 12 11	23
聖菜 13 11	24
せいら	
星来 9 7	16
星良 9 7	16
星來 9 8	17
聖來 13 8	21
晴楽 12 13	25
星羅 9 19	28
聖羅 13 19	32
聖蘭 13 19	32
せな	
星七 9 2	11
世奈 5 8	13
世菜 5 11	16
星那 9 7	16
星奈 9 8	17
星南 9 9	18
聖奈 13 8	21
聖菜 13 11	24
瀬奈 19 8	27
瀬菜 19 11	30
せり	
せり 5	
芹 7	7
世梨 5 11	16
聖莉 13 10	23
瀬莉 19 10	29
せりか	
芹佳 7 8	15
芹果 7 8	15
芹香 7 9	16
芹華 7 10	17
せりな	
芹那 7 7	14
芹奈 7 8	15
芹南 7 9	16
芹菜 7 11	18
世梨奈 5 11 8	23
世莉奈 5 10 8	24
せんり	
千里 3 7	10
千莉 3 10	13

そ

そな	
奏那 9 7	16
想奈 13 8	21
蒼奈 13 8	21
想菜 13 11	24
蒼菜 13 11	24
その	
その 4	11
奏乃 9 2	13
想乃 13 2	15
蒼乃 13 2	15
そのか	
園佳 13 8	21
そら	
そら 3	6
空 8	8
空良 8 7	15
奏来 9 7	16
奏良 9 7	16
奏來 9 8	17
そよ	
想乃香 13 2 9	24
そよ 6	
爽世 11 5	16
想世 13 5	18
そよか	
そよか 9	
颯花 14 7	21
想代花 13 5 7	25

多笑	多恵	多映	妙	たえ		颯空	奏楽	蒼來	蒼空	想來	想空	蒼来	爽良
16	16	15	7			22	22	21	21	21	21	20	18

千愛	ちあ		環希	珠季	珠希	環	珠妃	珠生	たまき	多桜	太凰	大桜	たお
16			24	18	17	17	16	15		16	15	13	

智絵	智瑛	智恵	知恵	千絵	千笑	ちえ	千亜希	千陽	千晶	千瑛	千晃	千明	ちあき	知愛
24	24	22	18	15	13	6	17	15	15	15	13	11		21

千華	千夏	千香	千果	千佳	ちか	千桜莉	千織	ちおり	千緒	千桜	ちお	智咲	千笑	ちえみ
13	13	12	11	11	6	23	21		17	13		21	13	

千紗	千咲	ちさ	智香子	知花子	千花子	ちかこ	智華	智佳	知華	知夏	知香	千歌	知佳	知花	千賀
13	12		24	18	13		22	20	18	18	17	17	16	15	15

智紗子	千紗子	ちさこ	知紗希	智咲	千紗季	千咲紀	千彩希	知咲	千咲	ちさき	智彩	智咲	知紗	知沙	千彩
25	16		25	21	21	21	21	17	12		23	21	18	15	14

ちさと	ちさと	千怜	千智	知里	千聖	千咲都	千咲登	千紗都	ちさの	千紗乃	智紗乃	ちせ	知世	千聖	智世
	8	11	15	15	16	23	24	24		15	24		13	16	17

知聖	ちづる	千弦	千鶴	ちとせ	千歳	ちとせ	ちな	千奈	知那	千愛	知奈	智菜	ちなつ	千夏	知夏
21		11	24		8			11	15	16	16	23		13	18

ちなみ	千菜海	千波	ちはな	千英	千華	知花	知華	千颯	ちはや	千颯	ちはる	千温	千晴	千遥	千陽
11	23	11		11	13	15	18		17			15	15	15	15

知春	智春	ちひろ	千紘	千尋	千陽	千寛	千紘	智尋	知優	ちほ	知歩	千穂	智帆
17	21	7	13	15	15	18	20	24	25		16	18	18

知穂	智穂	ちゆ	千結	知優	ちよ	千代	千陽	つかさ	司紗	つき	月希
23	27		15	25		8	15	7	15		11

都葵	つきか	月花	月香	月華	月乃	つきの	月柊	つきひ	月陽	月柊	つくし	月詩	つぐみ	つぐみ	紡末
23		11	13	14		6			13	16	3	17	7		15

紬未	つばき	つばき	椿	椿生	椿季	椿姫	つばさ	翼	翼沙	翼紗	蕾	蕾未	つぼみ	つむぎ	つむぎ
16	11	13	18	21	23	17	24	27	16	21	11	6	11

と

紬生	紡希	紬希	紬葵		とあ	とあ	叶彩	永愛	叶愛	とうか	冬華	灯華
11	16	17	18	23		5	16	18	18		15	16

桃花	菫禾	橙花	橙佳	とうこ	透子	菫子	とき	とも	友	朋	友恵	朋恵
17	17	23	24		13	15	6	18	4	8	14	18

ともか	友花	友香	知花	朋花	朋佳	朋香	智香	智華	ともこ	朋子	智子	ともの	友乃	ともは	朋芭
11	13	15	16	15	17	16	21	22	11	15	6	15

朋葉	智葉	ともみ	友美	知実	朋美	智美	ともよ	知世	智代	とわ	とわ	十和	叶羽	叶和	永遠
20	24		13	16	17	21		13	17	5	10	11	13	18

な

とわこ	十和子		なお	尚	直	奈央	奈生	菜央	菜生	七緒	那桜	奈桜	菜桜
13			8	8	13	13	16	16	16	17	18	21

音から選ぶ名づけ / 女の子名 / な なお〜なつめ

なお	直美9	直実8	ナオミ2	奈緒子8	奈桜子10	奈央子8	直子8	なおか	那桜佳7	直花8	なおこ	奈緒8	奈緒8	直緒8	那緒7
	17	16	8	25	25	21	11		25	15		25	22	22	21

菜心11	菜子11	奈子8	なこ	渚紗11	渚沙11	凪彩6	凪紗6	凪咲6	凪沙6	渚11	なぎさ	梛11	なぎ	凪6	なぎ
15	14	11		21	18	17	16	13	11			11	11	6	

奈津8	那津7	七都9	夏10	なつ	菜絆11	なずな	なずな	和美8	和実8	和未8	和8	なごみ	菜瑚11	菜湖11
17	16	13	10	6	22	15		17	16	13	8		24	23

夏來10	夏希10	夏妃10	菜月11	夏生10	夏月10	奈月8	那月7	なつき	夏果10	夏佳10	夏花10	夏禾10	なつか	菜都11	夏都10
18	17	16	15	15	14	12	11		18	18	17	15		22	21

夏葉10	夏波10	夏羽10	なつは	夏寧10	なつね	夏菜10	夏奈10	夏那10	なつな	菜津子11	夏子10	なつこ	奈津希8	夏稀10	夏姫10
22	18	16		24		21	18	17		23	13		24	22	20

夏萌10	夏芽10	なつめ	菜都美11	菜摘11	夏望10	夏実10	夏未10	七海9	なつみ	夏歩10	夏穂10	夏帆10	なつほ	なつほ
21	18	8	31	25	21	18	15	11		25	18	16	11	

音から選ぶ名づけ　女の子名

な　なな～なほ

なな
- 七奈 10
- 奈々 11
- 菜々 13
- 奈那 14
- 那奈 15
- 南奈 15
- 那南 16
- 菜名 16
- 奈南 17
- 南奈 17
- 菜那 18
- 那菜 18
- 菜南 20

ななえ
- 奈苗 16
- 奈々江 17
- 奈々恵 21
- 菜々恵 24

なお
- 七緒 16
- 奈直 16
- 奈々緒 25

ななか
- 七香 11
- 七夏 12
- 七華 13
- ななか 16
- 菜々花 21

ななこ
- 七菜子 16
- 七菜子 17
- 奈那子 18
- 菜那子 21
- 菜菜子 21
- 菜南子 23

ななせ
- 七星 11
- ななせ 13
- 七聖 15
- 七瀬 21

ななは
- 七葉 14
- 那々羽 16
- 奈々葉 23
- 菜那羽 24

ななほ
- 七帆 8
- ななほ 15
- 七穂 17

ななみ
- 奈々帆 17
- 七海 11
- 七泉 11
- 七美 11
- ななみ 13
- 七望 13

なの
- 奈乃 10
- 菜乃 13

なのか
- 奈乃花 17
- 奈乃佳 18
- 菜乃佳 21
- 菜乃果 21

なのは
- 菜巴 15
- 七乃葉 16
- 奈乃羽 17
- 那乃葉 21
- 菜晴 23

なほ
- 那帆 13
- 奈帆 14
- 那歩 15
- 南帆 15
- 奈歩 16
- 菜帆 17
- 奈穂 23
- 南穂 24

なな実
- 奈々未 16
- 那々実 18
- 菜々海 23
- 奈那実 23
- 奈那美 23
- 那奈美 24
- 菜那美 27

| 奈優25 | 菜結23 | 奈由13 | なゆ | 菜美11,9 20 | 菜海11,9 20 | 奈美8,9 17 | 奈海8,9 17 | 那美7,9 16 | 那海7,9 16 | 奈実8,8 16 | 那実7,8 15 | 奈未8,5 13 | 七海2,9 11 | なみ8 |

| 仁奈4,8 12 | 仁那4,7 11 | にいな | | 奈留美8,10,9 27 | 成美6,9 15 | 成海6,9 15 | なるみ14 | 菜瑠11,14 25 | 夏瑠10,14 24 | 奈瑠8,14 22 | 成6 |

| にこ3,5 | にこ3,2 5 | 仁稀4,12 16 | 仁葵4,12 16 | 仁希4,7 11 | にき4,3 7 | 仁華4,10 14 | 仁香4,9 13 | 仁花4,7 11 | にか4,3 7 | 新菜13,11 24 | 仁唯奈4,11,8 23 | 仁衣菜4,6,11 21 | 新奈13,8 21 | 仁衣奈4,6,8 18 | 仁菜4,11 15 |

| 仁南4,9 13 | 仁奈4,8 12 | 仁那4,7 11 | にな4,7 11 | 虹乃9,2 11 | にじの9,3,2 | 虹架9,9 18 | 虹花9,7 16 | にじか9,3,7 | 仁瑚4,13 17 | 二瑚2,13 15 | 日香4,9 13 | 虹心9,4 13 | 仁香4,9 13 | 仁胡4,9 13 | 仁心4,4 8 |

| 音寧9,14 23 | 祢音9,9 18 | 寧々14,3 17 | 音々9,3 12 | ねね | ねね | 寧桜14,10 24 | 音緒9,14 23 | ねお9,14 | 寧彩14,11 25 | 音色9,6 15 | ねいろ |  | 仁菜4,11 15 |

| 希7 | 乃維2,14 16 | 乃唯2,11 13 | 乃依2,8 10 | 乃衣2,6 8 | のい2,6 | 望愛11,13 24 | 乃蒼2,13 15 | 乃愛2,13 15 | 乃彩2,11 13 | のあ2,13 |  | 寧音14,9 23 |

乃々 のの	和香	和花	和禾	和	のどか	望美	望海	希望	希美	希海	希実	希未	望
5	17	15	13	8	8	20	20	18	16	16	15	12	11

乃々葉	乃々晴	乃々華	希乃羽	ののは	ののは	希乃香	希乃花	乃々栞	乃々華	乃々果	乃々佳	ののか	ののか	暖乃	望乃
17	17	15	15	6	4	18	16	16	15	13	5	4	2	15	13

はづき	はづき	葉澄	蓮実	羽澄	羽純	羽桜	はお		暖	乃音	のん	のん
11	11	27	21	21	16	16	16		13	11	3	

羽菜	波奈	巴菜	花奈	花那	羽那	巴那	華	英	花	はな	初寧	初音	はつね	遥月	葉月
17	16	15	15	14	13	11	10	8	7	7	14	21	16	16	16

華奈子	華子	はなこ	花夏	花香	花果	花佳	はなか	華絵	英恵	花恵	花咲	はなえ	葉南	華奈	華那
21	13	3	17	16	15	15	7	22	18	17	16	7	21	18	17

悠	華	春	はる	はる	葉音	波音	羽音	はのん	華実	花海	花実	はなみ	羽奈乃	華乃	はなの
11	10	9	7	7	21	17	15	15	18	16	15	7	16	12	5

女の子名 は はる〜ひいろ

はるか
- 温 12
- 晴 12
- 陽 12
- 暖 13
- 波瑠 22
- 春瑠 23
- 晴琉 23
- 葉琉 23
- 華瑠 24
- 葉瑠 26
- はるあ
- 悠愛 24
- 陽愛 25
- はるか
- 悠 11
- 遥 12

はるか〜はるな
- 春佳 17
- 春果 17
- 晴加 17
- 遥加 17
- 春香 18
- 悠花 18
- 悠香 20
- 遥佳 20
- 陽佳 20
- 晴香 21
- 暖夏 21
- 悠華 21
- 悠夏 21
- 遥香 21
- 陽香 21
- 晴夏 22

はるき〜はるこ
- 春希 16
- 悠希 18
- 遥希 19
- 陽希 19
- 陽貴 24
- はるこ
- 晴子 15
- 遥子 15
- はるな
- はるな 12
- 春凪 15
- 春奈 17
- 春菜 20
- 晴奈 20
- 遥奈 20

はるの〜はるね
- はるの 8
- 春乃 11
- 悠乃 13
- 晴乃 14
- 春音 18
- 晴音 21
- 遥音 21
- 陽音 21
- 春寧 23
- はるね
- 陽奈 20
- 遥南 21
- 晴菜 23
- 遥菜 23
- 陽菜 23

はるひ〜はるみ
- 遥乃 14
- 陽乃 15
- 暖乃 15
- 波瑠乃 24
- はるひ
- 春妃 15
- 遥妃 18
- 春陽 21
- 悠陽 23
- 遥陽 24
- はるみ 18
- 晴海 22
- 晴美 21
- 遥海 21
- 陽美 21

ひいろ〜はんな
- はんな 11
- はんな 14
- 帆那 13
- 帆奈 14
- 帆南 15
- 帆菜 17
- 絆那 18
- 絆菜 22
- ひいろ 6
- 日彩 15
- 陽彩 23
- 緋彩 25

音から選ぶ名づけ — 女の子名

ひ ひおり〜ひなみ

ひおり — 日桜莉 8 / 妃織 24 / 陽央里 24 / 陽央莉 27 / 姫織 28 / 陽織 30

ひかり — 光 6 / ひかり 7 / 光莉 16 / 日花里 18 / 光璃 21 / 日香梨 24 / 陽禾里 24

陽香莉 31

ひかる — 光 6 / ひかる 8

ひさき — 日咲 13 / 妃咲 15 / 陽咲 21

ひじり — 聖 13

ひづき — 柊月 13 / 陽月 16

ひとは — 一葉 13 / 仁葉 16

ひとみ — 瞳 17 / 仁美 13 / ひとみ 7 / ひとみ 2

ひな — ひな 4 / 日 7 / 日那 11 / 日奈 12 / 妃那 13 / 妃奈 14 / 日菜 15 / 妃南 16 / 妃菜 17 / 姫奈 18 / 陽奈 20

ひなこ — ひなこ 13 / 日向子 15 / 日奈子 16 / 妃奈子 17 / 日菜子 18 / 雛子 21 / 陽奈子 23

陽菜佳 31 / **陽菜香** 32 / **ひなか** 13

ひなた — 日向 10 / ひなた 11 / 日奈多 18 / 陽咲 21 / 陽菜多 23 / 陽葵 24 / 陽詩 25 / 陽菜多 29 / **ひなつ** 13 / **妃夏** 16

陽菜子 26 / **陽奈世** 25 / **陽奈星** 29 / **ひなせ** 13

陽愛 25

緋夏 22 / **陽夏** 24

ひなみ — ひなみ 10 / 日南 13 / 妃那乃 15 / 日那乃 15 / 日南乃 13 / ひなの 8 / 妃奈乃 16 / 日菜乃 17 / 雛乃 20 / 陽那乃 21 / 陽南乃 23 / 陽菜乃 25

陽南	妃奈希	日菜美	陽菜実	陽菜美	ひなり	妃菜里	陽奈莉	陽菜莉	ひの	日乃	陽乃	緋乃	ひばり	ひばり	陽葉里
21	23	24	31	32		24	27	33		6	14	16	10		31

音から選ぶ名づけ / 女の子名 / ひ ひなみ～ふうな

ひびき	妃々希	響	陽日希	ひまり	ひまり	日毬	一茉里	日葵	妃万莉	妃茉莉	陽莉	日真莉	妃茉莉	陽葵	陽万莉
	16	20	23		8	15	16	16	17	21	22	24	24	24	25

陽茉里	陽茉梨	陽真莉	ひまわり	向日葵	ひめか	ひめか	妃花	妃香	妃華	姫佳	姫華	姫歌	陽芽花
27	31	31	32	22		7	13	15	16	17	18	20	24	27

ひより	ひより	日和	陽依	陽和	妃依莉	妃依里	陽世里	陽代梨	陽葉里	ひろか	弘佳	紘加	紘未	洋香
	7	12	20	20	21	24	24	24	31		13	15	15	18

ひろな	弘奈	紘奈	紘菜	ひろの	央乃	裕乃	寛乃	ふう	風	芙羽	楓	風羽
	5	13	18	21		7	14	15		9	13	13	15

ふうか	芙香	芙花	風佳	風香	風奏	楓花	楓佳	楓夏	楓華	風歌	ふうこ	芙羽子	ふうな	風奈
	16	16	17	18	18	20	21	23	23	23		16		17

芙弥7,8	芙実7,8	ふみ	史5	ふみ	双葉16	二葉2,9	双芭2,9	ふたば	蕗16	芙季7,8	芙希7,7	ふき	楓菜13,11	楓奈13,8	楓那13,7
15	15	7	5		16	14	11		16	15	14		24	21	20

芙美乃7,9,2	郁乃9,2	史乃5,2	文乃4,2	ふみの	文菜4,11	史奈5,8	ふみな	芙美香7,9,9	芙佳7,8	芙華7,10	史香5,9	文香4,9	史佳5,8	ふみか	芙美7,9
18	11	7	6		15	13		25	15	15	14	13	13		16

帆南6,9	帆波6,8	ほなみ	蛍11	ほたる		冬華5,10	冬香5,9	ふゆか	歩優8,17	芙優7,17	芙侑7,8	芙由7,5	ふゆ
15	14		11			15	14		25	24	15	12	

帆乃佳6,2,8	歩花8,7	帆奏6,9	帆香6,9	帆佳6,8	帆花6,7	ほのか	穂乃15,2	萌乃11,2	帆乃6,2	ほの	穂菜美15,11,9	穂奈美15,8,9	穂奈実15,8,8	穂南15,9	穂波15,8
16	15	15	15	14	13		17	13	8		35	32	31	24	23

帆乃実6,2,8	歩乃未8,2,5	ほのみ	穂乃歌15,2,14	穂乃果15,2,8	穂乃佳15,2,8	穂乃花15,2,7	穂華15,10	穂香15,9	穂佳15,8	穂花15,7	歩乃果8,2,8	帆乃華6,2,10	歩香8,9	帆栞6,10	帆乃果6,2,8
16	15		31	25	25	25	24	24	23	22	18	18	17	16	16

麻綾11,14	真綾10,14	麻絢11,12	眞彩10,11	真彩10,11	まあや	眞麻10,11	真麻10,11	まあさ		誉13	帆希6,7	ほまれ	穂乃実15,2,8
25	24	23	21	21		21	21			13	13		25

舞花	苺香	苺花	まいか	舞依	舞唯	真依	麻衣	茉依	眞衣	真衣	舞	真生	茉衣	まい
22	17	15		23	21	21	18	17	16	16	15	15	14	

真生	真央	茉生	茉央	万桜	まお	舞衣子	苺子	まいこ	舞華	舞香	真衣子	茉衣香	舞佳
15	15	13	13	13	8	24	18	11	25	24	24	23	23

舞織	真緒里	真織	茉織	茉桜里	まおり	舞桜	眞緒	真緒	愛桜	茉緒	麻桜	真桜	茉桜	麻央	眞央
33	31	28	26	25		25	24	24	23	22	21	20	18	16	15

茉瑚	茉来	眞子	真子	茉子	まこ	眞輝	真葵	真希	茉希	まき	茉叶奈	茉奏	真叶	茉叶	まかな
21	15	13	13	11		25	22	17	15		21	17	15	13	

万智	真千	まち	眞白	真白	茉白	ましろ	舞咲	茉咲	まさき	麻琴	眞琴	真琴	茉琴	まこと	真瑚
15	13		15	15	13		24	17		23	22	22	20		23

眞奈	真奈	真那	茉奈	茉那	愛	万奈	まな	円香	円花	まどか	茉莉	茉璃	まつり	茉知
18	18	17	16	15	13	11		13	11	11	23	18		16

音から選ぶ名づけ　女の子名　ま　まな〜まりこ

- 莉奈¹⁰⁸ 18
- 愛奈¹³⁸ 21
- 眞菜¹⁰¹¹ 21
- 真菜¹⁰¹¹ 21
- 眞愛¹³¹³ 21
- 愛菜¹³¹¹ 24
- まなか 21
- 愛佳⁸¹³ 21
- 愛果¹³⁸ 23
- 愛華¹³¹⁰ 23
- 愛菜¹³¹¹ 24
- 茉那香⁸⁷⁹ 24
- まなほ 21
- まなみ 21
- 愛未¹³⁵ 18

- 愛実¹³⁸ 21
- 茉奈実⁸⁸⁸ 24
- まのあ 11
- 茉乃彩⁸²¹¹ 21
- 茉乃愛⁸²¹³ 23
- まひろ 8
- 茉央⁸⁵ 13
- 麻紘¹¹¹⁰ 23
- 茉尋⁸¹² 25
- 真優¹⁰¹⁷ 27
- まほ 16
- 真帆¹⁰⁶ 16
- 眞帆¹⁰⁶ 16
- 茉歩⁸⁸ 16

- 茉朋⁸⁸ 16
- 舞帆¹⁵⁶ 21
- 茉穂⁸¹⁵ 23
- 眞穂¹⁰¹⁵ 25
- 真穂¹⁰¹⁵ 25
- まみ 15
- 真未¹⁰⁵ 15
- 茉美⁸⁹ 17
- 真実¹⁰⁸ 18
- まや 7
- 茉弥⁸⁸ 16
- 茉耶⁸⁹ 17
- 真弥¹⁰⁸ 18
- 舞弥¹⁵⁸ 23

- まゆ 7
- まゆこ 11
- 茉夕⁸³ 11
- 茉由⁸⁵ 13
- 真侑¹⁰⁸ 18
- 真悠¹⁰¹¹ 21
- 茉優⁸¹⁷ 25
- 舞優¹⁵¹⁷ 32
- まゆか 21
- 茉由佳⁸⁵⁸ 21
- 真由香¹⁰⁵⁹ 24
- 真結香¹⁰¹²⁹ 31
- 真結華¹⁰¹²¹⁰ 32
- 茉由子⁸⁵³ 16

- 茉莉⁸¹⁰ 18
- 麻里¹¹⁷ 18
- 茉里⁸⁷ 15
- まり 6
- 真優莉¹⁰¹⁷¹⁰ 37
- 真優里¹⁰¹⁷⁷ 32
- まゆり 24
- 真弓¹⁰³ 13
- 真由美¹⁰⁵⁹ 24
- 茉結菜⁸¹²¹¹ 31
- まゆな 24
- 麻里奈¹¹⁷⁸ 24
- 真悠子¹⁰¹¹³ 24
- 茉結子⁸¹²³ 23

- 真理子¹⁰¹¹³ 24
- 真莉子¹⁰¹⁰³ 23
- 茉莉子⁸¹⁰³ 21
- 万梨子³¹¹³ 17
- まりこ
- 真莉香¹⁰¹⁰⁹ 29
- 茉莉香⁸¹⁰⁹ 27
- 茉莉花⁸¹⁰⁷ 25
- 真里花¹⁰⁷⁷ 24
- まりか 32
- 満里愛¹²⁷¹³ 31
- 茉莉愛⁸¹⁰¹³ 31
- まりあ 23
- 茉璃⁸¹⁵ 23
- 真梨¹⁰¹¹ 21

音から選ぶ名づけ 女の子名 ま まりな〜みおね

まりな

真鈴10	万里奈10	茉里奈8	真里奈10	真里奈10	満里奈10	真莉菜10	真莉菜10	舞莉奈15	毬乃11	まりの	茉梨乃8	真梨乃10	まりん	万鈴3	茉鈴8
11	18	23	25	27	31	32	33		13		21	23		16	21

み

真鈴10	茉鈴8	麻鈴11	真凛10	まれ	希7	茉礼5		みあ	みあ3	美亜9	美杏9	未愛5	実愛8
23	23	24	25		7	13			6	16	16	18	21

みう

弥愛8	美愛9	望愛11	美衣9	美依9	みい	みいな	美衣奈9	美依那9	未唯奈5	実依菜8	みう3	心羽4	未羽5
21	22	24	15	17		15	23	24	24	27	5	10	11

みお

海羽9	美宇9	美羽9	珠羽10	望生11	望羽11	美侑9	望生11	美海9	心優4	実結8	実優8	みお3	実央8	実生8	未桜5
15	15	15	16	16	17	16	17	18	21	21	25	7	13	13	15

光桜6	望央11	望生11	澪16	実桜8	心緒4	美音9	弥桜8	美桜9	望桜11	美緒9	望緒11	みおう	未桜5	実桜8	美桜9
16	16	16	16	16	18	18	19	21	23	23	25		15	18	19

みおか / みおね

みおか	澪花16	美桜叶9	澪香16	みおこ	実桜子8	美桜子9	実緒子8	みおな	未央奈5	澪那16	澪奈16	美桜奈9	美緒奈9	みおね	澪音16
	23	24	25		21	22	25		18	23	24	27	31		25

音から選ぶ名づけ 女の子名 み みおり～みさき

みおり 21 / 美央里 23 / 未織 23 / 澪里 24 / 光織 24 / 美央莉 26 / 実織 27 / 美織 29 / 美桜莉 33 / 美緒莉 13 / 心音 13 / 実音 17 / 海音 18 / 美音 18 / 心穏 20

みか 25 / 美穏 11 / 心花 15 / 実花 16 / 光花 16 / 実華 16 / 美花 16 / 弥佳 16 / 美佳 17 / 美果 17 / 弥香 18 / 美華 18 / 美香 / **みかこ** 3 / 実日子 15

みき 18 / 美花子 21 / 美香子 13 / 光希 15 / 実希 15 / 美妃 16 / 美希 17 / 美稀 18 / 美紀 21 / 美貴 24 / 美輝 25 / 美樹 / **みく** 12 / 未來 13 / 未空 13 / 未來

みくり 6 / みくり 24 / 美空里 / **みく** 3 / みくる 7 / みくる 13 / 未來 15 / 実來 / **みこ** 3 / みこ 5 / みこ 15 / 美玖 16 / 美來 16 / 美空 17 / 美來 18 / 望來 / **みこと** 2 / みこと 7 / 未采

みさき 13 / 珠子 13 / 美心 15 / 望心 17 / 実香 21 / 美湖 22 / 美湖 / **みこと** 7 / みこと 13 / 心琴 16 / 弥采 16 / 美采 17 / 実琴 20 / 未琴 21 / 海琴 21 / 美琴

みさき 24 / 美心都 33 / 美湖都 13 / 美咲 15 / 望心 15 / 実沙 16 / 心彩 16 / 光紗 16 / 美沙 16 / 美彩 18 / 美咲 13 / 心咲 15 / 光咲 17 / 実咲

音から選ぶ名づけ 女の子名 み（みさき〜みどり）

みさき
名前	画数
弥咲	17
海咲	18
美咲	18
望咲	20
実沙希	23
実咲希	24
実咲妃	24
美沙紀	25
美咲希	25
美紗貴	31

みさと
名前	画数
みさと	8
実里	15
実怜	16
美里	16
美怜	17

みち／みさと等
名前	読み	画数
美智	みち	21
美慧	みさと	24

みずき
名前	画数
みずき	16
泉生	16
瑞生	18
瑞希	20
瑞季	21
瑞來	21
瑞姫	23
美寿希	23
瑞葵	25
瑞貴	25
みすず	11
心鈴	17
未鈴	18

みそら・みずほ・みずは・みずな等
名前	読み	画数
美天	みそら	13
みそら		13
瑞穂	みずほ	28
瑞歩	みずほ	21
みずほ		13
みずは		8
瑞葉	みずは	25
水葉	みずは	16
みずな		13
瑞奈	みずな	21

みつ〜
名前	読み	画数
望鈴	みすず	24
美鈴	みすず	22
弥鈴	みすず	21
実鈴	みすず	21

みつき
名前	画数
光紀	15
美月	13
充希	13
光希	13
みつき	8
美知花	24
実千花	18
充華	16
充花	13
みちか	17
美空	17
海空	16
弥空	16
実空	16
未空	13

みつき／みつは
名前	読み	画数
みつは		8
瑞月	みつき	17
湊月	みなつき	16
美月	みつき	13
弥月	みつき	12
みづき		21
光輝	みつき	21
充稀	みつき	18
充葵	みつき	18
光稀	みつき	18
光葵	みつき	18
光姫	みつき	16
望月	もちづき	15
深月	みづき	15
充紀	みつき	15

みと・みどり等
名前	読み	画数
碧	みどり	14
翠	みどり	14
みどり		24
美澄	みすみ	24
美翔	みと	21
美都	みと	20
未都	みと	16
美杜	みと	16
心都	みと	15
みと		
光穂	みつほ	21
みつほ		
満葉	みつは	24
充葉	みつは	18
光葉	みつは	18
三葉	みつは	15

音から選ぶ名づけ 女の子名

み（みどり〜みゆ）

みどり
- 翠莉 24

みな
- 心な 8
- 心那 11
- 未奈 13
- 実那 15
- 心菜 15
- 美凪 15
- 実奈 16
- 美那 16
- 弥奈 16
- 美奈 17

みなと
- 湊 12
- 湊音 21
- 湊都 23

みなみ
- 南 9
- みなみ 11
- 心南 13
- みな実 16
- 実波 17
- 美波 18
- 美南 18

みのり
- みのり 6
- 光乃里 15
- 実里 15
- 穂 15
- 心乃莉 16
- 心乃里 17
- 実莉 18

みはな
- 心花 11
- 実花 15
- 未華 15
- 弥花 16
- 美花 18
- 実華 18
- 望花 18

みはね
- みはね 11
- 未羽 11
- 実羽 15
- 美羽音 24

みはる
- 心春 13
- 心晴 16
- 心遥 16
- 心陽 16
- 未悠 16
- 美春 18
- 海晴 21
- 美晴 21
- 美遥 21
- 美陽 21
- 望陽 23
- みはる ―

みひろ
- みひろ 7
- 珠央 15
- 未紘 15

みふゆ
- 実冬 13
- 美冬 14
- みふゆ ―

みほ
- 未歩 11
- 実歩 13
- 美帆 15
- 望帆 17
- 実穂 23
- 美穂 24
- みほ ―

み (その他)
- 心尋 16
- 実紘 18
- 美紘 19
- 心優 21
- 美尋 21

みま
- 実茉 16

みまい
- 実茉 16
- 珠茉 18
- 珠舞 24

みや
- 未弥 13
- 実弥 16
- 美弥 17
- 美耶 18
- みや ―

みやび
- 雅 13
- 雅姫 23

みゆ
- みゆ 6
- 美友 13

音から選ぶ名づけ 女の子名

み みゆ〜みれい

名前	画数
実佑	15
美有	15
望友	15
心結	16
美佑	16
未悠	16
美侑	17
未結	17
実結	18
美柚	18
実祐	20
海夢	21
心優	21
美結	21
望結	23

名前	画数
実優	25
美優	26
みゆう	8
望友	15
心結	16
美侑	17
未結	17
実結	20
美悠	20
心優	21
美結	21
望結	23
実優	25
弥優	25
美優	26

みゆか
名前	画数
実結花	27
美結華	31

みゆき
みゆき	8
幸	8
実幸	16
美幸	17
美雪	20
美由紀	23
美優希	33
美優紀	35

みゆな
みゆな	11
心結奈	24
実結菜	31
望結奈	31

みゆり
みゆり	8
美百合	21
美優莉	36

みよ
みよ	13
実世	14
美世	14

みら
みら	6
未來	13
美来	16
美良	16
美楽	22
美羅	28
みらい	8

みらん
みらん	12
心蘭	23
未蘭	24
美蘭	28
望蘭	30

みり
みり	5
心莉	14
未莉	15

みらい／みく
未来	12
未來	13
実來	16
美来	16
美來	17
望来	18
美蕾	25

みれい
実莉	18
美莉	19
望莉	21
美璃	24
美凛	24
みりあ	8
美梨亜	27
美莉亜	31
美梨愛	32
美莉愛	33
みれい	8
心玲	13
未怜	13
美礼	14

実怜9	実怜8	美伶8	実玲9	美玲9	海玲18	美玲18	心麗17	美玲衣16	美麗24	みわ6	末羽11	末羽13	美羽15	実和16	美和17
16	17	17	18	18			23	24	28						

む

麦7	むぎ10	睦月13	睦月17	夢月20	睦希21	睦季25	睦葵	睦13	睦実21	睦望24	むつみ

め

めい4	明8	芽以13	芽生13	芽衣14	芽依16	恵衣16	萌生16	芽郁17	萌衣17	愛依21

めいか15	明花15	明佳16	芽香17	明香18	明華21	明楓23	芽衣夏24	芽衣香25	芽生子17	めいこ16	めいさ7	明沙15

芽咲17	明咲17	明紗18	芽衣紗24	めいな15	芽那16	芽奈16	明奈17	芽生奈21	芽依奈23	萌依奈24	萌衣奈25	めぐみ8	恵10	恵実18

も

もあ	萌亜18	萌杏18	萌愛24	望愛24	もえ6	萌11	萌衣17	萌恵21	萌笑23	萌瑛23	萌絵23

望華	萌栞	萌華	萌香	百華	百香	桃禾	百花	もか	萌楓	萌栞	萌夏	萌果	萌花	萌叶	もえか
21	21	21	20	16	16	15	13		24	21	21	19	18	16	

桃々	桃	もも	紅葉	椛	もみじ	萌寧	萌音	百音	もね	萌菜	萌那	桃奈	もな	萌歌
13	10	6	21	11		25	20	15		22	18	18		25

桃花	百栞	百々花	百華	杏香	百香	桃禾	杏果	百花	百禾	ももか	百笑	百恵	桃衣	ももえ	百桃
17	16	16	16	16	15	15	15	13	11		16	16	16		16

百奈	百那	ももな	もも子	萌々子	桃子	ももこ	ももこ	萌々華	桃歌	萌々香	桃香	百々香	桃果	桃佳	百椛
14	13	11	17	13	8			24	24	23	19	18	18	18	17

百々葉	百葉	桃羽	百芭	杏羽	ももは	桃々音	萌々音	杏音	百音	ももね	桃菜	桃奈	百々奈	桃那	杏奈
21	18	16	12	13		24	23	16	15		21	17	17	17	15

有杏	ゆあ	ゆあ	弥生	やよい	やよい	弥恵	八重	八咲	やえ
13	6		13	8		18	11	11	

音から選ぶ名づけ　女の子名

ゆ ゆあ〜ゆいり

ゆあ
- 柚亜 16
- 柚杏 16
- 友愛 17
- 悠愛 18
- 由愛 18
- 結彩 23
- 唯愛 24
- 優杏 24
- 悠杏 24
- 結愛 25
- 優愛 30

ゆあん
- 侑杏 15
- 柚杏 16
- 優杏 24

ゆい
- ゆい 5
- 唯 11
- 由衣 11
- 結 12
- 佑依 13
- 由依 13
- 友唯 15
- 柚生 16
- 悠唯 16
- 由以 16
- 結生 17
- 結衣 17
- 唯衣 17
- 悠衣 17
- 柚依 17
- 結衣 18
- 裕衣 18
- 結依 20
- 結惟 23
- 結唯 23
- 優衣 23
- 優依 25
- 優維 31

ゆいか
- ゆいか 8
- 由栞 15
- 唯禾 16
- 由衣花 18
- 唯花 18
- 結香 21
- 唯夏 21

ゆいこ
- ゆいこ 15
- 結子 16
- 結衣子 21

ゆいな
- 唯華 21
- 結夏 22
- 結華 22
- 唯衣花 24
- 悠衣花 24
- 結衣花 24
- 結依花 32
- 優依花 32
- 由奈 13
- 由菜 16
- 唯那 18

ゆいね
- 唯乃 13
- ゆいの 25
- 唯寧 21
- 結音 21
- ゆいね 33
- 優依奈 31
- 優衣奈 31
- 結唯奈 31
- 結依菜 29
- 結衣菜 25
- 結菜 23
- 由依奈 21
- 結奈 20
- 唯奈 19
- 結那 19

ゆいり
- 結衣里 25
- 悠衣里 24
- 結梨 23
- 結莉 22
- 唯莉 21
- 由莉 15
- ゆいり
- 結歩 20
- 結帆 18
- ゆいほ 24
- 結葉 23
- 唯葉 23
- 唯羽 17
- ゆいは 14
- 結乃 13
- 由衣乃 13

音から選ぶ名づけ　女の子名　ゆ　ゆいり〜ゆうみ

ゆう
- 結璃 12,15 — 27
- ゆう 3,2
- 侑 8 — 5
- 柚 9 — 8
- 悠 9 — 9
- 由羽 5,6 — 11
- 結 12 — 12
- 悠羽 11,6 — 17
- 結羽 12,6 — 18
- 優羽 17,6 — 23
- ゆうあ
- 友愛 4,13 — 17
- 由愛 5,13 — 18
- 結彩 12,11 — 23

ゆうか
- 優亜 17,7 — 24
- 優杏 17,7 — 24
- 結愛 12,13 — 24
- 悠愛 11,13 — 24
- 優愛 17,13 — 30
- ゆうか
- 夕華 3,10 — 13
- 侑未 8,5 — 13
- 佑華 7,10 — 17
- 有果 6,8 — 14
- 侑花 8,7 — 15
- 佑香 7,9 — 16
- 侑果 8,8 — 16
- 侑香 8,9 — 17
- 悠花 11,7 — 18
- 柚香 9,9 — 18

ゆうき
- 祐香 9,9 — 18
- 結香 12,9 — 21
- 悠香 11,9 — 20
- 優華 17,10 — 27
- 優香 17,9 — 26
- ゆうき
- 有希 6,7 — 13
- 夕稀 3,12 — 15
- 侑希 8,7 — 15
- 友葵 4,12 — 16
- 祐希 9,7 — 16
- 悠季 11,8 — 18
- 結希 12,7 — 19
- 優妃 17,6 — 23

ゆうこ
- 侑子 8,3 — 11
- 悠子 11,3 — 14
- 結子 12,3 — 15
- 優子 17,3 — 20
- ゆうな
- 友那 4,7 — 11
- 由奈 5,8 — 13
- 佑奈 7,8 — 15
- 侑奈 8,8 — 16
- 柚奈 9,8 — 17
- 祐奈 9,8 — 17

ゆうの
- 悠葵 11,12 — 23
- 結葵 12,12 — 24
- 優希 17,7 — 24
- 優姫 17,10 — 27
- ゆうの
- 悠乃 11,2 — 13
- 結乃 12,2 — 14
- ゆうは
- 結羽 12,6 — 18
- 優羽 17,6 — 23
- 悠葉 11,12 — 23

ゆうみ
- 結凪 12,6 — 18
- 悠那 11,7 — 18
- 侑菜 8,11 — 19
- 裕奈 12,8 — 20
- 結菜 12,11 — 23
- 優那 17,7 — 24
- 優奈 17,8 — 25
- 優菜 17,11 — 28
- 優羽奈 17,6,8 — 31
- ゆうみ
- 友望 4,11 — 15
- 結心 12,4 — 16
- 悠未 11,5 — 16
- 侑実 8,8 — 16

ゆうひ／ゆうほ／ゆうよう
- 結葉 12,12 — 24
- ゆうひ
- 夕陽 3,12 — 15
- 悠妃 11,6 — 17
- 結妃 12,6 — 18
- 優陽 17,12 — 29
- 優妃 17,6 — 23
- 結陽 12,12 — 24
- ゆうほ
- 優帆 17,6 — 23
- 優歩 17,8 — 25
- 優穂 17,15 — 32
- ゆうみ

侑美	結海	優未	優海	優美	ゆうら	侑來	悠良	ゆうり	有里	夕莉	友梨	由莉	侑里	由梨	悠李
17	21	22	26	26		16	18		13	13	13	15	15	16	18

悠里	侑莉	結里	悠莉	結莉	結梨	優莉	優梨	ゆか	由佳	夕夏	由夏	由華	柚花	柚香
18	18	19	21	22	23	24	27		13	13	15	15	16	18

結香	優花	優華	ゆかり	紫	縁	優花里	ゆき	雪	友希	由希	有紀	由紀	有希	侑希
21	24	27	8	12	15	31	7	11	11	13	14	15	15	15

柚希	祐希	悠希	結希	結葵	優希	優季	ゆきな	幸那	幸奈	雪那	幸菜	有希菜	有希奈	柚希奈	優妃奈
16	16	18	19	24	24	25		15	16	18	19	21	24	24	31

優希菜	優希乃	ゆきね	幸音	優希音	千乃	ゆきの	雪乃	友希乃	有希乃	由季乃	薫乃	結希乃	結來乃	優希乃	優葵乃
35			17	33	5	8	13	15	15	15	18	21	21	26	31

ゆきは	雪葉	由希葉	ゆきほ	幸歩	雪帆	幸穂	ゆこ	結心	優心	ゆず	柚	柚子	有寿	夕珠
	23	24		16	17	23		16	21	8	9	12	13	13

音から選ぶ名づけ 女の子名 ゆ ゆず〜ゆめか

柚姫 19	柚咲 18	柚季 17	柚希 16	柚妃 15	ゆずき	柚子香 21	柚華 19	柚夏 19	柚香 18	柚花 16	ゆずか 11	優寿 24	結珠 22	由珠 15
柚葉 21	柚花 16	柚羽 15	柚巴 13	ゆずは	柚寧 23	柚音 18	ゆずね	柚子菜 23	柚菜 20	柚奈 17	柚那 16	ゆずな 13	柚稀 21	柚葵 21
柚那 16	友菜 15	佑奈 15	由奈 13	ゆな 5	優月 21	柚希 16	結月 16	悠月 15	唯月 11	柚月 10	ゆづき 4	柚歩 17	柚帆 15	ゆずほ
優乃 19	結乃 14	悠乃 13	唯乃 11	柚乃 7	由乃 5	ゆの	優菜 28	優奈 25	結菜 23	結奈 20	悠那 19	悠奈 18	柚奈 17	侑奈 16	由菜 16
結美 21	祐実 17	悠未 16	佑実 15	侑未 13	ゆみ	優舞 32	優茉 25	結茉 20	柚茉 17	侑茉 16	由真 15	由茉 13	友茉 12	夕茉 11	ゆま
夢香 22	夢佳 21	夢叶 18	ゆめか	優芽 25	結夢 25	夢芽 21	結芽 20	悠芽 19	侑芽 16	佑芽 15	由芽 13	夢 13	ゆめ	優海 26	優実 25

音から選ぶ名づけ 女の子名 ゆ ゆめか〜らら

読み	漢字	画数
夢華		23
優芽花		32
ゆめな	夢奈	21
	夢菜	24
	結芽菜	31
ゆめの	夢芽乃	15
	友芽乃	15
ゆら	由芽乃	14
	ゆら	6
	由良	12
	悠来	18
	悠良	18
	結良	19

優来	24
結楽	25
優來	25
ゆり	5
百合	12
夕莉	13
友莉	14
由莉	15
由梨	16
悠里	18
結莉	22
優里	24
優莉	27

ゆりあ	8
有莉亜	23
結莉愛	35
ゆりえ	24
友莉恵	25
有里絵	21
百合香	24
友梨香	24
侑里香	8
ゆりこ	15
百合子	15
由里子	18
友梨子	18
由莉子	18

ゆりな	10
友里奈	19
由莉奈	23
優里奈	32
優莉奈	35
ゆりの	13
結莉乃	24
悠梨乃	24
優莉乃	29
ゆわ	16
侑和	20
結和	23
優羽	25
優和	

よ

葉	12
陽	12
瑶	13
ようこ	15
葉子	15
陽子	16
蓉子	
よしの	7
由乃	10
佳乃	11
美乃	13
淑乃	

ら

らいか	15
來果	15
來花	18
來夏	18
來華	21
らいむ	8
來夢	8
らな	15
らら	16
來那	6
來奈	
らら	

莉亜 り¹⁰⁷あ		蘭¹⁹奈⁸	らんな	蘭¹⁹華¹⁰	蘭¹⁹香⁹	らんか	蘭¹⁹	藍¹⁸	らん	蘭¹⁹楽¹³	來⁸良⁷	來⁸々
17		27		29	28		19	18		32	15	11

莉¹⁰唯¹¹	梨¹¹衣⁶	莉¹⁰衣⁶	莉¹⁰生⁵	りい	璃¹⁵杏⁷	莉¹⁰杏⁷	りあん	りあな	莉¹⁰愛¹³奈⁸	莉¹⁰亜⁷那⁷	りあな	りあ	璃¹⁵愛¹³	梨¹¹愛¹³	莉¹⁰愛¹³	莉¹⁰彩¹¹	梨¹¹亜⁷
21	17	16	15		22	17		31		24			28	24	23	21	18

里⁷依⁸	りえ	璃¹⁵依⁸奈⁸	梨¹¹衣⁶奈⁸	莉¹⁰衣⁶奈⁸	里⁷衣⁶菜¹¹	理¹¹衣⁶那⁷	莉¹⁰衣⁶那⁷	りいな	莉¹⁰唯¹¹紗¹⁰	梨¹¹依⁸紗¹⁰	莉¹⁰依⁸紗¹⁰	里⁷衣⁶沙⁷	梨¹¹衣⁶沙⁷	莉¹⁰衣⁶沙⁷	りいさ
15		31	25	24	24	23			31	29	25	25	24	23	

璃¹⁵桜¹⁰	理¹¹緒¹⁴	梨¹¹緒¹⁴	莉¹⁰緒¹⁴	里⁷緒¹⁴	李⁷緒¹⁴	莉¹⁰桜¹⁰	里⁷桜¹⁰	理¹¹生⁵	理¹¹央⁵	梨¹¹央⁵	吏⁶央⁵	莉¹⁰央⁵	莉¹⁰央⁵	りお	梨¹¹恵¹⁰
25	25	25	24	21	21	20	17	16	16	16	16	15	15		21

璃¹⁵音⁹	莉¹⁰音⁹	里⁷音⁹	李⁷音⁹	りおん	理¹¹緒¹⁴奈⁸	梨¹¹緒¹⁴奈⁸	莉¹⁰緒¹⁴奈⁸	里⁷緒¹⁴菜¹¹	梨¹¹桜¹⁰奈⁸	里⁷桜¹⁰奈⁸	理¹¹央⁵奈⁸	梨¹¹生⁵奈⁸	梨¹¹央⁵奈⁸	莉¹⁰央⁵奈⁸	りおな
24	19	16	16		33	33	32	32	29	25	24	24	24	23	

莉¹⁰久³	りく	梨¹¹華¹⁰子³	梨¹¹花⁷子³	里⁷佳⁸子³	りかこ	璃¹⁵香⁹	梨¹¹華¹⁰	梨¹¹香⁹	莉¹⁰香⁹	梨¹¹花⁷	莉¹⁰花⁷	里⁷佳⁸	りか	凜¹⁵音⁹
13		24	21	18		24	21	20	19	18	18	17		24

里來	莉玖	璃久	莉來	璃來	りこ	莉子	梨子	理子	莉心	璃子	莉來	莉瑚	りさ	リサ	りさ
15	17	18	18	23	13	14	14	14	18	18	23	5	5

里咲	里紗	莉沙	梨沙	里彩	莉紗	梨紗	理紗	りさこ	莉紗子	梨紗子	理紗子	りせ	莉世	梨世	理世
16	17	17	18	18	20	21	21	23	24	24	15	16	16

莉聖	璃星	りつ	律	里都	莉都	りっか	六花	立果	立夏	律花	りつか	立華	律花	律果	律香
23	24	9	18	21	11	13	15	16	15	16	17	18

りつき	莉月	梨月	律季	りつな	立奈	律奈	りつは	律羽	律芭	りつほ	律帆	律歩	律穂	りと	里都
14	15	17	13	17	15	16	15	17	24	18

莉都	りな	りな	李奈	里奈	莉那	梨那	里菜	璃奈	莉奈	りなこ	里菜子	莉奈子	りの	莉乃
21	7	15	15	17	18	18	23	21	21	3	12

梨乃	璃乃	凛乃	りのあ	梨乃愛	梨乃彩	りのか	梨乃佳	莉乃香	莉乃羽	りのは	莉乃葉	りのん	りのん	莉暖	璃音
13	17	17	24	25	21	21	18	24	5	23	24

音から選ぶ名づけ

女の子名

り りく〜りのん

音から選ぶ名づけ 女の子名

り りのん〜りんね

読み	漢字	画数
りほ	凛音	24
りほ	りほ	7
りほ	李帆	13
りほ	里帆	13
りほ	里歩	15
りほ	莉帆	16
りほ	理帆	17
りほ	莉歩	18
りほ	凜帆	21
りほ	里穂	22
りほ	凜歩	23
りま	里茉	15
りま	莉茉	18
りま	凜茉	23

りみ	莉舞	25
りみ	莉未	15
りゆ	璃海	24
りゆ	りゆ	15
りゆ	莉由	15
りゆ	梨結	23
りゆ	莉優	27
りよ	里依	15
りよ	りよ	15
りよ	莉世	15
りよ	梨代	16
りよ	理世	16
りょう	りょう	7

玲	9
涼	11
綾	14
りょうか	15
怜花	15
涼花	18
涼華	21
りょうこ	
涼子	13
諒子	18
りら	5
莉良	17
梨良	18
莉來	18
璃來	23

りり	13
莉々	13
里莉	17
莉里	17
璃々	18
りりあ	
莉里亜	24
莉々愛	26
梨里愛	31
凜々愛	31
りりか	7
莉々華	23
璃々花	25
凜々花	25
凜々花	25

梨里香	27
莉々子	16
りりこ	24
理莉子	24
莉々奈	21
莉々菜	24
莉里奈	25
りる	14
莉瑠	24
麗瑠	33
りん	4
鈴	13
凛	13
凜	15

凛	15
梨花	18
りんか	22
凜花	23
鈴華	23
凜果	23
凜香	24
凜華	25
りんこ	15
琳子	18
りんな	
凜奈	23
りんね	
凜菜	24
凜音	24

漢字	読み	画数
琉衣那	るいな	11·7 → 24
瑠唯	るい	14·11 → 25
瑠泉	るい	14·9 → 23
瑠衣	るい	14·6 → 20
留依	るい	10·8 → 18
琉衣	るい	11·6 → 17
留衣	るい	10·6 → 16
るい		5
るい		5
琉愛	るあ	11·13 → 24
瑠亜	るあ	14·7 → 21

る

瑠奈	るな	14·8 → 22
瑠那	るな	14·7 → 21
琉那	るな	11·7 → 18
るな		8
瑠華	るか	14·10 → 24
瑠夏	るか	14·10 → 24
瑠香	るか	14·9 → 23
瑠花	るか	14·7 → 21
琉華	るか	11·10 → 21
琉夏	るか	11·10 → 21
琉花	るか	11·7 → 18
琉禾	るか	11·5 → 16
るか		—
瑠依菜	るいな	14·8·11 → 33
瑠衣菜	るいな	14·6·11 → 31

瑠璃	るり	14·15 → 29
瑠莉	るり	14·10 → 24
瑠里	るり	14·7 → 21
琉莉	るり	11·10 → 21
るり		5
瑠美	るみ	14·9 → 23
瑠海	るみ	14·9 → 23
琉海	るみ	11·9 → 20
るみ		6
瑠乃	るの	14·2 → 16
琉乃	るの	11·2 → 13
るの		—
瑠菜	るな	14·11 → 25
琉愛	るあ	11·13 → 24

音から選ぶ名づけ
女の子名
る るあ〜れいか

れい		3·2 → 5
れい		—
玲愛	れあ	9·13 → 22
礼愛	れあ	5·13 → 18
玲杏	れあ	9·7 → 16
玲亜	れあ	9·7 → 16
れあ		—
瑠璃子	るりこ	14·15·3 → 32
瑠里子	るりこ	14·7·3 → 24
るりこ		—
琉梨華	るりか	11·11·10 → 32
瑠莉花	るりか	14·10·7 → 31

れ

羚愛	れあ	11·13 → 24
怜愛	れあ	8·13 → 21
玲杏	れあ	9·7 → 16
れいあ		— → 19
麗	れい	19
玲依	れい	9·8 → 17
澪	れい	16
怜依	れい	8·8 → 16
玲衣	れい	9·6 → 15
礼依	れい	5·8 → 13
伶衣	れい	6·6 → 13
礼衣	れい	5·6 → 11
玲	れい	9
怜	れい	8
伶	れい	7
礼	れい	5

麗禾	れいか	19·5 → 24
玲衣香	れいか	9·6·9 → 24
玲香	れいか	9·9 → 18
怜華	れいか	8·10 → 18
玲果	れいか	9·8 → 17
玲佳	れいか	9·8 → 17
怜香	れいか	8·9 → 17
伶華	れいか	6·10 → 16
玲花	れいか	9·7 → 16
怜佳	れいか	8·8 → 16
伶香	れいか	6·9 → 15
礼華	れいか	5·10 → 15
怜花	れいか	8·7 → 15
令華	れいか	5·10 → 15
れいか		—
麗愛	れいあ	19·13 → 32

玲来⁹	怜來⁸	怜良⁷	**れいら**	麗衣奈¹⁹⁶⁸	麗奈¹⁹⁸	玲衣菜⁹⁶¹¹	玲菜⁹¹¹	玲那⁹⁷	玲奈⁹⁸	怜那⁸⁷	怜奈⁸⁸	伶奈⁷⁸	礼奈⁵⁸	令奈⁵⁸	**れいな**
16	16	15		33	27	23	20	17	16	16	15	15	13	13	

伶南⁷⁹	伶奈⁷⁸	礼奈⁵⁸	令奈⁵⁸	**れな**	麗央奈¹⁹⁵⁸	玲緒那⁹¹⁴⁷	玲央那⁹⁵⁷	怜央奈⁸⁵⁸	礼央奈⁵⁵⁸	**れおな**	怜桜⁸¹⁰	玲央⁹⁵	**れお**	玲來⁹⁸	玲良⁹⁷
16	15	13	13		32	31	21	21	18		18	14		17	16

玲海⁹⁹	怜美⁸⁹	怜実⁸⁸	伶美⁷⁹	玲心⁹⁴	怜未⁸⁷	**れみ**	麗乃¹⁹²	玲乃⁹²	**れの**	麗奈¹⁹⁸	玲菜⁹¹¹	玲奈⁹⁸	礼菜⁵¹¹	玲那⁹⁷	怜奈⁸⁸
18	17	16	16	13	13		21	11		27	20	17	16	16	16

羽香⁶⁹	和禾⁸⁵	**わ**	**わ**	蓮華¹³¹⁰	蓮夏¹³¹⁰	蓮香¹³⁹	蓮禾¹³⁵	**れんか**	蓮¹³	恋¹⁰	**れん**	麗未¹⁹⁵	玲美⁹⁹
15	13			23	23	22	18		13	10		24	18

和奏⁸⁹	若奈⁸⁸	羽奏⁶⁹	和叶⁸⁵	**わかな**	**わかな**	和夏子⁸¹⁰³	和花子⁸⁷³	和日子⁸⁴³	**わかこ**	和歌⁸¹⁴	和華⁸¹⁰	和夏⁸¹⁰	和香⁸⁹	羽華⁶¹⁰	和花⁸⁷
17	16	15	13	11		21	18	15		22	18	18	17	16	15

和瑚⁸¹³	和香⁸⁹	和來⁸⁸	和心⁸⁴	和子⁸³	**わこ**	和花葉⁸⁷¹²	若葉⁸¹²	**わかば**	**わかば**	和香奈⁸⁹⁸	和香那⁸⁹⁷	和果奈⁸⁸⁸	和佳奈⁸⁸⁸	和花奈⁸⁷⁸	若菜⁸¹¹
21	17	16	12	11		27	20	12		25	24	24	24	23	19

使いたい字や読みに添え字を合わせて

添え字一覧 女の子編

あらかじめ使いたい字や読みが決まっていて名前をつけたいときは、その文字や読みに添え字をプラスしてみましょう。
万葉仮名風3文字の名前をつけるときにも添え字は活躍します。
（添え字一覧の男の子編は196ページにあります）

女の子の添え字 1文字

あ	亜安阿
い	衣依伊維為委唯惟緯椅
え	恵絵英栄江枝重永瑛衛慧笑
お	緒央生旺王於
おり	織
か	香佳加花華夏歌果霞茄河可樺袈嘉珂珈榎
が	賀芽雅
き	紀希貴喜季基規岐生来起城樹幾己葵揮輝伎暉毅祈熙嬉槻軌機稀黄磯気旗其埼箕
こ	古湖鼓瑚己小子胡仔乎
さ	左佐沙紗作早小嵯瑳
す	寸寿須素数朱州洲珠栖諏
すみ	澄純 ※「ずみ」でも使用
せ	勢世瀬
ち	知智千稚茅治致
つ	津都鶴通 ※「づ」でも使用
つき	月 ※「づき」でも使用
と	十登都杜斗途
な	奈菜那名南納七梛
なみ	浪波
ね	根音子年峰嶺祢
の	乃野之能濃埜
は	波羽葉巴
ひ	妃日比飛陽斐緋
ぶ	武舞部分歩
ほ	穂帆歩保甫浦朋圃
ま	麻真万茉末摩磨満
み	美実未三深海見視巳弥魅箕
め	芽女
も	百茂母最
や	矢哉也弥耶治八夜谷野椰
ゆ	由裕有柚宥右夕優結祐佑悠愉遊唯
よ	代世予余夜与依
ら	羅良
り	里理利梨璃莉李俐浬哩
る	留瑠流琉
わ	和輪

女の子の添え字 2文字

えこ	江子 枝子 栄子 恵子
かこ	香子 佳子 加子 歌子
きこ	希子 紀子 喜子 貴子
くこ	久子 玖子
さこ	佐子 沙子 紗子
ちこ	知子 智子
つえ	津江 津枝 ※「づえ」でも使用
つこ	津子 ※「づこ」でも使用
つよ	津代 津世 ※「づよ」でも使用
みこ	美子 実子
よこ	代子 世子
りこ	里子 利子 理子 梨子
わこ	和子

音から選ぶ男の子の名前リスト

あ

あいき
和希 15
愛輝 28
愛樹 29
藍輝 33

あいと
愛斗 17
和音 17
愛叶 18
藍人 20
藍斗 22
藍叶 23
愛都 24

あいのすけ
和之介 15
愛之助 23
藍之介 25

あお
青 8
蒼 13
碧 14
蒼央 18
蒼生 18

あおい
葵 12
蒼 13
碧 14

あおき
蒼生 18
碧希 21
葵稀 24

あおし
碧輝 29
仰志 13
葵士 15
蒼士 16
碧士 17
蒼史 18
蒼志 20
碧志 21
葵詩 25
蒼詩 26
碧詩 27

あおと
葵人 14
葵士 15
蒼稀 25
碧輝 29

蒼人 15
葵仁 16
蒼斗 16
蒼大 16
碧人 16
蒼仁 17
蒼斗 17
碧叶 18
碧仁 18
蒼士 18
葵斗 18
碧音 21
葵杜 21
碧杜 21
葵都 23
碧音 23

143

音から選ぶ名づけ　男の子名

あ　あおと〜あきひと

碧飛14/9	葵翔12/12	蒼都13/11	蒼翔13/12	碧都14/11	**あおは**	蒼巴13/4	葵晴12/12	蒼羽13/6	葵葉12/12	**あおば**	青波8/8	葵羽12/6	青葉8/12	碧羽14/6	蒼波13/8
23	24	24	25	25	17	17	24	25		16	18	20	20	21

碧芭14/7	蒼馬13/10	葵葉12/12	碧馬14/10	蒼葉13/12	碧葉14/12	**あおま**	碧真14/10	葵真12/10	碧哉14/9	蒼陽13/12	**あかり**	燈16	明璃8/15
21	23	24	24	25	26	23	24	24	23	24	25	16	23

あき	明8	晃10	瑛12	暁12	陽12	煌13	明希8/7	明輝8/15	明樹8/16	**あきと**	明人8/2	晃人10/2	晃士10/3	章人11/2	晄士10/3
	8	10	12	12	12	13	15	23	24		10	12	13	13	13

瑛人12/2	暁人12/2	晃斗10/4	陽人12/2	瑛士12/3	暁士12/3	章人11/2	誠人13/2	煌斗13/4	瑛斗12/4	暁仁12/4	暁斗12/4	彰人14/2	聡仁14/4	陽仁12/4	陽斗12/4
14	14	14	14	15	15	13	15	17	16	16	16	16	16	16	16

明希人8/7/2	煌斗13/4	彰仁14/4	明翔8/12	亮翔9/12	晃翔10/12	暁翔12/12	章都11/12	陽翔12/12	瑛翔12/12	暁登12/12	暁翔12/12	晶翔12/12	陽翔12/12
17	17	18	18	20	21	22	23	23	23	24	24	24	24

誠翔13/12	**あきひさ**	明久8/3	晃久10/3	瑛久12/3	晃寿10/7	**あきひと**	昭仁9/4	章人11/2	晃仁10/4	瑛仁12/4	彰人14/2	暁仁12/4	彰仁14/4	陽仁12/4	彰仁14/4
25		11	13	15	17		13	13	14	16	16	16	18	16	18

音から選ぶ名づけ　男の子名　あ　あきひろ〜あつし

あきひろ
- 明大 13
- 晃大 13
- 明弘 13
- 瑛大 15
- 暁大 15
- 晃弘 15
- 明宏 15
- 陽大 15
- 晃洋 17
- 暁洋 21
- 明優 25

あきふみ
- 明史 13
- 瑛文 16

あきほ
- 晃帆 16

あきまさ
- 朗歩 18
- 明正 13
- 明将 18
- 明優 25

あきや
- 瑛也 15
- 暁也 15
- 明弥 16

あきら
- 昂 8
- 明 8
- 晃 10
- 朗 10
- 章 11
- 彬 11

- 瑛 12
- 暁 12
- 晶 12
- 滉 13
- 彰 14
- 輝 15
- 慧 15
- 明良 15
- 晃良 17

あさき
- 旭生 11
- 旭希 13
- 朝暉 25
- 朝輝 27

あさと
- 旭人 8

- 亜沙人 16
- 朝斗 16
- 朝翔 24

あさひ
- 旭 6
- 旭飛 15
- 朝日 16
- 旭陽 18
- 朝陽 21（24?）
- 朝飛 24

あすか
- 飛鳥 20
- 明日翔 24

あすと
- 明日斗 16

- 明日翔 24
- 梓真 21
- 梓馬 21

あつき
- 充希 13
- 敦己 15
- 淳生 16
- 敦生 17
- 篤希 18
- 敦紀 21
- 惇貴 23
- 篤季 23
- 敦稀 24
- 敦貴 24

- 篤紀 25
- 篤暉 25
- 敦貴 28
- 敦樹 28
- 篤輝 31
- 篤樹 32

あつし
- 惇 11
- 惇史 12
- 敦士 15
- 淳史 16
- 敦史 16
- 惇史 17
- 篤史 21
- 篤志 23

145

あっと | 淳人 13 | 惇人 13 | 惇斗 15 | 敦仁 16 | 敦斗 16 | 篤人 18 | 敦翔 24 | あつのり 篤紀 25 | あつひこ 敦彦 21 | あつひと | 温仁 16 | 敦仁 16

篤人 18 | あつひろ | 敦大 15 | 敦弘 21 | 篤宏 23 | あつや | 敦也 15 | 敦哉 21 | 篤哉 24 | 篤弥 25 | あつろう 淳朗 21 | 篤郎 25 | あまと | 天飛 13 | 天翔 16

あまね 周 8 | 天音 13 | 絢太 16 | 綾汰 21 | 綺汰 21 | あやと | 文人 6 | 礼人 7 | 郁人 11 | 彩人 13 | 彪人 13 | 絢人 14 | 絢士 15 | 彩仁 15

彩斗 15 | 絢斗 16 | 絢仁 16 | 綾人 16 | 彩叶 16 | 文翔 16 | 綺斗 16 | 綾斗 18 | 絢飛 21 | 絢都 23 | 彩音 23 | 絢登 24 | 絢翔 24 | 綾都 25 | 綾翔 26

あゆき 歩希 15 | 歩輝 23 | 歩樹 24 | あゆた 歩大 11 | 歩太 12 | 歩汰 15 | あゆと 歩叶 13 | 歩杜 15 | 歩音 17 | 歩翔 20 | あゆま 歩真 18 | 歩磨 24

あゆむ 歩 8 | 歩武 16 | 歩睦 21 | 歩夢 21 | あらた 新 13 | 新大 16 | 新太 17 | 新汰 20 | あれん 亜蓮 20 | 空蓮 21 | 明廉 21 | あんじ 庵士 14

音から選ぶ名づけ　男の子名　あ　あつと〜あんじ

一桜利 18	一央利 13	庵 11	いおり	唯桜 21	偉央 17	唯生 16	唯央 16	惟央 16	いお
								庵慈 24	晏慈 23	庵司 16

| 郁磨 25 | 郁真 19 | 生真 15 | いくま | 幾登 24 | 郁翔 21 | 郁登 21 | 郁斗 13 | 郁仁 13 | 郁人 11 | いくと | 唯織 29 | 惟織 29 | 依織 26 | 依央理 24 | 伊織 24 |

| 一 1 | いち | 泉澄 24 | 伊澄 21 | 一澄 16 | 伊純 16 | 泉 9 | いずみ | 維新 27 | 維心 18 | 唯心 15 | いしん | 郁哉 18 | 郁弥 17 | 育弥 16 | いくや |

| 壱汰 14 | 一汰 8 | 一太 5 | いちた | 壱護 27 | 一護 21 | いちご | 一千翔 16 | 一嘉 15 | 一翔 14 | 一禾 6 | いちか | 唯智 23 | 依知 16 | 偉千 15 | 壱 7 |

| 一哉 10 | いちや | 壱乃介 13 | 一之亮 13 | 一之助 11 | 一乃介 7 | いちのすけ | 一之進 15 | 一之心 8 | いちのしん | 壱都 18 | 一翔 13 | 一登 13 | 一叶 6 | 一仁 5 | いちと |

| 一樹 17 | 一輝 16 | 一貴 13 | 一稀 13 | 一喜 13 | 一葵 13 | 一希 8 | いっき | 伊知朗 24 | 一朗 11 | いちろう | 一陽 13 | 一葉 13 | いちよう | 壱哉 16 | 壱弥 15 |

いつき	一絆12	惟月15	唯月15	偉月16	一輝16	樹16	維月18	稜生18	樹生21	壱希23	樹樹23	樹季24	いづき	惟月15	偉月16

維月18	いっけい	一敬13	一慶16	一慧16	いっさ	一沙8	一冴8	一颯15	壱颯21	いっしん	一心5	一芯8	一真11	壱心11	壱信16

いっせい	一生6	一成7	一晟11	一晴13	一惺13	壱聖14	一誠14	いっと	一斗5	壱斗11	一翔13	いっぺい	一平6	逸平16

いづる	一弦9	壱弦15	依弦16	いと	絃11	惟人11	依杜15	唯斗16	維人16	伊都17	維斗18	いぶき	一吹8	いぶき12	伊吹13

依吹15	一颯15	一歩希16	勇吹16	惟吹18	唯吹18	維吹21	一歩輝24	一歩樹25	うきょう	右京13	右恭15	佑京15

うた	詠汰12	宇汰13	羽汰13	詩13	羽泰16	詩大16	雅楽26	うみ	海9	宇海15	羽海15	うみと	海斗13	海音18	海翔21

え

えいいち
- 英一 9
- 瑛一 13

えいいちろう
- 栄一朗 20
- 瑛一朗 23

えいき
- 英希 15
- 栄輝 24
- 瑛貴 24

えいきち
- 永吉 11
- 瑛吉 18

えいご
- 永悟 15
- 英吾 15
- 永護 25

えいさく
- 英作 15
- 瑛朔 22

えいし
- 英士 15
- 瑛士 15
- 英志 15
- 瑛司 17
- 英司 11
- 瑛士 13
- 英志 15

えいじ
- 栄志 16
- 瑛仁 16
- 英治 17
- 瑛司 18
- 永慈 19
- 英志 21

えいしろう
- 瑛士郎 24
- 英志朗 25

えいしん
- 栄心 13
- 永真 15
- 瑛心 16
- 詠心 16

えいすけ
- 瑛新 21
- 瑛信 25
- 英介 12
- 栄佑 16
- 瑛介 16
- 詠介 17
- 英祐 16
- 栄輔 23
- 瑛亮 17
- 瑛輔 26

えいせい
- 瑛世 17
- 英政 17
- 瑛星 21
- 英誠 21

えいた
- 栄太 13
- 永泰 15
- 瑛大 15
- 英汰 16
- 瑛太 16
- 詠太 16
- 瑛多 18
- 榮太 18
- 英大 11
- 瑛大 15

えいたろう
- 英太郎 21
- 瑛太郎 25
- 詠太郎 25

えいと
- 永人 7
- 栄斗 13
- 瑛人 14
- 瑛士 15
- 永都 16
- 瑛仁 16
- 瑛斗 16
- 榮人 16
- 永翔 17
- 瑛叶 17
- 栄翔 21
- 瑛音 21
- 瑛都 23
- 瑛登 24
- 瑛翔 24

読み	漢字	画数
えいま	永真	15
	瑛真	22
えにし	縁	15
	縁士	18
お	央	5
おう	凰	11
おうが	央雅	18
	桜河	18
	旺雅	21
おうき	旺生	13
	旺希	15
	桜希	17
	桜季	18
	央樹	21
	旺輝	23
	桜輝	25
おうし	桜志	17
	凰志	18
おうしろう	旺史朗	23
おうすけ	央佑	12
	旺介	12
	桜介	14
	央祐	14
	旺佑	15
	凰介	15
おうしん	旺心	12
	桜心	15
	凰心	15
おうじろう	旺志朗	25
	桜史郎	24
	凰士郎	24
	旺志郎	24
	桜士朗	23
おうせい	央成	11
	旺生	13
	旺成	14
	央晟	15
	桜生	15
	央成	16
	央惺	17
	央誠	18
	旺誠	21
	桜誠	23
おうすけ	旺祐	17
	央輔	19
	應介	21
	桜輔	24
おうた	旺太	12
	桜大	13
	凰太	15
	桜汰	17
おうだい	旺大	11
	桜大	13
おうたろう	央太郎	18
	旺太郎	21
	桜太朗	24
	凰太郎	24
おうり	旺李	15
おさむ	修	10
	理	11
おと	央人	7
	凰斗	15
おとや	音翔	21
	音都	21
	音弥	17
	音哉	18
おりと	織人	20
	織士	21
央理		16
桜吏		16

か

かい
快 7	海 9	開 12	楷 13	魁 14	可惟 16	櫂 18	夏惟 21	夏唯 21	夏維 24	海志 16

かいし

かいせい
快誠 20	海晟 18	快晟 17	快星 16	海星 15	海成 14	快成 13

かいしん
海心 16　凱心 13

かいじ
櫂司 23　海司 14

かいし
櫂志 25　開志 19

かいと
魁人 16	禾絃 16	凱士 15	海斗 13	海人 11	快斗 11	快人 9

かいち
嘉一 15　海智 21

かいせい（右ブロック）
櫂成 24　櫂生 23　海聖 22　海惺 21　海晴 21

かいり
凱吏 18	快理 18	海里 16	海李 16	海吏 15	涅 10

かいり

かいと（下段）
凱翔 24　開翔 24　櫂斗 22　櫂士 21　海翔 21　海渡 21　海飛 18　海音 18　凱斗 16

かける〜かいる
翔琉 23	駈 15	駆 14	翔 12

かける

馨 20　薫 16　かおる　楓 13　かえで　凱琉 23　海瑠 23　海琉 20　かいる　海璃 24　魁利 21

かず〜
一輝 16	和希 15	和生 13	一貴 13	一稀 13	一喜 13	一葵 13	一希 8

かずき　和臣 15　一臣 8　かずおみ　一耀 21　和晃 18　和明 16　かずあき

音から選ぶ名づけ　男の子名　か　かずき～かなた

壱紀 16	和季 16	一樹 17	和紀 17	千輝 18	和貴 20	和暉 21	和輝 23	和樹 24	一志 8	和志 15
和詩 21	かずたか	和孝 15	和貴 20							

かずと	和人 10	一登 13	一翔 13	千翔 15	和虎 16	和翔 17	和飛 20	かずとし	一寿 8
和寿 15	和俊 17	かずなり	一成 7	和也 11	和成 14				

かずは	一葉 13	和芭 15	かずはる	一晴 16	和治 20	一仁 5	和仁 12	かずひと
一弘 6	千紘 13	和宏 15	かずふみ	和史 13				

かずほ	和帆 14	和穂 16	和穂 23	かずま	一真 11	一馬 11	一眞 11	一磨 17
和真 18	和馬 18	和眞 24	かずまさ	和正 13	和将 18			

和優 25	かずや	和也 11	和弥 17	かずゆき	和哉 17	千幸 11	和志 15	和幸 16	かずよし
一義 14	和義 21	和慶 23	かつき	翔月 16	克樹 23				

かづき	翔月 16	嘉月 18	かつや	克弥 15	克哉 16	かなた	叶大 8	奏大 12	哉太 13
奏太 13	奏多 15	夏向 16	哉汰 16	奏汰 16	夏那太 21				

音から選ぶ名づけ 男の子名 か かなで〜きひろ

読み	漢字	画数
かなで	奏	9
	叶人	7
かなと	奏人	11
	哉人	11
	奏仁	13
	奏斗	13
	叶都	16
	叶翔	17
	奏音	18
	奏都	20
	夏那斗	21
	奏翔	21
かなめ	要	9

読み	漢字	画数
かん	叶芽	13
	奏芽	17
	寛	13
	幹	13
	環	17
かんげん	寛玄	18
	寛弦	21
かんすけ	勘介	15
	寛介	17
	勘助	18
かんた	勘太	15
	貫太	15

読み	漢字	画数
	寛大	16
	幹大	16
	敢太	16
	寛太	17
	幹太	17
	栞汰	17
	貫汰	18
	環太	21
かんたろう	貫太郎	24
	栞太朗	24
	寛大朗	25
	幹太朗	27
がく	学	8
	岳	8

読み	漢字	画数
	楽	13
	賀久	15
	樂久	15
	雅久	16
がくと	岳斗	12
	岳杜	15
	楽人	15
	楽斗	17
	岳翔	20
きいち	希一	8
	桔一	11

読み	漢字	画数
	葵一	13
	喜一	13
	稀一	13
	貴一	13
	紀壱	16
	輝一	16
	喜市	17
	樹一	17
きしん	絆心	15
	喜心	16
	輝真	25
きすけ	葵介	16
	喜介	16
	希輔	21

読み	漢字	画数
きずな	絆	11
きちのすけ	吉之介	13
	吉之助	16
きっぺい	吉平	11
	桔平	15
きはる	希春	16
	喜晴	23
	稀悠	24
	稀陽	24
きひろ	希紘	17
	希優	24

読み	漢字	画数
きょう	匡	6
	京	8
	恭	10
	響	20
きょういち	恭一	11
	響一	21
きょういちろう	京一郎	18
	恭一朗	21
	響一郎	30
きょうご	京吾	15
	恭吾	17
	恭梧	21
きょうじ	京司	13
	恭士	13
	恭司	15
	京士朗	21
	恭司郎	24
	京志朗	25
きょうしろう		
きょうすけ	京介	12
	匡佑	13
	恭介	14
	京佑	15
	恭丞	16
	恭佑	17
	杏輔	21
きょうた	響介	24
	恭輔	24
	杏太	11
	恭太	14
	響太	24
きょうたろう	京太郎	21
	恭太郎	23
きょうのすけ	杏之介	14
	京之介	15
きょうへい	匡平	11
	京平	13
	恭平	15
きょうや	京也	11
	恭也	13
	杏弥	15
	匡哉	15
	恭矢	15
	京弥	16
	恭弥	18
きよと	清斗	15
	清登	23
	清翔	24
	聖都	24
きよはる	清陽	23
	聖晴	25

| きりと | 桐人 | 12 |
| | 桐都 | 21 |

くう	空我	15
	空河	16
	空雅	21
	空也	11
	空弥	16
	空哉	17
くおん	久遠	16
くが		
くや		

けい	玖音	16
	空穏	24
くらのすけ	蔵之介	22
	蔵之助	25
くんぺい	薫平	21
けい	圭	6
	佳	8
	京	8
	恵	10
	啓	11

音から選ぶ名づけ　男の子名　け　けい〜けいた

名前	画数
彗11	11
敬12	12
景12	12
慶15	15
慧15	15
圭6偉11	18
けいいち	
圭6一1	7
恵10一1	11
慶15一1	16
慧15一1	16
けいいちろう	
圭6一1朗10	17
佳8一1郎9	18
啓11一1郎9	21
恵10一1朗10	21

名前	画数
慶15一1郎9	25
けいご	
圭6伍6	12
圭6吾7	13
佳8吾7	15
恵10悟10	16
恵10吾7	17
啓11伍6	17
啓11吾7	18
恵10梧11	21
慶15伍6	21
慶15吾7	22
慶15悟10	25
慧15悟10	25

名前	画数
けいし	
圭6志7	13
佳8志7	15
啓11史5	16
啓11志7	18
啓11詩13	24
けいじ	
慶15士3	18
慶15司5	20
慶15次6	21
慶15治8	23
啓11慈13	24
けいじゅ	
圭6寿7	13
慶15樹16	31

名前	画数
けいしょう	
圭6将10	16
慶15昇8	23
慶15翔12	27
けいしろう	
啓11士3郎9	23
啓11士3朗10	24
けいじろう	
慶15志7朗10	32
啓11次6郎9	26
慶15次6郎9	30
けいしん	
啓11心4	15
敬12心4	16
慶15心4	19
啓11真10	21

名前	画数
けいすけ	
慶15信9	24
圭6介4	10
恵10介4	14
啓11介4	15
敬12介4	16
恵10佑7	17
佳8輔14	22
恵10輔14	24
慶15亮9	24
啓11輔14	25
けいせい	
啓11生5	16
慶15成6	21

名前	画数
啓11誠13	24
慶15星9	24
けいた	
圭6太4	10
佳8太4	11
圭6汰7	13
恵10大3	13
恵10太4	14
京8汰7	15
啓11太4	15
恵10多6	16
敬12太4	16
景12太4	16
恵10汰7	17
啓11汰7	18

音から選ぶ名づけ　男の子名　け　けいた〜けんた

名前	画数
慶大 15	18
慶太 12	19
慧太 15	19
慶多 15	21
けいたろう	
啓太朗 11/4/10	24
恵太朗 10/4/10	24
啓太朗 11/4/10	25
敬太朗 12/4/10	25
景太朗 12/4/10	25
慶太朗 15/4/10	29
けいと 8	
圭人 6/2	13
啓人 11/2	14
恵斗 10/4	15
啓仁 11/4	

啓斗 11/4	15
敬斗 12/4	16
恵斗 10/6	16
圭都 6/11	17
慶人 15/2	17
慧人 15/2	17
圭登 6/12	18
圭翔 6/12	18
恵都 10/11	21
恵翔 10/12	22
啓翔 11/12	23
景都 12/11	23
景翔 12/12	24
慶翔 15/12	27
けいま 2	
圭真 6/10	16

啓真 11/10	21
慶真 15/10	25
慧真 15/10	25
圭弥 6/8	14
慶也 15/3	18
慧弥 15/8	23
慶哉 15/9	24
けん 4	
健 11	11
憲 16	16
賢 16	16
謙 17	17
けんいち	
健一 11/1	12
賢一 16/1	17

健吾 11/7	18
賢吾 16/7	23
健悟 11/10	21
謙吾 17/7	24
健志 11/7	18
憲志 16/7	23
謙志 17/7	24
けんじ 5	
健司 11/5	16
健志 11/7	18
賢治 16/8	24
けんしょう	
健生 11/5	16
健将 11/10	21
けんご	

健翔 11/12	23
健士朗 11/3/10	24
健志朗 11/7/10	27
謙志郎 17/7/9	33
けんしん	
剣心 10/4	14
健心 11/4	15
絢心 12/4	16
堅心 12/4	16
健真 11/10	21
謙心 17/4	21
健慎 11/13	24
賢信 16/9	25
謙信 17/9	26
謙真 17/10	27

けんすけ	
健介 11/4	15
絢介 12/4	16
健佑 11/7	18
賢祐 16/9	25
けんせい	
健生 11/5	16
健成 11/6	17
賢生 16/5	21
賢誠 16/13	29
けんた	
健大 11/3	14
絢大 12/3	15
健太 11/4	15
健汰 11/7	18
謙太 17/4	21

けんたろう

読み	漢字	ページ
けんたろう	健太郎[9]	24
	健太朗[9]	25
	憲太郎[9]	29
	謙太郎[9]	30
けんと	健人[2]	13
	絢斗[11]	15
	健斗[11]	16
	賢人[11]	18
	謙人[11]	19
	賢斗[11]	20
	健翔[15]	23
けんや	絢哉[16]	21
	賢弥[16]	24

げん

読み	漢字	ページ
けんゆう	健友[8]	15
	絢友[8]	16
	賢侑[8]	24
げん	元[4]	4
	玄[5]	5
	弦[8]	8
	絃[11]	11
	源[13]	13
げんき	元気[10]	10
	弦希[10]	15
	元貴[15]	16
	絃希[17]	18
	元輝[19]	19

げんた

読み	漢字	ページ
げんき	弦輝[8]	23
げんしん	源心[17]	17
	弦新[17]	21
げんせい	玄晴[15]	17
	弦誠[21]	21
げんた	元太[5]	8
	舷太[12]	15
	源大[12]	16
	源太[12]	17
	元人[11]	11
	絃人[12]	13
	元翔[16]	16

こ〜こうき

読み	漢字	ページ
	玄都[11]	16
	玄翔[15]	17
こう	巧[5]	5
	光[6]	6
	孝[7]	7
	昊[8]	8
	皇[9]	9
	洸[9]	9
	晃[10]	10
	紘[10]	10
	航[10]	10
	滉[13]	13

読み	漢字	ページ
	煌[13]	13
こういち	光一[1]	7
	幸一[1]	9
	晃一[1]	11
	耕一[1]	11
	航一[1]	11
こういちろう	孝一朗[1]	17
	航一朗[1]	21
こうが	幸雅[11]	21
	凰雅[11]	24
	煌雅[13]	26
こうき	光希[6]	13

読み	漢字	ページ
こうき	幸希[6]	15
	晃生[10]	15
	航生[10]	15
	虹希[9]	16
	洸希[10]	16
	倖希[10]	17
	晃希[10]	17
	航希[10]	17
	晄希[10]	21
	孝樹[16]	23
	幸輝[15]	23
	昂輝[15]	23
	昊樹[16]	24
	航輝[15]	25

音から選ぶ名づけ — 男の子名 こ（こうき〜こうめい）

こうし
- 煌貴 25
- 煌樹 29
- 光志 13
- 晃士 13
- 幸志 15
- 浩志 17

こうじ
- 光志 13
- 晃司 15
- 恒志 16

こうしろう
- 幸士朗 21
- 幸史朗 23
- 航史朗 24
- 康志郎 27

こうすけ
- 孝介 11
- 光佑 13
- 洸介 13
- 航介 14
- 幸助 15
- 康介 15
- 孝祐 17
- 煌介 18
- 康佑 18
- 晃輔 24
- 浩輔 25

こうせい
- 光星 15
- 晃正 15
- 康生 16
- 康成 17
- 弘誠 18
- 煌世 18
- 煌生 18
- 好誠 19
- 幸成 19
- 幸誠 21
- 康晴 21
- 晃誠 23
- 康誠 24
- 煌聖 26

こうた
- 孝太 11
- 宏太 11
- 幸大 11
- 幸太 12
- 光汰 13
- 航大 13
- 虹太 13
- 洸太 13
- 晃太 14
- 航太 14
- 康太 14
- 昴太 15
- 昊太 15
- 煌大 15
- 晃汰 17
- 航汰 17
- 煌太 17

こうだい
- 功大 8
- 広大 8
- 昂大 11
- 昊大 11
- 航大 13
- 煌大 16

こうたろう
- 孝太朗 21
- 幸太郎 21
- 倖太郎 23
- 光汰郎 23
- 晃太郎 23
- 航太郎 23
- 洸太朗 23
- 康太郎 24
- 耕太朗 24
- 航太朗 24

こうへい
- 光平 11
- 幸平 13
- 昂平 13
- 晃平 15
- 紘平 15
- 航平 16
- 康平 16
- 滉平 18
- 煌平 18

こうめい
- 弘明 13
- 孝明 15

音から選ぶ名づけ 男の子名

読み	名前	画数
こうめい	幸明	16
	昂明	16
	煌明	21
こうや	晃也	13
	紘也	13
	航也	13
	昊矢	13
	光哉	15
	幸弥	16
	昂弥	16
	昊弥	16
	滉也	16
	煌也	16
こうよう	向陽	18
こうよう（続）	虹陽	21
こころ	心	4
こじろう	小次郎	18
	琥士郎	23
	虎次郎	23
こたろう	心太朗	18
	虎大朗	21
	虎太朗	22
	虎汰郎	24
	虎大朗	24
	琥太郎	25
	琥大朗	25
	琥太朗	26
こてつ	虎哲	18
	虎鉄	21
	虎徹	23
こはく	虎白	13
	琥白	17
	琥珀	21
ごう	郷	11
	豪	14
ごうき	豪己	17
	剛輝	25

さ | 男の子名

読み	名前	画数
さきと	咲人	11
	咲斗	13
	咲翔	21
さく	朔	10
	朔久	13
	咲玖	16
	朔空	17
	朔玖	17
	朔空	18
さくた	咲太	13
さくと	咲人	11
	朔士	12
	朔斗	14
	朔斗	14
	咲都	20
	咲翔	21
さくたろう	咲太郎	22
	朔太郎	23
	朔太朗	23
	朔太郎	24
	咲多朗	25
さくま	朔真	20
	咲真	19
さくや	咲也	12
	朔也	13
	朔矢	15
	咲弥	17
	咲哉	18
さくのすけ	朔之介	16
	咲之介	17
朔大		13
朔太		14
朔翔		21
朔登		22
朔都		22

さとし				さつき			さすけ		さくや	
智士[3]	慧[14]	聡[14]	智[12]	怜[8]	颯貴[26]	颯希[21]	皐月[15]	皐[11]	颯介[18]	冴介[11]	朔哉[19]	朔弥[18]
15	15	14	12	8	26	21	15	11	18	11	19	18

しおう				さとる					
詩桜[23]	志旺[15]	士桜[13]		慧[15]	聡[14]	惺[12]	悟[10]	聡志[21]	智志[19]	悟志[17]	哲史[15]

し

しずく			しづき		しおん					
志穏[23]	詩音[22]	紫音[21]	史穏[21]	志温[19]	志恩[17]	心温[16]	志音[16]	史恩[15]	士恩[13]
志月[11]	しづき	雫玖[18]	雫[11]							

しゅう				しのぶ		しどう			しづき
珠羽[16]	柊羽[15]	珠生[15]	修[10]	柊[9]	周[8]	秀[7]	志信[16]	忍[7]	獅堂[24]	志道[19]	士道[15]	紫月[16]

しゅうえい		しゅういちろう			しゅういち			しゅう		
脩詠[23]	秀英[15]	修永[15]	修一郎[20]	柊一郎[19]	秀一郎[17]	修一[11]	柊一[10]	秀一[8]	志優[24]	志勇[16]	史侑[13]

しゅうじ			しゅうご					しゅうき		
柊志[16]	修司[15]	柊司[14]	修悟[20]	脩吾[18]	秀悟[17]	修吾[17]	柊吾[16]	周吾[15]	秀伍[13]	秀輝[22]	柊貴[21]	柊希[16]

音から選ぶ名づけ 男の子名 し しゅうじ〜しゅんすけ

読み	名前（画数）
しゅうじ	柊治 17
しゅうすけ	秀介 11 ／ 柊介 13 ／ 秀祐 16
しゅうせい	秀征 15 ／ 秀成 15 ／ 柊成 15 ／ 柊星 18 ／ 柊惺 21
しゅうた	秀太 11 ／ 柊太 13 ／ 修太 14 ／ 柊汰 16
しゅうたろう	秀太朗 21 ／ 柊太朗 22 ／ 柊太郎 23
しゅうと	柊人 11 ／ 秀斗 11 ／ 柊仁 13 ／ 修斗 14 ／ 秀都 18 ／ 柊都 19 ／ 柊翔 20 ／ 秀翔 21
しゅうのすけ	柊之介 16
しゅうへい	秀平 12 ／ 周平 13 ／ 柊平 14 ／ 修平 15 ／ 脩平 16
しゅうま	秀真 17 ／ 周真 18 ／ 柊真 19 ／ 柊馬 20 ／ 修真 21 ／ 秀磨 23 ／ 柊摩 24 ／ 柊磨 25
しゅうや	宗也 11 ／ 柊也 12 ／ 修也 13 ／ 秀弥 15 ／ 周哉 16 ／ 修弥 17 ／ 柊弥 17 ／ 柊哉 18
しゅん	旬 6 ／ 俊 9 ／ 洵 9 ／ 峻 10 ／ 隼 10
しゅんいち	俊一 10 ／ 隼一 11 ／ 駿一 18
しゅんえい	俊瑛 21 ／ 駿栄 26
しゅんき	隼生 15 ／ 俊希 16 ／ 駿希 24 ／ 隼輝 25
しゅんご	駿貴 29 ／ 俊吾 16 ／ 舜悟 23 ／ 駿吾 24
しゅんじ	隼司 15 ／ 峻司 15
しゅんすけ	隼史 15 ／ 俊介 13 ／ 俊佑 16 ／ 竣介 16 ／ 隼亮 18 ／ 俊亮 19 ／ 駿介 21

俊輔9	峻輔14	駿佑14	隼輔10	しゅんせい	隼成12	竣星12	春晴12	隼誠10	しゅんた	俊太9	竣太12	隼汰10	駿太17	しゅんたろう	隼太郎10
23	24	24	24		16	21	21	23		13	16	17	21		23

峻太朗10	隼太朗10	駿太朗17	しゅんと	俊斗9	竣斗12	舜人12	俊翔9	駿斗17	しゅんのすけ	俊之介9	駿之介17	しゅんぺい	旬平6	俊平9	隼平10
24	24	31		13	15	16	21	21		16	24		11	14	15

しゅんま	旬真10	俊真10	しゅんや	隼也7	旬哉9	俊哉9	峻弥9	隼弥10	舜弥12	駿弥17	しょう	匠6	尚8	昇8	将10
	16	19		13	15	18	18	18	21	25		6	8	8	10

祥10	渉11	晶12	翔12	奨13	聖13	樟15	翔央12	紫陽12	しょういち	祥一11	翔一13	彰一15	しょういちろう	匠一郎6
10	11	12	12	13	13	15	17	24		11	13	15		16

祥一朗10	翔一郎12	翔一朗12	しょうえい	翔瑛12	将英10	尚英8	匠栄6	しょうき	翔己12	奨己13	翔生12	翔葵12	翔稀12	翔貴12	翔輝12
21	22	23		24	18	15	15		15	16	17	24	24	24	27

しょうご	尚吾8	昇吾8	正悟5	匠悟6	省吾9	将伍10	将吾10	章吾11	翔伍12	翔吾12	彰吾14	奨悟13	尚助8	翔介12
	15	15	15	16	16	16	17	18	19	19	21	23	15	16

音から選ぶ名づけ ／ 男の子名 ／ し（しょうせい〜しんげん）

しょうせい ｜ 将成10+6 ｜ 翔成12+6 18 ｜ 翔星12+9 21

しょうた ｜ 昇大8+3 11 ｜ 匠汰6+7 13 ｜ 将大10+3 13 ｜ 祥大10+3 13 ｜ 翔大12+3 15 ｜ 勝太12+4 16 ｜ 翔太12+4 16 ｜ 彰太14+4 18 ｜ 昇大8+3 11 ｜ 将大10+3 13

しょうだい ｜ 昇大8+3 11 ｜ 将大10+3 13

しょうだい（続き）

翔大 15

しょうたろう ｜ 尚太郎 21 ｜ 祥太郎 23 ｜ 将太朗 24 ｜ 祥太朗 24 ｜ 章太郎 24 ｜ 翔大朗 24 ｜ 勝太郎 25 ｜ 翔太郎 25 ｜ 翔太朗 26

しょうと ｜ 翔斗 16 ｜ 匠翔 18

しょうのすけ ｜ 匠之介 13

しょうのすけ（続き） ｜ 昇之介 15 ｜ 将之介 17

しょうへい ｜ 昇平 13 ｜ 昌平 13 ｜ 将平 15 ｜ 祥平 15 ｜ 渉平 16 ｜ 翔平 17

しょうま ｜ 正真 15 ｜ 匠真 16 ｜ 尚真 16 ｜ 匠馬 18 ｜ 昇馬 18 ｜ 将真 20

しょうま（続き） ｜ 祥真 20 ｜ 翔真 22 ｜ 翔馬 22 ｜ 奨真 23 ｜ 聖真 24 ｜ 昌磨 24

しょうや ｜ 昇也 11 ｜ 将也 13 ｜ 翔也 15 ｜ 奨也 16 ｜ 翔矢 17 ｜ 翔哉 21

しょうよう ｜ 翔陽 24

しょうり ｜ 昇利 15 ｜ 翔吏 18 ｜ 奨李 20 ｜ しりゅう ｜ 子龍 19 ｜ 司龍 21 ｜ 志龍 23

しん ｜ 心 4 ｜ 伸 7 ｜ 芯 7 ｜ 信 9 ｜ 真 10 ｜ 眞 10 ｜ 進 11

しん（続き） ｜ 慎 13 ｜ 新 13

しんいち ｜ 心一 5 ｜ 信一 10 ｜ 真一 11 ｜ 慎一 14 ｜ 新一 14

しんいちろう ｜ 伸一朗 18 ｜ 信一朗 20 ｜ 慎一郎 23 ｜ 新一朗 24

しんげん ｜ 心玄 9 ｜ 信元 13

男の子名 し　しんげん〜じょう

しんげん
- 心絃 4+11 = 15
- 真弦 10+8 = 18

しんご
- 心吾 4+7 = 11
- 信吾 9+7 = 16
- 真吾 10+7 = 17
- 慎吾 13+7 = 20

しんじ
- 晋司 10+5 = 15
- 真司 10+5 = 15
- 信志 9+7 = 16
- 心慈 4+13 = 17
- 慎司 13+5 = 18
- 真治 10+8 = 18
- 慎治 13+8 = 21

しんじろう
- 真司郎 10+5+9 = 24
- 真仁郎 10+4+10 = 24
- 進次郎 11+6+9 = 26

しんすけ
- 真佑 10+7 = 17
- 信輔 9+14 = 23

しんた
- 心大 4+3 = 7
- 心汰 4+7 = 11
- 慎大 13+3 = 16
- 慎太 13+4 = 17

しんたろう
- 心太朗 4+4+10 = 17(心太郎: 4+4+10 = 18)
- 心太朗 4+4+10 = 17
- 心太郎 4+4+9 = 18(信太朗: 9+4+10 = 23)
- 信太朗 9+4+10 = 23
- 真太朗 10+4+10 = 24
- 進太郎 11+4+9 = 24
- 慎太郎 13+4+9 = 26
- 慎太朗 13+4+10 = 27

しんのすけ
- 心之丞 4+3+6 = 13(心之介: 4+3+4 = 11)
- 心之丞 4+3+6 = 13
- 真之介 10+3+4 = 17
- 慎之介 13+3+4 = 20
- 慎之輔 13+3+14 = 30(慎之助: 13+3+7 = 23)

しんぺい
- 心平 4+5 = 9
- 慎平 13+5 = 18
- 新平 13+5 = 18

しんや
- 真也 10+3 = 13
- 慎也 13+3 = 16
- 伸哉 7+9 = 16
- 真弥 10+8 = 18
- 慎弥 13+8 = 21
- 慎哉 13+9 = 22

じゅん
- 旬 6
- 准 10
- 純 10
- 淳 11
- 準 13
- 潤 15

じゅんいち
- 准一 10+1 = 11
- 純一 10+1 = 11
- 潤一 15+1 = 16

じゅんき
- 純基 10+11 = 21
- 純輝 10+15 = 25
- 潤樹 15+16 = 31

じゅんせい
- 淳生 11+5 = 16
- 潤成 15+6 = 21
- 洵惺 9+12 = 21

じゅんた
- 純太 10+4 = 14
- 淳太 11+4 = 15
- 潤太 15+4 = 19

じゅんのすけ
- 淳之介 11+3+4 = 18
- 純之助 10+3+7 = 20
- 潤乃介 15+2+4 = 21

じゅんぺい
- 純平 10+5 = 15
- 淳平 11+5 = 16
- 惇平 11+5 = 16
- 潤平 15+5 = 20

じゅんや
- 純也 10+3 = 13
- 絢也 12+3 = 15
- 純弥 10+8 = 18

じょう
- 丈 3
- 丞 6
- 穣 18
- 譲 20

| 仁人 4 6 | じんと 4 16 | 尋太 4 8 | じんた 4 6 | 迅 6 4 | 仁 4 4 | じん | じょうたろう 16 23 | 丈太郎 16 16 | 丞汰朗 16 23 | 譲司 25 | 穣司 23 | 穣士 21 | 丈士 4 6 | じょうじ |

| 優 17 | 傑 13 | 卓 8 | すぐる 14 | 翠 14 | 彗 11 | 粋 10 | すい |  | 仁之亮 16 | 仁之介 11 | じんのすけ 16 | 仁翔 16 | 仁登 16 |

男の子名 じ じょうじ〜せいた

| 澄人 17 | 菫斗 15 | すみと 27 | 澄晴 15 | 澄春 24 | 昴晴 21 | 昴琉 20 | 昴 9 | 昴 8 | すばる 11 | 進 6 | 丞 | すすむ 23 | 涼翔 15 | 涼斗 11 | すずと |

| 誠一 14 | 聖一 14 | 惺一 13 | せいいち 13 | 誠 13 | 聖 13 | 惺 12 | 晴 12 | 晟 10 | 星 9 | 成 6 | 生 5 | せい |  |

| 誠士 16 | 征士 11 | せいじ 19 | 惺吾 19 | 晴吾 18 | 清吾 18 | 星吾 16 | 成悟 16 | 正悟 15 | 成吾 13 | せいご | 誠一朗 24 | 惺一朗 23 | 晴一朗 23 | 成一郎 16 | せいいちろう |

| 晴太 16 | 清太 15 | 晴大 15 | 成汰 13 | せいた 29 | 誠士郎 25 | 誠士郎 25 | 清史朗 24 | 晴士朗 24 | 正志郎 21 | せいしろう 21 | 誠治 20 | 誠志 18 | 誠司 18 | 聖司 |

音から選ぶ名づけ 男の子名 せ せいた〜そうご

せいた〜

漢字	画数
誠大	16
惺太	16
誠太	17
晴大	15
惺大	15
清太郎	24
晴太郎	25
誠太朗	27
星斗	13
星人	15

せいだい
せいたろう
せいと
せいのすけ 成之介 13 / 誠之助 23

せいや〜

漢字	画数
晴也	15
聖也	16
誠也	17
晴矢	18
聖矢	18
晴哉	21
惺哉	21
成龍	22
聖竜	23

せいりゅう
せな 成那 13 / 星凪 15 / 星那 16 / 惺成 18

せら〜ぜんた

漢字	画数
聖那	20
惺南	21
世來	13
星良	16
聖羅	32
泉李	16
泉里	18
千璃	18
善	12
然	12
禅	13
善太	16

せら
せんり
ぜん
ぜんた

そ

漢字	画数
善汰	19
壮	6
奏	9
爽	11
創	12
湊	12
想	13
蒼	13
颯	14
蒼生	18

そう / **そういち** 奏一 10

そういちろう〜

漢字	画数
創一朗	13
湊一朗	14
蒼一朗	14
聡一朗	15
颯一朗	15
壮一郎	16
宗一郎	18
宗一朗	19
奏一郎	19
創一朗	23
蒼一郎	23
湊一郎	23
総一朗	24
颯一郎	24
聡一朗	25

そういちろう

そうき〜そうご

漢字	画数
壮希	13
蒼希	16
蒼己	16
創喜	24
奏輝	24
蒼輝	25
蒼稀	28
蒼樹	29
創玄	17
奏玄	17
蒼弦	18
蒼弦	21
壮吾	13

そうき
そうげん
そうご

音から選ぶ名づけ

男の子名

そ そうご〜そうたろう

そうし

宗吾 8/7 15 ／ 奏伍 9/6 15 ／ 壮悟 6/10 16 ／ 颯吾 14/7 21 ／ 蒼悟 13/10 23

壮史 6/5 11 ／ 壮志 6/7 13 ／ 宗志 8/7 15 ／ 創志 12/7 15? ／ 湊至 12/3? 15 ／ 奏志 9/7 16 ／ 蒼士 13/3 16 ／ 颯士 14/3 17 ／ 蒼司 13/5 18

そうじ

壮志 6/7 13 ／ 総司 14/5 19

そうしろう

壮史朗 6/5/10 21 ／ 奏士朗 9/3/10? 24 ／ 湊士朗 12/3/10 25 ／ 蒼志郎 13/7/9 25? ／ 奏志郎 9/7/9 25 ／ 颯志朗 14/7/10 31

そうじろう

蒼次郎 13/6/9 25? ／ 蒼士郎 13/3/9 28?

そうしん

奏心 9/4 13 ／ 創心 12/4 16 ／ 湊心 12/4 17 ／ 蒼心 13/4 18 ／ 颯心 14/4 ?

そうすけ

宗介 8/4 12 ／ 奏介 9/4 13 ／ 壮亮 6/9 15 ／ 創介 12/4 16 ／ 奏佑 9/7 16

そうた

壮太 6/4 10 ／ 壮汰 6/7 13 ／ 奏太 9/4 13 ／ 創大 12/3 15 ／ 湊介 12/4 16 ／ 蒼介 13/4 17 ／ 颯介 14/4 18 ／ 聡介 14/4 18 ／ 蒼佑 13/7 20 ／ 聡佑 14/7 21 ／ 奏輔 9/14 22 ／ 奏祐? ／ 颯亮 14/9 23 ／ そうた 10

そうた (続)

奏多 9/6 15 ／ 爽太 11/4 15 ／ 湊大 12/3 15 ／ 創太 12/4 16 ／ 想太 13/4 16? ／ 蒼大 13/3 16 ／ 湊太 12/4 16 ／ 想大 13/3 16 ／ 蒼太 13/4 17 ／ 颯大 14/3 17 ／ 爽汰 11/7 18 ／ 聡太 14/4 18 ／ 颯太 14/4 18 ／ 蒼汰 13/7 20 ／ 颯汰 14/7 21

そうだい

湊大 12/3 15 ／ 想大 13/3 16 ／ 蒼大 13/3 16 ／ 颯大 14/3 17

そうたろう

宗太郎 8/4/9 21 ／ 奏太朗 9/4/10 23 ／ 創太郎 12/4/9 25 ／ 爽太郎 11/4/9? 25 ／ 湊太郎 12/4/9 25 ／ 蒼太郎 13/4/9 26 ／ 颯太郎 14/4/9 27 ／ 聡太朗 14/4/10 28

そら										
空⁸	宙⁸	昊⁸	壮³良⁷	空⁸良⁷	奏⁹良⁷	爽¹¹良⁷	想¹³良⁷	蒼¹³空⁸	颯¹⁴良⁷	
8	8	8	13	15	16	18	20	21	21	

そ

颯太朗 28
創真 22
湊真 22
想真 23
蒼真 23
蒼眞 23
颯真 24
聡真 24
颯馬 24
颯眞 24
奏磨 25

そうのすけ
宗之介 15
颯之介 21
蒼之助 23

そうへい
壮平 11
爽平 16
湊平 17
蒼平 18
颯平 19

そうま
壮真 16
壮馬 16
奏真 19
奏馬 19

そうめい
奏明 17
想明 21
蒼明 21

そうや
創也 15
壮哉 15
蒼也 16
奏弥 17
颯矢 18
創哉 21
想弥 21
蒼弥 21

そうわ
奏和 17
想和 21
蒼和 21

そら
空 8
宙 8
昊 8
壮良 13
空良 15
奏良 16
爽良 18
想良 20
蒼空 21
颯良 21

そらと
昊叶 13

そうたろう〜たいし

た

たいが
大河 11
大翔 15
大賀 15
大雅 16
太賀 16
泰河 18
大駕 18
泰雅 23
蒼良斗 24

たいき
太希 11
泰生 15
大稀 15
泰希 17
泰季 18
大輝 18
大樹 19
泰基 21
泰輝 25

たいし
大士 6
太志 10
大志 11
泰士 13
泰司 15
泰史 16
泰至 16
大詩 16

天翔 16
奏良人 18
空翔 20

泰志	たいじゅ	大寿	大寿	泰寿	大樹	たいしん	太心	太心	大新	たいすけ	太亮	泰介	泰佑	太輔	泰輔
10/7		3/7	3/10	10/7	3/16		4/4	4/4	3/13		4/4	10/4	10/7	4/14	10/14
17		10	13	17	19		7	8	16		13	14	17	18	24

たいせい	大成	大晟	泰世	泰正	泰生	大晴	大惺	泰晴	大成	大聖	泰聖	泰誠	たいち	太一
	3/6	3/10	10/5	10/5	10/5	3/12	4/11	10/12	3/6	3/13	10/13	10/13		4/1
	9	13	15	15	15	15	15	16	16	16	23	23		5

汰一	泰一	大知	太千	大智	太智	泰地	泰知	泰智	たいと	泰斗	大翔	泰都	たいよう	大洋	大遥
7/1	10/1	3/8	4/3	3/12	4/12	10/6	10/8	10/12		10/4	3/12	10/11		3/9	3/12
8	11	11	13	15	16	16	18	22		14	15	21		12	15

大陽	太陽	泰洋	太耀	大耀	太耀	たいら	平	泰良	平羅	たいり	泰吏	泰理	たお	汰央	汰生	太鳳
3/12	4/11	10/9	4/20	3/20	4/20		5	10/7	5/19		10/6	10/11		7/5	7/5	4/14
15	16	19	23	24	24		5	17	24		16	21		12	12	18

たかおみ	隆臣	鷹臣	隆志	貴志	鷹志	たかし	たかと	孝斗	隆人	隆斗	貴仁	孝翔	貴翔	たかなり	孝成
	11/7	24/7	11/7	12/7	24/7			7/4	11/2	11/4	12/4	7/12	12/12		7/6
	18	31	18	19	31			11	13	15	16	19	24		13

貴也	たかのり	孝徳	隆徳	たかはる	天晴	孝陽	貴晴	たかひと	隆仁	貴仁	たかひろ	貴大	隆弘	貴裕	尊裕
12/3		7/14	11/14		4/12	7/12	12/12		11/4	12/4		12/3	11/5	12/12	12/12
15		21	25		16	19	24		15	16		15	16	24	24

男の子名　た（たかふみ〜たつき）

音から選ぶ名づけ

読み	漢字	画数
たかふみ	隆文	15
	隆史	17
	貴史	15
たかまさ	隆将	21
	貴優	29
たかや	隆矢	16
	尊哉	21
	貴之	15
たかゆき	孝幸	15
	貴行	18
たから	宝	8
	宝良	15

読み	漢字	画数
たき	多希	13
	多喜	18
	多輝	21
たく	拓	8
	太玖	11
たくと	巧人	7
	拓人	10
	拓斗	12
	拓音	15
	匠翔	18
	拓翔	20
たくま	逞	11

読み	漢字	画数
たくみ	巧	5
	匠	6
たくま	琢磨	27
	拓磨	24
	琢真	21
	拓真	18
	琢馬	18
	匠馬	16
	巧馬	15
	巧真	15
	拓巳	11
	匠未	13
	匠海	15
	巧望	16
	拓実	16

読み	漢字	画数
たくみ	拓海	17
たくや	卓也	11
	拓也	11
	拓矢	13
	匠哉	15
	拓哉	17
たくろう	拓郎	17
	琢朗	21
たけし	武史	13
	岳志	15
	武志	15
たけと	健人	13

読み	漢字	画数
たけ	丈登	15
	健翔	23
たけとら	丈虎	11
	武虎	16
たけはる	丈晴	15
たけひろ	丈大	11
	岳洋	17
	健寛	24
たける	岳	8
	武	8
	健	11
	尊	12

読み	漢字	画数
竜生	15
たつき	龍臣	23
	竜臣	17
たつおみ	翼	17
	侑久	11
	祐	9
	侑	8
	佑	7
	丞	6
	匡	6
たすく	健瑠	25
	尊琉	23
	武流	18

音から選ぶ名づけ　男の子名　た　たつき〜ちはる

読み	漢字	画数
たつき	樹	16
	達希	19
	樹希	21
	龍生	21
	樹生	23
	辰樹	23
	龍希	23
	達貴	24
	竜輝	25
	龍輝	31
	龍樹	32
たつのすけ	辰之助	17
たつみ	龍之介	23
	竜己	13

読み	漢字	画数
たつや	達海	21
	龍海	25
	竜也	13
	達也	15
	達哉	21
	太郎	13
たろう	太朗	14
	汰朗	17
だい	大	3
	橙	16
だいき	大希	10
	大喜	15

読み	漢字	画数
だいご	大稀	15
	大貴	15
	大暉	16
	大輝	18
	大樹	19
	大騎	21
	大吾	10
	大悟	13
	大瑚	16
	大護	23
だいし	大志	10
だいじろう	大嗣	16
	大仁郎	16

読み	漢字	画数
だいすけ	大治朗	21
	大祐	12
	大介	7
	大佑	10
	大輔	17
だいち	大地	9
	大知	11
	大智	15
だいと	大斗	7
	大登	15
	大翔	15
	太智	16
	大馳	16

読み	漢字	画数
だいや	大也	6
	大弥	11
	大哉	12
だん	暖	13
ちあき	千晃	13
	千瑛	15
	千暁	15
	千陽	15
	千彰	17
	智瑛	24

読み	漢字	画数
ちから	力	2
	主税	17
ちさと	千聖	16
	千慧	18
	知聖	21
	智慧	27
ちはや	千隼	13
	千颯	17
知隼	18
ちはる	千春	12
	千晴	15
	千陽	15

| 智陽 24 | ちひろ | 千紘 13 | 千尋 15 | 千博 15 | 千裕 15 | 智大 15 | 智尋 24 |  | 司 5 | 吏 6 | つかさ | 月斗 8 | つきと |

| 紬 11 | つよし | 椿 13 | 椿生 18 | 翼 17 | 翼冴 24 | つむぎ | 紡 11 | 紡生 15 | 紬生 16 | 紬希 18 | 紬喜 23 | 紬貴 23 | つむぐ | 紡 10 | 月翔 16 | つばさ | つばき |

| 紬 11 | つよし | 剛司 15 | 剛志 17 |  | てつ 10 | 哲 10 | 徹 15 | 鉄生 18 | 哲翔 22 | てっしん | 哲心 14 | 鉄心 17 |

| 哲大 13 | 哲太 14 | てつと | 哲人 12 | 哲斗 14 | 徹人 17 | てっぺい | 鉄平 15 | 哲平 15 | 徹平 20 | 哲也 13 | 哲弥 18 | 徹也 18 | 哲哉 19 | てつや |

| てる | 照 13 | 輝 15 | てるま | 照馬 23 | 輝真 25 | てるや | 照也 16 | 輝哉 24 | 天翔 16 | 天聖 17 | 天彰 18 | てんせい | 天成 10 | 天晴 16 | てんしょう |

| 天惺 16 | てんま | 天眞 14 | 天馬 14 | 天眞 14 | 天誠 17 | てんよう | 天洋 13 | 天陽 16 |  | とあ | 斗亜 11 | 斗蒼 17 | 翔空 20 |

読み	漢字	画数
とうい	斗唯	15
	十維	16
とうご	冬悟	15
	東吾	15
	柊吾	16
	橙吾	23
とうじ	橙士	19
	橙志	23
とうま	斗真	14
	斗眞	14
	叶真	15
	冬真	15
とうや	桐也	13
	斗哉	13
	透也	13
	橙矢	21
	橙弥	24
とうり	柊李	16
	桃李	17
とうま	冬馬	15
	柊真	19
	透真	20
	登真	22
	統真	22
	柊磨	25
	橙真	26
とおる	透	10
	徹	15
とき	斗希	11
	都希	18
	斗輝	19
ときお	時央	15
	時生	15
とうわ	柊羽	15
	透和	18
	橙和	24
とうり	橙李	23
	橙利	23
としあき	季弥	15
	凱也	16
ときや	寿明	15
	俊明	15
としき	俊輝	17
	寿樹	23
としや	俊輝	24
	隼也	13
	寿弥	15
	寿哉	16
とむ	叶夢	18
	翔夢	25
とも	友	4
	智	12
ともあき	友瑛	16
	智陽	24
	友希	11
	知希	15
	朋希	15
	友基	15
	友葵	16
	友喜	16
	友貴	16
	智生	17
	智希	19
ともはる	友悠	15
	友晴	16
	智晴	24
	智陽	24
	友輝	19
	友樹	20
	智紀	21
	知輝	23
	智基	23
	朋輝	23
	知樹	24
	智貴	24
	朋樹	24
	智輝	27
	智樹	28

読み	漢字	画数
ともひと	智仁	16
	智大	15
	知宏	15
	智弘	17
	智博	24
	智裕	24
ともひろ		
ともや	友也	7
	朋也	11
	友哉	13
	智也	15
	知弥	16
	朋弥	16
	智哉	21

読み	漢字	画数
ともゆき	智之	15
	智行	18
ともる	燈	16
ともろう	友郎	13
	智朗	22
とらのすけ	虎之介	15
	虎之助	18
	虎之輔	25
とわ	叶羽	11
	叶和	13
	杜和	15

な

読み	漢字	画数
なお	尚	8
	直	8
	尚央	13
	尚生	13
	直央	13
	直生	13
なおあき	直明	16
	飛羽	15
	飛和	17
	永遠	18
	翔和	20

読み	漢字	画数
	直晃	18
なおき	直己	11
	直生	13
	尚希	15
	直希	15
	直紀	17
	尚貴	20
	尚暉	21
	直輝	23
	尚毅	23
	尚樹	24
	直樹	24
なおたか	尚孝	15

読み	漢字	画数
	直孝	15
	直隆	19
	尚隆	19
なおたろう	直太郎	21
	直太朗	22
なおと	尚人	10
	直人	10
	直斗	12
	直央人	15
	尚翔	20
	直登	20
	直翔	20
なおひと	尚仁	12

読み	漢字	画数
	直仁	12
なおひろ	尚央	13
	尚弘	13
	直央	13
	直弘	13
	尚宏	15
	直洋	17
	直優	25
なおふみ	尚文	12
	直史	13
なおまさ	直正	13
	尚政	17
	直政	17
	直将	18

音から選ぶ名づけ 男の子名

な なおや〜はく

なおや
| 尚也 11 | 直也 11 | 尚矢 13 | 直弥 16 | 尚弥 17 | 直哉 17 | 尚哉 17 |
| 直之 11 | 直志 15 | 尚幸 16 | 直幸 16 | **なぎ** 凪 6 | 梛 11 |

なぎさ
| 渚 11 | 凪紗 16 | **なぎと** 凪人 8 | 凪斗 10 | 渚人 13 | 梛人 13 | 渚斗 15 | 凪翔 18 | **なつ** 夏 10 | 七都 13 | 那津 16 | 凪都 17 |

なつき
| 那月 11 | 梛月 15 | 夏希 17 | 夏絆 21 | 夏暉 23 | 夏輝 25 | 夏樹 26 | **ななせ** 七瀬 21 | 七星 15 | 七聖 21 | **なと** 七斗 6 | 七音 11 | 七都 13 |

なる
| 成 6 | 七瑠 14 | 成琉 17 | 那瑠 21 | **なるき** 成希 13 | 成喜 18 | 成輝 21 | **なみと** 七翔 12 | 波斗 12 | 波音 17 | **なゆた** 那由太 14 | **なおた** 那有大 16 |

の

のあ 希 7 | **のぞみ** 乃蒼 15 | 希空 15 |

ね

ねいと 寧人 16 | 寧斗 18 |

なるみ 成海 15 |

は

はく 珀 9 | 羽玖 13 | 珀玖 16 |

のぞむ 希 7 | 望 11 | 希望 18 | 希夢 20 | 望夢 24 |

望 11 | 希実 15 | 希海 16 |

音から選ぶ名づけ　男の子名

は　はくと～はるき

はくと　珀人11／珀仁13／珀斗13／博斗16／珀音18／珀翔21

はじめ　一1／元4／朔10／創12／肇14

はづき　晴月16／葉月16

蓮月17

はやせ　逸世16／隼成16

はやた　隼大13／隼汰17／颯太18

はやて　颯天14／颯颯18／隼颯24

はやと　隼10／勇人11／隼人12

隼士13／**隼斗**14／**颯人**16／**駿仁**21／**隼都**21／**隼翔**22／**駿登**29

はる　春9／悠11／温12／晴12／遥12／陽12／暖13

巴琉15／**羽琉**17／**巴瑠**18／**春琉**20／**悠流**21／**波瑠**22／**春瑠**23／**晴琉**23／**葉琉**23

はるあき　春陽21／悠瑛23／悠暁23

はるおみ　悠臣18／晴臣19

はるか　悠11／遥12／遼15

はるき　晴己15／明希15／春希16／陽生16／春紀17／大輝18／悠希18／晴希19／遥希19／陽希19

春貴21／晴紀21／遥紀21／悠稀23／悠貴23／治樹24／春喜24／晴輝24／晴貴24／悠暉24／遥貴24／遥稀24／陽葵24／陽稀24／陽貴24

音から選ぶ名づけ　男の子名　は　はるき〜はるひと

名前	画数
春樹	25
悠輝	26
晴輝	27
遥樹	27
陽輝	27
晴輝	27
晴樹	28
陽樹	28
はるく	
悠玖	18
晴空	20
悠世	16
晴成	18
陽成	18
遥星	21

名前	画数
春人	11
はると	
悠貴	23
悠孝	18
悠天	15
はるたか	
陽太	16
遥太	16
暖太	16
晴太	16
陽太	15
遥太	15
悠太	15
晴太	13
春太	13
はるた	

名前	画数
遥仁	16
晴斗	16
晴仁	15
陽大	15
遥大	15
遥士	15
悠斗	15
悠仁	15
暖人	14
大翔	14
陽人	14
遥人	13
晴人	13
悠人	13
春斗	13
春仁	13

名前	画数
陽登	24
遥翔	24
晴翔	24
晴登	24
晴渡	23
陽都	23
遥都	23
悠翔	21
陽音	21
遥音	21
春翔	18
悠杜	17
暖斗	16
陽斗	16
陽仁	16
遥斗	16

名前	画数
春彦	18
はるひこ	
遥陽	24
悠陽	23
陽飛	21
春陽	21
はるひ	
晴之祐	24
悠之介	16
春之介	16
はるのすけ	
晴成	18
陽也	15
はるなり	
晴琉人	25
陽翔	24

名前	画数
陽仁	16
遥仁	16
晴仁	15
悠仁	14
遥人	14
晴人	13
悠人	13
はるひと	
陽悠	23
晴悠	23
陽久	15
晴久	15
悠久	14
はるひさ	
陽彦	21
晴彦	21

読み	漢字候補（画数）
はるふみ	悠文 15 / 悠史 16 / 陽史 17
はるま	明真 18 / 春真 19 / 春馬 19 / 悠真 21 / 悠馬 21 / 悠眞 21 / 晴真 22 / 晴馬 22 / 遥真 22 / 陽真 22 / 暖真 23
春磨 25 / 遼真 25 / 遼馬 25	
はるまさ	悠匡 17 / 晴正 17 / 陽匡 18
はるみち	悠道 23 / 晴道 24 / 陽道 24
はるや	晴也 15 / 遥也 15 / 陽也 15 / 暖也 16
はるゆき	悠之 14 / 晴之 15 / 陽之 15 / 晴行 18 / 陽由樹 33
はるよし	悠由 16 / 陽義 25

ひ

読み	漢字候補（画数）
ひいろ	陽色 18 / 陽彩 23
ひかり	光 6 / 輝 15 / 光璃 21
ひかる	光 6 / 晃 10 / 晄 10 / 輝 15 / 光琉 17
ひさき	悠希 18 / 悠暉 24
ひさし	寿 7 / 寿志 14 / 悠史 16
ひさと	寿人 9 / 悠人 13 / 久都 14 / 久登 15 / 久翔 15 / 悠斗 15
ひじり	聖 13
ひだか	飛高 19 / 陽貴 24 / 陽高 25 / 飛鷹 33
ひづき	飛月 13 / 柊月 13 / 緋月 18
ひであき	秀明 15 / 秀朗 17 / 英明 16 / 英晃 18
ひでかず	秀一 8

音から選ぶ名づけ — 男の子名 — ひ (ひでかず〜ひろと)

読み	漢字	ページ
ひでき	秀和	15
	秀輝	22
	秀輝	23
	英輝	24
ひでと	英樹	
	秀人	9
	秀仁	11
ひでとし	秀斗	11
ひでのり	英寿	15
	英俊	16
	秀俊	17
	秀典	15
	秀徳	21
ひではる	陽太	16
	日奈太	16
	陽大	15
	日向太	14
	日向	10
ひなた	仁志	11
	仁	4
ひとし	英幸	16
	秀幸	15
	秀行	13
ひでゆき	秀春	17
	秀治	15
	陽向	18
ひびと	陽向大	21
	陽向奏	21
	陽向汰	25
	陽詩	25
ひなと	陽斗	16
	陽翔	24
ひびき	響	20
	響己	23
	響生	25
	響希	27
	響紀	29
	陽人	14
ひゅうが	響仁	24
	日向	10
	彪我	18
	彪雅	24
ひゅうま	彪真	21
	彪馬	21
	飛雄馬	31
ひろ	紘	10
	比呂	11
	寛	13
ひろあき	陽路	25
	弘明	13
	弘晃	15
	寛明	21
ひろおみ	広臣	12
	洋臣	16
ひろかず	弘和	13
	宏和	15
	紘和	18
ひろき	大希	10
	紘生	15
	洋希	16
	浩希	17
	紘希	17
	大輝	18
ひろし	弘	5
	洋志	16
ひろたか	弘隆	16
	紘孝	17
	洋貴	21
ひろと	広人	7
	宏人	9
	紘人	12
	広樹	21
	宏樹	23
	拓輝	23
	裕喜	24
	裕貴	24

啓人[11]	悠人[2]	寛人[2]	啓仁[15]	大登[15]	大翔[15]	広都[16]	尋斗[16]	博斗[17]	央翔[17]	寛仁[17]	広翔[17]	優斗[21]	寛都[24]	博翔[24]	裕翔[24]
13	13	13	15	15	15	16	16	17	17	17	17	21	24	24	24

ひろむ	弘武[10]	大睦[16]	大夢[16]	広夢[18]	紘夢[23]	ひろや	大也[6]	丈哉[12]	紘也[13]	寛弥[21]	裕哉[21]	ひろゆき	弘幸[13]	浩之[13]	寛幸[21]
	13	16	16	18	23		6	12	13	21	21		13	13	21

音から選ぶ名づけ 男の子名 ひ ひろと〜ほまれ

ふう	楓[13]	風羽[15]	ふうが	風雅[22]	楓翔[25]	楓雅[26]	ふうた	楓大[16]	楓太[17]	颯太[18]	ふうと	楓斗[17]
	13	15		22	25	26		16	17	18		17

楓音[22]	ふうま	楓翔[25]	史真[19]	文真[23]	楓馬[23]	風真[25]	ふく	福[13]	福久[16]	ふみと	文人[6]	史人[7]	史斗[9]	文都[15]	史都[16]
22		25	19	23	23	25		13	16		6	7	9	15	16

文翔[16]	ふみや	史也[8]	史弥[13]	文哉[13]	史哉[14]	郁弥[17]	ぶんた	文太[8]	文汰[11]	ほずみ	歩純[18]	穂澄[30]
16		8	13	13	14	17		8	11		18	30

ほたか	帆高[16]	歩岳[16]	帆貴[18]	穂高[25]	穂貴[27]	穂尊[27]	ほだか	帆高[16]	帆貴[18]	歩嵩[21]	穂高[25]	ほまれ	帆希[13]	誉[13]	歩希[15]
	16	16	18	25	27	27		16	18	21	25		13	13	15

読み	漢字	ページ
まいと	舞人	17
まお	真絃	21
	真央	15
	真生	15
	真旺	18
まきと	槙人	16
	真輝人	27
	真輝斗	29
まこと	真	10

音から選ぶ名づけ
男の子名
ま まいと〜まさむね

読み	漢字	ページ
	眞	10
	慎	13
	誠	13
	誠人	15
	諒	15
まさおみ	正臣	12
	将臣	17
	雅臣	20
まさかず	正和	13
	真和	18
まさき	将己	13
	将生	15
	将希	17

	正輝	20
	将基	21
	正樹	21
	雅紀	22
	真暉	23
	昌樹	24
	雅貴	25
	真輝	25
	将樹	26
	雅樹	29
まさし	正志	12
	将志	17
	真孝	17

	将隆	21
	将貴	22
まさと	正人	7
	将人	12
	真人	12
	眞人	12
	理人	13
	雅人	15
	聖人	15
	雅斗	17
	正翔	17
	聖斗	17
	優斗	21
	真聡	24
	雅翔	25

まさなり	正成	11
	将成	16
	真成	16
	雅典	21
まさのり	将徳	24
まさはる	正悠	16
	正陽	17
	真治	21
	雅悠	21
	将晴	22
	雅晴	25
まさひこ	真彦	19

まさひと	雅彦	22
	将仁	14
	正仁	21
まさひろ	優仁	21
	将大	13
	真大	13
	雅大	16
	将寛	23
まさふみ	将史	15
	雅文	17
まさむね	正宗	13
	政宗	17
	将宗	18

音から選ぶ名づけ 男の子名

ま まさや〜みつき

まさや
| 昌也 11 | 将也 13 | 真也 13 | 正弥 13 | 雅也 16 | 雅矢 18 | 将弥 18 |

まさゆき
| 真之 13 | 昌幸 16 | 誠之 16 | 真幸 18 | 正義 18 | 将義 23 |

まさよし

まさる
| 大 3 | 将 10 | 勝 12 | 優 17 |

まなと
| 真斗 14 | 真叶 15 | 愛斗 17 |

まなや
| 眞那斗 21 | 真那斗 21 | 真翔 22 | 愛翔 23 | 真南斗 23 |

まひろ
| 愛也 16 |

まもる
| 愛弥 21 |

| 眞大 13 | 真大 15 | 眞広 17 | 真宏 18 | 真拓 18 | 真宙 20 | 真紘 22 | 真尋 22 | 真裕 27 |

| 守 6 | 衛 16 | 護 20 |

み

みおと
| 澪斗 18 | 海音 20 |

みきと
| 幹斗 15 | 幹人 17 | 幹登 25 |

みきや
| 未来也 15 | 幹也 16 | 樹矢 21 |

みこと
| 尊 12 |

みさき
| 岬 8 |

みずき
| 瑞 13 | 瑞己 16 | 瑞生 18 | 瑞希 20 | 瑞季 21 | 瑞基 24 | 瑞葵 25 | 瑞喜 25 | 瑞稀 25 | 瑞貴 25 | 瑞輝 28 | 瑞樹 29 |

みずと
みずと... 海琴 21 |

みちひろ
| 瑞人 15 | 瑞士 16 | 瑞斗 17 | 瑞歩 21 | 道大 15 | 道宏 19 |

みつき
| 充生 11 | 光希 13 | 充希 13 | 充紀 15 | 湊月 16 | 光稀 18 |

182

光貴 18　充稀 18　光輝 21　充輝 21　充樹 22　実樹 23　実樹 24　みつひろ 充宏 13　光洋 15　みつる 充 6　実弦 16　湊 12　南斗 13　みなと

湊人 14　湊士 15　湊仁 16　湊斗 16　湊叶 17　海那人 18　湊音 21　湊都 23　湊登 24　湊翔 24　みなみ 南 9　南海 18　みのる 実 8　稔 13

みはる 心陽 16　実晴 20　海晴 21　みやび 雅 13　みらい 未来 12　光来 13　未來 13　海來 17　　むさし 武蔵 23

むつき 睦月 17　睦生 18　睦希 20　睦季 21　睦基 24　睦貴 25　むっと 睦人 15　睦斗 17　　めい 芽生 13　盟 13

めぐる 環 17　恵琉 21　　もとき 元希 11　元葵 16　基希 18　もとなり 元就 16　基成 17　もとはる 元春 13　元晴 16

基晴 23　　やすあき やすあき 18? 　泰明 18　康明 19　やすたか 康貴 23　やひろ 弥大 11　弥広 13　八尋 14　やまと 大和 11　大翔 15

結人12	唯人11	惟人11	ゆいと	結太4	唯太11	結大4	ゆいた	結生5	結6	唯11	惟11	ゆい
14	13	13		16	15	15		17	12	11	11	

有6	友4	ゆう	結翔12	結登12	結依斗4	結都11	唯都11	結音9	唯音11	結斗4	結仁4	由衣斗4	唯斗11	唯仁11	結士3
6	4		24	24	24	23	22	21	20	16	16	15	15	15	15

優羽6	悠佑7	結羽6	悠宇6	悠17	優17	悠生4	結友4	勇羽6	裕12	結12	悠11	祐9	勇9	侑8	佑7
23	18	18	17	17	17	16	16	15	12	12	11	9	9	8	7

音から選ぶ名づけ 男の子名 ゆ ゆい～ゆうき

悠賀12	勇雅13	悠河8	ゆうが	優一郎17	雄一朗12	裕一朗12	悠一郎11	佑一郎7	ゆういちろう	優一17	悠一11	勇一9	佑一7	ゆういち	優有6
23	22	19		27	23	23	21	17		18	12	10	8		23

祐希7	悠生5	勇希7	侑希7	勇気6	佑季8	祐生5	侑生5	侑己3	友希4	佑己3	ゆうき	優雅13	優翔12	雄賀12	悠雅11
16	16	16	15	15	15	14	13	11	11	10		30	29	24	24

結葵12	侑輝8	雄基12	裕基12	悠貴11	悠稀11	悠喜11	佑樹7	侑暉8	雄紀12	有輝6	悠起11	侑貴8	友樹4	悠希11	結生5
24	23	23	23	23	23	23	23	21	21	21	21	20	20	18	17

音から選ぶ名づけ　男の子名

ゆ　ゆうき～ゆうすけ

名前	画数
結喜	24
結貴	24
優希	24
勇輝	24
悠暉	24
祐輝	24
裕貴	24
侑樹	25
勇樹	25
祐樹	26
悠輝	27
結輝	27
裕輝	27
優貴	29
優輝	32

ゆうげん

名前	画数
優樹	33
侑玄	13
悠玄	15
悠元	16
優元	21

ゆうご

名前	画数
勇伍	15
友梧	15
侑吾	15
勇吾	16
宥悟	16
有悟	16
祐吾	16
悠伍	17
悠吾	18

ゆうさく

名前	画数
勇悟	19
悠悟	21
優吾	24
友作	11
祐作	16
悠作	18
悠朔	21
優作	24

ゆうし

名前	画数
侑史	13
佑志	14
悠士	14
雄士	15
侑志	15
勇志	16

ゆうじ

名前	画数
悠司	16
悠史	16
結史	17
雄志	17
悠志	18
雄士	19
優士	20
優志	24
悠嗣	24
悠詩	24
侑司	13
勇司	16
悠史	16
悠司	16
裕司	17
雄司	17

ゆうしん

名前	画数
友心	8
佑心	11
侑心	12
勇心	13
悠心	15
結心	16
雄心	16

ゆうしろう

名前	画数
侑志郎	24
雄志朗	29
優志郎	33

ゆうじろう

名前	画数
勇士郎	21
裕二郎	23
裕次郎	27

ゆうじん

名前	画数
優真	27

ゆうすけ

名前	画数
悠慎	24
悠新	24
優真	21
悠真	21
悠心	20
悠信	18
佑伸	17
佑真	17
勇仁	13
悠人	13
悠仁	15
優仁	21
佑介	11
勇介	13

音から選ぶ名づけ　男の子名

ゆ　ゆうすけ〜ゆうと

ゆうすけ

友亮 13 ／ 佑典 15 ／ 悠介 15 ／ 祐丞 15 ／ 佑亮 16 ／ 裕介 16 ／ 雄介 16 ／ 宥佑 16 ／ 侑亮 17 ／ 勇祐 18 ／ 悠佑 18 ／ 優介 20 ／ 裕亮 21 ／ 雄亮 21 ／ 悠輔 25

ゆうせい

佑成 13 ／ 侑生 13 ／ 侑成 14 ／ 勇成 14 ／ 祐成 15 ／ 悠世 15 ／ 悠生 16 ／ 結生 16 ／ 佑晟 17 ／ 友聖 17 ／ 悠成 17 ／ 祐成 18 ／ 雄成 18 ／ 悠星 20 ／ 勇晴 21

ゆうた

悠晟 21 ／ 祐晴 21 ／ 優生 22 ／ 勇聖 22 ／ 勇誠 22 ／ 優成 23 ／ 悠晴 23 ／ 悠惺 23 ／ 悠聖 24 ／ 悠星 26 ／ 優晟 27 ／ 優聖 30 ／ 優誠 30 ／ 佑太 11

ゆうだい

勇太 13 ／ 宥太 13 ／ 柚太 13 ／ 祐太 13 ／ 佑汰 14 ／ 悠太 15 ／ 雄太 15 ／ 裕太 16 ／ 雄太 16 ／ 結太 16 ／ 結汰 19 ／ 優大 20 ／ 優太 21 ／ 悠詩 24 ／ 佑大 10

ゆうたろう

侑大 11 ／ 勇大 12 ／ 祐大 12 ／ 悠大 14 ／ 結大 15 ／ 裕大 15 ／ 雄大 15 ／ 優大 20 ／ 悠泰 21 ／ 佑太朗 21 ／ 祐太郎 22 ／ 悠太郎 23 ／ 悠太朗 24 ／ 悠太朗 25

ゆうと

裕太郎 25 ／ 結太朗 26 ／ 雄太朗 30 ／ 優太朗 31 ／ 佑人 9 ／ 侑人 10 ／ 佑斗 11 ／ 勇人 11 ／ 祐人 11 ／ 勇仁 13 ／ 勇斗 13 ／ 悠人 13 ／ 祐斗 13 ／ 結人 14

音から選ぶ名づけ　男の子名
ゆ ゆうと〜ゆうや

ゆうと
裕人 14 / 雄人 14 / 友都 15 / 悠仁 15 / 結仁 16 / 結斗 16 / 友翔 16 / 悠叶 16 / 裕斗 16 / 雄斗 16 / 佑都 18 / 優人 19 / 優士 20 / 悠音 20 / 結音 21 / 優仁 21 / 優斗 21 / 勇翔 21 / 悠都 22 / 悠登 23 / 結翔 23 / 優杜 24 / 裕登 24 / 雄登 24 / 優音 26 / 優登 29 / 優翔 29

ゆうのしん
悠之真 24 / 優之進 31

ゆうのすけ
有之介 13 / 勇之介 16 / 悠乃介 17 / 悠之介 18 / 悠之助 21 / 優之介 24

ゆうは
悠羽 23 / 悠晴 23 / 悠葉 23 / 優羽 23

ゆうひ
夕陽 15 / 佑飛 16 / 友陽 16 / 優日 21 / 悠飛 21 / 結陽 23 / 裕陽 24 / 雄陽 24 / 優陽 29

ゆうへい
侑平 13 / 悠平 16 / 勇歩 17 / 悠歩 19 / 優帆 23

ゆうま
友真 14 / 由眞 15 / 有真 16 / 佑真 17 / 佑馬 17 / 侑真 18 / 侑眞 18 / 侑馬 18 / 勇真 19 / 悠真 21 / 悠馬 21 / 結眞 21 / 裕真 22 / 悠誠 24 / 優真 27 / 悠眞 27 / 優磨 27 / 優磨 33

ゆうや
友也 7 / 侑也 11 / 祐也 12 / 悠也 14 / 結也 15 / 佑哉 16 / 悠矢 16 / 侑弥 16 / 祐弥 17 / 裕矢 17 / 勇哉 18

悠里 11 18	悠李 11 18	悠利 11 18	悠吏 11 17	侑李 8 15	勇吏 9 15	佑吏 7 13	ゆうり	悠楽 11 24	悠良 11 18	ゆうら	優哉 17 26	優弥 17 25	裕哉 12 21	結哉 12 21	優也 17 20
結希人 12 21	悠希人 11 20	幸翔 8 20	千翔 3 15	雪斗 11 15	幸斗 8 12	幸士 8 11	幸人 8 10	ゆきと	優和 17 25	優羽 17 23	悠和 11 19	侑和 8 16	ゆうわ	優李 17 24	悠理 11 22
幸弥 8 16	幸也 8 11	ゆきや	幸将 8 18	幸正 8 13	ゆきまさ	幸弘 8 13	幸大 8 11	ゆきひろ	幸誠 8 21	幸成 8 14	幸也 8 11	ゆきなり	優希斗 17 28	悠紀斗 11 24	悠季人 11 21
由隆 5 16	豊 13 13	ゆたか	譲 20 20	弦 8 8	ゆずる	柚翔 9 21	柚斗 9 13	ゆずと	柚輝 9 24	柚貴 9 21	柚葵 9 21	柚希 9 16	ゆずき	悠希也 11 21	幸哉 8 17
侑來 8 16	侑良 8 15	ゆら	夢翔 13 25	夢叶 13 18	ゆめと	優弦 17 25	由弦 5 13	ゆづる	優月 17 21	裕月 12 16	結月 12 16	悠月 11 15	柚月 9 13	ゆづき	佑月 7 11
耀一朗 20 31	瑶一郎 13 23	陽一朗 12 23	よういちろう	耀 20 20	燿 18 18	陽 12 12	葉 12 12	洋 9 9	よう				由羅 5 24	由楽 5 18	悠良 11 18

音から選ぶ名づけ　男の子名

ゆ　ゆうや〜よういちろう

よみ	漢字	画数									
ようすけ	洋介 13	陽介 16	陽亮 21	洋輔 23	陽生 17	陽成 18					
ようた	ようた	陽太 13	陽大 15	葉太 16	遥太 16	陽太 16	耀大 23				
ようせい	洋成 15										
ようだい	ようだい	耀太 24									
ようへい	洋大 12	陽大 15	耀大 23	遥太朗 23	陽太郎 25	耀太郎 33	遥平 14	洋平 14	陽平 17	よしあき 15	良明 15
ようたろう	ようたろう										
よしあき											
よしたか	義明 21	慶明 23	よしき 15	佳希 21	由樹 23	佳輝 23	芳樹 23	良樹 24	佳樹 23	よしと 15	義人 15
よしと											
よしはる	嘉人 16	義隆 24	孝高 17	よしたか 25	義貴 25						
よしなり	義仁 17	慶人 17	由翔 17	義也 16	慶成 21	よしはる 25	慶春 24	善晴 24	義晴 25	よしひこ 21	慶彦 24
よしひこ											
よしひと	よしひと 16										
よしひろ	喜仁 16	善仁 16	義仁 17	よしひろ 17	佳宏 15	慶浩 25	よしふみ 13	佳史 13	喜文 16	よしまさ 22	義政 23
よしまさ											
よしゆき	義将 23	よしゆき 11	佳之 11	義幸 21	慶幸 23						
らい	らい 7	来 7	徠 11	頼 16	蕾 16	らいき 15	來希 18	頼生 21	來暉 21	来樹 23	來輝 23
らいき											

ら

らいと

來叶	来斗	来飛	頼人	来翔	來翔
13	15	16	18	19	20

らいむ

来夢	來夢	頼武	徠夢
20	21	24	24

らく

楽	良玖	樂
13	14	15

りいち

莉一	理一	璃一	理壱
11	12	16	18

りお

俐央	凌央	莉央	莉生	吏桜	理央	璃央
14	15	15	15	16	16	20

りおと

琳凰	吏音	李音	理央人	理央斗	璃音	璃央音	璃央翔
23	15	16	18	20	24	32

りおん

吏恩	璃音	凜音
16	24	24

りき

力	力輝	理希
2	17	18

りきと

力斗	力翔
6	14

りきや

力也	力哉
5	11

りく

陸	睦	吏玖	凌久
11	13	13	13

りくと

吏久斗	陸人	睦人
13	13	15

りくや

陸也	陸矢
14	16

りた

理太	莉汰	理汰
15	17	18

り (other)

莉久	理久	里來	稜久	莉玖	理玖	璃久	凌空	凜久	凜空	璃空	凜空
13	14	15	16	17	18	18	18	18	23	23

陸斗	理久人	睦斗	莉久斗	里玖斗	陸音	陸登	陸翔	睦翔	陸也	陸矢
15	16	17	17	18	20	23	23	25

理樹 27 莉輝 25 里樹 23 理貴 23

音から選ぶ名づけ　男の子名　り　りた〜りゅうしょう

読み	漢字	画数	漢字	画数	漢字	画数	漢字	画数	漢字	画数	漢字	画数	漢字	画数	漢字	画数	漢字	画数	漢字	画数
りつき	立⁵貴¹² 17	立⁵葵¹² 17	律⁹季⁸ 17	律⁹希⁷ 16	莉¹⁰月⁴ 14	凜¹⁵津⁹ 24	莉¹⁰都¹¹ 21	里⁷都¹¹ 18	李⁷都¹¹ 18	吏⁶都¹¹ 17	里⁷津⁹ 16	吏⁶津⁹ 15	律⁹ 9		璃¹⁵大³ 18					
りと	吏⁶翔¹² 18	璃¹⁵人² 17	吏⁶都¹¹ 17	理¹¹斗⁴ 15	梨¹¹斗⁴ 15	律⁹翔¹² 21	律⁹登¹² 21	立⁵翔¹² 17	律⁹斗⁴ 13	律⁹人² 11	立⁵樹¹⁶ 21	律⁹貴¹² 21	律⁹葵¹² 21	立⁵輝¹⁵ 20						
りひと・りゅう	琉¹¹ 11	竜¹⁰ 10	璃¹⁵仁⁴ 19	凜¹⁵人² 17	璃¹⁵人² 17	理¹¹仁⁴ 15	莉¹⁰仁⁴ 14	理¹¹人² 13	利⁷仁⁴ 11	璃¹⁵音⁹ 24	理¹¹翔¹² 23	莉¹⁰翔¹² 22	璃¹⁵斗⁴ 19	李⁷都¹¹ 18						
りゅうき・りゅういち	琉¹¹生⁵ 16	龍¹⁶雅¹³ 29	龍¹⁶河⁸ 24	琉¹¹雅¹³ 24	龍¹⁶冴⁷ 23	龍¹⁶我⁷ 23	琉¹¹翔¹² 23	琉¹¹我⁷ 18	龍¹⁶一¹ 17	隆¹¹一¹ 12	琉¹¹羽⁶ 17	龍¹⁶ 16	隆¹¹ 11							
りゅうく	龍¹⁶玖⁷ 23	琉¹¹空⁸ 19	龍¹⁶樹¹⁶ 32	龍¹⁶輝¹⁵ 31	竜¹⁰騎¹⁸ 28	隆¹¹樹¹⁶ 27	琉¹¹輝¹⁵ 26	竜¹⁰輝¹⁵ 25	龍¹⁶來⁸ 24	琉¹¹暉¹³ 24	龍¹⁶希⁷ 23	竜¹⁰暉¹³ 23	龍¹⁶生⁵ 21	龍¹⁶己³ 19	琉¹¹希⁷ 18					
りゅうしょう・りゅうご・りゅうじ・りゅうし	龍¹⁶昇⁸ 24	琉¹¹翔¹² 23	龍¹⁶志⁷ 23	龍¹⁶史⁵ 21	龍¹⁶司⁵ 21	琉¹¹司⁵ 18	竜¹⁰司⁵ 15	龍¹⁶志⁷ 23	琉¹¹志⁷ 18	龍¹⁶吾⁷ 23	琉¹¹吾⁷ 18									

音から選ぶ名づけ　男の子名

り　りゅうしん〜りゅうや

りゅうしん　琉心 15／隆心 15／瑠心 18／龍心 20／琉真 21／隆真 21／竜慎 23／龍臣 23
りゅうすけ　竜介 14／隆介 15／竜佑 17／竜輔 24
りゅうせい　琉世 16／琉生 16／竜成 16／琉成 17／隆成 17／琉星 20／琉晟 21／龍晟 21／龍生 21／竜聖 22／竜誠 23／瑠星 24／琉聖 24／隆聖 24／龍青 24／龍星 25

りゅうた　竜大 13／琉大 14／隆太 15／琉汰 18／龍太 20／瑠汰 21／竜大 13／琉大 14／龍大 19
りゅうたろう　琉太郎 24／隆太郎 24／琉太朗 25／龍太郎 29／龍太朗 30

りゅうと　隆人 13／琉人 13／琉仁 15／隆斗 15／龍人 18／瑠仁 18／琉音 20／龍斗 20／龍永 21／龍冬 21／竜翔 22／琉翔 23／龍飛 25／龍翔 28

りゅうのすけ　竜乃介 16／琉之介 17／龍之介 18／隆之介 21／龍之助 23／龍之丞 25
りゅうへい　竜平 15／琉平 16／隆平 16／龍平 21

りゅうま　琉真 21／琉眞 21／琉馬 21／隆真 21／龍真 26／龍磨 32
りゅうや　竜也 13／竜矢 15／琉矢 16／琉也 19／隆哉 20／龍矢 21／龍弥 24／龍哉 25

りょう	良7	怜8	亮9	凌10	涼11	陵11	崚11	諒15	遼15	嶺17
りょういち	良一8	怜一9	亮一10	凌一11	綾一15					

りょうえい	良栄16	凌英18								
りょうが	亮賀21	亮雅22	凌雅23	龍河24	凌駕24	諒雅28				
りょうご	怜吾15	亮吾16	涼吾18	綾吾21						

| りょうじ | 稜悟23 | | | | | | | | | |
| りょうすけ | 怜司13 | 稜司18 | 諒士18 | 稜治21 | 涼介13 | 亮介13 | 陵介16 | 亮佑16 | 稜介17 | 亮祐18 | 諒介19 | 亮輔23 |

| りょうせい | 良成13 | 怜生13 | 亮成15 | 凌成16 | 涼正16 | 稜生18 | 亮晴21 | 諒成21 | 遼成21 | 涼晴23 | 遼星24 | りょうた 亮太13 | 凌大13 | 涼太15 |

| りょうだい | 亮汰16 | 綾太18 | 僚太18 | 諒太18 | 遼太19 | 龍太20 | 凌大13 | 遼大18 | りょうたろう 亮太朗23 | 凌太朗24 | 涼太郎24 | 諒太郎28 | 遼太郎28 |

| りょうと | 涼斗15 | 稜人15 | 凌都21 | りょうへい 良平12 | 亮平14 | 涼平15 | 稜平18 | 諒平20 | 遼平20 | りょうま 令真15 | 怜真18 | 亮真19 | 竜馬20 |

音から選ぶ名づけ 男の子名 り りょうま〜れいと

涼真 10 21	稜真 13 23	綾真 14 24	涼誠 11 24	諒真 15 25	遼真 15 25	龍馬 16 26	りょうや 	亮也 9 12	稜也 13 16	亮哉 9 18	凌弥 10 18	遼也 15 18	遼哉 15 24

倫 10 10	凛 15 15	凜 15 15	麟 24 24	りんた	琳太 12 16	凛大 15 18	りんたろう 	倫太郎 10 23	倫太朗 10 24	琳太朗 12 25	凜太郎 15 28	凛太郎 15 29	りんと	凜人 15 17

倫都 10 21	琳翔 12 24	凛音 15 24	りんのすけ	倫之介 10 17	凛之介 15 25	麟之介 24 31	るい	塁 12 12	琉生 11 16	琉衣 11 17	類 18 18	瑠生 14 19

瑠衣 14 20	琉唯 11 22	瑠威 14 23	瑠唯 14 25	るいと 	琉斗 11 15	塁斗 12 21	琉翔 11 23	琉唯人 11 24	るか	琉可 11 16	琉叶 11 16	琉伽 11 18	琉夏 11 21	琉楓 11 24

るき	琉生 11 16	琉希 11 18	琉葵 11 23	るきや	琉希也 11 21	瑠輝也 14 32	れい	令 5 5	礼 5 7	怜 8 8	玲 9 9

怜生 8 13	零 13 13	澪 16 16	嶺 17 17	れいじ	礼志 5 12	怜司 8 13	怜史 8 13	怜志 8 15	玲志 9 16	怜慈 8 21	れいた	玲太 9 13	れいと	怜人 8 10	伶斗 7 11

194

| 怜生 13 | 怜央 13 | 礼央 10 | れお | 麗弥 27 | 玲哉 18 | 零也 16 | 怜也 11 | れいや | 玲真 19 | 怜真 18 | 礼真 15 | れいま | 玲翔 21 | 零斗 17 | 玲斗 13 |

| 麗音 28 | 蓮恩 23 | 玲音 18 | 怜音 18 | 怜恩 17 | 伶恩 17 | れおん | 麗央 24 | 蓮央 18 | 零央 18 | 怜皇 17 | 羚央 16 | 羚王 15 | 玲生 14 | 玲央 14 | 礼旺 13 |

| 蓮樹 29 | 蓮寿 20 | れんじゅ | 蓮司 18 | 蓮士 16 | 廉士 16 | れんじ | 怜音 17 | 錬 16 | 蓮 13 | 廉 13 | 怜 8 | れん | 玲音 18 | 怜音 17 | れのん |

| 蓮都 24 | 蓮叶 18 | 蓮斗 17 | 蓮仁 17 | 蓮士 16 | 蓮人 15 | 廉人 15 | れんと | 蓮太朗 27 | 連太朗 24 | 怜太郎 21 | れんたろう | 蓮太 17 | 蓮大 16 | 廉大 16 | れんた |

| 麓 19 | 禄久 15 | 禄 12 | ろく | 呂維 21 | 呂伊 13 | ろい |  | 蓮弥 21 | 蓮也 16 | 廉也 16 | れんや | 蓮翔 25 | 廉翔 25 |

| 渉 11 | 航 10 | 弥 8 | 亘 6 | わたる | 和來 16 | 和空 16 | 和來 15 | 和玖 15 | 羽空 14 | 羽玖 13 | 和久 11 | わく |  |

使いたい字や読みに添え字を合わせて

添え字一覧 男の子編

（添え字一覧の女の子編は142ページにあります）

男の子の添え字 1文字

あき	晶明晃陽秋彬章爽昭映暁旭彰鑑亮
いち	一市壱逸
お	緒央生雄旺夫王於巨男
おみ	臣
が	賀芽雅我
かず	一寿和員量数
き	紀希貴喜季基規岐生来起城樹幾己葵揮輝伎暉毅祈熙嬉槻軌機稀器黄磯気旗木期寄幹麒畿
きち	吉
ご	五吾悟護伍梧瑚午
さく	作策索朔
さと	知里利怜悟郷智敏賢諭聡理覚
し	史志司士思偲梓四詞誌視資姿至市旨始獅此
じ	治二次児路司爾滋慈蒔時侍
しげ	成慈茂重滋繁栄盛
すけ	介丞助祐佑佐甫亮資輔相典左右
ぞう	三造蔵
た	多太汰
だい	大
たか	貴孝尚尭高崇教隆挙敬尊喬鷹嵩峻
たけ	丈武岳健剛豪毅偉猛赳建威孟竹
つぐ	二次貢嗣継
てる	照輝瑛晴明耀映暉皓光
と	人斗十登都杜途刀
とし	年寿俊利敏歳淑稔聡季理
とも	共友供朋伴委具知朝智倫皆茂
なり	也斉成業就
のぶ	伸述宣延叙信展暢允

のり	典武法規則宜紀格訓矩教徳範憲
はる	明春晴治張遥青陽榛
ひこ	彦
ひさ	久寿尚亘永玖常悠
ひで	英秀栄
ひと	人仁
ひろ	広弘大宏拡拓洋浩啓博紘寛裕尋
ぶ	武舞部分歩
ふみ	典史文書章　※「ぶみ」でも使用
へい	平兵並併　※「べい」でも使用
ほ	穂帆歩保甫浦輔補朋
ま	麻真万茉末摩磨満
み	美実未三深海見視弥魅
みち	径迪通道路途倫
みつ	三光密充満
む	六夢霧武務
もん	門紋
や	矢哉也弥耶冶八夜谷野陽椰埜
やす	妥安易保泰庸康恭靖廉
ゆき	之行幸如雪征維往
よし	由可巧允好快吉良宜尚芳佳美祥能喜慶儀嘉善義
ろう	郎朗

男の子の添え字 2文字

いちろう	一郎	一朗		
さく	作久			
じろう	二郎	次郎	二朗	次朗
たろう	太郎	太朗	多郎	汰郎
のすけ	之介	乃助	乃輔	
ひこ	比古			

読み別 漢字リスト

常用漢字や人名用漢字のなかから、名づけにふさわしい漢字を選び、50音順に並べてみました。音読み・訓読みを主体とし、さらに一般的な名のり（人名に用いられる読み方）も紹介します。
※漢字の下の数字は画数です。

あ行

音から選ぶ名づけ

あ
安 6 / 有 7 / 亜 7 / 吾 8 / 阿 9

あい
娃 9 / 挨 10 / 愛 13 / 藍 18

あお
青 8 / 蒼 13 / 碧 14

あおい
葵 12

あか
朱 6 / 赤 7 / 明 8 / 紅 9

あかね
茜 9

あき(ら)
旭 6 / 明 8

あき
亮 9 / 映 9 / 昭 9 / 秋 9 / 晃 10 / 朗 10 / 哲 10 / 章 11 / 彬 11 / 晶 12 / 暁 12 / 陽 12 / 瑛 12 / 輝 13 / 彰 14

あき(ら)
瞭 17 / 顕 18 / 明 8 / 亨 7 / 英 8 / 聖 13 / 幌 13 / 輝 15

あけ
朱 6 / 明 8 / 暁 12 / 緋 14

あさ
旭 6 / 浅 9 / 麻 11 / 朝 12

あさひ
旭 6

あし
芦 7

あずさ
梓 11

あずま
東 8

あつ
幹 14

あつ(し)
厚 9 / 純 10 / 淳 11 / 惇 11 / 敦 12 / 温 12 / 渥 12 / 篤 16

あや
文 4 / 礼 5 / 朱 6 / 采 8 / 紋 10 / 彩 11

あや
絢 12 / 綾 14

あゆ
歩 8 / 鮎 16

あゆみ(あゆむ)
歩 8

あら(た)
新 13

あり
有 6

あん
安 6 / 杏 7

あんず
杏 7

い
案 10 / 晏 10 / 庵 11

い
以 5 / 生 5 / 衣 6 / 伊 6 / 似 7 / 依 8 / 委 8 / 威 9 / 唯 11

読み	漢字	画数
いさお	功	5
	勲	15
	勇	9
	功	5
いく	幾	12
	郁	9
	育	8
	行	6
	生	5
いおり	庵	11
いお	庵	11
	緯	16
	維	14
	椅	12
	偉	12
	尉	11
	惟	11
いつき	逸	11
いつ	一	1
いちご	苺	8
	壱	7
	市	5
	一	1
いたる	格	10
	到	8
	至	6
	出	5
いずる	泉	9
いずみ	泉	9
いさみ (いさむ)	勇	9
	勲	15

うた	唄	10
うい	初	7
	初	7
	雨	—
	佑	—
	羽	6
	有	—
	宇	5
	卯	—
う	右	—
	巌	20
	磐	15
	岩	8
いわ (お)		
	綸	14
	絃	11
	弦	8
いと	糸	—
	樹	16

	映	9
	依	8
	英	—
	枝	6
	衣	—
	江	—
え		
	雲	12
	運	12
うん		
	閏	12
うるう		
	裡	10
うら		
	梅	9
うめ		
	海	16
うみ		
	謡	14
	歌	13
	詩	12
	詠	—

	悦	10
えつ		
	衛	16
	影	15
	鋭	—
	瑛	12
	営	9
	詠	8
	栄	5
	映	—
	英	—
	永	15
えい		
	衛	12
	慧	—
	瑛	10
	絵	9
えみ	笑	—
	恵	—
	柄	9
	重	—
	栄	9

	朗	10
	音	9
	郎	8
	於	7
	男	—
	央	4
	生	3
	夫	—
	小	3
お		
	薗	16
	園	13
	遠	—
	苑	8
	延	—
	円	10
えん		
	笑	14
えみ		
	榎	12
えのき		
	越	—

	響	20
	音	9
	乙	1
おと		
	統	12
	理	11
	修	10
	治	8
	司	5
	収	4
おさむ		
	興	16
	沖	7
おき		
	桜	10
	旺	8
	欧	5
	央	4
	王	—
おう		
	緒	14
	雄	12

か行

	河	—
	茄	8
	果	7
	佳	—
	伽	5
	花	—
	可	4
	加	—
	日	—
か		
	薗	16
	恩	10
	音	9
	苑	—
おん		
	織	18
	折	7
おり		
	臣	7
おみ		

音から選ぶ名づけ

音から選ぶ名づけ

か: 珂9, 迦, 香, 華10, 夏, 榎14, 歌, 嘉15, 駕, 霞17
が: 牙4, 我7, 芽8, 賀12, 雅13
かい: 介4, 快7, 改, 恢9, 海9, 開, 絵12, 魁14
がい: 凱12, 鎧18
かいり: 浬10
かえで: 楓13
かおる: 香9, 薫16, 馨20
かく: 拡8, 格10, 覚12
がく: 学8, 岳8, 楽13
かける: 駈15
かげ: 景, 影15
かず: 一1, 和, 知8, 計, 数13
かすみ: 霞17
かずら: 葛12
かぜ: 風9
かつ: 且5, 克7, 活9, 恰, 勝, 葛12
かつて: 曽, 曾11, 嘗14
かつら: 桂10
かな: 奏9
かなめ: 要9
かね: 兼, 謙17
かん: 完7, 冠, 柑9, 莞10, 栞, 菅, 貫11, 敢, 寛13, 幹, 歓15
がん: 岩8, 巌20
き: 己3, 木4, 生, 気5, 伎6, 企, 希, 岐, 季8, 祈8, 枝, 紀9, 城, 起10, 記, 姫, 基11, 埼, 規, 貴12, 喜, 稀, 揮, 幾, 期, 葵, 暉, 綺14, 旗, 熙, 畿15
ぎ: 伎, 宜, 祇9, 義13, 儀15
きく: 掬11, 菊
きち: 鞠17, 吉6
き（続き）: 輝15, 毅, 槻, 嬉, 器, 樹, 機16, 興, 徹17, 騎18
きぬ: 衣6, 絹13
きみ: 公4, 君7, 卿12
きゅう: 久3, 及, 究7, 玖, 笈10
きよ(し): 浄9, 清, 淑11, 聖13, 精14, 潔, 澄15

きょう																きり														

叶 共 匡 杏 亨 享 京 協 供 侠 恭 教 強 梗 郷 卿 喬 蕎 興 響
5　6　　7　8　　　9　10　11　　　　12　15　16　20

桐 霧 きん 均 金 欣 勤 欽 錦 謹 ぎん 吟 銀 く 久 玖 来 紅 駆 駈 くう 空
10 19　　 7　8　12　16　17　　 7　14　　3　7　9　14　15　8

楠 くず 葛 く に 邦 国 くら 倉 蔵 くん 君 訓 勲 軍 郡 群 けい 兄 圭 京
(のき)13 12　7　8　10　15　10　15　9　10　13　5　6　8

計 勁 奎 恵 桂 啓 経 渓 卿 敬 景 継 慶 慧 憩 け つ 傑 月 げん 建 研
9　10　11　12　13　15　16　13　4　9

兼 剣 拳 健 堅 絢 献 権 賢 謙 顕 げん 元 玄 弦 絃 現 源 厳 こ 子
10　11　12　13　15　16　17　18　4　8　10　11　13　17　3

己 小 乎 仔 来 胡 湖 鼓 瑚 ご 五 伍 吾 悟 梧 瑚 護 こい 恋 こう 工 公
3　5　7　9　12　13　4　6　7　10　11　13　20　10　3　4

広 弘 功 巧 甲 行 光 好 考 向 孝 宏 攻 幸 厚 恒 恰 香 紅 郊 洸
5　　　　　6　　　7　8　9

虹 浩 晃 耕 高 航 貢 倖 紘 康 梗 幌 煌 滉 構 綱 閣 縞 興 鋼 鴻
9　10　11　12　13　14　16　17

さ行

読み	漢字	ページ
ご う	剛	10
	郷	11
	豪	14
	轟	21
こずえ	梢	11
こと	琴	12
こま	駒	15
これ	之	3
	此	6
	惟	11
さ	小	3
	左	5
	早	6

佐	7	
作		
沙	9	
砂		
咲		
紗	10	
彩	11	
嵯	13	
瑳	14	
さい 才	3	
采	8	
哉	9	
宰	10	
埼		
彩	11	
斎		
菜		
さえ 冴	7	
さかえ 栄	9	

さき 早	6
先	
咲	
埼	11
さく 作	7
咲	
索	10
朔	
策	12
さくら 桜	10
さざなみ 漣	14
さずく 授	11
さだ 定	8
貞	9
禎	13

さだむ 定	8
さち 幸	8
倖	10
祥	
さと 里	7
郷	11
さと(し) 知	8
怜	
哲	10
悟	
敏	
覚	12
智	
達	
聖	13
聡	14
賢	16
諭	

さと(る) 了	2
知	8
哲	10
悟	
敏	
惺	12
覚	
智	
達	
聖	13
聡	14
慧	15
賢	16
さね 実	8
真	10
さら 更	7
さん 珊	9
撰	15

し 讃	22
士	3
仔	5
史	
司	
示	
四	
市	
糸	6
志	7
孜	
施	9
思	
詞	12
紫	
獅	13
詩	
資	
嗣	
二	2

し 示	5
次	6
児	7
治	
滋	12
蒔	13
慈	
路	14
爾	
しい 椎	12
しお 汐	6
潮	15
しおり 栞	10
しき 式	6
色	
識	19
しげ(る) 成	6
茂	8
重	
滋	12
繁	16
慈	13
しず(か) 静	14
じつ 実	8
しな 品	9
科	
しの 篠	17
しのぶ 忍	7
しま 嶋	11
偲	14
縞	16
しゅ 朱	6

萩	集	脩	習	修	柊	洲	秋	宗	周	秀	舟	州	収	しゅう	樹	珠	受	寿	じゅ	趣	珠
	12	11	10		9		8	7		6	4				16	10	8	7		15	10

瞬	駿	馴	楯	舜	竣	峻	隼	俊	春	旬	しゅん	淑	祝	叔	しゅく	柔	重	充	十	じゅう	蹴
18	17		13	12		10	9	6				11	9	8		9	6	2		19

匠	正	しょう	如	女	じょ	諄	醇	潤	詢	馴	準	楯	順	閏	惇	淳	純	隼	洵	旬	じゅん
6	5		6	3				15			13	12	11			9	6

照	湘	晶	勝	翔	笙	菖	唱	梢	渉	章	称	祥	将	省	昭	昌	承	昇	尚	抄	肖
13			12				11				10		9		8		7

信	芯	臣	伸	申	心	しん	譲	穣	壌	錠	嘗	常	定	丞	丈	じょう	蕉	彰	嘗	頌	奨
9		7	5	4			20	18	16	14	11	8	6	3		15	14	13

尋	陣	訊	甚	尽	壬	仁	人	じん	薪	親	榛	新	慎	深	晨	紳	進	秦	晋	訊	真
12	10	6	4	2				16	13	11	10

すぎ	菅	すが	季	末	瑞	随	ずい	翠	水	すい	鶴	逗	ず	諏	須	素	洲	寿	州	す
	11		8	5	13	12		14	4		21	11		15	12	10	7	6

鈴	涼	すず	輔	資	相	宥	祐	亮	昌	佑	助	丞	介	すけ	優	傑	俊	英	卓	すぐる	杉
13	11		14	13		9	8		7		6	4		17	13	9	8	7

					せい		**せ**					**すみ**	**すばる**	**すすむ**		
斉	青	西	成	生	正	井	瀬	世	澄	淑	栖	純	昴	進	晋	錫
8	6	5	4		19	5		15	11	10	9	11	10	16		

				せき												
績	隻	汐	石	夕	静	誓	精	靖	聖	勢	誠	晴	惺	盛	清	晟	星	政	省	征
17	10	6	5	3	14		13			12		11	10				9	8

		ぜん										**せん**	**せり**			**せつ**
然	善	全	鮮	撰	船	扇	専	泉	茜	宣	仙	川	千	芹	説	節	雪
12		6	17	15	11	10			9			3		7	14	13	11

												そう				**そ**
惣	曾	創	窓	爽	曽	倉	荘	草	奏	相	宗	走	宋	壮	双	曾	曽	素	禅
	12		11	10			9	8		7	6		4			12	11	10	13

た行

た			**そら**	**そめ**			**その**			**ぞう**				
	宙	空		染	蘭	園	苑		蔵	造	三		叢	綜	総	聡	想	湊
	8		9		16	13	8		15	10	3		18	14	13			12

	たか(し)			**たか**		**たえ**	**たいら**		**だい**				**たい**		
天	鷹	啓	考	妙	平	醍	大	泰	汰	太	大	汰	多	太	大
4	24	11	6	7	5	16	3	10		4	3		7	6	3

	たけ				**たくみ**			**たく**							
竹	丈	匠	巧	工	琢	拓	卓	嵩	尊	貴	敬	喬	隆	崇	高	峻	尭	孝
6	3	6	5	3	11	8		13			12		11		10		8	7

たず(ねる)					**たすく**								**たけ(し)**		
	翼	輔	佑	助	匡	毅	豪	雄	猛	健	起	剛	威	長	孟	武	嵩	偉	岳
	17	14	7		6	15	14	12		11	10	9			8		13	12	8

たつ						ただす				ただ(し)				ただ	
龍	達	竜	建	辰	立	匡	真	貞	忠	匡	正	中	維	惟	唯	祇	訊
16	12	10	9	7	5	6	10	9	8	6	5	4	14	11	9		10

					ち	たもつ	たみ	たまき	たま		たて		たつき
致	治	知	茅	池	地	千	保	民	環	球	珠	玉	楯	樹
10	8	8	8	6	3	9	3	5	17	11	10	5	13	16

				ちゅう		ちく		ちから						ちか		
宙	忠	沖	仲	中	築	竹	力	親	誓	愛	睦	周	近	史	馳	稚	智
8	8	7	6	4	16	6	2	16	14	13	13	8	7	5	13	13	12

	つぎ		つき		つかさ		つ									ちょう
嗣	次	槻	月	司	都	津	蝶	超	朝	張	彫	挺	重	長	兆	丁
13	6	15	4	5	11	9	15	12	12	11	11	10	9	8	6	2

	つぶら	つばさ	つばき	つね		つな				つとむ					つぐ
円	翼	椿	常	恒	綱	勤	務	勉	努	嗣	継	亜	次	二
4	17	13	11	9	14	12	11	10	7	13	13	7	6	2

	てい	で	つる		つら							つよし	つゆ		つや	
丁	出	鶴	貫	連	毅	豪	猛	健	強	剛	威	露	艶	圓
2	5	21	11	10	15	14	11	10	11	10	9	21	19	13

でん			てん			てる			てつ						
展	典	天	輝	暉	照	映	徹	鉄	哲	醍	禎	逞	悌	挺	貞	定	汀
10	8	4	15	13	13	9	15	13	10	16	13	11	10	9	8	5

								とう							と	
登	萄	陶	透	桃	桐	到	東	灯	冬	刀	登	渡	都	飛	杜	斗	人	十	伝
12	11	11	10	10	10	8	8	6	5	2	12	12	11	9	7	4	2		6

音から選ぶ名づけ

と

- **と**く：篤16／徳14／督13
- **とき**：時10／迅6
- **とおる**：徹15／通10／透10／亨7
- **どう**：道12／堂11／桐10
- **とう**：藤18／瞳17／橙16／嶋14／董12／統

とし

- **とし**：年6／利7／寿9／俊10／敏11／淑13／稔17／駿
- **とみ**：富12
- **とも**：友4／共6／伴7／供8／朋／知10／倫12／智／朝
- **ともえ**：巴

とよ・とら・な行

- **とよ**：豊4
- **とら**：寅13／虎8／11
- **な**：名6／那7／奈／南9／菜11／梛
- **なえ**：苗8
- **なお**：尚8／直
- **なか**：中4

な行（続き）

- **なか**：央5／仲6
- **なが**：永／長8
- **なぎ**：凪6／渚／汀5
- **なつ**：夏11／捺
- **なな**：七2
- **なみ**：浪8／波10
- **なり**：也3
- **なる**：成6

に・ね

- **成**6／**鳴**14
- **な(れる)**：馴13
- **に**：仁4／弐6／似7
- **にい**：新13
- **にぎ(わい)**：賑14
- **にじ**：虹9
- **にしき**：錦16
- **にょ**：女3
- **如**6／**祢**9／**音**

の

- **ね**ん：嶺17／峯10／根
- **の**：乃2／之／野13
- **のぞみ**：望11
- **のどか**：和8
- **のぶ**：申5／伸7／延8／信9／宣16

- **のぼる**：昇3／登12／法8／典／則9／紀／乗10／矩／倫11／規12／教14／尋15／範16／徳／憲
- **のり**：典8／法12／暢14
- **順**12／**展**10

は行

- **の(る)**：駕15
- **は**：巴4／羽6／波8／葉12／播15／苺(はぎ)8
- **はく**：白5／伯8／拍12／博7／麦／はし

音から選ぶ名づけ

はじめ: 橋16, 一1, 元4, 初7, 始8, 朔10, 肇14
は(せる): 馳13
はた: 秦10, 旗14, 機16
はつ: 初7, 発9
はな: 花7, 英8, 華10
はま: 浜10
はや: 早6, 迅6, 速10, 逸11
はやお: 駿17
はやと(はやぶさ): 隼10
はり: 梁11
はる: 治8, 春9, 晴12, 陽12
はる(か): 遥12, 遙14
はるか: 悠11
はん: 半5, 帆6, 汎6, 伴7, 絆11, 磐15, 範15, 繁16
ばん: 播16, 磐15
ひ: 比4, 日4, 妃6, 灯6, 飛9, 陽12, 緋14
び: 美9
ひい: 曾12
ひかり: 光6
ひかる: 光6, 晃10
ひこ: 彦9
ひさ(し): 久3, 永5, 寿7, 玖8, 尚8
ひし: 菱11
ひじり: 聖13
ひで: 秀7
ひと: 英8, 一1, 人2, 仁4
ひとし: 一1, 仁4, 均7, 斉8, 等12
ひとみ: 瞳17, 眸11
ひびき: 響20
ひら: 平5
ひらめ(く): 閃10
ひろ: 宥9
ひろ(い): 汎6
ひろ(し): 大3, 広5, 弘5, 宏7, 洋9, 洸9, 紘10, 啓11, 裕12, 博12, 寛13, 滉13
ひろむ: 弘5, 啓11, 博12
ふ: 不4, 布5, 扶7, 芙7, 吹7, 歩8, 冨11, 富12
ぶ: 武8, 葡12, 舞15
ふう: 風9, 楓13
ふく: 福13
ふさ: 房8
ふじ: 藤18
ふとし: 太4
ふみ: 文4, 史5, 郁9
ふゆ: 冬5
ぶん: 文4
へい: 平5, 兵7
べに: 紅9
べん: 勉10
ほ: 帆6
ゆう(甫): 甫7

優15, 緩15

ほく									ほう					
	望	ぼう	豊	萌	逢	峯	峰	法	朋	宝	芳	邦	方	
	11		13	11	10		8	7	4					

ほ行・ま行

ほく		ぼう						ほう							
	望 11		豊 13	萌 11	逢 10	峯	峰 10	法 8	朋 7	宝	芳 4	邦	方		

| | | ほう | | | | | 穂 15 | 輔 14 | 蒲 13 | 葡 12 | 圃 10 | 保 9 | 歩 8 |

| まいる | 舞 15 | まい | 磨 16 | 摩 15 | 麻 11 | 真 10 | 馬 8 | 茉 | 万 3 | ま | **ま行** | 幌 13 | ほろ 誉 13 | ほまれ 蛍 11 | ほたる 星 9 | ほし | 北 5 |

| 真 10 | 柾 9 | 政 8 | 昌 6 | 匡 | 正 4 | 公 | まさ 誠 13 | 真 10 | 信 | 実 8 | 允 4 | まこと 播 15 | 巻 9 | ま(く) 薪 16 | 槙 14 | 牧 8 | まき 哩 10 |

| まつ 12 | 街 | 待 9 | 町 7 | まち 増 14 | 益 10 | ます 優 17 | 勝 12 | 卓 8 | 大 3 | まさる 祇 9 | まさ(に) 雅 13 | 政 9 | 正 5 | まさし 優 17 | 雅 13 | 将 10 |

| まる | 鞠 17 | 毬 11 | まり 繭 18 | まゆ 護 20 | 衛 16 | 保 9 | 守 5 | まもる 学 8 | まなぶ 圓 13 | 円 4 | まどか 圓 13 | 窓 11 | 円 4 | まど 松 8 | 末 5 |

| みぎわ 幹 13 | みき 澪 16 | みお 魅 15 | 幹 13 | 視 11 | 海 | 美 | 実 8 | 弥 | 見 7 | 未 5 | 水 4 | 巳 3 | 三 | み 満 12 | 万 3 | まん 丸 3 |

| 蜜 14 | 満 12 | 貢 10 | 光 6 | 充 | 三 3 | みつ 路 13 | 満 12 | 道 10 | 倫 | 通 | 充 6 | みち 瑞 13 | 水 4 | みず 岬 8 | みさき 操 16 | みさお 汀 5 |

| みのる 嶺 17 | 峯 | 峰 10 | みね 南 9 | みなみ 湊 12 | 港 | みなと 皆 9 | みな 碧 14 | 翠 | 緑 | みどり 満 12 | 光 6 | 充 | みつる 貢 10 | みつぐ |

207

| むつみ 睦 13 | 睦 13 | 陸 11 | 六 4 | むつ 霧 19 | 夢 13 | 務 11 | 武 8 | 六 4 | む 幸 8 | 雅 13 | みやび 11 | 都 8 | みやこ 18 | 京 13 | 穣 13 | 稔 13 | 実 8 |

| 萌 11 | 茂 8 | も 恵 10 | めぐみ 幹 14 | めぐ(る) 恵 10 | めぐ 銘 14 | 盟 13 | 命 8 | 明 8 | めい 芽 8 | 女 3 | め 紫 12 | むらさき 棟 12 | 宗 8 | むね |

音から選ぶ名づけ

| 守 6 | もり 桃 10 | 百 6 | もも 椛 11 | もみじ 要 9 | 求 11 | もとい 基 11 | 基 11 | 朔 10 | 素 4 | もと 本 11 | 元 | 萌 11 | もえ 詣 13 | もう(でる) |

| 椰 13 | 野 11 | 哉 9 | 耶 8 | 夜 7 | 弥 | 冶 5 | 矢 | 乎 3 | 也 2 | 八 | や行 | 紋 10 | 門 8 | 文 4 | もん 護 20 | 森 12 | 盛 11 | 杜 7 |

| 由 5 | 友 4 | 夕 3 | ゆ(う) 諭 16 | 愉 12 | ゆ 倭 10 | やまと 梁 11 | やな 寧 14 | 靖 13 | 康 11 | 恭 10 | 泰 9 | 保 6 | 安 | やす(し) 廉 13 | 晏 10 | やす |

| 雄 12 | 湧 | 祐 9 | 柚 | 宥 9 | 勇 | 侑 8 | 邑 7 | 有 | 右 | ゆう 結 12 | 惟 11 | 唯 | ゆい 優 17 | 遊 12 | 結 12 | 裕 11 | 悠 9 | 柚 | 佑 7 |

| 四 5 | 予 4 | 与 3 | よ 夢 13 | ゆめ 弓 3 | ゆみ 穣 18 | 豊 13 | 裕 12 | ゆたか 譲 20 | ゆずる 雪 11 | 征 8 | 幸 6 | 行 3 | 之 | ゆき 優 17 | 釉 12 |

| 謡 16 | 養 15 | 遙 14 | 楊 | 瑶 13 | 蓉 | 遥 12 | 葉 11 | 陽 | 庸 10 | 容 | 洋 9 | 要 | よう 宵 10 | よい 興 | 誉 13 | 夜 8 | 余 7 | 代 5 | 世 |

音から選ぶ名づけ

よ
嘉 14 / 義 13 / 喜 12 / 善 11 / 啓 11 / 祥 10 / 恵 10 / 純 10 / 美 9 / 宣 9 / 宜 8 / 佳 8 / 芦 7 / 芳 7 / 良 7 / 好 6 / 吉 6 / 由 5 / 耀 20 / 燿 18 / 曜 18

ら行

ら
頼 16 / 依 8

り
慶 15 / 蘭 19 / 藍 18 / 嵐 12

らん
蕾 16 / 頼 16 / 雷 13 / 徠 11 / 来 7 / 礼 5

らい
羅 19 / 螺 17 / 良 7

り
頼 16 / 依 8 / より 慶 15

り
竜 10 / 留 9 / 流 9 / 柳 9

りゅう
律 9 / 立 5

りつ
陸 11 / 力 2

りく
璃 15 / 裡 12 / 梨 11 / 理 11 / 莉 10 / 浬 10 / 哩 10 / 李 7 / 里 7 / 利 7

り(き)

龍 16 / 諒 15 / 遼 14 / 僚 14 / 綾 14 / 領 13 / 稜 12 / 量 12 / 菱 11 / 涼 10 / 梁 9 / 竜 7 / 凌 7 / 亮 7 / 良 2

りょう
龍 16 / 劉 15 / 琉 11

る
隆 11 / 笠 11

れい
類 18 / 塁 12

るい
瑠 14 / 琉 11 / 留 10 / 流 10

る
麟 24 / 臨 18 / 凛 15 / 凜 14 / 綸 13 / 稟 12 / 鈴 12 / 琳 9 / 倫 9 / 俐 8

りん
林 8 / 瞭 17

ろ
侶 9 / 呂 7 / 芦 7

れん
錬 16 / 漣 14 / 蓮 13 / 廉 13 / 恋 10 / 連 10

れ
麗 19 / 嶺 17 / 澪 16 / 鈴 13 / 羚 11 / 玲 9 / 怜 8 / 励 7 / 伶 7 / 礼 5 / 令 5

わ
稚 13 / 若 8

わか
環 17 / 輪 15 / 倭 10 / 和 8

わ行

ろん
論 15

ろ
狼 10 / 浪 9

ろう
朗 9 / 郎 9 / 鷺 24 / 露 21 / 蕗 16 / 路 13

渡 12 / 渉 11 / 航 10 / 亘 6

人気添え字から引く名前

音から選ぶ名づけ

思ったような名前が思い浮かばない……というときは、名前の最後の文字(添え字)を先に決めると考えやすいでしょう。ここでは人気のある添え字を使った女の子、男の子の名前の実例をご紹介します。あわせて「添え字一覧」(女の子142ページ、男の子196ページ)も参考に。

女の子

2画 乃 の

- 柚乃9 ゆの
- 夢乃13 ゆめの
- 詩乃12 しの
- 琴乃12 ことの
- 理乃11 りの
- 璃乃15 りの
- 莉乃10 りの
- 雪乃11 ゆきの
- 梨乃11 りの
- 陽菜乃12 ひなの
- 綾乃14 あやの
- 彩乃11 あやの

3画 子 こ

- 由乃5 ゆの
- 結乃12 ゆの
- 妃奈乃6 ひなの
- 日菜乃4 ひなの
- 悠乃11 ゆの
- 一乃1 いちの
- 優乃17 ゆの
- 莉子10 りこ
- 桃子10 ももこ
- 璃子15 りこ
- 菜々子11 ななこ
- 愛子13 あいこ
- 桜子10 さくらこ
- 理子11 りこ

5画 央 お

- 真子10 まこ
- 日菜子4 ひなこ
- 日向子4 ひなこ
- 結子12 ゆいこ
- 梨子11 りこ
- 舞子15 まいこ
- 優子17 ゆうこ
- 凜々子15 りりこ
- 日奈子4 ひなこ
- 晴子12 はるこ
- ひな子 ひなこ
- 亜子7 あこ
- 真央10 まお
- 莉央10 りお

6画 衣 い

- 梨央11 りお
- 理央11 りお
- 奈央8 なお
- 麻央11 まお
- 茉央8 まお
- 美央9 みお
- 実央8 みお
- 弥央8 みお
- 璃央15 りお
- 愛央13 あお
- 望央11 もお
- 佳央8 かお
- 詩央13 しお
- 依央8 いお
- 倫央10 りお
- 結衣12 ゆい
- 優衣17 ゆい
- 芽衣8 めい
- 萌衣11 もえ
- 葵衣12 あおい
- 由衣5 ゆい
- 真衣10 まい
- 悠衣11 ゆい
- 柚衣9 ゆい
- 玲衣9 れい
- 琉衣11 るい
- 瑠衣14 るい
- 舞衣15 まい
- 麻衣11 まい

7画 花 か

- 亜衣7 あい
- 愛衣13 めい
- 優花17 ゆうか
- 桃花10 ももか
- 百花6 ももか
- 一花1 いちか
- 彩花11 あやか
- 瑠花14 るか
- 穂乃花15 ほのか
- 楓花13 ふうか
- 風花9 ふうか
- 結花12 ゆいか
- 柚花9 ゆずか
- 穂花15 ほのか
- 唯花11 ゆいか
- 愛花13 あいか
- 和花8 のどか
- 咲希9 さき
- 柚希9 ゆずき

7画 希 き

- 瑞希13 みずき
- 夏希10 なつき
- 愛希13 さき
- 妃希6 ひな
- 絆希11 きずな
- 美希9 みき
- 雪希11 ゆき
- 優希17 ゆき
- 彩希11 さき
- 光希6 みつき
- 颯希14 さつき
- 実咲希8 みさき
- 真咲希10 まさき
- 友希4 ゆき
- 沙希7 さき
- 美沙希9 みさき

7画 那 な

- 優那17 ゆうな
- 琉那11 るな
- 菜那11 なな
- 心那4 ここな
- 栞那10 かんな
- 彩那11 あやな
- 瑠那14 るな
- 莉那10 りな
- 恰那9 れいな

7画 里 り

- 奈那8 なな
- 柚那9 ゆな
- 妃那6 ひな
- 恰那9 はんな
- 絆那11 きずな
- 雪那11 ゆきな
- 美那9 みな
- 樹里16 じゅり
- 朱里6 あかり
- 優里17 ゆり
- 明里8 あかり
- 友里4 ゆり
- 愛里13 あいり
- 汐里6 しおり
- 悠里11 ゆり
- 明香里8 あかり
- 栞里10 しおり
- 侑里8 ゆり
- 彩麻里11 あやり
- 妃麻里6 ひまり
- 彩里11 あやり
- 莉里10 りり
- 侑里8 ゆうり

※名前は順不同

※ここでは「仮成数」を加えて吉数にする場合も考えて、画数としてそのままでは吉数ではない名前例も掲載しています。

音から選ぶ名づけ

佳 か (8画)
- 桃佳 ももか
- 京佳 きょうか
- 優佳 ゆうか
- 千佳 ちか
- 穂佳 ほのか
- 乃々佳 ののか
- 愛佳 まなか
- 楓佳 ふうか
- 知佳 ちか
- 穂乃佳 ほのか
- 美佳 みか
- 史佳 ふみか
- 春佳 はるか
- 朋佳 ともか
- 柚佳 ゆずか
- 瑠佳 るか

奈 な (8画)
- 優奈 ゆうな
- 杏奈 あんな
- 莉奈 りな
- 栞奈 かんな

実 み (8画)
- 愛実 まなみ
- 夏実 なつみ
- 来実 くるみ
- 歩実 あゆみ
- 希実 のぞみ
- 亜実 あみ
- 菜々実 ななみ
- 來実 ここみ
- 心実 ここみ
- 望実 のぞみ
- 玲奈 れいな
- 茉奈 まな
- 怜奈 れな
- 佳奈 かな
- 那奈 なな
- 真奈 まな
- 瑠奈 るな
- 里奈 りな
- 紗奈 さな
- 由奈 ゆな
- 玲奈 れな
- 愛奈 あいな

香 か (9画)
- 優香 ゆうか
- 佑実 ゆみ
- 知実 ともみ
- 真実 まみ
- 珠実 たまみ
- 杏実 あみ
- 明日香 あすか
- 百香 ももか
- 結香 ゆいか
- 穂香 ほのか
- 遥香 はるか
- 綾香 あやか
- 陽香 はるか
- 桃香 ももか
- 朱香 あすか
- 帆香 ほのか
- 晴香 はるか
- 柚香 ゆずか
- 絢香 あやか
- 彩香 あやか
- 楓香 ふうか
- 春香 はるか

音 ね (9画)
- 琴美 ことみ
- 希美 のぞみ
- 菜々美 ななみ
- 心美 ここみ
- 綺音 あやね
- 和音 かずね
- 百音 もね
- 幸音 ゆきね
- 愛音 あいね
- 鈴音 すずね
- 涼音 すずね
- 天音 あまね
- 朱音 あかね
- 初音 はつね
- 綾音 あやね
- 寧音 ねね
- 心音 ここね
- 彩音 あやね
- 絢音 あやね
- 琴音 ことね

美 み (9画)

海 み (9画)
- 南海 みなみ
- 琴海 ことみ
- 来海 くるみ
- 奏海 かなみ
- 優海 ゆうみ
- 夏海 なつみ
- 希海 のぞみ
- 心海 ここみ
- 七海 ななみ
- 聡美 さとみ
- 玲美 れみ
- 怜美 れみ
- 奏美 かなみ
- 優美 ゆうみ
- 瑠美 るみ
- 仁美 ひとみ
- 七美 ななみ
- 成美 なるみ
- 亜美 あみ
- 歩美 あゆみ
- 愛美 まなみ

華 か (10画)
- 心乃華 このか
- 優華 ゆうか
- 綾華 あやか
- 杏華 きょうか
- 朋華 ともか
- 姫華 ひめか
- 唯華 ゆいか
- 琉華 るか
- 凛華 りんか
- 彩華 あやか
- 桃華 ももか
- 楓華 ふうか
- 一華 いちか
- 百華 ももか
- 愛華 あいか
- 瑠華 るか
- 莉海 りみ
- 碧海 あみ
- 瑚々海 ここみ
- 玲海 れみ
- 杏海 あみ
- 美海 みみ

菜 な (11画)
- 優菜 ゆうな
- 心菜 ここな
- 結菜 ゆいな
- 陽菜 ひな
- 妃莉 ひまり
- 侑莉 ゆり
- 瑠莉 るり
- 汐莉 しおり
- 明花莉 あかり
- 悠莉 ゆうり
- 妃茉莉 ひまり
- 由莉 ゆり
- 陽莉 ひまり
- 杏莉 あんり
- 光莉 ひかり
- 実莉 みのり
- 朱莉 あかり
- 明莉 あかり
- 愛莉 あいり

莉 り (10画)

葉 は (12画)
- 詩葉 うたは
- 夏葉 なつは
- 絢葉 あやは
- 百葉 ももは
- 紅葉 くれは
- 心葉 ここは
- 音葉 おとは
- 乙葉 おとは
- 琴葉 ことは
- 柚葉 ゆずは
- 七菜 なな
- 日菜 ひな
- 由菜 ゆな
- 真菜 まな
- 杏菜 あんな
- 里菜 りな
- 紗菜 さな
- 陽菜 はるな
- 花菜 はな
- 結菜 ゆな
- 瑠菜 るな
- 愛菜 あいな

音から選ぶ名づけ

14画 緒 お

漢字	読み
よつ葉	よつは
一葉	かずは
優葉	ゆうは
和葉	かずは
彩葉	あやは
愛葉13	あいは
莉緒14	りお
美緒14	みお
真緒10	まお
菜緒14	なお
里緒14	りお
梨緒14	りお
理緒14	りお
奈緒14	なお
璃緒15	りお
麻緒14	まお
七緒14	なお
実緒14	みお
那緒14	なお
音緒14	ねお
万緒14	まお
奈々緒14	ななお

男の子

1画 一 いち

太一、諒一、龍16一、希一、光一、颯一、伸一、修10一、優一、慶一、汰一、泰一、翔一、貴12一、佑一、准10一、喜12一、真10一、純10一、航10一
（たいち、りょういち、りゅういち、きいち、こういち、そういち、しんいち、しゅういち、ゆういち、けいいち、たいち、たいち、しょういち、きいち、ゆういち、じゅんいち、きいち、しんいち、じゅんいち、こういち）

2画 人 と

悠人、隼人、颯人、陸人、健人、優17人、唯人、暖人、直人、勇人、陽人、慶15人、瑛人、寛人、海人、篤人、結人、晴人、綾人、湊人、蓮人、遥人
（ゆうと、はやと、はやと、りくと、けんと、ゆうと、ゆいと、はると、なおと、はやと、はると、けいと、えいと、ひろと、かいと、あつと、ゆいと、はると、あやと、みなと、れんと、はると）

3画 大 だい

雄大、優大、航大、煌13大、侑大、昂大、広大、晃大、滉13大、翔大、裕大、幸大、祐大、昊大、皓12大、佑大、倖大、智12也、達12也
（ゆうだい、ゆうだい、こうだい、ゆうだい、こうだい、こうだい、こうだい、こうだい、こうだい、しょうだい、ゆうだい、こうだい、こうだい、こうだい、こうだい、こうだい、こうだい）

3画 也 や

達12也、智12也、ともや、たつや

4画 介 すけ

龍之介、蒼介、颯介、康介、奏介、涼介、隆介、悠11介
（りゅうのすけ、そうすけ、そうすけ、こうすけ、そうすけ、りょうすけ、りゅうのすけ、ゆうすけ）

4画 太 た

翔太、颯太、瑛太、優太、蒼太、悠太、健太、亮太、啓太、奏太、陽太
（しょうた、そうた、えいた、ゆうた、そうた、ゆうた、けんた、りょうた、けいた、そうた、ようた）

湊介、慎之介、創之介、竜之介、京介、健介、陽介、俊介、駿17介、瑛介
（そうすけ、しんのすけ、そうのすけ、りゅうのすけ、きょうすけ、けんすけ、ようすけ、しゅんすけ、しゅんすけ、えいすけ）

4画 斗 と

悠斗、陸斗、海斗、遥斗、陽斗、瑛斗、琉斗、蓮斗、駿斗、晴斗、健斗、拓斗、隼斗、龍斗、唯11斗
（ゆうと、りくと、かいと、はると、はると、えいと、るいと、れんと、しゅんと、はると、けんと、たくと、はやと、りゅうと、ゆいと）

康太、幹太、聡14太、慶15太、寛太
（こうた、かんた、そうた、けいた、かんた）

5画 生 き

悠生、陽生、響20生、樹生、泰生、煌生、瑞生、真生、篤生、晃生、遥生、晴生、智生、朋生、琉生、航生、優生、充生
（ゆうき、ひびき、たいき、いつき、まさき、みずき、はるき、あつき、こうき、はるき、はるき、ともき、ほうき、りゅうき、こうき、ゆうき、みつき）

結斗、快斗
（ゆいと、かいと）

音から選ぶ名づけ

5画 平 へい
- 航平 こうへい
- 康平 こうへい
- 晃平 こうへい
- 耕平 こうへい
- 恭平 きょうへい
- 修平 しゅうへい
- 翔平 しょうへい
- 遼平 りょうへい
- 陽平 ようへい
- 耀平 ようへい
- 周平 しゅうへい
- 昂平 こうへい
- 昊平 こうへい
- 柊平 しゅうへい

7画 希 き
- 優希 ゆうき
- 柚希 ゆずき
- 陽希 はるき
- 遥希 はるき
- 光希 こうき
- 晃希 こうき
- 祐希 ゆうき
- 一希 かずき
- 瑞希 みずき
- 晴希 はるき
- 煌希 こうき
- 琉希 りゅうき

7画 汰 た
- 颯汰 そうた
- 壮汰 そうた
- 奏汰 かなた
- 蒼汰 そうた
- 幸汰 こうた
- 悠汰 ゆうた
- 航汰 こうた
- 圭汰 けいた
- 優汰 ゆうた
- 光汰 こうた
- 健汰 けんた
- 昊汰 こうた
- 祐汰 ゆうた
- 聡汰 そうた

8画 弥 や
- 佑弥 ゆうや
- 優弥 ゆうや
- 祐弥 ゆうや
- 拓弥 たくや
- 隼弥 しゅんや
- 寛弥 ひろや
- 智弥 ともや
- 朔弥 さくや
- 桜弥 さくや
- 直弥 なおや
- 篤弥 あつや
- 京弥 きょうや
- 侑弥 ゆうや
- 史弥 ふみや

9画 哉 や
- 智哉 ともや
- 晴哉 はるや
- 陽哉 はるや
- 佑哉 ゆうや
- 友哉 ゆうや
- 直哉 なおや
- 翔哉 しょうや
- 優哉 ゆうや
- 咲哉 さくや
- 祐哉 ゆうや
- 秀哉 しゅうや
- 侑哉 ゆうや
- 和哉 かずや
- 壮哉 そうや

9画 郎 ろう
- 太郎 たろう
- 悠太郎 ゆうたろう
- 幸太郎 こうたろう
- 翔太郎 しょうたろう
- 倫太郎 りんたろう
- 遼太郎 りょうたろう
- 凛太郎 りんたろう
- 孝太郎 こうたろう
- 健太郎 けんたろう
- 虎太郎 こたろう
- 慎太郎 しんたろう
- 康太郎 こうたろう
- 航太郎 こうたろう
- 朔太郎 さくたろう

10画 真 ま
- 悠真 ゆうま
- 優真 ゆうま
- 颯真 そうま
- 蒼真 そうま
- 一真 かずま
- 和真 かずま
- 拓真 たくま
- 翔真 しょうま
- 斗真 とうま
- 佑真 ゆうま
- 壮真 そうま
- 陽真 はるま
- 楓真 ふうま
- 遥真 はるま

10画 朗 ろう
- 虎太朗 こたろう
- 孝太朗 こうたろう
- 航太朗 こうたろう
- 倫太朗 りんたろう
- 凛太朗 りんたろう
- 鼓太朗 こたろう

12画 貴 き
- 悠貴 ゆうき
- 大貴 だいき
- 優貴 ゆうき
- 晴貴 はるき
- 煌貴 こうき
- 雄貴 ゆうき
- 裕貴 はるき
- 陽貴 はるき
- 智貴 ともき
- 瑞貴 みずき
- 光貴 こうき
- 友貴 ともき
- 洸貴 こうき
- 元貴 げんき

（12画 朗）
- 健太朗 けんたろう
- 俊太朗 しゅんたろう
- 祐一朗 ゆういちろう
- 一朗 いちろう
- 蒼一朗 そういちろう
- 幸太朗 こうたろう
- 亮太朗 りょうたろう
- 朔太朗 さくたろう

13画 雅 が
- 大雅 たいが
- 悠雅 ゆうが
- 泰雅 たいが
- 涼雅 りょうが
- 凌雅 りょうが
- 太雅 たいが
- 優雅 ゆうが
- 彪雅 ひゅうが
- 桜雅 おうが
- 暁雅 あきが
- 琉雅 りゅうが
- 空雅 くうが
- 龍雅 りゅうが
- 凰雅 おうが

15画 輝 き
- 大輝 だいき
- 一輝 いつき
- 優輝 ゆうき
- 直輝 なおき
- 和輝 かずき
- 晴輝 はるき

16画 樹 き
- 佑樹 ゆうき
- 和樹 かずき
- 直樹 なおき
- 大樹 だいき
- 優樹 ゆうき
- 春樹 はるき
- 一樹 いつき
- 晴樹 はるき
- 悠樹 ゆうき
- 瑞樹 みずき
- 侑樹 ゆうき
- 祐樹 ゆうき
- 勇樹 ゆうき
- 篤樹 あつき

（15画 輝）
- 真輝 まさき
- 悠輝 ゆうき
- 光輝 こうき
- 航輝 こうき
- 勇輝 ゆうき
- 幸輝 こうき
- 夏輝 なつき
- 陽輝 はるき

気に入った名前に当てはめてみよう
万葉仮名風漢字一覧

懐かしさや優しさが感じられる万葉仮名。
好きな音や響きは決まったけれど、しっくりくる漢字が見つからないという人は
万葉仮名風の漢字を用いてみるのもオススメです。

あ	亜安阿娃		て	手天帝
い	衣依以伊維偉威五為委唯惟緯尉井猪葦椅		で	出
う	有右宇羽雨卯佑得鵜烏		と	十登都杜人斗途刀士利兎砥兜堵
え	恵絵英栄江枝重永瑛衛慧笑得		な	奈菜那名南納七梛
お	緒央生雄旺夫王於尾御応桜男		に	仁二弐児丹
か	香佳加花華夏歌果霞伽茄河可樺袈嘉科珈珂榎乎		ぬ	奴
が	賀芽雅峨我牙駕		ね	根音子子年峰嶺稲
き	紀希貴喜季基規岐生来起城樹幾己葵揮輝伎暉毅祈熙嬉槻軌機稀器黄磯気旗木幹箕麒徽畿		の	乃野之能濃農埜
			は	波羽葉巴八杷芭琶播
			ば	葉場馬芭
ぎ	義儀宜誼伎技祇		ひ	妃日比飛陽斐緋彼毘檜桧
く	久玖矩九来駆倶琥紅駈		び	美微眉備弥枇毘琵梶
ぐ	具倶		ふ	布夫芙扶婦富普二譜赴輔冨阜賦蒲
け	稀袈		ぶ	武舞部分歩撫葡蕪
げ	樺芸		へ	辺部戸
こ	子古湖鼓瑚已小胡戸児誇虎弧琥乎仔		べ	部倍辺
			ほ	穂帆歩保甫浦輔朋圃蒲葡
ご	五吾悟護伍梧呉瑚互午冴語檎醐		ぽ	慕戊牡
さ	左佐沙紗作早小嵯裟瑳三参些		ま	麻真万茉末摩磨満
ざ	座		み	美実未三深海見視巳弥御魅箕彌
し	史志司士思糸紫偲枝梓四詩詞誌視資姿仕至市旨始祉此孜仔祇獅柴柿		む	六夢霧武務牟無
			め	芽女銘
			も	百茂
じ	治二次児路司爾滋慈蒔持時寺侍而		や	矢哉也弥耶冶八夜野椰埜
す	寸寿須素朱州洲珠栖諏		ゆ	由裕有柚宥右夕優結祐佑悠愉遊唯
ず	寿図瑞逗		よ	代世予余夜与依四容蓉興
せ	勢世瀬畝施		ら	羅良楽螺
ぜ	是		り	里理利梨璃莉李吏浬俐哩裡
そ	素礎祖宗楚曽曾蘇		る	留瑠流琉
た	多太汰田他		れ	礼令列麗怜玲伶
だ	妥陀舵梛		ろ	呂露路蕗芦魯鷺櫓侶
ち	知智千稚茅治致地薙馳		わ	和輪琶吾
つ	津都鶴通			

第3章

画数から選ぶ名づけ

名づけの際に気になるのは漢字の画数。
この章では、画数の考え方から、画数による姓名判断の考え方、
姓に合った名前や吉画数のリストなどを紹介しています。
画数を重視したい人はここからスタート！

画数から選ぶ名づけについて

画数から考える名づけの方法として、まず基本的な五格という考え方を紹介しています。
ただ、画数の出し方にはいろいろな流派があるため、これと決めたら他に惑わされずに。

画数にこだわる名づけの注意

画数にこだわる名づけの第一段階は、姓名を構成するそれぞれの漢字の画数を出すことです。ただ、画数の考え方は、流派や流儀、辞書によって違いますから、どの流派・流儀でも吉運になるように名づけるのは不可能に近いでしょう。混乱を避けるためにも、いろいろな本を見るより、1つに絞っておくことをおすすめします。

また名前に使える漢字には制限があり、常用漢字、人名用漢字だけしか用いることができません。これ以外の漢字を表外漢字といいますが、姓には制限がありませんので、表外漢字が使われていることもあります。名前に使える漢字の画数は巻末（471〜480ページ）に掲載しています。

漢字の画数はこう数える

漢字の画数を数える場合は、名については公認された文字（常用漢字・人名用漢字）の見たままの字体の画数で数える。これが基本です。また、姓の画数に関しては、日ごろ書き、使用している字体で画数を数えましょう。

姓名の総画数は20〜30画台が一般的。20画未満だと、あっさりした感じになり、41画以上だと、見た目が黒々として重い感じになります。

（画数から選ぶ名づけのコツ）

1 姓に合う名前の画数を知る
あなたの姓と相性のよい名前の画数の組み合わせを調べます。
（241〜277ページ）

2 名前の具体例を探す
①で見つけた画数の組み合わせから名前を探します。
（279〜326ページ）

3 画数に合う漢字を探す
②でベストな名前が見つからなかったら1文字ずつの画数から漢字を探すことができます。
（327〜422ページ）

五格

五格とは、姓名の文字の画数を5つの部位ごとにまとめて出し、その数によって姓名判断をしていく考え方です

五格の基本

五格は、下記のように計算して出し、その画数によって運命を占っていきます。五格がそれぞれ何を表しているのかの内容も紹介していきましょう。

栗原結衣

- 外格 16 （20＋18－22）
- 天格 10
- 人格 22 10＋12
- 地格 18 12＋6
- 総格 38 （10＋10＋12＋6）

外格
（10＋10）＋（12＋6）－（10＋12）＝16

天格と地格の合計から人格を引いた数。人格を助けて補うとともに、異性運や結婚運、子ども運などの対外関係に作用。

※外格が0の場合は人格を外格と考えてください。

天格
10＋10＝20

姓に当たる部分で、先祖から伝えられた天運を表すものですが、吉数、凶数にかかわらず、直接作用することはありません。

人格
10＋12＝22

姓の末字と名の頭字を合計した画数。性格、才能、個性などを表し、20代〜40代の青壮年期の運命を支配する重要な部分。

地格
12＋6＝18

名に当たる部分です。パーソナリティーやその人の基本的な部分を表し、主に出生から中年に至るまでの運命を支配します。

総格
10＋10＋12＋6＝38

姓と名の総画数です。その人の全体運や生涯運を表していますが、主に中年以降の社会運に強い影響を持っています。

画数から選ぶ名づけ

本によって書いてあることが違うのはどうして？

画数の数え方や運勢の見方にはいくつかの流派があるからです。たとえば、「くさかんむり」1つをとっても6画、4画、3画と数え方が違いますし、「五格」を「五運」という呼び方で表している場合もあります。このように、画数の数え方が違ってくると、同じ名前でも運勢が異なってくることがあるのです。

なので、どの流派でもいい画数の名前にしたいと思うのは無理なこと。割り切って、1つの流派に決め、それを信じて名前を考えてみるのがおすすめです。

総格と仮成数について

たとえば1字姓の人が1字名をつければそのまま五格を数えられますが、2字名をつける場合は、バランスをとるためにその文字数の「差」に当たる数、1字姓2字名なら2−1＝1を仮成数（姓と名の文字数が異なる場合、その文字数の差にあたる数）として天格に加えて計算します。右記は代表的な9パターンです。

ただし、総格には仮成数を入れないで計算します。

五格の考え方とこだわり方

候補名の五格の画数がわかったら、それぞれの運勢を226ページからの「名づけ吉数表」でチェックしてみましょう。

ただ、五格すべてが◎になる名前を考えるのは難しいものです。そこで、20代〜40代の青壮年期の運勢を重視するなら人格・総格を、将来結婚して姓が変わる可能性を考えるなら地格を重視して、これらが吉数になる名前を考えてあげるのがいいでしょう。

1字姓3字名

② 堤 未那美

天格 14　人格 17　地格 21
外格 18　総格 33（12＋5＋7＋9）

2字姓3字名

① 市村 明日菜

1　5　7　8　4　11
天格 13　人格 15　地格 23
外格 21　総格 35（5＋7＋8＋4＋11）

3字姓3字名

佐々木 希代香

7　3　4　7　5　9
天格 14　人格 11　地格 21
外格 24　総格 35（7＋3＋4＋7＋5＋9）

画数から選ぶ名づけ

陰陽五行

> 画数から選ぶ名づけ

五格のうちの天格、人格、地格を木火土金水に当てはめ、その調和で判断するのが陰陽五行です

陰陽五行説の考え方

陰陽五行説とは、宇宙に存在するすべてのものは、木・火・土・金・水の5つの元素でできているという考え方で、姓名も、この五行の支配を受けているとされているのです。

姓名判断の五行とは、五格のなかの天格、人格、地格を木・火・土・金・水に当てはめ、それらの配置が調和しているかどうかで吉凶をみるものです。陰陽五行が表すものは、左ページ下表の5つに分類されます。

姓名を支配する五行の見方

五行は姓名を構成する五格のうちの天格、人格、地格のそれぞれの画数の下1桁の数字を木・火・土・金・水に当てはめていきます。数字が1・2であれば木性、3・4なら火性となります（左ページ下表参照）。数字が2桁の場合も下1桁の数字だけを見ていくので、11、21、31は1として木性となります。

具体的に「栗原結衣」の場合で見てみましょう。天格は20の水性、人格は22の木性、地格は18の金性ですから、この場合は水性、木性、金性の支配を受けていることになります。

五行の調和と不調和

ここで導いた木・火・土・金・水の配列によって運勢の調和がとれているか、いないか（不調和）を判断していきます（222ページを参照）。

木火土金水のそれぞれの性質から、木→火→土→金→水→木と隣り合うものは調和のとれた関係で吉運ですが、木→土→水→火→金→木という配列は不調和な関係になり、凶運を招くおそれがあります。

組み合わせの吉凶は223ページを参考にしてください。

陰陽五行をうまく活用しましょう

名前を考える最初の段階から「陰陽五行のよい名前を……」と考えていてはなかなか決められません。

名前の候補が挙がったものの、同じように画数がよかったり、響きが気に入ったりして、名前を絞れないときの決め手に陰陽五行を活用しましょう。

画数から選ぶ名づけ

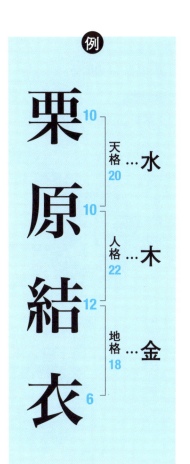

例

栗原結衣

- 栗 10
- 原 10　天格 20 …水
- 結 12　人格 22 …木
- 衣 6　地格 18 …金

どっちもいい〜
決められなーい！
じゃあ陰陽五行スル？
候補2　候補1

◀五行	木性	火性	土性	金性	水性
◀支配を受けるもの	樹木、木製品など、木でつくられたすべてのもの。東の方角。春。青。肝臓。	大きなものから小さなものまですべての火。南の方角。夏。赤。心臓。	大地のほか土器、壁など、土でつくられたすべてのもの。中央。土用。黄。胃。	すべての金属と、金属でつくられたすべてのもの。西の方角。秋。白。肺臓。	大洋、大河から飲料水、水滴まですべての水。北の方角。冬。黒。
◀数字	1・2	3・4	5・6	7・8	9・0

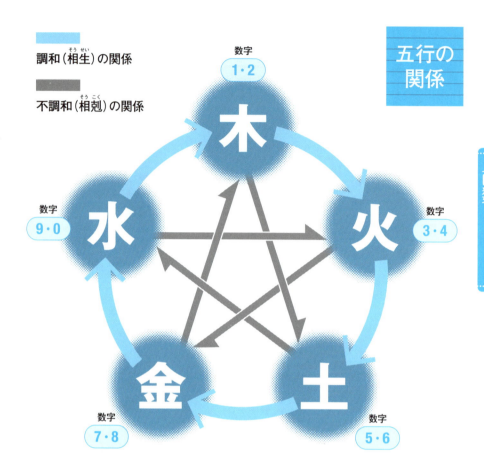

調和（相生）の関係

木と木をこすると火が生じ、火が燃え尽きると灰になり、やがて土になります。大地のなかから金が生じるように、すべての鉱物は大地から生まれます。金属は水を引きつけ、水により木は成長します。このように木→火→土→金→水→木と隣り合う同士は互いを生かし合っていく、調和のとれた関係だといえるのです。

不調和（相剋）の関係

木は土の栄養を奪い取って荒らします。このように、木→土→水→火→金→木という配列は、勢いを弱めたり、傷つけたりする不調和な関係といえます。

五行にこだわりすぎないで

五行を深く考え始めると、なかなかいい名前が浮かばないということにもなりかねません。あまりこだわりすぎず、参考ぐらいにとどめておきましょう。

三才吉凶表

この表は天、人、地3つの格を組み合わせた五行のバランスを吉凶で表しました。
◎は大吉、○は中吉、△は凶を表します。

配合	吉凶	配合	吉凶	配合	吉凶	配合	吉凶	配合	吉凶
水木木	◎	金木木	△	土木木	○	火木木	◎	木木木	◎
水木火	○	金木火	△	土木火	○	火木火	◎	木木火	◎
水木土	◎	金木土	○	土木土	△	火木土	◎	木木土	◎
水木金	△	金木金	△	土木金	△	火木金	△	木木金	△
水木水	△	金木水	△	土木水	△	火木水	△	木木水	△
水火木	△	金火木	△	土火木	◎	火火木	◎	木火木	◎
水火火	△	金火火	△	土火火	○	火火火	◎	木火火	◎
水火土	△	金火土	△	土火土	◎	火火土	◎	木火土	◎
水火金	△	金火金	△	土火金	△	火火金	△	木火金	△
水火水	△	金火水	△	土火水	△	火火水	△	木火水	△
水土木	△	金土木	△	土土木	△	火土木	△	木土木	△
水土火	△	金土火	○	土土火	◎	火土火	◎	木土火	○
水土土	△	金土土	◎	土土土	△	火土土	◎	木土土	△
水土金	○	金土金	◎	土土金	◎	火土金	◎	木土金	△
水土水	△	金土水	△	土土水	△	火土水	△	木土水	△
水金木	△	金金木	△	土金木	△	火金木	△	木金木	△
水金火	△	金金火	△	土金火	△	火金火	△	木金火	△
水金土	◎	金金土	◎	土金土	◎	火金土	△	木金土	○
水金金	△	金金金	△	土金金	◎	火金金	△	木金金	△
水金水	△	金金水	△	土金水	△	火金水	△	木金水	△
水水木	△	金水木	△	土水木	△	火水木	△	木水木	◎
水水火	△	金水火	△	土水火	△	火水火	△	木水火	△
水水土	△	金水土	△	土水土	△	火水土	△	木水土	△
水水金	△	金水金	◎	土水金	△	火水金	△	木水金	△
水水水	△	金水水	△	土水水	△	火水水	△	木水水	○

ひらがな&カタカナの画数一覧表

ひらがなやカタカナを使った名前は、やわらかいイメージなので、女の子の名前として根強い人気。「゛（濁音）」は2画、「゜（半濁音）」は1画で数えます。

	わ 3	ら 3	や 3	ま 4	は 4	な 5	た 4	さ 3	か 3	あ 3
	ゐ 3	り 2		み 3	ひ 2	に 3	ち 3	し 1	き 4	い 2
	ゑ 5	る 3	ゆ 3	む 4	ふ 4	ぬ 4	つ 1	す 3	く 1	う 2
	を 4	れ 3		め 2	へ 1	ね 4	て 2	せ 3	け 3	え 3
	ん 2	ろ 2	よ 3	も 3	ほ 5	の 1	と 2	そ 3	こ 2	お 4
ー 1	ワ 2	ラ 2	ヤ 2	マ 2	ハ 2	ナ 2	タ 3	サ 3	カ 2	ア 2
ゝ 1	ヰ 4	リ 2		ミ 3	ヒ 2	ニ 2	チ 3	シ 3	キ 3	イ 2
ゞ 3	ヱ 3	ル 2	ユ 2	ム 2	フ 1	ヌ 2	ツ 3	ス 2	ク 2	ウ 3
々 3	ヲ 3	レ 1		メ 2	ヘ 1	ネ 4	テ 3	セ 2	ケ 3	エ 3
	ン 2	ロ 3	ヨ 3	モ 3	ホ 4	ノ 1	ト 2	ソ 2	コ 2	オ 3

※ゐ、ゑ、ヰ、ヱは旧かなですが人名に使えます。

間違えやすい 漢字リスト

漢字にはちょっとした違いで意味や画数が変わってくるものが多くあります。
記入するときにしっかり確認しましょう。
下記に間違えやすい漢字をいくつか挙げておきます。

宜	宣	昴	昂	巳	己	臣	巨
のり・のぶ・よし／カツ	のり・よし／セン	すばる／ボウ	あきら・たか／コウ	み	おのれ／キ・コ	おみ／ジン	なお・まさ／キョ
8	9	9	8	3	3	7	5

慧	彗	治	冶	享	亨	玲	怜	伶
さとる／ケイ	あきら／スイ	おさむ／ジ・チ	や	キョウ	とおる／コウ	あきら／レイ	さとし／レイ	レイ
15	11	8	7	8	7	9	8	7

崚	峻	朗	郎	亘	旦
リョウ	シュン	あきら／ロウ	ロウ	わたる／コウ	のぼる／タン／あした
11	10	10	9	6	5

綾	稜	祐	佑	秦	泰
あや／リョウ	いず・たか／リョウ	すけ・まさ・よし／ユウ	すけ／ユウ	はた／シン	やすし・やす／タイ
14	13	9	7	10	10

名づけ吉数表

五格のうち人格、地格、外格、総格の画数がどのような運勢なのかをチェックしてみましょう。ただし、すべてが大吉になるパーフェクトの名前はそれほどあるものではありません。この吉数表でそれぞれの画数を出したら、あまり、こだわりすぎないようにしましょう。

1 出世／指導力／行動力 ◎

地格●好奇心旺盛で活発、何事も自分でやってみます。周囲から慕われ、人気者になるでしょう。

2 災難／別離／孤独 △

人格●消極的で、優柔不断な性格です。いざというときに決断ができず、思うように事が進みません。

地格●飽きっぽいでしょう。すぐに手を差し伸べず、自立心を育てましょう。

外格●対人関係に不満をいだきやすく、長続きしない傾向があります。自分から打ち解ける努力が必要です。

総格●物事に対するこだわりがしだいに強くなります。身内や親しい人との別離があるかもしれません。

3 才能／行動的／信頼 ◎

表の見方

数字はそれぞれの格の画数を表し、◎は大吉、○は中吉、△は凶を表しています。この吉数表では、1〜81画を紹介しています。82画以上になった場合、82画は2画のところを、83画は3画のところを見てください。天格は姓にあたるので、直接作用することはありません。

人格●頭の回転が速く、明るく行動的な性格。人間関係にも恵まれ、チャンスをつかみます。

地格●家庭環境に恵まれ、豊かな幼〜青年期でしょう。せっかちなので物事にじっくり取り組みましょう。

外格●他人に穏やかに接し、良好な人間関係が築けます。周囲からも信頼され、何事もスムーズに。

総格●物質的にも精神的にも安定を得ます。健康や人間関係にも恵まれ、楽しい後半生になるでしょう。

※例えば人格=22画だったら「22」の人格の運勢を、地格=18画だったら「18」の地格の運勢を、外格=16画だったら「16」の外格の運勢を、総格=38画だったら「38」の総格の運勢をチェックします。巻頭とじ込み「たまひよ名づけ博士」を使えば簡単に確認できます。

 **強い意志 / 独立心 / 自尊心** ◎

人格●さっぱりした気性の持ち主。意志が強く、どんな困難も決断力と行動力で乗り切ります。

地格●興味を持つと熱心に取り組みます。独立心旺盛なので親が手を出さず、1人でやらせましょう。

外格●協調精神に乏しいところが。周囲の人の意見に耳を傾けることで、対人関係も円滑になります。

総格●他人の意見を聞く柔軟さを持てば安泰を得られます。権威や名声にも恵まれるでしょう。

 **4 / 不満 / 不遇 / 情緒不安定** △

人格●高い理想を持ち、努力もするのですが、成果が上がりません。ストレスもたまりがちです。

地格●物事を途中で投げ出してしまいがち。うまくできたらほめてあげて、忍耐力を養いましょう。

外格●人づき合いがへたで、誠意が誤解されたりしがち。根気よく接することが大切です。

総格●周囲の人たちとの調和が難しくなってきます。気力も衰え、子どもに見放されたりしがち。

 **勤勉 / 努力 / 成功** ◎

人格●確固たる信念の持ち主で、目的に向かって努力します。チャンスをつかむのも上手。

地格●強情なところはありますが、我慢強く物事に取り組みます。納得するまでやらせてみて。

外格●人の意見に耳を貸さないところが。柔軟さを忘れなければ、友人知人に恵まれます。

総格●頑固にならなければ周囲から慕われます。今までの経験が後半生でプラスに働きます。

 **健康 / 財産 / 繁栄** ◎

人格●抜群の行動力と温厚な性格で、周囲の信用を得て順調に発展。健康にも恵まれます。

地格●目上とも目下ともうまく接していきます。子育てにはあまり手がかからないでしょう。

外格●温厚な性格で、つかず離れずの接し方を心得ているため、対人関係は順調です。

総格●家庭を大事にするタイプで、家庭は憩いの場になります。夫婦仲は円満で、人々からも慕われます。

 **薄幸 / 消極的 / 孤立** △

人格●頭がよく才能もあるのですが、消極的で気分屋なために、世の中に認められにくい傾向が。

地格●すぐれた感受性を持っているのですが、精神的には弱い面も。しかると反抗的な態度になります。

外格●ささいなことにこだわったりしがち。他人の成功を祝福することも大事です。

総格●家族や親しい人たちとの不和や別離を経験するかも。健康面でも十分に注意が必要。

 **信頼 / 誠実 / 努力** ◎

人格●面倒見がよく、親切。周囲から信頼されて、名誉と財産を手にすることができるでしょう。

地格●家庭環境に恵まれます。若いうちから、なんらかの分野で頭角を現すようになりそう。

外格●面倒見がよくだれにでも親切で、人間関係も仕事も順調。引き立ても期待できそう。

総格●努力が報われ、大きく花開いてきます。経済的にも恵まれ、家庭も円満で、平穏な晩年です。

13 ◎
円満 / 名声 / 人気

人格●状況の変化を読み取るのが上手。感性が豊かで、芸術、学術、芸能などで才能を発揮。

地格●物事の理解が速く、子どものころから才能を発揮します。得意分野を見つけてあげて。

外格●友人に恵まれますが、人間関係そのものはあっさり。思わぬ飛躍のチャンスをつかみます。

総格●高い能力の持ち主ですが、気の迷いも多いので、目標を絞れば成果が期待できます。

10 △
多難 / 大凶 / 空虚

人格●何事も悪意に解釈するので、人が離れていきます。物事を成し遂げることが難しいでしょう。

地格●子どものころは虚弱体質です。気分が変わりやすく、時に大胆な行動に出ることも。

外格●つき合う相手を慎重に選ばないと、利用されることもあり。自分の言葉には責任を持つこと。

総格●気力が衰え、怠惰な生活を送ったりしがちです。健康に問題が生じるおそれも。

14 △
孤立 / トラブル / 不遇

人格●几帳面で義理堅いのですが、自我が強いため、人間関係のトラブルが多くなります。

地格●周囲と打ち解けようとしません。物事がうまくいかないと、すねたり、いじけたりします。

外格●逆境に遭うとたちまち人が離れていきます。相手の立場になって考えることです。

総格●家族や周囲を犠牲にしてきたツケが回ってきそう。性格的にもひがみっぽくなりがちです。

11 ◎
幸運 / 富 / 地位

人格●強い意志を持ち、着実に発展して富と名声を得ます。傾きかかった物事を立て直す才能も。

地格●家庭環境に恵まれ、健康的な幼〜青年期に。向上心が旺盛なので、なんでもやらせてあげて。

外格●人間関係を大事にするので、多くの友人知人に恵まれます。援助も期待できます。

総格●晩年に趣味の充実や、今までできなかったことなどに挑戦すると充実した人生が送れるでしょう。

15 ◎
人徳 / 出世 / 順調

人格●穏やかな性格で人の和を大切にするため、自然と発展していきます。経済観念もしっかりしています。

地格●場を盛り上げるのがうまく、人気者的存在。友だちが多く、先生にもかわいがられるはずです。

外格●和を大切にし、人間関係はスムーズ。上手に相手を立てるので、信用を得るでしょう。

総格●思いやりがあるため、人望を得ることができます。成功してもねたまれません。

12 △
意志薄弱 / 失敗 / 病弱

人格●自分の能力以上に背伸びをする傾向が。意志が弱く、何をやっても中途で挫折しがちです。

地格●我慢をしすぎたり、あきらめが悪かったりします。体力的に無理はききません。

外格●誘惑に弱く、異性関係では要注意。安請け合いしやすく、トラブルを招くこともありそう。

総格●能力をわきまえず、実力以上のことに手を出したがります。失敗すると回復は難しいでしょう。

画数から選ぶ名づけ

19 苦労 挫折 障害

人格●人生に浮き沈みが多いでしょう。うまくいっているように見えても、内実は苦労ばかり。

地格●うまくいかないとすぐに気力をなくしてしまいます。ストレスが体調に影響することもあり。

外格●何事も損得だけで考えるため、挫折したときに助けてくれる人がいません。

総格●障害が多く安らげません。大それたことをねらわず、趣味や家庭生活の充実をはかってあげて。

16 人望 逆転成功 大成

人格●面倒見がよく、実力もあるため、リーダーに推し上げられるでしょう。運勢も安定しています。

地格●おっとりしていますが、行動力があるので、自然とみんなから頼りにされるでしょう。

外格●人の心をつかむのが上手なうえに人望があります。リーダーとして活躍するでしょう。

総格●家庭も円満で、安定した後半生です。人望が厚く、実力もあり、リーダーとして活躍します。

20 社交下手 薄幸 別離

人格●意欲はあるのですが、優柔不断で、自分から悩みをつくり出してしまうところがあります。

地格●頭はいいのに行動力が不足。物事がうまくいかないと、自分の不運や他人のせいにしがちです。

外格●協調性に欠けるため、対人関係で孤立するかも。簡単に人を信じて損をすることも。

総格●働き者ですが、から回りが多く、実を結びません。人生を楽しむ心の余裕を持ちましょう。

17 積極性 地位 財産

人格●意志が強く、積極的で行動力があります。チャレンジ精神に富み、初志を貫徹します。

地格●行動力があり、体も丈夫ですが、自分の思いどおりにしないと気がすまないところもあります。

外格●指導力があり、対人関係においてもリーダー的存在に。謙虚さを心がけることが大切。

総格●強い意志と行動力で、希望を達成します。周囲の意見にはもう少し耳を貸すこと。

18 信頼性 忍耐 成功

人格●アイデアによって成功をつかみ取ります。精神的にもタフですが、強情な一面も。

地格●独立心があり、何事もまず自分でやろうとします。健康にも恵まれ、あまり手がかかりません。

外格●誠実なので、自己主張を抑え、相手のよさを認めれば、円滑な人間関係を保てるでしょう。

総格●非常に強い意志を持っていますが、他人にも厳しすぎます。周囲に気を配れば大成功します。

24 柔軟性／順調／家庭運 ◎

人格●才能があるうえに、性格もまじめで優しいので、人から慕われ、順調に発展します。

地格●素直で賢く、手がかからない。多くの友人に恵まれ、異性にも人気があります。

外格●温和で才能に恵まれているため、人望を得ることができます。周囲の助力も大きい。

総格●自分のペースで成果を積み重ねていきます。人望があるので、成功してもねたまれません。

21 独立／統率力／名誉

人格●頭脳明晰で、困難を切り開く強い精神力を持ち、目標に向かって着実に努力を重ねます。

地格●運動神経抜群で体力にも恵まれています。意志の強さと行動力を備え、困難を克服します。

外格●強い意志と実行力があるため、リーダー的立場につくことに。周囲からも信頼を集めます。

総格●若いころの苦労が糧になって、大きく発展します。名誉と地位を手にするでしょう。

25 個性／才能／強運

人格●個性が強く、他人に合わせることは苦手。困難な状況に遭うと闘志を燃やすでしょう。

地格●勉強はできますが、周囲に自分を合わせることはしません。協調精神を養ってあげて。

外格●高い能力を持っていますが、頑固なところがあり、それが摩擦を生む原因になることも。

総格●競り勝って成功する暗示ですが、周囲とのトラブルを招くこともあります。謙虚さを忘れずに。

22 努力不足／衰退／無気力

人格●意志が弱く、才能はあるのに器用貧乏になりやすく、不平不満が多くなります。

地格●ささいなことを気に病んだり、人の顔色をうかがったりします。安心感を与えてあげて。

外格●他人の言動に左右されることが多いでしょう。共同して行うことは避けたほうが無難です。

総格●一つのことを追究するだけの気力に欠けています。あれこれ手を出さず、的を絞ることです。

23 成功／名誉／創造力 ◎

人格●創造力、企画力にすぐれ、日の出の勢いで発展します。明るい人柄で人の上位に立ちます。

地格●元気がよすぎて暴走することもありそう。持久力は不足ぎみで、我慢することは苦手です。

外格●自信過剰ぎみですが、頼もしさを慕って人が集まってきます。行動力があり、やり手。

総格●自分の地位を確実に築きます。いつまでも第一線で活躍でき、晩年は豊かで実り多いでしょう。

29 厳格／才能／完全主義 ○

人格●知的でアイデアに富み、意欲もあるので成功します。他人に批判的なところは注意。

地格●周囲と仲よくしていくことを考えれば、友人にも恵まれます。しかし、うぬぼれは大敵です。

外格●すぐれた知性の持ち主です。物事に完全を求めず、相手の長所を認めれば運が向いてきます。

総格●他人をあまり批判しすぎると援助者を失います。寛容になれば運が開けるでしょう。

26 波乱万丈／衝突／不安定 △

人格●自分の能力を過信するため、波乱の多い人生。一時的に成功しても長続きしません。

地格●体力がある分、無理をしがちです。まわりを見下したり、衝突を起こしがちな点には注意が必要です。

外格●傲慢な言動をとりやすく、それが人間関係にも波風を立てます。柔軟さも必要です。

総格●波乱傾向です。傲慢になったり、周囲と衝突したりで人が離れていくかもしれません。

30 苦境／浮沈／悲運 △

人格●なかなかの野心家で金銭に強い執着があります。地道さを嫌い、勝負に出るため、安定性を欠きます。

地格●他人の言動に左右されがちです。自分で物を考え、行動する習慣を身につけましょう。

外格●他人の言葉に左右されて、損をすることが。もっと自分の意思をしっかり持つことが大切。

総格●一攫千金をねらう傾向があります。そのため、中年期以降も人生が不安定でしょう。

27 摩擦／孤立／頭脳明晰

人格●自己主張が強いので、周囲との和を保つように気をつければ、成功も夢ではありません。

地格●才能があるうえに、強い意志を持っています。周囲と協調していけば、物事が好転します。

外格●才能と意志の強さを備えています。自己顕示欲を抑え、他人との調和を心がけて。

総格●他人を信頼しきれないので運勢的に伸びきれません。人間関係にも円滑さを欠きます。

31 判断力／社交性／円満 ◎

人格●誠実な人柄のため人望に恵まれます。判断力もすぐれ、指導力を発揮して成功します。

地格●何にでも興味を示します。明るく健康的な家庭に育ち、温厚なため友人も多いでしょう。

外格●欲得抜きで他人に尽くします。周囲からも信頼されて、成功の糸口をつかみます。

総格●誠実で人情味があり、他人から信頼されるでしょう。晩年には地位と名声を手にするでしょう。

28 翻弄（ほんろう）／誤解／不和 △

人格●偏った考えをしやすく、自己表現もへたで誤解をされがちです。言動に気を配ることが必要。

地格●わざと人の言うことに逆らうようなところが。体力がないので無理はききません。

外格●わがままで強情。対人関係でしばしば誤解されます。能力も正しく評価されにくい傾向が。

総格●手を広げすぎるため、すべて中途半端になってしまいがちです。目標を絞って力を集中して。

35 温厚／人望／安定 ◎

人格●温和な性格で、知的にすぐれています。芸術や文学、技術、学問などの分野で成功。

外格●裏表がなく義理堅いので、周囲の信用を得られます。人間関係に恵まれて発展します。

地格●平穏な家庭環境に恵まれ、人間関係も円満。聡明ですが、積極性には乏しいようです。

総格●精神的にも安定して、充実した後半生を送ります。面倒見がよく、周囲から慕われます。

32 独創性／金運／成功

人格●独創性があり、わが道を行くタイプ。チャンスや幸運を生かして成功するでしょう。

外格●駆け引きがうまく、思わぬチャンスを物にします。目上運は良好で、援助を得て運が開けます。

地格●自分の価値観にこだわるところがありますが、温和な性格のため、友人も多いでしょう。

総格●周囲に迎合せず、自分の道を追究します。不思議に運が強く、いつの間にか希望を実現します。

36 苦労／波乱／面倒見がいい ○

人格●自分を犠牲にしても他人に尽くします。面倒事に巻き込まれないように注意。

外格●面倒見はいいのですが、見守る心づかいも必要。グループよりも独力のほうが力を発揮。

地格●年下の面倒をよく見ますが、自分のことがおろそかになりがち。まずは自分を第一に。

総格●損とわかっていてもひと肌脱がなければ気がすみません。相手を見守るだけの余裕も必要。

33 開運／勇気／成功

人格●強い精神力と豊かな才能を備え、若いうちから頭角を現します。ただし慢心しないように。

外格●行動力はありますが、独断的な面も。リーダーの適性はあるので、周囲にも気配りを。

地格●才能を伸ばしていける家庭環境。若いうちからなんらかの分野で頭角を現すでしょう。

総格●全力で仕事に取り組むため、地位、財産を手に。その分、家庭生活がおろそかになりがちです。

37 現実的／才能／努力 ◎

人格●有能で人柄も誠実なため、周囲から慕われるように。努力を重ね目標を達成します。

外格●責任感が強く、人から信頼されます。周囲の協力や引き立てを受けて仕事も順調に発展します。

地格●熱中するとわき目も振らずに取り組みます。家庭ではワンマンですが、友人の間では人気者です。

総格●いつまでもチャレンジ精神を失わず、堅実に努力を重ねます。後半生は実りあるものになるでしょう。

34 繊細／災難／挫折 △

人格●あと一歩のところで障害に見舞われたり、一生懸命やったことが裏目に出たりします。

外格●失敗を他人のせいにしたり、他人をねたんだりするので、人望が得られません。

地格●体質的にも精神的にもデリケートです。物事がなかなかスムーズに運びません。

総格●人間関係でのもめ事が多いでしょう。肉親や親しい人との別離を経験するかもしれません。

41 ◎
温和／安定／実り

人格●温厚誠実な人柄です。リーダーとしても尊敬され、堅実な努力を重ねて成功します。

地格●平穏な家庭環境に恵まれ、心身ともに健全に育ちます。何をやっても上手にこなします。

外格●健全なものの考え方をするため、目上からも目下からも慕われます。人脈も豊かになるでしょう。

総格●賢明で判断力にもすぐれています。また、人望もあるので、人の協力を得ることができます。

38 ◎
才能／挫折／意志薄弱

人格●豊かな才能を持ち、芸術方面に秀でます。成功するには意志の弱さを克服する必要があります。

地格●ストレスに弱いようです。落ち着いて物事に取り組めるように環境を整えてあげて。

外格●器用で、対人関係もそつなくこなします。交際範囲はあまり広げず自分に有益な人脈を育てて。

総格●あれこれ手を出しがちですが、成果を得にくいでしょう。得意分野を確立することです。

42 ○
器用貧乏／未完成／頭脳明晰

人格●頭脳明晰。物事を最後まで完成させる意志力を養うことが、成功のカギです。

地格●才能はあるので、飽きっぽさやあきらめの早さを克服し、目標を絞りましょう。

外格●常識家で世渡りもそこそこ上手ですが、本当の信頼を得るには、ルーズな点を改めて。

総格●分析力があり、高度な知識があるので、粘り強く物事に取り組む力を養うことが大切です。

39 ◎
生命力／大物／成功

人格●雑草のようにたくましい生命力の持ち主。困難を糧にして大きく成長、発展します。

地格●自分のペースややり方にこだわり、負けず嫌いです。指導力があり、リーダー的存在になります。

外格●社交家ですが、距離を保ったつき合い方をします。人間関係の変化で好機をつかみます。

総格●気持ちが若く、常に新しいものを吸収しようと意欲的です。波乱を乗り越え、成功を収めます。

43 △
浪費／非現実的／迷い

人格●経済観念に乏しく、見栄っ張りで浪費家。優柔不断なため、チャンスを逃しやすいでしょう。

地格●気持ちが優しい半面、依頼心が強く優柔不断です。非現実的なことばかり考えがち。

外格●交際で見栄を張る傾向があります。また親しくなると相手に依存しがちです。

総格●経済観念に乏しく、浪費が多いでしょう。人生を自分で切り開くだけの気力も不足しがちです。

40 △
自信過剰／異性トラブル／投機的

人格●頭がよく、度胸も十分。しかし、自信家で敵が多く、いざというときに助けがないということも。

地格●他人を自分の思いどおりにしようとします。怒りっぽいために、交友関係が不調和。

外格●自信過剰で、敵をつくりやすいでしょう。また、異性関係で問題を起こしがちです。

総格●一発をねらっていくため、浮き沈みが極端です。人生に常にリスクがつきまとうでしょう。

47 結実 円満 発展

人格●有能で忍耐強いために、努力が実を結びます。協力者や援助者にも恵まれるでしょう。

地格●家族や友人に恵まれ、健全な幼少年期を。性格が謙虚なため、常に周囲の助けがあります。

外格●協力者や援助者に恵まれ、発展の糸口をつかみます。元気で周囲の人を明るくします。

総格●健康で有意義な後半生を送ることができます。後継者や協力者に恵まれ、家庭生活も平穏。

44 自滅 波乱 辛苦

人格●才能はあるのですが、企画倒れに終わったり、アイデアが実を結びません。

地格●計画的に行動することが苦手。精神面での弱さも目立つので、我慢することを覚えさせましょう。

外格●相手に見返りを期待し、かなえられないと失望します。大言壮語する傾向もあります。

総格●直感に頼って行動するため、運勢は波乱含み。能力はあるので、落ち着いて取り組むことです。

48 人望 尊敬 社交的

人格●円満な常識家で、責任感があります。リーダーよりは、補佐的立場で才能を発揮。

地格●なかなかの社交上手です。高い能力がありますが、華やかな場に出ることは苦手。

外格●有能なうえに人柄も誠実で、多くの人から助力を得ることが可能です。人気運も備えています。

総格●有能で謙虚なので、信頼を集めます。危なげなく、安定した後半生が過ごせるでしょう。

45 不言実行 達成 克服

人格●温厚な性格ですが、強い精神力も持っています。困難を乗り越え、不言実行で目標を達成します。

地格●友だちが多数。幼少年期の経験が社会生活でも生きてきます。長じても探究心旺盛。

外格●社交的で和を保ち、人間的な魅力も。困難に遭っても周囲の助力が期待できます。

総格●ふだんは温厚ですが、いざというときにはパワーを発揮します。家庭も円満で後半生は豊か。

49 明暗 不安定 不和

人格●実力を省みず無謀なチャレンジをするでしょう。そのため、人生が不安定です。

地格●外面はよいのですが、家庭ではわがまま。甘やかさず、我慢することを教えましょう。

外格●人の好き嫌いが極端で、対人関係での衝突も頻繁。感情的になりやすいので、注意が必要です。

総格●繁栄と衰退が極端な運勢なので、無謀な試みに出ると、得たものを失いかねません。

46 急転 明暗 苦労

人格●なぜかチャンスに恵まれません。あと一歩というところで、突然の障害や災難に遭います。

地格●勉強や苦しいことから逃避しようとします。うまくいきだすと、すぐに図に乗るところも。

外格●遊び友だち以外の苦楽をともにする友人ができません。友人から悪い影響を受けるかもしれません。

総格●物事にのめり込みすぎる傾向があります。波乱含みの運勢なので、安定をめざすこと。

52 企画力 / 独創性 / 財運 ◎

人格●先見性と度胸があり、チャンスをつかんで大きく飛躍します。企画力があり、独創性も優秀。

地格●頭の回転が速く、人の気持ちを読むのが上手です。若いうちから人生の目標が定まります。

外格●人を見る目があり、人間関係は平穏。益にならない相手とは交際を持ちません。

総格●企画力やアイデアにすぐれているので、勢いに乗れば大財を得ることができます。

53 虚栄心 / 見栄 / 散財 ○

人格●虚勢や見栄を張らず、堅実さを心がければ、運勢が安定します。自分にふさわしい人生設計を。

地格●実際以上に評価される傾向があります。パフォーマンスに加えて実力が伴えば申し分ありません。

外格●必要以上に背伸びをしても、いつかはボロが出ます。自然体で交際するようにして。

総格●世間体を気にして背伸びをせず、現実に合わせたライフスタイルを考えましょう。

50 不安定 / 尻すぼみ / 変動 ○

人格●何事も初めは順調に進みますが、あとが続かず、尻すぼみになりがち。継続する努力が大切です。

地格●熱中できるものを見つけてあげましょう。完成させれば喜びになります。

外格●人間関係は初めよくても、それが長続きしない傾向が。交際相手を見極め人脈を育てて。

総格●順調なように見えても、長続きしません。状況を見極め、変化に対応していくことが必要です。

54 貧困 / 薄幸 / トラブル △

人格●努力が評価されず、成功の糸口をつかむのが困難。他人に尽くしても報われません。

地格●能力はあるのに自分を過小評価する傾向があります。プレッシャーで力を出しきれないことも。

外格●他人の助けが期待できず、面倒な問題を押しつけられたりも。協調精神も乏しい。

総格●助けを当てにしても、いざというときには頼りにならないもの。健康管理には留意しましょう。

51 不安定 / 変化 / 危険 ○

人格●若くして成功を収めても、おごらないことが大切。常に気を緩めず安定を心がけて。

地格●うまくいったときに気を引き締め、好調を持続させて。背伸びをしなければ物事は順調に進むでしょう。

外格●人間関係が変わりやすいでしょう。腹を割って語り合える相手を見つけることです。

総格●一度は大きな好機を得ます。チャンスに恵まれても気を緩めず、足場を固めて。

57 向上心／人望／地位 ◎

人格● 目標に向かって努力を惜しみません。強い信念で困難を越え、確実に地歩を築きます。

地格● 向上心に富み、努力家です。家族や友人に恵まれ、周囲からの助けも多いでしょう。

外格● 穏健で、自然と周囲から慕われるようになります。人脈も年々豊かになっていくでしょう。

総格● 向上心や向学心を持ち続けます。長年の経験や人脈を生かせば、後半生は恵まれたものになるでしょう。

55 欲張り／軽率／極端 △

人格● 盛運と衰運が交互に訪れます。他人からはよく見えても内実は苦しいでしょう。

地格● やることが極端です。自分の気持ちをコントロールすることを学びましょう。

外格● 初め仲がよくても、こじれると敵のような関係に。相手を傷つけたり怒らせたりしがちです。

総格● 年齢に応じた生き方を心がけること。無理を重ねると、せっかくのチャンスを失います。

58 大器晩成／富貴／安定 ◎

人格● 若いうちは苦労がありますが、それを糧に大きく飛躍します。結婚によって人生が安定します。

地格● 期待されると頑張りすぎる傾向が。遊びや息抜きも必要です。家庭生活に恵まれます。

外格● 対人関係で多くの有益な経験をするでしょう。苦楽をともにすることで絆が生まれます。

総格● 困難や下積みを経験したあとに、境遇が安定してきます。中年期以降は着実に発展するでしょう。

56 無気力／不誠実／転落 △

人格● うまくいきかけると障害が持ち上がってしまいます。信念や行動力も不足しています。

地格● いつも人のあとからついていこうとします。何か得意なものを見つけて、自信をつけてあげて。

外格● 保守的なために、人間関係では損をします。誤解されたり、他人に利用されることもあるでしょう。

総格● 体力、気力が衰えてきます。現状を維持しようとしても、ズルズルと衰退します。

59 意志薄弱／敗北／あきらめ △

地格● 我慢が苦手で、すぐにあきらめがち。大きな収穫は、忍耐のあとにやってくるものです。

外格● 意思表示をはっきりしないと、金銭的な迷惑を被るかもしれません。愚痴の多さも人を遠ざけます。

総格● 家庭や健康上の問題が生じやすいでしょう。困難を克服するだけの気力や忍耐力も不足しがちです。

画数から選ぶ名づけ

63 温和 順調 家庭運

地格●家庭環境に恵まれ、素直に才能を発揮。のびのびした性格で、目上にかわいがられます。

外格●他人に好感を与えます。人間関係も円満で、周囲の協力や援助によって発展します。

総格●富と名声を得て平穏で充実した後半生に。配偶者や子どもにも恵まれて家庭生活も円満に。

60 不遇 悲観 破滅

地格●理屈よりも感情で動くところが……。物事の悪い面ばかりを考え、前に進まなくなります。

外格●人づき合いがへたで、他人の評価ばかりが気になります。交際を楽しめません。

総格●とても心配性です。健康状態がすぐれなかったり、人生の目標を見失ったりしがち。

64 もろさ 衰退 トラブル

地格●体力がありそうで案外病弱。家庭生活に問題が起きやすいため、環境を整えてあげて。

外格●人を信用しないため、つき合いも悪く、初めは順調でも途中からぎくしゃくしてきます。

総格●人生後半はペースダウンを。強気に攻めると、思わぬアクシデントから物事が崩壊します。

61 うぬぼれ 不和 破滅

地格●うまくいくとすぐに得意になって、他人を小バカにするところがあります。和の大切さを教えて。

外格●自信過剰で、傲慢な態度をとるため、人間関係の不和を招きがちです。

総格●意欲も能力もありますが、うぬぼれが強いのが難です。人との和を大切にすれば幸運になります。

65 実り 包容力 幸運

地格●恵まれた家庭環境で育ちます。友人も多く、包容力があり、目下の面倒もよく見ます。

外格●包容力と面倒見のよさで自然と人に慕われます。目上の引き立てや周囲の援助も大きいでしょう。

総格●健康で長寿に恵まれます。明るい性格なので、おのずと人望も得て、吉運を呼び込みます。

62 貧困 心労 トラブル

地格●家庭の問題が性格形成に影響しやすいので、環境を整えて。物事は最後まで完成させてあげましょう。

外格●言動に裏表があるため、人から信用されません。人間関係においても、孤立無援に。

総格●今まで順調にきている人は、気を引き締める必要が。健康面でも体力を過信しないことです。

69 貧乏／災難／没落 △

地格●体質がデリケートで、無気力になりやすいところがあります。励ましてあげることが必要。

外格●愚痴や不満ばかりを口にするため、人から敬遠されます。他人に利用されやすい傾向もあります。

総格●金運が弱いので無理に追いかけると破綻を招くことに。自分に合った生き方を考えてあげましょう。

66 苦労／挫折／陰気 △

地格●体が丈夫でないかも。自分から友人をつくったり、何かに取り組む意欲に欠けます。

外格●悲観的で陰気な印象なため、人が寄りつきません。周囲から孤立しやすいでしょう。

総格●苦労や失敗を繰り返し、なかなか浮かび上がれません。人と気さくに接することも苦手です。

70 苦境／自滅／孤独

地格●学力や才能はあるので、ほめてあげることが大切。認められないと、反発します。

外格●世をすねたような言動が多く、まわりから相手にされません。反抗的な態度をとることも。

総格●才能や実力はありますが、好機を呼び込む努力が不足しています。困難を克服する意志を持って。

67 幸運／苦労知らず／前途洋洋

地格●子どもにしては大人びていて要領がよいでしょう。家庭環境に恵まれ、順調に成長。

外格●人間関係に恵まれて発展。人当たりがよく、目上からは信頼され、目下からは慕われます。

総格●順風満帆の後半生。元来が強い運を持っていて、あまり苦労しないでも成功をおさめます。

71 小心者／凡庸／平穏無事

地格●家庭環境に恵まれ、平穏無事な幼少年期でしょう。しりごみしやすいので、何でもやらせてみて。

外格●人間関係は比較的順調ですが、大きな益もないでしょう。他人を補佐する能力にすぐれます。

総格●波風のない平穏な後半生でしょう。大それた野心をいだくと、墓穴を掘ることになります。気をつけて。

68 勤勉／集中力／潜在能力

地格●勉強はよくできるほうです。高い潜在能力を持っているので、才能を見いだしてあげて。

外格●思慮深く勤勉なため社会的信用を得ます。人間関係は順調で、周囲の協力も期待できるでしょう。

総格●知的能力が高く、どんな仕事でも成功。クリエイティブな分野ならさらに才能を発揮します。

72 ○ 明暗 / 不安定 / 消極的

地格●障害に遭うとすぐにあきらめてしまいがちですが、指導者によって大きく変わります。

外格●他人を頼りにしすぎるところがあります。交際面で背伸びをしなければ信用を得られるでしょう。

総格●弱気になったり他人を頼りにすると、よくない結果に。自立自助の精神を忘れないで。

73 ○ 苦労 / 晩年幸福 / 誠実

地格●才能は普通ですが、努力で能力を身につけます。幼少年期の経験が成人後に開花。

外格●初めは不調でも、誠意を持って人に接し、しだいに信用を得、人脈も広がるでしょう。

総格●後半生は運気が好転し、今までの経験が生きてきます。地道に暮らせば晩年は安定。

74 △ 無気力 / 怠惰 / 無責任

地格●怠け癖があり、安易な道ばかりを選んだりします。頭はよいのですが、努力が不足。

外格●無責任だったり、失敗を人のせいにしたりするので、人間関係が破綻。誠実に対処して。

総格●年とともに無気力で怠惰になりがち。口先ばかりで、人生を自分で切り開く意欲が不足しがちです。

75 △ 保守的 / 性急 / 失敗

地格●保守的で温和な性格ですが、分不相応なことに挑戦すると手痛い挫折を味わうことになります。

外格●親しみやすい性格ですが、安請け合いをしたり、やることが雑なために信頼を得にくいでしょう。

総格●守りの姿勢が強く、分をわきまえてさえいれば平穏な後半生を送れます。冒険心は波乱を招きます。

76 △ 劣等感 / 陰気 / 孤立

地格●劣等感をいだきやすい性格なので、他人と比較してしかるといじけてしまうことが多いでしょう。

外格●ひがみやねたみばかりを口にするため、人間関係に円滑さを欠くようになります。

総格●人間関係が狭く、周囲の協力も得にくい。自信のなさから、自分で可能性を閉ざすことにも。

80 病弱 / 破綻 / 苦労 △

地格●体質的には弱いほう。物事を悲観的に考えやすいので、周囲が気をつけてあげて。

外格●非建設的な言動が多く、人が寄りつきません。人間関係でトラブルに巻き込まれることも。

総格●不運が重なり、苦労が絶えないでしょう。慎重に障害を克服していけば、道はきっと開けます。

77 吉凶運不安定 / 明暗 ○

地格●交友関係や興味の対象が移りやすいでしょう。物事を完成させることで自信を得ます。

外格●熱しやすく冷めやすいため人間関係が変わりやすいでしょう。信頼できる人を見つけて。

総格●順調であっても、気を抜かないこと。計画性と見通しがあれば吉運が持続します。

81 大吉 / 幸運 / 繁栄 ◎

地格●探究心に富み、子どものころからリーダーシップを発揮するでしょう。家庭や健康にも恵まれます。

外格●パイオニア精神にあふれ、人間関係においても常にイニシアチブをとります。

総格●財産、地位、名誉のすべてを手に。向上心を失わず、常に前向きに努力します。

78 誠実 / 信念不足 / もろさ ○

地格●環境の影響を受けやすいので、家庭生活に配慮する必要が。交友関係は広く浅い傾向があります。

外格●誠実ですが、要領の悪さも。その場の状況に流されやすいので、自分の意思をはっきりとさせるように。

総格●才能はあってもピンチに弱いので、信念を貫くことが大切です。安易な妥協は避けるようにしましょう。

79 消極的 / 失敗 / 不安定 △

地格●実行力に欠けます。家庭環境にも恵まれない暗示なので、まずは生活を整えることが大切です。

外格●のらりくらりとその場だけの対応をするため、信頼を得ることは難しいでしょう。

総格●自信のなさが失敗を呼び込みがち。中年以降は優柔不断を改め、自分の意志を強く持つようにしましょう。

自分の姓に合う名前の
画数がわかる！

姓別
吉数リスト

姓名学上から見て、その姓に調和する画数の組み合わせを一覧表にしました。画数が気になる人にはとても便利。自分の姓がサンプルにない人は、まず、その画数を調べるところから始めてください。

このリストの見方

1字名と2字名は指定した画数の名前が吉。3字名の（ ）内の数字は、下2文字の画数の合計を表します。たとえば、4・(11)の場合は、4・5・6でも4・8・3でも組み合わせは自由です。姓の代表例は一般的に多いものをサンプルにしました。「艹」（くさかんむり）はすべて3画で数えています。

※ここで紹介している画数の組み合わせは一部の例です。編集部への個別のご相談には、ご対応できませんので、あらかじめご了承ください。

姓の画数	2・7	2・6	2・5	2・4	2・3	1・10	1・6
姓の代表例	二村 入谷 人見	二羽 入吉 入江	力田 入矢 二石	八木 二木 八戸 乃木	二上 入川 入山	一宮	一色
1字名	4　6 14　16	5　7　10 15　17	6　10　16	7　12　17	2　10 12　20	なし	なし
2字名	1・5 1・14 1・15 4・11 4・19 10・5 10・6 11・4 11・5 14・1 14・9	9・14 9・15 9・16 10・5 10・6 10・13 10・14 10・15 11・4 11・5 11・14 12・4	2・14 3・13 10・6 10・14 10・15 11・5 11・6 11・13 11・14 12・4 12・13 13・3	1・16 3・4 7・11 9・6 11・4 11・14 12・5 14・3 14・11	3・13 3・15 4・14 5・11 5・13 8・5 10・6 12・4 12・6 13・3 13・5 14・4	1・4 1・5 1・12 1・20 3・2 3・10 6・7 11・2 11・10 14・7 14・10 22・2	1・15 2・14 9・7 9・15 9・16 10・6 10・7 10・14 10・15 11・5 11・14 12・4
3字名	1・(5) 1・(14) 1・(15) 4・(2) 4・(12) 4・(20) 4・(28) 10・(5) 14・(10) 14・(18)	1・(14) 1・(15) 2・(13) 2・(14) 5・(8) 5・(10) 5・(18) 5・(20) 11・(14) 12・(13)	2・(14) 3・(13) 3・(22) 10・(8) 10・(14) 10・(15) 11・(13) 11・(14) 12・(13) 13・(12)	2・(5) 3・(14) 3・(15) 4・(14) 7・(8) 7・(10) 9・(22) 12・(21)	2・(14) 3・(5) 3・(10) 3・(13) 3・(15) 4・(4) 4・(12) 4・(14) 5・(13)	1・(4) 1・(5) 3・(3) 3・(21) 5・(19) 11・(13) 13・(11) 15・(9)	2・(14) 9・(9) 9・(15) 9・(16) 10・(14) 10・(15) 11・(14) 12・(13)

画数から選ぶ名づけ　姓別吉数リスト

姓の画数	3・3・4	3・3	3・2	3・1・4	2・12・11	2・10	2・8
姓の代表例	小山内 三ツ井 三ツ木 山之内	山口 小川 丸山 小口 大山 三上	川又	山ノ内	二階堂	二宮 入倉	入岡 二松
1字名	3　13　14	なし	なし	3　9　13	6　14　22	5　6　23	5　7 15　23
2字名	3・11 4・1 4・10 4・11 7・8 7・16 13・1 14・1 17・6	2・3 3・4 4・3 5・10 8・3 10・5 10・8 12・3 12・5 13・4 14・3 15・3	3・10 3・13 3・15 4・12 4・14 5・13 6・10 6・12 9・4 11・5 13・5 14・4	2・13 3・12 4・11 11・6 11・12 11・13 12・3 12・11 12・12 13・2 13・11 14・10	2・10 4・3 4・8 4・10 5・9 6・8 6・10 7・9 10・2 12・2 13・1 14・2	1・4 1・5 1・22 3・3 3・22 11・14 14・9 14・11 21・4 22・1 22・3	3・3 3・22 5・16 7・14 8・13 9・6 9・16 10・1 10・3 10・5 10・11 10・15
3字名	3・(2) 3・(12) 4・(2) 4・(11) 7・(18) 13・(12) 14・(11) 17・(18)	3・(4) 3・(14) 4・(13) 5・(13) 8・(9) 10・(21) 12・(19) 13・(12)	1・(12) 3・(13) 4・(9) 4・(12) 4・(14) 5・(11) 5・(13) 6・(12) 11・(21)	2・(14) 3・(12) 3・(13) 4・(11) 4・(12) 4・(21) 11・(12) 11・(13) 11・(14) 12・(13)	2・(4) 4・(4) 4・(19) 5・(11) 5・(18) 6・(10) 7・(9) 12・(11) 13・(10) 13・(19)	1・(20) 3・(18) 3・(20) 5・(8) 5・(18) 5・(20) 11・(10) 11・(12) 11・(14) 13・(10)	3・(8) 3・(10) 3・(12) 3・(18) 5・(8) 5・(18) 8・(15) 13・(12) 15・(10)

姓の画数	3・6	3・5・7	3・5・4	3・5	3・4	3・3・9	3・3・5
姓の代表例	大竹 大西 川西 久米 三宅 山名	三田村	小田切	上田 川本 大石 山田 山本 久田	大月 大友 土井 川内 山内 山中	大久保 小久保	小山田 下山田 三ケ尻
1字名	なし	なし	なし	なし	なし	6　9　16	6　13
2字名	1・15 5・2 5・3 7・8 9・15 10・5 10・14 11・4 11・5 11・12 12・3 15・8	6・14 6・16 8・9 8・14 8・16 9・8 9・15 10・7 10・14 11・6 14・6 14・8	3・9 4・8 4・16 7・16 9・14 11・9 11・12 12・8 13・7 14・6 14・9 17・6	1・12 3・10 6・10 8・15 10・3 10・14 11・2 11・4 12・4 12・12 13・2 16・8	1・15 3・8 3・14 4・12 7・10 9・8 11・5 12・4 12・5 13・12 14・2 17・8	2・8 4・16 6・11 7・10 8・9 9・1 14・8 15・1 16・4	2・4 3・1 3・17 6・4 6・8 10・14 11・11 12・8 13・11 18・6
3字名	2・(4) 2・(14) 5・(11) 9・(14) 10・(14) 11・(12) 11・(13) 12・(11)	6・(10) 8・(8) 8・(9) 8・(10) 8・(16) 9・(9) 9・(15) 16・(16)	1・(10) 2・(9) 3・(8) 3・(10) 4・(7) 4・(9) 4・(17) 7・(16) 9・(16) 12・(13)	3・(4) 3・(12) 6・(11) 8・(17) 10・(13) 11・(13) 12・(13) 12・(19)	2・(4) 3・(13) 4・(12) 7・(11) 11・(13) 11・(14) 12・(12) 13・(11)	2・(15) 4・(12) 6・(12) 6・(18) 7・(10) 7・(11) 9・(9) 14・(10)	1・(5) 2・(19) 3・(18) 6・(15) 8・(5) 10・(11) 11・(10) 12・(9)

画数から選ぶ名づけ　姓別吉数リスト

3・8・11	3・8・10	3・8・5	3・8・4	3・8	3・7	3・6・3	姓の画数
小松崎	大河原 小河原 小松原	大和田 小和田	大河内 小岩井 小金井 小長井	大岩 上松 小沼 小林 小松 山岡 土居	大坂 大沢 上杉 三谷 山谷 山村	小早川	姓の代表例
13	11　14	1　16　19	9	なし	なし	3　4　5 13　21	1字名
2・13 2・21 4・19 10・5 10・13 12・3 12・11 14・9 20・3 22・1	1・3 1・9 3・1 3・9 3・11 6・6 11・3 11・9 13・1 13・11	3・12 10・5 10・6 10・13 11・4 11・5 11・6 11・12 12・4 12・5 13・4 18・5	1・5 3・13 4・12 4・20 7・3 9・1 9・13 11・13 12・5 14・3 17・5	3・2 3・3 5・2 5・8 7・14 8・5 10・3 10・14 16・5 16・8	1・5 1・10 4・2 4・5 6・5 6・15 8・5 8・15 9・4 10・5 11・2 11・14	4・8 5・7 5・15 8・15 10・13 12・8 12・11 13・7 14・6 15・5 15・8 18・5	2字名
2・(13) 2・(21) 10・(5) 10・(13) 12・(13) 13・(10) 13・(12) 13・(22) 21・(14) 22・(13)	1・(10) 1・(30) 3・(13) 3・(21) 3・(28) 11・(13) 11・(20) 14・(10)	2・(13) 2・(14) 3・(12) 3・(13) 3・(14) 8・(13) 10・(13) 11・(12) 11・(14) 12・(13)	1・(5) 2・(6) 3・(14) 4・(12) 4・(14) 9・(7) 11・(6) 12・(12)	3・(2) 3・(4) 5・(19) 7・(17) 8・(13) 9・(12) 10・(14) 13・(11)	1・(7) 4・(7) 6・(9) 6・(19) 8・(13) 7・(12) 10・(13) 11・(12)	2・(9) 3・(8) 3・(22) 4・(7) 4・(9) 5・(6) 5・(8) 5・(16) 8・(15) 10・(15)	3字名

画数から選ぶ名づけ　姓別吉数リスト

姓の画数	3・11・6	3・11	3・10・3	3・10	3・9・6	3・9・5	3・9
姓の代表例	小野寺	上野 大野 大堀 小野 川野 山野	小宮山	上原 小島 大島 川原 小宮 三浦	久保寺	久保田 万城目	大垣 大城 久保 小泉 山城 土屋
1字名	1　5　11 15　19	なし	5　15　21	なし	なし	なし	なし
2字名	2・10 5・10 7・8 7・10 9・3 9・6 9・8 10・2 11・1 11・6 12・3 15・2	2・5 4・3 4・14 5・2 5・12 6・5 7・4 7・10 10・8 12・5 13・8 14・3	4・11 5・10 5・11 12・4 12・11 13・3 13・4 13・10 14・2 14・3 15・1 15・2	1・2 1・10 3・2 3・8 5・3 6・5 6・12 8・3 8・10 11・13 14・4 15・3	1・4 2・3 2・12 9・5 9・8 10・4 10・5 11・3 11・4 12・2 12・3 19・4	1・3 2・4 3・4 3・12 8・8 10・5 11・4 11・11 12・12 13・2 18・2 20・2	2・3 4・2 6・5 6・15 7・14 7・18 8・3 8・5 8・15 9・2 9・4 12・13
3字名	5・(10) 5・(27) 7・(10) 7・(18) 7・(25) 9・(23) 10・(11) 10・(27) 11・(21) 15・(17)	2・(9) 4・(14) 5・(13) 5・(20) 6・(11) 7・(11) 10・(7) 12・(11)	3・(12) 3・(20) 4・(11) 4・(12) 5・(10) 5・(11) 5・(12) 8・(24) 10・(11) 10・(22)	1・(4) 3・(2) 5・(13) 6・(12) 7・(11) 11・(7) 11・(13) 13・(11)	1・(4) 1・(5) 2・(3) 2・(4) 2・(13) 9・(6) 10・(5) 10・(13)	2・(5) 2・(6) 3・(4) 3・(5) 6・(12) 10・(6) 11・(13) 12・(12)	2・(3) 2・(4) 4・(7) 7・(14) 8・(13) 8・(17) 9・(12) 12・(11)

画数から選ぶ名づけ　姓別吉数リスト

姓の画数	3・13	3・12・10	3・12	3・11・10
姓の代表例	大滝 大園 大溝 山路 川路	大曾根 小曾根	大塚 大場 大森 小森 千葉 山森	小笠原
1字名	なし	6　14 22　23	なし	11　21
2字名	4・13 5・12 8・15 10・13 10・15 11・10 11・12 11・14 12・4 12・5 12・13	3・17 3・19 5・17 6・16 6・17 11・9 13・7 13・9 14・8 14・9 15・7 15・8	1・2 1・15 3・3 4・4 4・12 5・3 6・10 6・12 9・8 9・15 11・5 12・4	3・20 5・10 5・18 6・9 6・17 13・10 14・9 15・8 15・9 21・2
3字名	2・(14) 2・(21) 3・(13) 3・(14) 3・(20) 4・(11) 4・(12) 4・(21) 5・(11) 5・(20)	3・(20) 5・(18) 6・(10) 6・(17) 7・(9) 8・(8) 13・(10) 14・(9) 14・(18) 15・(8)	1・(7) 4・(4) 4・(12) 5・(12) 5・(19) 6・(11) 11・(13) 13・(11)	1・(10) 3・(10) 5・(10) 5・(18) 6・(7) 6・(9) 11・(10) 14・(7)

画数から選ぶ名づけ　姓別吉数リスト

姓の画数	4・2・12	3・19	3・18	3・17	3・16	3・15	3・14
姓の代表例	五十嵐	川瀬 山瀬 大瀬	大藤 大藪 工藤 山藤 大類	大磯 小磯 小嶺 川鍋	大館 大橋 小橋 丸橋 土橋 三橋	大蔵 大槻 小幡 三輪	大熊 大関 川端 小暮 小関 山際
1字名	3　5 6　13	なし	なし	なし	なし	なし	なし
2字名	3・4 4・10 5・1 5・10 6・9 9・6 11・4 13・4	2・13 2・21 4・21 5・8 5・10 5・18 5・20 12・3 12・13 13・2 13・10 13・12	3・8 3・13 3・15 5・13 6・5 6・10 6・18 7・4 13・3 13・5 14・4 15・3	4・13 6・15 7・8 7・10 7・14 7・18 8・13 14・3 15・2 15・10 16・5 18・3	1・4 1・5 1・12 1・15 2・3 2・4 5・8 5・13 8・5 8・8 8・10 9・4	1・2 1・4 2・3 2・4 3・3 3・12 8・5 8・15 9・4 9・8 10・3 10・5	1・5 2・5 2・13 3・3 3・13 4・12 7・8 9・15 10・5 10・8 11・4 11・5
3字名	3・(10) 4・(9) 5・(10) 5・(18) 6・(11) 6・(15) 11・(10) 13・(10)	2・(11) 2・(13) 2・(21) 4・(9) 4・(19) 6・(7) 6・(9) 6・(17) 6・(19) 12・(13)	3・(13) 5・(11) 5・(13) 6・(12) 7・(9) 7・(11) 7・(17) 13・(11)	4・(13) 4・(17) 4・(21) 6・(9) 6・(11) 6・(19) 7・(14) 8・(9) 8・(13) 8・(17)	1・(4) 2・(3) 2・(4) 2・(11) 2・(14) 5・(11) 5・(13) 7・(11)	2・(3) 2・(4) 2・(13) 3・(3) 3・(12) 6・(7) 6・(9) 8・(13)	1・(7) 2・(4) 3・(12) 4・(2) 4・(12) 7・(11) 11・(7) 11・(13)

姓の画数	4·3	4·4	4·5	4·6	4·7	4·8	4·9
姓の代表例	天川 井川 井上 牛山 中川	井戸 今井 木内 木戸 木元 公文	井田 牛込 牛田 太田 今田 水田	天地 今西 中西 日向 日吉 元吉	井沢 井村 今村 中条 中谷 戸村	今枝 今岡 中居 中林 片岡 水沼	今泉 今津 木津 中津 中畑 仁科
1字名	4　10　14	7　17	2　12　16	5　7　15	4　6 10　14	5	2　12　22
2字名	2・9 4・7 8・9 10・1 12・4 13・3 14・2 15・9	1・7 3・4 3・12 9・14 11・2 12・3 12・11 12・12 13・3 14・9	1・7 3・3 3・12 6・2 8・7 11・4 12・4 13・3 16・7	5・2 7・4 7・14 9・4 9・12 10・3 10・11 11・2 12・9	1・12 4・9 6・7 8・13 9・4 11・13 14・7 17・7	3・3 7・14 8・3 9・2 9・4 9・14 10・3 10・11 13・12 16・7 17・4	2・1 2・3 2・9 4・7 4・20 7・17 12・12 15・9 22・2
3字名	2・(6) 3・(13) 5・(11) 5・(12) 8・(8) 8・(16) 10・(8) 12・(12)	3・(10) 3・(12) 4・(12) 7・(10) 11・(13) 12・(12) 13・(10) 14・(10)	2・(6) 3・(13) 6・(18) 8・(8) 8・(16) 11・(13) 12・(12) 13・(11)	1・(6) 5・(16) 5・(18) 9・(12) 10・(13) 11・(12) 12・(11) 12・(13)	1・(6) 6・(18) 8・(13) 8・(16) 9・(12) 10・(11) 11・(13) 14・(10)	3・(2) 3・(10) 5・(16) 7・(6) 8・(13) 9・(12) 10・(13) 15・(10)	2・(3) 2・(30) 6・(18) 12・(12) 12・(20) 14・(10) 16・(19) 22・(13)

4·16	4·15	4·14	4·13	4·12	4·11	4·10	姓の画数
中橋 水橋 元橋	木幡	井熊 井関 今関 日暮 比嘉	犬飼 中園 中溝 日置	犬塚 木場 中塚 中森 戸塚 水落	天野 井深 片野 木野 木部 中野	井原 片桐 木原 日高 日原 水原	姓の代表例
5　15	2　6　16 20　22	なし	4　22	5　23	6　10　20	7	1字名
1・4 2・3 2・13 5・12 5・20 7・4 8・3 8・9 9・4 15・2	1・17 2・11 2・14 3・13 6・7 6・12 9・4 9・7 9・9 10・3 16・2 17・1	1・2 2・1 2・3 2・13 3・2 3・3 4・1 4・2 4・11 11・2 11・4 11・12	2・13 3・3 3・4 3・13 4・11 4・12 5・1 5・11 12・4 12・12	1・14 3・2 4・3 4・4 5・11 6・9 9・12 11・12 12・9 19・4	4・12 5・11 5・13 6・2 7・9 10・14 12・4 13・11 14・3	3・4 5・2 6・1 6・11 7・4 8・3 11・12 13・12 14・7 14・9 15・2	2字名
1・(10) 2・(11) 2・(19) 5・(6) 5・(8) 7・(6) 7・(10) 9・(8)	1・(12) 2・(11) 2・(16) 3・(3) 3・(10) 3・(13) 6・(10) 6・(12) 8・(8) 8・(10)	3・(2) 3・(3) 3・(12) 4・(2) 4・(11) 7・(6) 7・(8) 7・(16)	2・(13) 3・(3) 3・(13) 4・(2) 4・(11) 5・(10) 5・(11) 12・(6)	3・(2) 3・(20) 4・(11) 4・(13) 5・(10) 5・(11) 6・(10) 13・(10)	2・(6) 5・(12) 6・(11) 7・(11) 10・(6) 12・(6) 13・(11) 14・(10)	3・(18) 5・(12) 5・(18) 6・(11) 7・(10) 7・(18) 8・(10) 11・(12)	3字名

画数から選ぶ名づけ　姓別吉数リスト

5・7	5・6	5・5	5・4	5・3	5	4・18	姓の画数
石坂 市村 北沢 田坂 立花 矢沢	末次 永江 永吉 本庄 本多 本吉	生田 北田 正田 末田 田代 立石	石井 北井 田井 立木 平木 永井	石上 加山 白山 田子 田丸 古川	台 叶 北 平 田	木藤 木藪 内藤 仁藤	姓の代表例
4　6	5　7　12	6	4　7 12　14	5　10　15	8　11　13 16　18	15　17　23	1字名
1・12 4・2 8・3 8・13 9・12 10・3 11・12 14・11 17・6 18・3	2・3 2・19 5・8 5・16 7・6 11・10 12・1 15・6 18・3	1・10 2・3 3・10 6・2 8・13 10・3 10・13 11・10 12・3 12・13 13・2	3・3 7・1 9・6 11・13 12・12 13・3 14・1 17・6	3・10 4・11 5・2 5・8 8・16 10・3 12・12 13・2 14・3	1・10 2・4 3・15 6・10 8・10 11・5 16・2	3・12 3・14 5・12 6・11 7・4 13・4 13・12 14・1 14・9 15・2	2字名
4・(2) 4・(9) 6・(15) 6・(19) 8・(15) 9・(12) 10・(15) 11・(10)	1・(5) 2・(11) 5・(19) 7・(17) 9・(12) 10・(11) 11・(10) 12・(9)	2・(5) 3・(5) 3・(12) 6・(15) 10・(11) 11・(10) 12・(9) 13・(10)	2・(5) 3・(12) 4・(12) 4・(19) 7・(9) 11・(12) 12・(12) 13・(11)	3・(10) 4・(9) 4・(12) 8・(15) 8・(17) 12・(11) 12・(19) 14・(10)	2・(6) 2・(14) 3・(3) 3・(5) 3・(15) 8・(5) 10・(6) 12・(6)	3・(8) 3・(20) 5・(6) 5・(8) 6・(11) 7・(8) 7・(16) 13・(10)	3字名

5・15	5・14	5・12	5・11	5・10	5・9	5・8	姓の画数
田幡	石綿 石関 古関 田熊 田端 本領	石塚 石森 加賀 甲斐 田淵 永森	石黒 北野 平野 古野 矢野 矢部	石倉 加納 広島 永倉 田宮	石垣 石神 布施 古畑 氷室 本城	石岡 北岡 末松 平沼 平岩 平岡	姓の代表例
17	2　4	4　6　20	5　7	6	2　7　23	10	1字名
1・16 3・18 6・11 8・13 9・6 9・8 9・12 9・16 10・11 16・1 17・8 18・3	2・3 3・2 3・10 4・1 4・12 7・6 7・11 10・6 10・8 11・2	3・12 4・3 4・12 5・10 6・2 9・6 11・13 12・12 13・11	4・11 5・3 5・11 6・10 7・8 7・16 10・6 10・11 12・11 13・8	1・16 3・13 5・11 6・2 6・11 6・18 7・10 8・8 8・16 11・6 11・13	2・19 4・19 7・11 7・18 8・10 9・12 12・11 12・13 15・8	3・8 5・3 5・19 7・11 8・10 8・16 9・2 10・8 13・11 15・3 16・8	2字名
2・(19) 3・(18) 6・(11) 6・(15) 6・(19) 8・(9) 8・(17) 9・(12) 10・(11) 10・(15)	2・(11) 3・(2) 3・(10) 4・(9) 7・(9) 7・(11) 9・(9) 11・(7)	3・(5) 3・(15) 4・(11) 4・(12) 5・(10) 6・(9) 9・(15) 12・(12)	2・(5) 4・(12) 5・(10) 5・(12) 6・(10) 6・(15) 10・(11) 12・(11)	1・(7) 3・(15) 5・(11) 5・(19) 6・(10) 7・(9) 8・(10) 13・(11)	2・(9) 4・(7) 6・(12) 7・(10) 8・(10) 9・(12) 12・(11) 14・(9)	3・(2) 5・(19) 7・(11) 7・(17) 8・(10) 13・(11) 13・(19) 15・(9)	3字名

画数から選ぶ名づけ　姓別吉数リスト

姓の画数	6	5・19	5・18	5・16
姓の代表例	旭池芝仲西向	市瀬加瀬広瀬古瀬	加藤古藤本藤矢藤	石橋市橋広橋古館本橋
1字名	11　15	なし	14	2　16
2字名	1・14 2・23 5・6 7・4 9・6 9・16 10・5 10・15 11・7 12・5	2・11 4・11 5・8 5・18 6・11 12・3 12・11 13・8 13・11 14・10 16・8 18・6	3・13 5・3 5・13 6・10 6・12 7・11 13・12 14・11 15・3 15・10 17・8	1・10 5・6 7・11 8・3 8・10 9・2 15・3 16・8 17・1 21・3
3字名	1・(4) 2・(5) 2・(13) 9・(6) 10・(5) 11・(14) 12・(13) 19・(14)	4・(7) 4・(17) 5・(10) 5・(12) 5・(18) 6・(11) 6・(15) 12・(11)	3・(15) 5・(11) 6・(10) 6・(18) 7・(9) 7・(11) 13・(11) 14・(10)	1・(10) 2・(9) 5・(11) 5・(19) 7・(9) 7・(17) 8・(10) 9・(9)

姓の画数	6・3	6・4	6・5	6・5・3	6・6	6・7	6・7・9
姓の代表例	有山 有川 老川 寺川 光山 西山	伊丹 江戸 西井 竹中 光井 吉井	有田 池辺 江本 竹本 西本 吉永	宇田川 牟田口	有吉 安西 江守 寺西 吉池 吉江	有沢 安芸 池沢 寺村 成沢 早坂	宇佐美 名児耶
1字名	4　12 14　15	7　14	2　6 10　12	3　4	5　12	4　10	9　15　23
2字名	3・5 4・11 5・2 5・18 8・7 8・15 10・5 13・10	1・10 2・9 3・10 3・12 4・7 9・12 11・10 12・11 13・12 14・9	2・5 3・10 6・7 6・18 8・5 10・11 11・2 12・9	3・4 4・6 5・12 10・13 12・5 12・11 13・4 14・3 14・9	5・18 9・2 9・12 10・11 11・10 11・12 12・9 12・11 15・10 18・7	1・7 4・7 6・5 6・12 8・10 9・9 10・1 11・7 14・10 17・7	2・21 4・11 6・9 6・11 7・10 8・7 8・9 12・3 14・3
3字名	2・(14) 3・(4) 4・(11) 5・(10) 5・(18) 8・(16) 10・(14) 13・(10)	2・(6) 3・(8) 3・(10) 4・(9) 7・(8) 9・(14) 11・(10) 12・(11)	1・(4) 2・(11) 3・(4) 3・(18) 10・(11) 11・(10) 12・(9) 13・(11)	2・(5) 3・(14) 3・(20) 4・(13) 4・(14) 5・(12) 8・(10) 13・(12)	5・(6) 5・(18) 7・(14) 9・(14) 11・(10) 11・(14) 12・(11) 15・(10)	1・(10) 4・(14) 6・(18) 8・(10) 8・(24) 9・(9) 10・(14) 14・(18)	2・(11) 4・(11) 6・(5) 6・(11) 7・(4) 7・(8) 7・(10) 8・(5)

画数から選ぶ名づけ　姓別吉数リスト

姓の画数	6・13	6・12・10	6・12	6・11	6・10	6・9	6・8
姓の代表例	有働 安楽 伊勢 竹腰	伊集院	安達 有賀 江間 江森 宅間 西塚	安野 池野 西郷 寺崎 吉崎 吉野	安倍 有馬 伊原 寺島 西浦 吉原	安彦 会津 池畑 西海 西垣 米津	安東 江波 寺岡 光岡 吉岡 吉松
1字名	4　5 12　20	なし	5　6	4　6 7　14	5　7　15	2　6　16	7　10　17
2字名	3・2 3・10 4・9 4・12 5・1 5・11 8・5 11・5	5・12 6・14 6・18 7・13 8・12 8・16 11・6 11・13 13・4 14・6 15・2 15・5	3・2 4・9 4・11 5・1 5・10 6・7 9・12 11・12 12・9 13・2	4・11 5・2 6・9 6・12 7・9 10・5 13・5 14・2	3・18 5・10 5・18 6・9 7・9 8・9 11・10 13・10 14・7	6・10 7・9 8・10 9・7 9・9 12・2 14・10 15・9	3・15 5・2 5・12 7・11 8・10 9・9 10・7 13・12
3字名	2・(4) 2・(11) 3・(10) 4・(9) 5・(8) 5・(11) 8・(8) 10・(6)	1・(6) 1・(23) 3・(14) 3・(21) 5・(6) 5・(19) 6・(7) 7・(17) 11・(13)	3・(10) 5・(10) 6・(9) 9・(6) 9・(14) 11・(10) 12・(11) 13・(8)	4・(4) 4・(14) 5・(10) 6・(10) 7・(8) 10・(8) 12・(6) 13・(11)	5・(10) 5・(18) 6・(9) 6・(11) 7・(9) 7・(18) 8・(8) 15・(10)	6・(10) 7・(9) 7・(11) 8・(8) 8・(10) 9・(9) 14・(10) 16・(8)	3・(4) 5・(16) 7・(10) 7・(14) 8・(10) 9・(8) 9・(14) 10・(8)

姓の画数	7·3	7·2	7	6·19	6·18	6·16	6·14
姓の代表例	赤川 尾山 阪口 近山 村山 谷口	坂入	沖 近 車 坂 杉 谷	成瀬 早瀬 安瀬	安藤 伊藤 江藤	安積 池橋 竹橋 寺橋	池端 江端
1字名	5　14　15	4　6　14 15　16　22 23	6　8　16	6　12 14　16	7　15　17	2　15 17　23	4　17
2字名	3・4 4・9 4・11 5・6 5・10 10・11 12・9 13・8 15・6	5・11 6・9 6・10 9・6 9・14 11・4 13・10 13・11 14・9 14・10 15・8 15・9	1・15 4・12 6・10 8・10 9・7 10・6 11・6 14・4 16・2	4・2 4・19 5・2 5・11 6・2 6・10 12・11 13・10	3・5 3・10 5・12 6・5 6・15 7・10 13・10 14・9 15・2	1・12 5・10 5・12 5・18 7・18 8・5 8・7 8・15 8・17 15・10 16・7 16・9	2・9 3・2 3・12 4・9 4・11 9・2 9・12 10・5 11・10
3字名	2・(5) 3・(10) 4・(9) 5・(8) 5・(16) 8・(13) 10・(13) 12・(9)	1・(15) 3・(13) 5・(10) 6・(9) 6・(10) 6・(17) 9・(15) 11・(13) 15・(17) 16・(16)	4・(4) 4・(14) 6・(11) 8・(16) 9・(9) 9・(16) 10・(14) 11・(13)	2・(4) 2・(14) 4・(4) 5・(11) 5・(18) 6・(10) 6・(17) 12・(11)	3・(10) 3・(14) 5・(8) 5・(10) 5・(16) 7・(8) 7・(10) 13・(10)	5・(6) 5・(8) 5・(10) 5・(18) 5・(30) 7・(16) 9・(14) 9・(16) 9・(26)	2・(11) 3・(8) 7・(4) 7・(6) 7・(10) 9・(6) 10・(11) 11・(10)

7・8	7・7	7・6	7・5	7・4	7・3・12	7・3・4	姓の画数
赤沼 赤松 杉岡 杉林 別府 花岡	赤坂 尾沢 志村 谷沢 花形 村尾	赤池 坂西 佐竹 沢地 住吉 谷地	足立 児玉 坂田 角田 谷本 町田	赤井 坂元 杉井 花井 花木 村内	佐久間	佐々木 佐々井	姓の代表例
10 16 17	4 10	5 10 12	6 12	4 7 12 14	なし	なし	1字名
5・1 7・9 7・11 8・9 8・10 9・8 10・8 13・11 15・9	4・17 6・17 8・9 8・10 9・8 9・14 10・8 11・10 14・11	2・6 2・16 5・6 7・11 9・9 10・14 12・6 15・9 18・6	1・4 2・9 3・8 3・18 10・11 11・10 12・9 13・8 13・10 16・9	2・4 3・10 3・18 4・9 7・6 11・10 12・9 13・11	1・14 3・12 4・6 4・13 5・10 6・4 9・14 11・6 11・12 12・5 13・4 13・10	1・6 2・5 3・7 3・14 4・13 7・10 9・14 11・6 11・12 13・10 17・6	2字名
3・(3) 3・(13) 5・(13) 7・(10) 7・(17) 8・(10) 8・(16) 15・(9)	4・(7) 6・(5) 8・(10) 8・(13) 9・(9) 10・(13) 11・(10) 14・(9)	1・(7) 2・(16) 5・(13) 7・(17) 9・(15) 10・(8) 11・(13) 15・(9)	2・(9) 3・(8) 6・(15) 8・(5) 8・(15) 10・(13) 12・(9) 12・(13)	2・(3) 3・(10) 4・(9) 4・(17) 7・(17) 9・(15) 11・(10) 12・(9)	3・(8) 3・(14) 4・(11) 5・(8) 6・(11) 9・(15) 9・(14) 12・(11)	1・(6) 2・(5) 3・(8) 3・(14) 4・(14) 9・(8) 11・(7) 17・(14)	3字名

姓の画数	7・16	7・15	7・12	7・11	7・10・3	7・10	7・9
姓の代表例	村橋 杉橋	沢幡 志摩 花輪	赤塚 坂間 佐賀 志賀 杉森 花塚	沖野 坂崎 佐野 近野 花崎 芳野	吾孫子 利根川	赤倉 児島 杉浦 杉原 対馬 兵庫	赤津 赤星 更科 呉屋 花柳 坂巻
1字名	2　16	10　17	5　6 12　20	5　6　14	なし	6　7 14　15	7　15　16
2字名	5・11 7・9 7・17 8・16 9・9 9・16 15・1 15・9 15・10 16・8 16・9 19・6	2・9 2・11 3・8 3・14 6・9 6・11 8・9 9・4 9・6 10・1	4・9 5・8 5・11 6・10 9・4 9・9 12・4 12・6	4・9 5・8 5・16 6・9 7・10 10・11 12・9 13・4 14・9	2・3 2・13 2・15 3・14 4・13 5・7 8・7 10・5 10・7 12・3 12・5 14・3	3・4 5・10 6・9 6・18 7・8 8・10 11・4 13・11	2・14 4・4 6・9 7・8 7・9 8・8 9・8 12・9 15・6
3字名	5・(13) 7・(17) 8・(10) 8・(16) 8・(17) 9・(9) 9・(15) 9・(16)	1・(10) 2・(9) 2・(13) 3・(8) 3・(10) 6・(5) 8・(7) 10・(5)	3・(3) 3・(15) 4・(9) 5・(13) 6・(7) 6・(10) 9・(7) 11・(7)	2・(5) 4・(17) 5・(8) 5・(16) 6・(9) 7・(8) 10・(7) 12・(9)	2・(15) 3・(8) 3・(14) 5・(6) 5・(16) 8・(7) 10・(7) 13・(8)	3・(5) 3・(13) 5・(10) 5・(13) 6・(9) 7・(8) 8・(8) 8・(16)	2・(5) 4・(13) 6・(10) 7・(10) 8・(13) 9・(8) 14・(7) 15・(8)

画数から選ぶ名づけ　姓別吉数リスト

画数から選ぶ名づけ 姓別吉数リスト

姓の画数	8・3	8	7・19	7・18
姓の代表例	阿川 青山 岡山 金子 東山 若山	東岸 岡 武 所 林	貝瀬 佐瀬 村瀬	近藤 佐藤 谷藤 尾藤 兵藤
1字名	なし	7　8	5　6	6　7　14
2字名	2・5 3・10 4・9 5・8 5・16 8・5 8・13 10・3 12・9 14・10 15・9 18・3	3・4 5・2 5・12 7・6 8・7 9・6 9・15 10・7 13・4 16・7	2・4 2・11 4・9 4・17 5・6 5・8 6・9 12・1 12・9 13・8	3・4 5・11 5・18 6・10 7・9 7・16 13・10 14・9 15・8
3字名	2・(4) 3・(4) 4・(2) 4・(9) 5・(8) 8・(16) 10・(14) 12・(9)	3・(4) 3・(13) 5・(11) 8・(15) 9・(14) 9・(16) 10・(13) 10・(14)	2・(3) 2・(13) 4・(3) 4・(9) 5・(8) 5・(10) 6・(7) 12・(9)	3・(3) 3・(5) 3・(13) 6・(10) 7・(9) 13・(10) 15・(8) 17・(15)

8・3・9	8・4	8・5	8・6	8・7	8・7・3	8・8	姓の画数
阿久津 金久保 長久保	青木 岩井 金井 国井 長井 若木	青田 岩本 岡本 国広 東田 和田	青江 河合 河西 国安 松江 和光	岡村 河村 妹尾 奈良 宗形 松坂	長谷川 長谷山	青沼 岩岡 岩波 岡林 松居 若林	姓の代表例
4　15	なし	なし	なし	なし	3　5　13	なし	1字名
2・3 2・13 4・11 6・6 6・9 7・5 8・4 8・9 9・6 12・5	1・10 2・3 3・8 3・10 4・9 7・16 11・10 12・13 13・8 14・7 14・9 17・8	1・7 2・3 2・9 3・5 3・15 6・5 8・10 8・16 10・5 11・7 13・5 16・8	1・10 5・13 5・16 7・10 9・8 9・16 10・8 11・7 12・9 15・3 15・10 17・8	1・5 1・15 6・10 8・8 8・16 9・7 9・9 10・8 11・5 14・3 16・8 17・7	2・5 4・2 5・9 8・7 8・15 10・7 12・5 13・2 14・9	3・5 3・13 5・10 7・10 8・8 8・15 9・7 9・16 10・7 13・3 13・10 15・8	2字名
2・(13) 4・(7) 4・(13) 6・(5) 7・(6) 7・(10) 8・(7) 9・(6)	2・(4) 3・(8) 4・(7) 7・(6) 7・(14) 9・(12) 11・(12) 12・(9)	1・(7) 2・(6) 3・(8) 6・(12) 8・(16) 10・(8) 11・(7) 12・(12)	5・(6) 5・(16) 7・(14) 7・(16) 9・(8) 9・(12) 10・(7) 11・(12)	4・(4) 4・(12) 6・(12) 8・(8) 8・(16) 9・(9) 10・(7) 10・(14)	3・(3) 3・(10) 3・(18) 4・(9) 4・(17) 5・(10) 8・(9) 12・(9)	3・(4) 3・(14) 5・(12) 7・(8) 7・(14) 8・(8) 9・(12) 10・(6)	3字名

画数から選ぶ名づけ　姓別吉数リスト

姓の画数	8・18	8・16	8・14	8・12	8・11	8・10	8・9
姓の代表例	阿藤 斉藤 周藤 松藤 武藤	板橋 松橋	長嶋 松嶋 岩熊	青葉 岩淵 岩間 金森 若葉 若森	阿野 阿部 青野 岡崎 東郷 松崎	青島 岩倉 金原 長原 松浦 若宮	青柳 和泉 河津 長屋 金城 若狭
1字名	なし	なし	なし	なし	なし	なし	なし
2字名	3・3 3・8 3・10 5・8 5・10 5・16 6・5 6・7 6・9 6・15 7・8 13・8	1・16 5・16 7・10 7・16 8・7 8・9 8・13 8・15 15・8 16・5 16・7	7・8 7・10 7・16 9・16 10・3 10・5 10・13 10・15 17・8 18・5 18・7	1・16 3・8 4・9 4・13 5・8 5・10 6・7 6・9 9・8 12・5 12・9 13・8	2・3 2・16 4・9 5・8 5・13 6・7 6・10 7・9 10・3 10・8 13・3 13・5	1・5 3・3 5・8 5・16 6・9 6・15 7・10 8・7 11・10 13・8 14・7 15・8	6・9 6・10 7・8 7・9 7・17 8・7 8・8 9・7 9・9 12・3 15・9 16・8
3字名	3・(2) 3・(8) 3・(12) 5・(6) 5・(8) 6・(9) 7・(8) 7・(14)	5・(12) 5・(16) 7・(14) 7・(16) 8・(9) 8・(15) 8・(16) 9・(12) 9・(14) 9・(15)	3・(8) 3・(14) 4・(9) 7・(8) 7・(16) 9・(14) 9・(16) 10・(15) 11・(12) 11・(14)	1・(4) 3・(8) 3・(12) 4・(9) 5・(12) 6・(9) 9・(12) 11・(14)	2・(4) 2・(14) 4・(9) 5・(8) 6・(12) 7・(9) 10・(8) 12・(6)	1・(4) 3・(2) 3・(14) 5・(8) 5・(16) 6・(15) 7・(8) 8・(9)	6・(9) 6・(12) 7・(8) 8・(7) 8・(8) 9・(6) 12・(12) 16・(8)

画数から選ぶ名づけ　姓別吉数リスト

画数から選ぶ名づけ 姓別吉数リスト

姓の画数	9·7	9·6	9·5	9·4	9·3	9	8·19
姓の代表例	相沢 秋谷 浅見 神尾 保坂 柳沢	秋吉 秋好 香西 春名 星名 室伏	相田 浅田 信田 春田 室田 持田	秋元 浅井 香月 神戸 柏木 柳井	秋山 浅川 香川 品川 城山 柳川	泉 県 城 神 畑 南	岩瀬 長瀬 若瀬
1字名	なし	なし	なし	なし	なし	7　8　15	なし
2字名	1・15 4・4 4・12 6・15 8・8 9・8 9・16 10・7 10・15 11・6 11・12 14・7	1・7 2・4 2・14 7・9 9・7 10・6 10・7 11・6 12・6 15・9 17・7 18・6	1・6 3・14 6・12 6・15 8・9 10・7 10・15 11・6 12・9 13・8 16・7	1・4 1・7 3・8 3・15 4・14 7・4 9・9 9・15 11・7 12・6 12・12 14・4	2・9 3・8 4・2 4・7 5・16 8・15 10・15 12・9 13・12 14・9 15・6 15・8	2・5 4・4 4・12 6・10 7・16 8・7 9・7 9・15 12・12	2・3 2・16 4・17 5・3 5・13 5・16 6・15 12・9 13・5 13・8 14・7 16・5
3字名	6・(11) 6・(15) 8・(8) 8・(15) 9・(6) 10・(6) 10・(15) 11・(14)	1・(5) 1・(15) 2・(6) 2・(14) 9・(7) 9・(8) 10・(7) 11・(7)	1・(6) 3・(8) 3・(14) 6・(15) 8・(13) 10・(11) 12・(6) 12・(11)	2・(3) 3・(5) 3・(8) 4・(7) 4・(14) 9・(15) 11・(13) 13・(11)	2・(3) 2・(11) 3・(8) 4・(7) 8・(13) 10・(11) 10・(15) 12・(11)	2・(4) 2・(6) 2・(13) 4・(4) 4・(11) 7・(9) 8・(15) 9・(14)	2・(4) 2・(16) 4・(4) 4・(14) 6・(12) 6・(15) 12・(6) 12・(9)

姓の画数	9・18	9・16	9・12	9・11	9・10	9・9	9・8
姓の代表例	海藤 後藤 首藤 神藤	草薙 美濃 前橋 柳橋	相葉 秋間 浅間 風間 草間 南雲	秋野 浅野 草野 畑野 星野 春野	浅原 神原 春原 星島 秋庭 前原	浅海 浅香 神津 草柳 神保 前畑	浅岡 浅沼 信岡 室岡 柳岡 柳沼
1字名	なし	なし	なし	なし	なし	なし	なし
2字名	3・2 3・15 5・16 6・2 6・12 6・15 7・14 13・8 14・4 15・6 17・4 17・8	1・6 1・7 2・4 2・6 2・14 7・9 8・8 9・7 15・8 16・7 17・6 19・4	1・15 3・8 3・15 4・7 4・12 5・6 6・12 9・2 9・15 11・7 12・4 12・12	2・9 4・7 5・8 5・12 6・7 6・15 7・8 7・14 10・15 12・9 13・8 13・12	1・4 1・12 3・2 3・15 5・8 6・7 6・12 7・6 8・8 11・2 11・7 14・4	2・4 4・9 6・7 6・9 7・6 7・8 8・9 9・8 9・12 12・9 14・9 15・6	3・4 3・12 5・2 7・8 7・9 8・7 9・9 10・6 10・8 15・9 16・8
3字名	3・(3) 3・(5) 3・(15) 5・(13) 6・(15) 7・(11) 7・(14) 13・(8)	1・(5) 1・(6) 2・(5) 2・(6) 2・(14) 8・(8) 9・(7) 15・(8)	3・(8) 3・(15) 4・(7) 4・(14) 5・(11) 5・(13) 9・(15) 11・(13)	2・(13) 4・(7) 4・(13) 5・(6) 6・(11) 7・(8) 10・(7) 12・(13)	1・(5) 3・(3) 3・(15) 5・(11) 5・(13) 7・(11) 8・(8) 11・(7)	2・(5) 2・(13) 4・(11) 6・(7) 8・(5) 8・(13) 12・(11) 15・(8)	3・(5) 5・(3) 5・(13) 7・(8) 7・(11) 10・(8) 10・(14) 13・(11)

10·8	10·7	10·6	10·5	10·4	10·3	10	姓の画数
梅林 高岡 島岡 根岸 浜岡 浜松	梅沢 梅村 島村 高見 高村 宮尾	桑名 高安 宮地 宮西 浜地 浜名	家田 倉本 真田 柴田 原田 宮本	梅木 酒井 高井 桃井 速水 宮井	浦山 桐山 原口 宮口 宮下 宮川	荻 柴 島 峰 宮 原	姓の代表例
5　7　15	6　14　16	5　7 15　17	6　10　16	4　7　17	2　4　5 10　12	7　8　11	1字名
3・14 5・8 7・8 8・7 9・8 9・14 10・7 13・8 15・6	1・5 4・3 4・11 8・7 9・6 10・8 11・7 17・7 18・6	2・15 5・11 7・8 9・6 10・7 11・5 12・11 17・6	1・15 3・5 3・14 6・11 8・8 10・7 11・6 11・13 13・5	4・3 4・7 7・11 9・8 11・6 11・14 12・11 13・5 14・7	2・3 3・8 4・7 5・13 8・3 10・8 13・11	1・10 3・2 3・5 5・6 5・16 6・7 7・14 8・7 11・10	2字名
3・(4) 3・(12) 5・(12) 7・(6) 8・(13) 9・(12) 10・(13) 13・(10)	1・(7) 4・(12) 6・(10) 6・(12) 9・(6) 10・(6) 10・(14) 14・(10)	1・(4) 2・(5) 2・(13) 5・(10) 7・(10) 9・(12) 11・(6) 15・(10)	2・(6) 3・(13) 6・(10) 8・(10) 10・(6) 10・(7) 11・(13) 12・(6)	2・(5) 3・(4) 4・(14) 7・(10) 7・(14) 9・(14) 11・(12) 12・(6)	2・(6) 3・(5) 4・(4) 4・(14) 5・(6) 8・(10) 10・(14) 12・(12)	1・(6) 3・(4) 3・(5) 5・(16) 6・(15) 6・(19) 8・(13) 11・(14)	3字名

姓の画数	10·12	10·11	10·10	10·9	
姓の代表例	座間 残間 高須 高森 馬淵 宮森	浦野 荻野 高野 浜崎 原野 宮崎	梅原 桐原 桜庭 島根 高原 宮脇	財津 島津 高城 高柳 根津 宮城	
1字名	なし	4　10 12　14	5　15	2　12　22	
2字名	3・8 3・14 4・7 4・11 5・6 5・8 6・7 6・11 9・8 11・14 12・3 12・11	4・7 5・11 6・5 10・6 10・14 12・6 13・5 13・11	3・8 5・6 6・11 7・6 7・14 8・3 11・14 13・8 14・7 15・6	2・3 2・11 6・7 7・6 7・11 8・5 9・7 12・6 15・3	
3字名	3・(10) 3・(12) 4・(7) 5・(10) 5・(12) 9・(6) 11・(12) 13・(10)	2・(14) 4・(12) 5・(6) 5・(13) 6・(10) 10・(6) 12・(6) 14・(10)	3・(10) 3・(14) 5・(10) 5・(12) 7・(10) 8・(13) 11・(6) 13・(12)	2・(4) 2・(14) 4・(12) 6・(10) 6・(12) 8・(10) 9・(7) 12・(6)	

姓の画数	11・4	11・3・7	11・3	11	10・17	10・16	10・13
姓の代表例	梶井 亀井 野木 堀井 堀木 望月	野々村	亀山 菊川 野口 深川 細川 笹川	乾 梶 菅 笹 都 郷	真鍋	倉橋 栗橋 高橋 根橋 馬橋	能勢 宮路 梅園 宮腰
1字名	なし	4　11 14　16	なし	5　7　13	4　6 14　20	5　7　15	2　10 12　22
2字名	1・5 3・13 4・4 4・12 7・10 9・7 11・6 12・5 12・12 13・5 14・4 14・10	4・10 4・16 6・8 6・10 8・6 8・8 10・6 10・10 11・1 11・3 11・9 14・2	3・4 3・14 5・6 8・10 8・13 10・13 12・6 13・5 13・12 14・7 15・6 15・10	4・2 5・16 6・7 6・15 7・6 10・14 12・12 14・7 14・10	4・14 6・15 7・1 7・11 7・14 8・13 14・7 14・11 15・3 15・6 16・5 18・3	2・5 2・11 5・6 7・8 7・14 8・3 8・7 9・6 16・5	3・13 3・15 4・14 5・11 5・13 8・8 10・6 10・8 10・14 11・5 11・7 12・6
3字名	2・(4) 3・(5) 3・(13) 4・(12) 7・(9) 9・(9) 11・(13) 12・(12)	4・(7) 4・(27) 6・(10) 6・(18) 6・(25) 8・(10) 8・(23) 9・(9) 10・(21) 14・(17)	2・(5) 4・(19) 5・(6) 5・(13) 8・(9) 10・(11) 12・(6) 12・(19)	2・(3) 2・(11) 4・(9) 5・(16) 6・(15) 7・(14) 10・(11) 12・(9)	4・(4) 4・(14) 4・(21) 6・(12) 7・(14) 8・(10) 8・(13) 15・(10)	1・(6) 2・(4) 2・(13) 5・(6) 7・(14) 8・(5) 8・(7) 9・(6)	3・(13) 4・(12) 4・(14) 4・(20) 5・(13) 8・(10) 10・(14) 11・(13) 11・(14) 12・(12)

画数から選ぶ名づけ　姓別吉数リスト

姓の画数	11·12	11·11	11·10	11·8	11·7	11·6	11·5
姓の代表例	笠間 菊間 黒須 鹿間 鳥越 野間	鹿野 黒崎 紺野 笹野 船崎	笠原 梶原 菅家 菅原 野原 野島	猪股 亀岡 黒岩 菅沼 常松 盛岡	逸見 渋沢 渋谷 野村 野沢 深沢	菊地 菊池 鳥羽 野寺 堀江	亀田 菊本 黒田 袴田 深田 船田
1字名	なし	なし	なし	なし	なし	なし	なし
2字名	3・13 4・12 6・10 9・7 11・5 11・7 11・13 12・4 12・6 12・12 13・5 13・12	4・7 4・13 5・10 5・12 6・7 7・4 7・10 10・7 10・13 12・5 13・4 13・10	1・10 3・13 5・6 6・10 6・12 7・4 8・10 11・7 11・13 13・5 14・4 14・10	3・2 3・10 3・13 5・13 7・6 8・5 8・10 9・4 9・7 10・6 13・5 16・2	1・4 4・2 6・7 8・7 8・13 9・12 10・7 11・6 11・10 14・7 16・7 17・4	1・7 2・5 5・10 5・13 9・6 10・5 10・14 11・7 12・6 12・12 17・7 18・6	1・4 3・4 3・12 6・10 8・13 10・7 11・6 11・12 12・5 12・13 13・10 16・5
3字名	3・(5) 3・(13) 4・(12) 4・(20) 11・(13) 12・(12) 12・(13) 13・(11)	2・(9) 2・(13) 4・(9) 4・(13) 5・(6) 6・(9) 10・(13) 12・(11)	3・(13) 5・(11) 5・(13) 6・(12) 7・(9) 7・(11) 11・(13) 13・(11)	3・(3) 3・(13) 5・(11) 5・(13) 7・(11) 9・(9) 10・(6) 13・(20)	1・(5) 4・(9) 4・(13) 6・(9) 8・(5) 8・(13) 9・(12) 10・(11)	2・(4) 2・(6) 5・(11) 5・(19) 7・(9) 9・(6) 10・(6) 11・(13)	2・(6) 3・(4) 3・(12) 3・(13) 6・(11) 8・(13) 10・(6) 12・(9)

姓の画数	12・5	12・4	12・3	12	11・19	11・18	11・13
姓の代表例	朝生 須田 富永 萩本 森田 森本	朝井 奥井 森井 森内 森木 森元	朝川 須山 富山 森川 森口 湯川	越 奥 堺 萩 湊 渡	清瀬 黒瀬 野瀬 深瀬 梁瀬	斎藤 進藤 清藤	淡路 設楽 鳥飼
1字名	6　16　20	7	2　10　20	5　6　13	なし	なし	なし
2字名	2・5 3・3 3・12 6・9 10・6 11・5 12・4 12・12 13・5	2・3 3・4 7・9 9・6 11・4 11・12 12・3 12・5 12・9 12・13 13・3	3・3 3・13 4・12 5・11 5・13 10・6 12・12 13・5 14・4	1・10 3・10 4・7 5・16 6・7 9・12 11・2 11・10 13・12	2・5 2・13 4・7 4・13 5・2 5・6 5・10 6・5 6・12 12・5 13・4 14・4	3・5 3・13 5・13 6・2 6・10 6・12 13・5 13・10 14・2 14・4 17・6 19・4	3・12 3・14 4・13 5・10 5・12 8・5 8・7 10・5 10・7 11・2 11・4 11・6
3字名	2・(5) 3・(4) 3・(12) 6・(10) 6・(12) 8・(8) 10・(8) 12・(12)	1・(4) 2・(5) 3・(5) 3・(12) 4・(11) 7・(10) 11・(12) 12・(11)	2・(4) 3・(5) 4・(12) 5・(11) 5・(19) 8・(8) 10・(8) 12・(12)	3・(3) 4・(19) 5・(6) 6・(15) 9・(14) 11・(14) 12・(9) 12・(11)	2・(3) 2・(9) 4・(3) 4・(11) 5・(6) 6・(5) 6・(9) 6・(11)	3・(3) 3・(5) 3・(13) 5・(11) 5・(13) 6・(12) 7・(9) 7・(11)	3・(12) 4・(9) 4・(11) 4・(13) 4・(19) 5・(12) 8・(9) 8・(13) 10・(11) 10・(13)

画数から選ぶ名づけ　姓別吉数リスト

12・11	12・10	12・9	12・8・6	12・8	12・7	12・6	姓の画数
植野 雲野 奥野 塚崎 塚野 森野	朝倉 須原 塚原 間島 森脇 湯原	植草 森泉 森垣 森屋 湯浅 結城	寒河江	朝岡 飯沼 勝沼 須長 富岡 森岡	植村 奥沢 森沢 森谷 湯沢 湯村	落合 喜多 椎名 森江 森安 渡会	姓の代表例
10 12 14	15	4 12 14	なし	5 15	4 6 14 16	5 7 15 17	1字名
4・12 5・11 6・12 7・9 10・6 12・12 13・5 13・12 14・11	3・12 5・6 6・9 6・11 7・6 8・3 8・9 11・6 13・12 14・9 14・11	2・9 4・12 7・4 7・11 8・3 9・9 12・4 12・6 15・9	1・4 2・3 2・4 5・2 5・10 10・12 11・4 11・11 12・3 12・10 18・4 19・3	3・12 5・6 8・3 8・5 8・9 9・4 9・12 10・3 10・5 13・12	1・12 4・9 6・12 8・5 9・4 10・3 11・5 14・4	1・4 2・3 5・12 7・6 9・4 10・11 11・6 12・9	2字名
4・(4) 5・(11) 6・(10) 6・(18) 7・(11) 10・(8) 12・(12) 13・(12)	3・(8) 3・(12) 5・(8) 5・(12) 6・(11) 6・(19) 7・(10) 11・(12)	4・(12) 6・(10) 6・(12) 6・(18) 7・(11) 12・(12) 14・(10) 16・(8)	1・(4) 1・(12) 2・(3) 2・(11) 2・(19) 7・(4) 9・(12) 10・(5)	3・(2) 3・(8) 3・(18) 5・(8) 5・(10) 7・(10) 8・(5) 13・(8)	1・(5) 4・(2) 4・(12) 6・(10) 8・(5) 8・(10) 10・(8) 11・(22)	2・(4) 2・(11) 5・(8) 5・(12) 7・(8) 9・(12) 11・(10) 12・(11)	3字名

13・5	13・4	13・3	13	12・18	12・16	12・12	姓の画数
愛甲 遠田 滝田 福田 福本 幕田	新木 塩井 鈴木 遠井 福井 福元	愛川 塩川 滝口 新山 福川 溝口	楠 園	須藤	棚橋 富樫	飯塚 飯森 越塚 須賀 塚越 番場	姓の代表例
なし	なし	なし	3　5　8 11　18	5　7 15　17	5　7　17	なし	1字名
1・12 3・4 3・10 3・18 8・5 10・5 10・11 11・4 11・12 12・11 13・4 13・8	1・5 2・5 3・12 4・4 4・11 7・8 11・4 12・12 13・5 13・11 14・4 14・10	2・3 3・5 5・12 8・8 10・5 12・3 12・4 12・5 12・11 13・3 13・8 14・3	2・16 3・15 4・7 4・14 5・6 8・10 8・16 10・14 11・7 12・6 12・12 18・6	3・12 5・6 5・13 6・5 6・11 7・11 13・5 14・4	1・12 1・23 2・11 5・12 5・19 7・6 8・5 8・9 9・4 15・9 16・1 19・5	1・12 3・5 3・12 4・9 4・11 5・6 6・9 9・4 11・12 12・5 12・12	2字名
2・(4) 2・(11) 3・(4) 3・(10) 6・(9) 6・(11) 10・(11) 12・(9)	2・(4) 3・(4) 4・(4) 4・(11) 7・(9) 7・(17) 11・(7) 13・(11)	2・(3) 2・(21) 3・(4) 4・(11) 5・(10) 5・(11) 12・(11) 13・(10)	2・(16) 3・(15) 3・(21) 4・(14) 5・(13) 5・(19) 8・(16) 10・(14) 10・(22) 11・(13)	3・(2) 3・(8) 3・(12) 5・(10) 6・(11) 6・(12) 7・(8) 7・(11)	1・(10) 1・(12) 2・(5) 2・(11) 5・(8) 5・(12) 5・(19) 7・(10)	3・(4) 3・(10) 5・(10) 5・(18) 6・(11) 9・(8) 11・(10) 12・(11)	3字名

画数から選ぶ名づけ　姓別吉数リスト

姓の画数	13・10	13・9	13・8	13・7	
姓の代表例	楠原 嵯峨 塩島 福島 福原	豊泉 新海 新保 新津 新美 福室	新居 殿岡 新妻 蓮沼 福岡 豊岡	塩谷 新谷 鈴村 新村 福沢 福村	
1字名	なし	なし	なし	なし	
2字名	3・5 5・11 6・10 6・12 7・11 7・18 8・8 11・5 13・5 13・11 14・10 15・10	2・11 4・11 4・19 7・4 7・8 8・3 8・5 9・4 9・8 12・3 12・5 12・11	3・8 5・11 7・4 7・11 8・3 8・8 8・10 9・2 10・8 13・3 15・3 16・2	1・10 4・11 6・11 8・5 9・4 9・8 10・5 10・11 11・10 14・11 17・8 18・3	
3字名	1・(7) 5・(11) 6・(10) 6・(18) 7・(9) 8・(10) 11・(7) 13・(11)	2・(9) 2・(11) 4・(7) 4・(19) 6・(7) 6・(9) 7・(10) 12・(11)	5・(11) 7・(4) 7・(9) 8・(10) 9・(7) 9・(9) 13・(11) 15・(9)	1・(10) 4・(7) 4・(11) 6・(9) 6・(19) 8・(9) 10・(7) 11・(10)	

画数から選ぶ名づけ　姓別吉数リスト

姓の画数	14・7	14・5	14・4	14・3	14	13・18	13・11
姓の代表例	稲見 稲村 熊坂 関沢 種村 増村	稲田 榎本 熊本 徳田 徳本 増田	稲井 稲毛 稲木 緒方 熊井 徳井	稲山 熊川 関口 徳丸 増山	榎 窪 関 槙	遠藤 新藤	塩崎 塩野 新堀 園部 遠野 豊崎
1字名	4　10 14　16	6　12　16	7　14　17	4　14　15	7　11　17	なし	なし
2字名	4・7 6・10 8・3 8・10 9・7 9・9 11・7 14・2	2・11 3・10 6・7 6・10 8・10 11・7 12・4 13・3 16・2	2・3 3・10 4・3 4・9 7・10 9・4 11・4 12・3 13・10	3・4 4・11 5・3 8・7 8・10 12・4 13・2 14・4 15・9	1・10 2・5 3・14 4・7 7・10 9・12 10・7 11・6 17・4	3・5 3・18 5・11 5・12 6・10 6・11 7・10 13・4 13・8 14・3 15・2 17・4	2・11 4・11 5・8 5・10 7・4 7・8 10・3 10・5 12・3 12・5 12・11 13・8
3字名	4・(20) 6・(10) 6・(18) 8・(8) 8・(10) 8・(16) 14・(10) 16・(8)	2・(3) 3・(3) 3・(10) 6・(10) 8・(8) 10・(6) 10・(8) 12・(6)	3・(3) 3・(10) 4・(9) 7・(8) 7・(16) 9・(8) 11・(10) 12・(9)	3・(3) 4・(2) 5・(10) 8・(8) 8・(16) 10・(6) 12・(6)	2・(5) 3・(14) 4・(14) 7・(11) 9・(9) 9・(16) 10・(11) 11・(14)	3・(3) 3・(18) 5・(3) 5・(11) 6・(10) 6・(11) 7・(9) 7・(10)	2・(9) 4・(4) 4・(11) 5・(3) 6・(9) 7・(10) 10・(11) 12・(11)

姓の画数	15·5	15·4	15·3	14·12	14·11	14·10	14·9
姓の代表例	熱田 蔵田 駒田 箱田 諸田 横田	駒井	影山 澄川 横川 横山	稲葉 関塚 徳富 徳間 増淵	綾部 綾野 熊崎 境野 熊野 綿貫	漆原 関根 関原 徳原 徳島 箕浦	稲垣 漆畑 関屋 徳重
1字名	12	2　4　12 14　20	5　14　15	5　6	6　10 12　14	7　15	12　14　16
2字名	1・2 1・10 2・9 3・8 3・18 6・9 10・3 11・6 12・9 13・8 16・9	1・17 2・16 3・10 4・9 7・6 7・9 9・9 11・2 12・1 12・6 13・3 14・2	2・3 3・10 4・9 5・8 5・16 8・9 13・8 14・9 15・6	1・10 3・4 3・18 4・7 4・11 5・10 6・7 6・9 9・2 12・9	2・4 4・3 5・3 6・10 7・9 12・4 12・11 13・10	3・10 5・3 5・10 6・7 6・11 7・4 8・7 11・4 13・10 14・7	4・4 6・10 7・9 7・11 8・10 12・4 14・10 15・3 16・9
3字名	2・(9) 2・(15) 3・(8) 6・(15) 8・(7) 10・(7) 12・(9) 16・(9)	1・(15) 1・(17) 2・(16) 3・(15) 4・(9) 4・(29) 7・(9) 9・(9) 12・(21) 14・(19)	2・(5) 4・(9) 4・(19) 5・(16) 8・(9) 8・(15) 10・(7) 12・(9)	1・(6) 3・(8) 3・(18) 4・(9) 5・(8) 5・(16) 9・(6) 12・(9)	2・(6) 4・(2) 4・(3) 5・(3) 5・(18) 6・(10) 7・(9) 13・(10)	3・(8) 3・(10) 5・(8) 5・(16) 7・(8) 7・(10) 8・(16) 11・(10)	2・(6) 6・(10) 7・(9) 8・(8) 8・(10) 9・(9) 12・(6) 14・(10)

16・5	16・4	16・3	16	15・11	15・10	15・7	姓の画数
薄田 繁田 積田 橋田 橋立 橋本	薄井 鴨井 薄木 橋爪 橋内 橋元	鮎川 鴨川 鴨下 橘川 館山 築山	橘 橋 壇 黛	嬉野 駒野 権堂 諏訪 箱野 横野	駒宮 横倉 横島 横浜 輪島	潮来 駒形 駒沢 駒村 横尾 横沢	姓の代表例
10 12 16	4 12 17	4 5 12 14	5 7 8 15 16 17 21 23	5 6 7	6 7 14	10	1字名
1・15 2・9 3・8 3・15 6・5 8・8 10・8 11・7 13・5	2・9 3・8 4・9 7・8 9・8 9・16 12・9 13・8 14・7	4・9 5・1 5・8 8・5 8・8 10・8 13・5 14・2	1・4 1・14 1・15 2・14 2・23 9・6 9・7 9・14 9・16 19・4 19・6 21・4	2・3 4・9 5・8 6・1 6・9 7・8 10・3 12・9	3・3 5・1 5・3 6・10 7・1 7・9 8・8 13・3 14・2	4・9 6・9 6・17 8・3 8・9 9・2 9・6 9・8 10・3 14・9 17・6	2字名
2・(14) 3・(8) 6・(18) 8・(8) 10・(6) 10・(14) 11・(7) 12・(6)	2・(15) 3・(8) 3・(14) 4・(7) 7・(2) 9・(6) 9・(16) 11・(14)	2・(4) 3・(15) 4・(14) 5・(8) 8・(8) 10・(6) 10・(8) 12・(6)	1・(4) 1・(14) 1・(15) 2・(3) 2・(13) 2・(14) 2・(23) 9・(6) 9・(14) 9・(16)	2・(5) 4・(2) 4・(7) 4・(9) 5・(8) 6・(9) 7・(8)	3・(29) 6・(17) 7・(9) 8・(8) 11・(21) 13・(19) 14・(9) 15・(8)	4・(7) 4・(9) 4・(19) 6・(5) 6・(7) 6・(17) 8・(5) 8・(15)	3字名

18·4	17·11	17·10	17·7	17·5	16·10	16·7	姓の画数
藤井 藤木 藤戸 藤元 藪内	磯崎 磯野 磯部 鴻巣 霜鳥	鮫島 鍋島 篠原	磯貝 磯村 磯谷 篠沢	磯田 磯辺 輿石 霜田 鍋田	橘高 鴨原 樽原	鮎沢 壁谷 樽見 橋村 築沢	姓の代表例
なし	4　5 7　20	5　6　14	17	2　10	5　6 7　15	14	1字名
1・14 3・14 4・7 4・13 7・6 9・6 9・14 11・6 12・5 12・13 14・3 17・6	2・1 4・1 4・7 5・6 5・8 7・4 10・7 13・4	1・7 3・15 5・1 5・16 6・15 7・14 11・7 13・8 14・7	1・7 1・14 4・7 6・7 8・7 8・15 9・4 9・6 9・8 10・7 11・4	2・1 3・8 3・14 6・7 8・7 10・1 10・7 11・6 13・4 16・1	1・5 3・2 3・8 5・8 6・5 6・7 8・5 11・2	4・21 8・8 8・16 8・17 9・7 9・15 9・16 14・2 16・8 17・7 18・7	2字名
2・(13) 3・(12) 3・(14) 4・(13) 7・(16) 7・(18) 9・(6) 11・(12)	2・(3) 2・(5) 4・(3) 4・(13) 5・(6) 6・(7) 7・(6) 10・(7)	3・(15) 5・(13) 6・(15) 7・(14) 8・(13) 8・(17) 11・(7) 11・(14)	1・(6) 4・(7) 6・(7) 8・(13) 9・(6) 10・(7) 11・(13) 14・(7)	1・(14) 2・(13) 3・(14) 6・(7) 8・(5) 8・(7) 10・(7) 11・(6)	1・(6) 3・(8) 3・(18) 5・(6) 7・(15) 7・(6) 8・(7) 13・(8)	4・(20) 6・(18) 8・(8) 8・(16) 9・(7) 9・(15) 9・(16) 16・(8)	3字名

画数から選ぶ名づけ　姓別吉数リスト

姓の画数	18・12	18・11	18・10	18・9	18・8	18・7	18・5
姓の代表例	鯉淵 額賀 藤塚 藤間 藤森 藪塚	鵜野 藤堂 藤掛 藤崎 藤野 藪崎	藍原 鎌倉 藤浦 藤倉 藤島 藤原	藤咲 藤城 藤巻 藤屋	鯉沼 難波 藤枝 藤岡 藤沼 藤林	鵜沢 鎌形 藤尾 藤沢 藤谷 藤村	織田 鎌田 藤代 藤田 藤永 藤本
1字名	なし	なし	なし	なし	なし	なし	なし
2字名	1・6 1・14 3・14 4・3 4・7 5・6 6・5 9・6 11・6 12・3 12・5 13・5	2・6 2・14 4・14 4・19 5・3 5・13 6・17 10・6 10・13 12・6 13・3 13・5	1・6 3・14 3・21 5・6 6・5 6・7 7・6 8・3 8・5 11・6 11・13 14・3	2・3 2・6 2・19 4・14 4・17 6・15 7・14 8・13 12・6 14・7 15・3 16・5	3・3 5・6 7・6 7・14 8・3 8・5 8・7 9・6 10・3 10・5 15・6 16・5	1・5 1・6 1・7 1・15 4・19 6・17 8・15 9・7 9・14 10・6 11・5 16・7	1・7 3・5 3・13 10・6 10・14 11・5 11・13 12・6 12・13 13・3 13・5 18・6
3字名	1・(4) 3・(4) 3・(12) 4・(13) 5・(6) 6・(5) 9・(6) 11・(6)	2・(4) 2・(14) 4・(12) 5・(13) 5・(18) 6・(12) 10・(6) 10・(13)	1・(4) 3・(2) 3・(14) 5・(6) 5・(12) 6・(18) 7・(6) 8・(16)	2・(6) 2・(16) 4・(2) 4・(14) 6・(12) 7・(14) 9・(12) 12・(6)	3・(2) 3・(12) 5・(6) 7・(4) 7・(6) 8・(5) 9・(6) 10・(5)	1・(5) 1・(6) 4・(28) 6・(26) 9・(14) 10・(6) 14・(18) 16・(16)	2・(6) 2・(14) 3・(13) 6・(12) 8・(16) 10・(6) 11・(13) 12・(6)

姓の画数	21・4	19・7	19・4	19	
姓の代表例	露木	瀬尾 瀬良	鏑木 鯨井 瀬戸	鏡	
1字名	なし	なし	なし	5　6　13　16　18	
2字名	2・14 3・4 3・20 4・3 4・4 4・12 7・16 9・14 11・12 12・4 13・3 14・2	1・4 1・12 4・2 6・5 8・5 8・13 9・2 9・6 10・5 11・2 11・4 16・5	2・6 2・14 3・5 3・13 4・4 4・12 7・18 9・16 11・5 12・4 13・5 14・2	4・2 4・12 4・14 6・7 6・10 6・12 12・4 12・6 13・5 14・2 14・4 16・2	
3字名	1・(15) 3・(13) 4・(19) 7・(9) 7・(25) 9・(23) 12・(11) 13・(19)	1・(5) 1・(12) 4・(3) 6・(5) 8・(5) 8・(13) 9・(12) 10・(5)	1・(15) 3・(5) 3・(13) 4・(4) 4・(12) 7・(11) 9・(15) 11・(13)	2・(11) 2・(14) 2・(16) 4・(9) 4・(14) 4・(29) 5・(11) 5・(13) 12・(21) 14・(19)	

名前には使わないほうがいい漢字

たくさんの漢字のなかには、悪いイメージや暗い印象が強い漢字もあります。赤ちゃんの明るい将来のためにも名前に使うのは避けてあげたいですね。

あ行	哀悪暗胃違芋姻飲陰隠疫液煙鉛汚凹殴翁
か行	化仮過嫁禍暇寡蚊餓灰戒怪拐悔塊壊劫害殻隔嚇喝渇割干汗陥患喚棺顔肌危忌飢鬼棄偽欺疑戯擬犠却逆虐旧吸朽泣糾窮去拒虚凶狂狭恐胸脅凝菌禁苦愚屈刑傾警撃欠穴血券嫌限減枯娯誤抗拘降慌絞溝拷酷獄骨困恨婚
さ行	唆詐鎖災砕裁剤罪削酢搾錯殺擦皿蚕惨産散酸死刺肢脂歯失疾湿捨赦斜煮遮邪蛇借酌弱囚臭終醜襲汁渋獣縮殉除床消症訟焼焦硝傷障衝償礁冗蒸触辱辛侵唇娠浸寝刃衰酔睡遂牲逝斥責切拙窃舌絶栓戦阻粗疎訴争葬燥騒憎臓属賊損
た行	打堕惰駄怠胎退逮滞濁奪嘆断遅恥痴畜窒嫡虫弔脹腸懲沈朕賃墜痛潰底泥滴敵迭吐怒逃倒討悼盗痘踏匿毒凸豚曇
な行	難肉乳尿妊燃悩脳
は行	破婆背肺排廃売賠縛爆髪伐罰閥抜犯煩蛮皮否卑疲被悲費碑罷避鼻匹泌病貧怖負腐膚侮封腹覆払仏紛墳憤閉弊癖片偏捕墓泡胞崩亡乏妨冒剖捧暴膨謀撲没
ま行	魔埋膜抹漫眠迷毛妄耗匁
や行	厄油癒幽憂溶腰抑
ら行	裸落乱濫痢略虜療涙戻霊隷劣老労漏
わ行	惑枠

姓に合った
名前が見つかる!

画数組み合わせリスト

姓別吉数リストで姓に合う画数がわかったら、このリストで名前を探しましょう。

このリストの見方

名前の1文字目の画数がインデックスになっています。まずはこのインデックスで、1文字目の画数を見つけます。次に、大きい色文字の部分「1-2」「1(4)」で、名前の画数の組み合わせを探します。( )内は、2文字目以降の画数を合計したものです。1字ごとの画数は、1字名と2字名の場合は、大きい色文字(「5」「1-2」など)をご覧ください。3字名の場合、文字のすぐ右にある小さい文字をご覧ください。

※ここでは「仮成数」を加えて吉数にする場合も考えて、画数としてそのままでは吉数ではない名前例も掲載しています

女の子の名前

画数組み合わせリスト

1画（1文字目の画数）

- 一花 1-7 いちか
- 一希 1-7 かずき
- 一華 1-10 いちか
- 乙華 1-10 おとか
- 一姫 1-10 いちか
- 乙葉 1-12 おとは
- 一葉 1-12 かずは
- くるみ 1-6-3 (3) くるみ
- しおり 1-3-2 しおり

2画（1文字目の画数）

- のどか 2-7 (7)
- のぞみ 2-8 (1) のぞみ
- しずか 2-8 (1) しずか
- しほり 2-7 (1) しほり
- つばさ 2-9 (1) つばさ
- りの 2-1 りの
- うの 2-1 うの
- めい 2-2 めい
- りん 2-3 りん
- りさ 2-3 りさ
- 七々 2-3 なな
- とわ 2-4 とわ
- りか 2-4 りか
- うた 2-4 うた
- りお 2-5 りお
- りな 2-5 りな
- ひな 2-5 ひな
- 七未 2-5 ななみ
- 乃衣 2-6 のい
- 七帆 2-6 ななほ
- 七海 2-9 ななみ
- 七美 2-9 ななみ
- 七音 2-9 ななね
- 七香 2-9 ななか
- 乃映 2-9 のえ
- 七菜 2-11 なな
- 乃望 2-11 のぞみ
- 乃彩 2-11 のあ
- 乃愛 2-13 のあ
- 二瑚 2-13 にこ
- 七聖 2-13 ななせ
- 七緒 2-14 ななお
- 七歌 2-14 ななか
- いのり 2-3 いのり
- ことの 2-4 ことの
- このみ 2-4 このみ
- このか 2-4 このか
- こころ 2-4 こころ
- このは 2-5 このは
- いつき 2-5 いつき
- こより 2-5 こより
- ひかり 2-5 ひかり
- りょう 2-5 りょう
- ことは 2-6 (4) ことは

画数から選ぶ名づけ 女の子名

1文字目の画数 2画

名前	よみ
ここね	
いろは	
ひかる	
うらら	
ひまり	
ひなの	
2-1 こはる	
2-7 こゆき	
2-9 りり花	りりか
ひなた	
2-11 乃々果	ののか
七々実	ななみ
十和子	とわこ

1文字目の画数  3画

名前	よみ
2-13 乃々華	ののか
七々夏	ななか
3-2 ゆめ	
にこ	
ゆい	
みう	
わこ	
3-3 千乃	ゆきの
そら	
もも	

名前	よみ
ゆあ	
あみ	
えみ	
さら	
3-4 さき	
弓月	ゆづき
みお	
3-5 ゆず	
かほ	
万由	まゆ
千加	ちか
3-7 千花	ちか
万里	まり

名前	よみ
3-8 千果	ちか
夕奈	ゆうな
万実	まみ
3-9 小春	こはる
千咲	ちさき
久美	くみ
3-10 千紘	ちひろ
千紗	ちさ
小梅	こうめ
小夏	こなつ
3-11 小雪	こゆき
万理	まり

名前	よみ
3-12 千尋	ちひろ
千晴	ちはる
万結	まゆ
3-13 小暖	こはる
千聖	ちさと
千歳	ちとせ
3-14 万緒	まお
千歌	ちか
3-15 万穂	まほ
千穂	ちほ
3-17 万優	まゆ

名前	よみ
千優	ちひろ
3-(3) みのり	
かのん	
3-(4) さくら	
ゆうり	
あいり	
ちひろ	
3-(5) さつき	
あかり	
あさひ	
ゆかり	
やよい	
みさと	

画数から選ぶ名づけ 女の子名

1文字目の画数 3〜4画（続き）

3画

名前	読み	画数
かれん		
すみれ		3・(6)
さやか		
あおい		
さおり		
ちなつ		
かんな		3・(7)
みやび		
あかね		
ちはる		
あやな		3・(8)
みなみ		
万由子	まゆこ	

名前	読み	画数
千亜希	ちあき	3・7・7
千紗子	ちさこ	3・(14)
万由佳	まゆか	3・(13)
千咲子	ちさこ	3・(12)...
小百合	さゆり	3・7
すず花	すずか	
万里子	まりこ	3・(10)
もも花	ももか	3・(10)
すずね		3・(9)
わかば		3・(9)
万梨子	まりこ	
小羽音	こはね	3・(15)
万結子	まゆこ	

1文字目の画数 **4画**

4画

名前	読み	画数
心	こころ	4
文	あや	4
きい		4・2
まい		
文乃	ふみの	
はる		4・3

名前	読み	画数
まゆ		
まや		
文子	あやこ	
まお		4・4
ねね		
はな		4・5
まほ		
心花	このか	4・7
仁那	にな	
友里	ゆり	
文花	あやか	
日和	ひより	4・8

名前	読み	画数
文奈	あやな	
友佳	ゆうか	4・9
心春	こはる	
心咲	みさき	
仁美	ひとみ	
天音	あまね	
友香	ともか	
心桜	みお	4・10
文華	あやか	
友恵	ともえ	
心菜	ここな	4・11
日菜	ひな	
友菜	ゆうな	

名前	読み	画数
仁菜	にいな	
心結	みゆ	4・12
心晴	こはる	
心遥	こはる	
双葉	ふたば	4・13
心愛	ここあ	
心暖	こはる	
心寧	ここね	4・14
心歌	ここか	
天寧	あまね	
友寧	ゆうね	
心優	みゆ	4・17
友優	ゆう	

女の子名 1文字目の画数 4〜5画

4画

- まひろ 4(4)
- ねいろ 4(4)
- まりあ 4(5)
- まいか 4(6)
- はるか 4(6)
- きよら 4(7)
- はんな 4(7)
- まりな 4(7)
- まどか 4(7)
- 今日子 4(8) きょうこ
- はるな 4(8)

- たまき 4(9)
- 日向子 4(9) ひなこ
- 友希乃 4(10) ゆきの
- まゆ花 4(10) まゆか
- 友里子 4(11) ゆりこ
- まり香 4(11) まりか
- はる奈 4(11) はるな
- 日奈子 4(12) ひなこ
- 友加里 4(12) ゆかり
- 日南子 4(13) ひなこ
- 今日香 4(13) きょうか

- 友紀奈 4(14) ゆきな
- 仁衣菜 4(14) にいな
- 友里香 4(15) ゆりか
- ふた葉 4(16) ふたば
- 日茉里 4(15) ひまり
- 友里奈 4(15) ゆりな
- 日菜子 4(15) ひなこ
- 友里多 4(15) ゆりた
- 日奈亜 4(16) ひなた
- 仁衣奈 4(14) にいな
- 日菜乃 4(16) ひなの
- 日夏子 4(16) ひなこ

- 友梨恵 4(21) ゆりえ
- 友理恵 4(21) ゆりえ
- 友莉菜 4(21) ゆりな
- 日香梨 4(20) ひかり
- 友里愛 4(20) ゆりあ
- 友梨奈 4(19) ゆりな
- 日茉理 4(19) ひまり
- 日茉梨 4(19) ひまり
- 友梨花 4(18) ゆりか
- 日茉莉 4(18) ひまり
- 日菜多 4(18) ひなた
- 日真里 4(17) ひまり

1文字目の画数 5画

- 礼 5 れい
- 史 5 ふみ
- 由乃 5・2 よしの
- 礼乃 5・2 あやの
- 史乃 5・2 ふみの
- 未久 5・3 みく
- 由子 5・3 ゆうこ
- 由月 5・4 ゆづき
- なお 5・4

- 未央 5・5 みお
- 由加 5・5 ゆか
- 未羽 5・6 みう
- 史帆 5・6 しほ
- 未来 5・7 みく
- 由花 5・7 ゆうか
- 由芽 5・8 ゆめ
- 史歩 5・8 しほ
- 加奈 5・8 かな
- 冬音 5・9 ふゆね
- 由香 5・9 ゆか

画数から選ぶ名づけ 女の子名

1文字目の画数 5～6画

5画

名前	画数	よみ
史穂	5-15	しほ
未緒	5-14	みお
可蓮	5-14	かれん
由愛	5-13	ゆあ
由貴	5-12	ゆうき
未結	5-12	みゆ
可梨	5-11	かりん
永麻	5-11	えま
由莉	5-10	ゆり
未桜	5-10	みお

由衣乃	5(8)	ゆいの
ななみ	5(7)	ななみ
ほの花	5(8)	ほのか
由蘭	5-19	ゆら
未麗	5-19	みれい
史織	5-18	しおり
未織	5-18	みおり
未優	5-17	みゆ
可憐	5-17	かれん
未樹	5-16	みき
可凛	5-16	かりん

可菜子	5(11)	かなこ
由衣奈	5(14)	ゆいな
由衣花	5(13)	ゆいか
なな実	5(13)	ななみ
可南子	5(12)	かなこ
未乃莉	5(12)	みのり
加奈子	5(11)	かなこ
由里子	5(10)	ゆりこ
なぎさ	5(10)	なぎさ
由衣子	5(9)	ゆいこ

帆乃	6-2	ほの
圭	6	けい
凪	6	なぎ
灯	6	あかり
由莉奈	5(18)	ゆりな
可奈恵	5(18)	かなえ
由香里	5(16)	ゆかり
由佳里	5(15)	ゆかり

1文字目の画数 **6画**

6画

妃奈	6-8	ひな
汐里	6-8	しおり
早希	6-7	さき
百花	6-7	ももか
早妃	6-6	さき
羽衣	6-6	うい
百加	6-5	ももか
羽叶	6-5	わかな
圭子	6-3	けいこ
百々	6-3	もも
羽乃	6-2	はの

妃菜	6-11	ひな
早姫	6-11	さき
更紗	6-10	さらさ
凪紗	6-10	なぎさ
汐莉	6-10	しおり
朱莉	6-10	あかり
百華	6-10	ももか
帆南	6-9	ほなみ
羽奏	6-9	わかな
成美	6-9	なるみ
百香	6-9	ももか
朱音	6-9	あかね
帆佳	6-8	ほのか

284

画数から選ぶ名づけ 女の子名 1文字目の画数 6〜7画

6画

名前	読み	番号
有彩	ありさ	
朱梨	あかり	6-12
早智	さち	
早瑛	さえ	
有稀	ゆうき	
百絵	ももえ	6-13
羽詩	うた	
妃愛	ひな	6-14
朱寧	あかね	
羽瑠	はる	6-15
朱璃	あかり	
成穂	なるほ	

百々佳	ももか	
帆乃香	ほのか	6-11
早也伽	さやか	
百々花	ももか	
帆乃佳	ほのか	6-10
妃那乃	ひなの	
帆乃花	ほのか	6-2(9)
早羅	さら	
羽麗	うらら	6-19
妃織	ひおり	
伊織	いおり	6-18

向日葵	ひまり	6-16
有里奈	ゆりな	
百々葉	ももは	6-12(15)
妃菜子	ひなこ	
百々菜	ももな	6-11(14)
妃菜乃	ひなの	
百合花	ゆりか	6-13
有加里	ゆかり	
早也香	さやか	
帆乃華	ほのか	6-2(12)
有紀乃	ゆきの	6-9(2)

江梨花	えりか	
有美香	ゆみか	
妃茉莉	ひまり	6-18
伊桜里	いおり	
江玲奈	えれな	
早弥香	さやか	6-17
百合夏	ゆりか	6-10

7画 (1文字目の画数)

杏	あん	
花	はな	
希	のぞみ	

妙	たえ	
志乃	しの	7-2
里乃	りの	
希子	きこ	7-3
亜子	あこ	
寿々	すず	
希心	のぞみ	7-4
沙月	さつき	
亜未	あみ	7-5
希未	のぞみ	
沙世	さよ	
里央	りお	

花帆	かほ	7-6
志帆	しほ	
希衣	きい	
沙羽	さわ	
里帆	りほ	
花那	かな	7-7
杏那	きょうか	
沙良	さら	
芹那	せりな	
亜希	あき	
里花	りか	
杏奈	あんな	7-8
希実	のぞみ	

画数から選ぶ名づけ 女の子名 1文字目の画数 7〜7画

7-9
- 志歩 しほ
- 那奈 なな
- 里奈 りな
- 沙弥 さや
- 花奈 かな
- 杏実 あみ
- 沙季 さき
- 希和 きわ
- 亜依 あい
- 伶実 れみ
- 利佳 りか
- 花音 かのん
- 希美 のぞみ
- 亜美 あみ
- 里咲 りさ

7-10
- 寿音 ことね
- 杏南 あんな
- 佑香 ゆうか
- 初音 はつね
- 志保 しほ
- 沙紀 さき
- 沙耶 さやか
- 冴香 さえか
- 伶美 れみ
- 里桜 りお
- 杏莉 あんり
- 花恋 かれん
- 希恵 きえ
- 杏珠 あんじゅ
- 里紗 りさ

7-11
- 佑莉 ゆうり
- 沙笑 さえ
- 亜純 あずみ
- 利紗 りさ
- 杏菜 あんな
- 里菜 りな
- 花菜 かな
- 那菜 なな
- 花梨 かりん
- 希望 のぞみ
- 杏理 あんり

7-12
- 里彩 りさ
- 志麻 しま
- 沙絵 さえ

7-13
- 沙稀 さき
- 沙葵 さき
- 里湖 りこ
- 花楓 かえで
- 杏慈 あんじ
- 花蓮 かれん
- 花鈴 かりん
- 亜瑚 あこ

7-14
- 李緒 りお
- 花寧 はなね
- 沙綾 さあや
- 那緒 なお

7-15
- 杏璃 あんり

7-16
- 沙輝 さき
- 希穂 きほ
- 花澄 かすみ
- 杏樹 あんじゅ

7-17
- 沙樹 さき
- 亜樹 あき
- 里穏 りおん
- 亜優 あゆ
- 里穂 りほ

7-18
- 志織 しおり

7-19
- 沙織 さおり
- 沙羅 さら

7-(8)
- 沙蘭 さら
- 亜由子 あゆこ

7-(10)
- 沙也加 さやか
- 希々花 ののか
- 沙也伽 さやか
- 里花子 りかこ

7-(11)
- 沙也果 さやか
- 里佳子 りかこ

7-(12)
- 佐和子 さわこ
- 寿々音 すずね

7-9
- 沙也香 さやか
- 里香子 りかこ

画数から選ぶ名づけ 女の子名 1文字目の画数 7〜8画

7画

- 寿々夏 すずか 7-13
- 亜由実 あゆみ
- 亜矢香 あやか 7-14
- 杏里沙 ありさ
- 亜衣香 あいか 7-15
- 沙弥花 さやか
- 里央菜 りおな 7-16
- 沙弥佳 さやか
- 亜香里 あかり
- 亜花莉 あかり 7-17
- 志桜里 しおり

- 里依紗 りいさ 7-18
- 沙耶香 さやか
- 里梨花 りりか
- 亜香莉 あかり 7-19
- 沙理奈 さりな
- 亜香梨 あかり 7-20
- 那菜美 ななみ
- 花菜恵 かなえ 7-21
- 亜梨紗 ありさ
- 玖瑠実 くるみ 7-22
- 志穂里 しほり

8画 1文字目の画数

- 空 そら
- 和 あい
- 怜 れい
- 歩 あゆみ
- 幸乃 ゆきの 8-2
- 果乃 かの
- 奈々 なな 8-3
- 佳子 かこ
- 幸子 さちこ
- 怜子 れいこ

- 侑子 ゆうこ
- 茉弓 まゆみ 8-4
- 茉友 まゆ
- 奈月 なつき
- 実友 みゆ
- 芽生 めい 8-5
- 奈央 なお
- 弥生 やよい
- 怜可 れいか
- 京加 きょうか
- 茉由 まゆ
- 幸代 ゆきよ
- 実加 みか
- 朋世 ともよ

- 知代 ちよ
- 和加 わか 8-6
- 芽衣 めい
- 明衣 めい
- 怜衣 れい
- 果帆 かほ
- 明里 あかり 8-7
- 和花 わか
- 侑希 ゆうき
- 実玖 みく
- 奈那 なな
- 怜那 れな
- 知沙 ちさ
- 朋花 ともか

- 実沙 みさ
- 京花 きょうか
- 茉里 まり 8-8
- 芽依 めい
- 怜奈 れいな
- 明依 めい
- 果歩 かほ
- 若奈 わかな
- 侑奈 ゆうな
- 茉実 まみ
- 直佳 なおか
- 知佳 ともか
- 和奏 わかな 8-9
- 実咲 みさき

画数から選ぶ名づけ　女の子名　1文字目の画数 8〜8画

8-8
- 明音 あかね
- 奈南 なな
- 知音 かのん
- 佳音 かのん
- 弥紅 みく
- 怜香 れいか
- 直美 なおみ
- 京香 きょうか
- 侑香 ゆうか
- 奈海 なみ
- 明莉 あかり
- 奈桜 なお
- 知紗 ちさ
- 実夏 みか
- 明紗 めいさ

8-10 / 8-11 / 8-12 / 8-13
- 祈莉 いのり
- 京華 きょうか
- 和夏 わか
- 若菜 わかな
- 芽彩 めい
- 明梨 あかり
- 佳菜 かな
- 朋菜 ともな
- 若葉 わかば
- 芽結 めい
- 知尋 ちひろ
- 佳琳 かりん
- 果暖 かのん

8-14 / 8-15 / 8-16
- 実愛 みあ
- 知聖 ちさと
- 和瑚 わこ
- 弥鈴 みすず
- 佳蓮 かれん
- 実緒 みお
- 波瑠 はる
- 和歌 わか
- 果穂 かほ
- 茉穂 まほ
- 実璃 みのり
- 佳凛 かりん
- 実樹 みき

8-17 / 8-18
- 果穂 かのん
- 実優 みゆ
- 茉優 まゆ
- 佳穂 かほ
- 依織 いおり
- 佳織 かおり
- 奈七子 ななこ
- 佳也乃 かやの
- 奈々子 ななこ
- 奈乃羽 なのは
- 茉由子 まゆこ

8-(9) 〜 8-(13)
- 芽衣子 めいこ
- 明日加 あすか
- 歩乃佳 ほのか
- 英里子 えりこ
- 佳弥乃 かやの
- 明日花 あすか
- 実和子 みわこ
- 実乃莉 みのり
- 奈々香 ななか
- 和香子 わかこ
- 明日香 あすか

8-(14) 〜 8-(17)
- 茉由佳 まゆか
- 明日夏 あすか
- 芽衣奈 めいな
- 佳菜子 かなこ
- 茉里奈 まりな
- 明佳里 あかり
- 佳央理 かおり
- 和佳奈 わかな
- 明香里 あかり
- 奈々緒 ななお
- 明花莉 あかり
- 英玲奈 えれな

288

8	8⟨18⟩	8	8⟨19⟩	8	8⟨20⟩	8⟨21⟩	8
知紗希 ちさき	明花梨 あかり	和花菜 わかな	奈津美 なつみ	明佳理 あかり	茉莉香 まりか	佳菜実 かなみ	和香菜 わかな	奈香香 ななか	茉優子 まゆこ	実咲稀 みさき	佳菜恵 かなえ

1文字目の画数 9画

	9					9-2	9-3
咲 さき	柚 ゆず	茜 あかね	泉 いずみ	香 かおり	玲 れい	紅 べに	柚乃 ゆずの	星七 せいな	柚子 ゆず

		9-4			9-5			9-6	
奏子 かなこ	音々 ねね	美夕 みゆ	美月 みづき	柚月 ゆづき	咲月 さつき	美友 みゆ	美央 みお	美礼 みれい	玲加 れいか	柚羽 ゆずは	咲妃 さき

				9-7					
音羽 おとは	咲帆 さきほ	玲衣 れい	美有 みゆう	南帆 みなほ	香名 かな	咲希 さき	柚良 ゆずか	咲花 さくら	春花 はるか	風玖 ふうく	美那 みずな	美里 みさと

咲来 さくら	星希 ゆうき	祐希 ゆうき	玲花 れいか	美伶 みれい	星良 せいら	柊花 しゅうか	美沙 みさ	美希 みき	紀花 のりか	娃李 あいり	俐花 りか	宥那 ゆうな	春那 はるな	映里 えり	柚良 ゆら

				9-8						
紅亜 くれあ	祐里 ゆり	美那 みな	奏那 かな	郁花 あやか	美空 みく	柚奈 ゆずな	玲奈 れな	咲空 さきな	咲季 さき	咲幸 さゆき	星奈 せいな	美和 みわ	春佳 はるか

画数から選ぶ名づけ 女の子名 1文字目の画数 9〜9画

9-9
| 柚季 ゆずき | 美怜 みれい | 香奈 かな | 星來 せいら | 美波 みなみ | 美奈 みな | 奏弥 かなみ | 香佳 きょうか | 美苑 みその | 美季 みき | 美咲 みさき | 奏音 かのん | 美音 みお | 咲南 さな | 玲美 れみ |

9-10
| 美春 みはる | 咲耶 さや | 玲香 れいか | 春香 はるか | 美玲 みれい | 美紀 みき | 咲香 さきか | 美南 みなみ | 映美 えみ | 紀香 のりか | 祐紀 ゆき | 祢音 ねね | 郁音 あやね | 美香 みか | 美桜 みお |

9-11
| 胡桃 くるみ | 咲恵 さえ | 美莉 みり | 咲姫 さき | 香恋 かれん | 柚華 ゆずか | 香恵 かえ | 香純 かすみ | 祐夏 ゆか | 美華 みか | 美紗 みさ | 美夏 みか | 柑菜 かんな | 玲菜 れな | 柚菜 ゆずな |

9-12
| 咲菜 さな | 美悠 みゆう | 娃菜 あいな | 香梨 かりん | 祐梨 ゆり | 美菜 みな | 美結 みゆ | 美琴 みこと | 柚葉 ゆずは | 美晴 みはる | 美遥 みはる | 咲葵 さき | 春陽 はるひ | 柚稀 ゆずき | 海琴 みこと |

9-13
| 美尋 みひろ | 美陽 みはる | 咲絢 さあや | 柚葵 ゆずき | 美智 みち | 咲貴 さき | 奏絵 かなえ | 香遥 こはる | 紅愛 くれあ | 奏楽 そら | 咲楽 さくら | 香鈴 かりん | 美瑚 みこ | 美鈴 みすず | 香蓮 かれん |

9-14
| 美緒 みお | 咲綾 さあや | 柚歌 ゆずか | 春瑠 はる | 俐緒 りお | 美歌 みか | 音寧 ねね | 香穂 かほ | 香澄 かすみ | 柚穂 ゆずほ | 美璃 みり | 美慧 みさと | 咲輝 さき | 香凛 かりん |

9-15

画数から選ぶ名づけ 女の子名 1文字目の画数 9〜10画

名前	画数	読み
香凛	9	かりん
咲樂		さら
美穏	9・16	みおん
香憐		かれん
美樹		みき
美優	9・17	みゆ
美嶺		みれい
美織	9・18	みおり
香織		かおり
美藍		みらん
咲羅	9・19	さくら
咲蘭		さら

名前	画数	読み
星羅		せいら
美麗	9 (6)	みれい
南々子	9 (9)	ななこ
美也子		みやこ
美乃里		みのり
美羽子	9 (10)	みわこ
美花子		みかこ
咲希子		さきこ
香奈子	9 (11)	かなこ
美佳子		みかこ
玲央那	9 (12)	れおな

名前	画数	読み
美央里	9	みおり
祐香子		ゆかこ
玲央奈	9 (13)	れおな
美桜子		みおこ
香乃葉	9 (14)	このは
玲衣奈		れいな
美沙希		みさき
映里奈	9 (15)	えりな
香里奈		かりな
咲葉子		さよこ
玲央菜	9 (16)	れおな
美咲希		みさき

名前	画数	読み
保奈美	9 (17)	ほなみ
美桜里		みおり
美紗希		みさき
美沙都	9 (18)	みさと
香莉奈		かりな
美梨亜		みりあ
美沙稀	9 (19)	みさき
美樹子		みきこ
香菜美	9 (20)	かなみ
美彩紀		みさき
美紗都	9 (21)	みさと

名前	画数	読み
香緒里		かおり
美知瑠	9 (22)	みちる
玲緒奈		れおな

1文字目の画数 10画

名前	画数	読み
桜	10	さくら
栞		しおり
桃		もも
華		はな
恋		れん
夏		なつ
莉乃	10・2	りの

名前	画数	読み
栞七		かんな
紘乃		ひろの
夏乃		なつの
莉子	10・3	りこ
桃子		ももこ
桜子		さくらこ
莉々		りり
恵子		けいこ
紗夕		さゆ
紗千		さち
恵万		えま
真弓		まゆみ
夏子	10・4	なつこ
莉心		りこ

291

女の子名 １文字目の画数 10〜10画

10·5
夏月 なつき ／ 真友 まゆ ／ 紗月 さつき ／ 莉央 りお ／ 真央 まお ／ 真由 まゆ ／ 真白 ましろ ／ 莉世 りせ ／ 桃加 ももか ／ 珠世 たまお ／ 紗世 さよ ／ 真矢 まや ／ 眞央 まお ／ 倫世 ともよ ／ 夏未 なつみ

10·6
真帆 まほ ／ 真衣 まい ／ 紗衣 さえ ／ 華帆 かほ ／ 紗江 さえ ／ 莉帆 りほ ／ 栞名 かんな ／ 珠羽 みう ／ 眞衣 まい ／ 夏帆 かほ ／ 真有 まゆ ／ 紗羽 さわ ／ 夏妃 なつき

10·7
桃花 ももか ／ 紗良 さら ／ 紗希 さき ／ 桜希 さき ／ 紗那 さな ／ 莉杏 りあん ／ 栞里 しおり ／ 珠寿 すず ／ 姫花 ひめか ／ 桜来 さくら ／ 留里 るり ／ 珠希 たまき ／ 眞希 まき ／ 笑里 えみり ／ 莉沙 りさ ／ 莉亜 りあ ／ 恭花 きょうか

10·8
恵那 えな ／ 晏里 あんり ／ 純花 じゅんか ／ 真里 まり ／ 夏希 なつき ／ 莉奈 りな ／ 紗弥 さや ／ 真奈 まな ／ 栞奈 かんな ／ 恵奈 えな ／ 桃佳 ももか ／ 桜來 さくら ／ 紗和 さわ ／ 桃果 ももか ／ 真依 まい

10·9
紗英 さえ ／ 莉歩 りほ ／ 留奈 るな ／ 純怜 すみれ ／ 夏奈 かな ／ 真知 まち ／ 桃香 ももか ／ 華音 かのん ／ 莉音 りおん ／ 恵美 えみ ／ 莉胡 りこ ／ 真耶 まや ／ 珠美 たまみ ／ 紗南 さな ／ 莉香 りか

10·10
莉美 りみ ／ 莉桜 りお ／ 莉紗 りさ ／ 紗恵 さえ ／ 桃夏 ももか ／ 真夏 まなつ ／ 夏姫 なつき ／ 莉恵 りえ

10·11
紗菜 さな ／ 紗彩 さあや ／ 莉菜 りな ／ 桃菜 ももな ／ 紗雪 さゆき ／ 真悠 まゆ

画数から選ぶ名づけ 女の子名 1文字目の画数 10〜11画

10-12
恵麻 えま
恵菜 えな
純菜 じゅんな
晏梨 あんり
真理 まり
真結 まゆ
紗葵 さき
真湖 まこ
珠葵 たまき
華琳 かりん

10-13
莉愛 りあ
華蓮 かれん
栞愛 かんな

10-14
純蓮 すみれ
華鈴 かりん
真緒 まお
莉緒 りお
紗綾 さあや
桃寧 ももね
桃歌 ももか
珠緒 たまお
眞緒 まお
紗綺 さき

10-15
栞璃 しおり
真穂 まほ
紗穂 さほ
夏凛 かりん

10-16
真樹 まき

10-17
夏樹 なつき
真優 まゆ
珠優 みゆ

10-18
姫織 ひおり
夏織 かおり

10-19
紗羅 さら
純麗 すみれ

10(5)
夏乃子 かのこ
華乃子 かのこ
紗也乃 さやの

10(8)
紗也加 さやか

10(10)
真由子 まゆこ
紗久良 さくら
莉々花 りりか

10(11)
紗友里 さゆり

10(7)
紗和子 さわこ

10(3)
真依子 まいこ
莉佳子 りかこ

10(12)
紗也香 さやか
真由花 まゆか

10(13)
紗也夏 さやか

10(8)
恵礼奈 えれな
莉衣那 りいな

10(14)
莉衣奈 りいな
恵衣花 えりか
莉衣奈 りいな

10(10)
真理子 まりこ

10(15)
真由里 まゆり
真由奈 まゆな

10(16)
恵里香 えりか

10(7)
恵里奈 えりな

10(9)
真奈実 まなみ

10(17)
真奈美 まなみ
紗耶花 さやか
紗弥香 さやか

1文字目の画数 11画

彩 あや
唯 ゆい

10(18)
紗耶音 さやね
恵莉奈 えりな
真理亜 まりあ

10(19)
恵莉佳 えりか
真梨奈 まりな

10(20)
恵梨香 えりか
真菜美 まなみ

画数から選ぶ名づけ 女の子名 1文字目の画数 11〜11画

11・2
彩乃 あやの	梨乃 りの	雪乃 ゆきの	理乃 りの	悠乃 はるの	彩七 あやな	梨七 りな

紬 つむぎ｜悠 はるか｜渚 なぎさ｜菫 すみれ｜雪 ゆき｜梓 あずさ｜望 のぞみ｜都 みやこ

11・3
菜々 なな｜理子 りこ｜彩子 あやこ｜啓子 けいこ｜梨子 りこ

11・4
悠月 ゆづき｜菜月 なつき

11・5
麻友 まゆ｜彩巴 いろは｜皐月 さつき｜理央 りお｜麻央 まお｜菜央 なお

11・6
彩羽 いろは｜萌衣 めい｜麻衣 まい｜菜名 なな｜麻有 まゆ｜梨帆 りほ

11・7
理代 りよ｜梨加 りか｜彩禾 あやか｜理世 りよ｜麻矢 まや｜萌生 めい｜彩花 あやか｜梨花 りんか

11・8
菜那 なな｜唯花 ゆいか｜琉花 るな｜琉那 るか｜萌那 もえか｜悠花 ゆうか｜彩花 さら｜悠良 ゆうき｜彩希 あやり｜麻里 あやな｜理那 まき｜麻那 まな｜清花 さやか｜彩芽 あやめ

11・9
彩佳 あやか｜萌依 めい｜悠奈 ゆうな｜悠佳 ゆうな｜理奈 りな｜麻弥 まや｜梨果 りか｜彩音 あやね｜彩音 あやみ｜彩香 あやか｜理香 りお｜彩映 さえ｜悠香 ゆうか｜梨砂 りさ

11・10
理桜 りお｜菜桜 なお｜唯華 ゆいか｜彩華 あやか｜彩恵 さえ｜梨紗 りさ｜麻姫 まき｜彩菜 あやな｜悠菜 ゆうな｜唯菜 ゆいな｜絆菜 はんな｜麻理 まり｜理彩 りさ

11・11

11-12画

- 菜都 なつ
- 彩葉 いろは
- 望結 みゆ
- 萌絵 もえ
- 彩貴 さき
- 麻結 まゆ
- 梨絵 りえ

11-13
- 彩愛 さえ

11-14
- 梨愛 りあ
- 麻鈴 まりん
- 爽楽 そら
- 梨緒 りお
- 菜緒 なお

11-15
- 彩寧 あやね
- 理緒 りお
- 彩歌 あやか
- 唯歌 ゆいか
- 雪寧 ゆきね
- 菜穂 なほ
- 麻穂 まほ

11-16
- 麻凛 まりん
- 涼穂 すずほ

11-17
- 麻樹 まき
- 梨薗 りおん
- 望優 みゆ
- 麻優 まゆ

11-18
- 彩織 さおり

11-19
- 麻織 まお
- 彩蘭 さら
- 梨羅 りら

11-(6)
- 菜々子 ななこ

11-(7)
- 梨々子 りりこ
- 菜々巴 ななは
- 麻友子 まゆこ
- 野乃花 ののか

11-(9)
- 菜乃花 なのか
- 麻衣子 まいこ

11-(10)
- 萌々花 ももか
- 菜々花 ななか
- 麻那子 まりこ
- 菜里子 まりこ

11-(11)
- 菜々実 ななみ

11-(12)
- 菜々美 ななみ

11-(3)
- 麻由美 まゆみ
- 彩佳子 りかこ
- 彩央里 さおり
- 梨香子 りさこ
- 理咲子 りさこ
- 萌々華 ももか

11-(14)
- 麻由香 まゆか

11-(15)
- 菜都子 なつこ
- 梨里花 りりか

11-(16)
- 理衣紗 りいさ

11-(17)
- 麻奈美 まなみ
- 麻里香 まりか
- 菜奈花 ななか
- 麻里奈 まりな
- 菜々葉 ななは

11-(18)
- 梨桜奈 りおな

- 菜々華 ななか
- 麻由佳 まゆか
- 麻衣花 まいか
- 菜津実 なつみ
- 理穂子 りほこ

1文字目の画数 **12画**

12画
- 葵 あおい
- 遥 はるか
- 結 ゆい
- 陽 はる
- 琳 りん
- 絢 あや
- 恵 めぐみ
- 景 けい

画数から選ぶ名づけ ― 女の子名 ― 1文字目の画数 12〜12画

12-2
- 晶 あき
- 葉 よう

12-2
- 琴乃 ことの
- 陽乃 はるの
- 絢乃 あやの
- 晴乃 はるの
- 結子 ゆうこ

12-3
- 葵子 きこ
- 景子 けいこ
- 智子 ともこ
- 結月 ゆづき

12-4
- 琴心 ことみ

12-5
- 琴巴 ことは
- 葉月 はづき
- 琴未 ことみ
- 智代 ともよ
- 結加 ゆうか

12-6
- 結衣 ゆい
- 琴羽 ことは
- 葵衣 あおい
- 結羽 ゆう
- 結妃 ゆき
- 結名 ゆいな
- 紫帆 しほ
- 絢羽 あやは

12-7
- 晴日 はるひ
- 結花 ゆいか
- 結那 ゆいな
- 陽花 はるか
- 智花 ともか
- 智沙 ちさ
- 温花 はるか
- 瑛那 えな
- 琳里 りんか
- 瑛花 えり
- 琴那 ことな
- 結里 ゆうり
- 結亜 ゆあ
- 絵里 えり

12-8
- 結奈 ゆな

12-9
- 陽奈 ひな
- 陽依 ひより
- 結佳 ゆうか
- 琴佳 ことみ
- 結実 ゆみ
- 遥奈 はるな
- 琴音 ことね
- 結香 ゆいか
- 陽音 ひなた
- 絢音 あやね
- 陽咲 ひさき
- 智咲 ちさき
- 晴香 はるか
- 琴美 ことみ
- 智香 ちか

12-10
- 結音 ゆいね
- 結南 ゆな
- 絢美 あやみ
- 裕美 ひろみ
- 智美 ともみ
- 琳香 りんか

12-11
- 結華 ゆいか
- 陽莉 ひまり
- 結珠 ゆず
- 智紗 ちさ
- 陽菜 ひな
- 結菜 ゆうな
- 陽彩 ひいろ
- 絢菜 あやな

12-12
- 結唯 ゆい
- 結梨 ゆり
- 結理 ゆり
- 結彩 ゆい
- 惺菜 せいな
- 晴菜 はるな
- 景都 けいと
- 絵麻 えま
- 結梛 ゆうな
- 裕梨 ゆうり
- 陽葵 ひまり
- 琴葉 ことは
- 遥陽 はるひ
- 朝陽 あさひ
- 絢葉 あやは

画数から選ぶ名づけ 女の子名 1文字目の画数 12〜13画

12
- 結喜 ゆき
- 結稀 ゆき
- 結葵 ゆうき
- 結貴 ゆうき
- 智遥 ちはる
- **12·13** 結愛 ゆあ
- 陽愛 ひより
- 陽詩 ひなた
- 結夢 ゆめ
- 結楽 ゆら
- 智愛 ちえ
- 裕愛 ゆあ
- 智聖 ちさと
- 琴瑚 ことこ
- 絵蓮 えれん

- 葉瑚 はこ
- **12·14** 琴寧 ことね
- 絢寧 あやね
- 晴歌 はるか
- 結歌 ゆいか
- 葉瑠 はる
- **12·15** 結舞 ゆま
- 貴穂 きほ
- 紫穂 しほ
- **12·17** 結優 ゆう
- 智優 ちひろ
- **12·21** 智鶴 ちづる

- 結鶴 ゆづ
- **12(9)** 結衣子 ゆいこ
- 陽向子 ひなこ
- **12(10)** 瑛里子 えりこ
- 陽奈乃 ひなの
- **12(12)** 琳々香 りりか
- 陽央里 ひおり
- 詠美子 えみこ
- **12(13)** 陽万莉 ひまり
- 結衣花 ゆいか
- 陽菜乃 ひなの
- 結唯乃 ゆいの

- **12(14)** 絵里花 えりか
- **12(15)** 陽菜子 ひなこ
- 満里奈 まりな
- 陽依里 ひより
- **12(16)** 絵里香 えりか
- 瑛美里 えみり
- **12(17)** 結衣梨 ゆいり
- 智奈美 ちなみ
- **12(18)** 陽茉莉 ひまり
- 陽菜花 ひなか
- 絵梨花 えりか

- **12(19)** 陽茉梨 ひまり
- **12(20)** 絵梨奈 えりな
- 絵梨香 えりか
- **12(21)** 陽真理 ひまり
- 智紗都 ちさと

1文字目の画数 **13画**

- 楓 かえで
- 愛 あい
- 詩 うた

- 夢 ゆめ
- 凛 りん
- 椿 つばき
- 鈴 りん
- 雅 みやび
- 暖 はる
- 睦 むつみ
- 楽 りょう
- 稜 せい
- 聖 せい
- **13·2** 詩乃 しの
- 夢乃 ゆめの
- 愛乃 あいの
- 愛七 あいな
- 聖七 せいな

画数から選ぶ名づけ — 女の子名 — 1文字目の画数 13〜13画

稟乃 りの

【13・3】
- 愛子 あいこ
- 瑚子 ここ
- 愛巳 あやみ
- 愛弓 あゆみ
- 詩子 うたこ

【13・4】
- 愛心 まなみ
- 瑞月 みづき

【13・5】
- 夢叶 ゆめか
- 愛生 めい
- 愛未 まなみ
- 愛央 まお
- 瑞生 みずき

【13・6】
- 愛衣 あい
- 詩帆 しほ
- 瑞帆 みずほ
- 愛花 あいか

【13・7】
- 楓花 ふうか
- 瑞希 みずき
- 聖那 せいな
- 鈴花 すずか

【13・8】
- 蒼空 そら
- 愛奈 あいな
- 愛実 まなみ
- 愛來 あいく
- 聖奈 せな
- 瑞季 みずき
- 暖佳 はるか
- 楓佳 ふうか
- 瑞歩 みずほ
- 聖來 せいら
- 蒼依 あおい
- 蓮奈 れんな
- 暖奈 はるな
- 鈴佳 すずか

【13・9】
- 詩音 しおん
- 愛美 まなみ
- 愛香 まなか
- 鈴音 すずね
- 夢香 ゆめか
- 瑞紀 みずき
- 聖香 せいか

【13・10】
- 愛莉 あいり
- 愛華 あいか
- 楓華 ふうか
- 愛珠 みお
- 瑞桜 みずき
- 瑞姫 あいき
- 愛夏 あいか
- 愛紗 あいさ
- 暖華 はるか
- 瑞恵 みずえ

【13・11】
- 愛梨 あいな
- 愛菜 あいな
- 愛理 あいり
- 楓菜 ふうな
- 聖菜 せな
- 新菜 にいな
- 瑚都 こと
- 鈴菜 すずな

【13・12】
- 愛結 あゆ
- 瑞葉 みずは
- 瑞葵 みずき

【13・14】
- 愛瑠 あいる
- 楓歌 ふうか
- 鈴歌 すずか

【13・15】
- 愛穂 まなほ
- 瑞穂 みずほ

【13・16】
- 瑞樹 みずき
- 詩穏 しおん

【13・18】
- 詩織 しおり

【13・19】
- 聖羅 せいら
- 聖蘭 せいら

【13・12(5)7】
- 詩央里 しおり
- 愛加里 あかり

【13・14(7)】
- 瑚々菜 ここな
- 詩衣奈 しいな

【13・19(11)】
- 愛依菜 あいな

女の子名 1文字目の画数 13〜15画

1文字目の画数 14画

漢字	よみ
愛結里 13-12-7	あゆり
詩桜莉 13-10-10 (20)	しおり
愛菜美 13-11-9	まなみ
詩桜莉 13-10-10 (20)	しおり
詩穂里 13-15-7 (22)	しほり
碧 14	あおい
翠 14	みどり
歌 14	うた
静 14	しずか
綾乃 14-2	あやの

碧乃 14-2 あおの
歌乃 14-2 うたの
寧々 14-3 ねね
歌子 14-3 うたこ
颯月 14-4 さつき
維月 14-4 いつき
綾禾 14-5 あやか
瑠加 14-6 るか
瑠衣 14-6 るい
綾羽 14-7 あやは
瑠花 14-7 るか

綾花 14 あやか
緋那 14 ひな
颯良 14 そら
綾那 14-8 あやな
瑠奈 14-8 るな
碧奈 14-8 あおい
緋奈 14-8 ひな
綾芽 14-9 あやめ
綾美 14-9 あやみ
綾音 14-9 あやね
寧音 14-9 ねね
瑠音 14-9 るね
聡美 14-9 さとみ
瑠香 14-9 るか
歌音 14-9 かのん

瑠美 14 るみ
静香 14 しずか
綾香 14-10 あやか
瑠華 14-10 るか
瑠莉 14-10 るり
歌純 14-11 かすみ
颯姫 14-11 さつき
瑠菜 14-11 るな
寧彩 14-11 ねいろ
緋菜 14-11 ひな
綾菜 14-11 あやな
瑠梨 14-11 るり
碧葉 14-12 あおば

1文字目の画数 15画

颯葵 さつき
瑠璃 14-15 るり
歌凛 15 かりん
凛 15 りん
舞 15 まい
慧 15 けい
凛 15 りん
璃乃 15-2 りの
穂乃 15-2 ほの
凛乃 15-2 りの

璃子 15-3 りこ
舞々 15 まいこ
凛子 15-3 りこ
璃子 15 りこ
舞帆 15-6 りほ
舞依 15 まい
穂花 15-7 ほのか
舞花 15 まいか
凛花 15 りんか
穂佳 15-8 ほのか
璃奈 15 りな
舞依 まい

15-9
- 穂香 ほのか
- 穂音 りおん
- 舞香 まいか
- 璃香 りさ
- 璃咲 りみ
- 璃海 まや
- 摩耶 すみか
- 澄香

15-10
- 舞桜 まお
- 璃桜 りお

15-11
- 舞華 まいか
- 凛華 りんか
- 舞彩 まや
- 凛菜 りんな

15-13
- 璃愛 りあ

15(6)
- 璃瑚 りこ
- 璃々子 りりこ

15(7)
- 凛々子 りりこ

15(9)
- 舞衣子 まいこ
- 穂乃花 ほのか

15(10)
- 穂乃佳 ほのか
- 璃々花 りりか

15(2)(11)
- 穂乃香 ほのか

15(8)(11)
- 舞依子 まいこ

澄鈴 すみれ

1文字目の画数 16画

- 澪 みお
- 薫 かおる
- 樹 いつき

16-3
- 橙子 とうこ

16-7
- 澪那 みおな
- 樹里 じゅり

16-8
- 樹季 いつき

- 澪奈 みおな

16-11
- 樹菜 じゅな
- 樹梨 じゅり

1文字目の画数 17画

- 優 ゆう
- 瞳 ひとみ
- 翼 つばさ

17-2
- 優乃 ゆうの

17-3
- 優子 ゆうこ

17-4
- 優月 ゆつき

17-5
- 優心 ゆうみ
- 優未 ゆうみ
- 優加 ゆうか
- 優衣 ゆい
- 優羽 ゆう
- 優帆 ゆうほ

17-7
- 優花 ゆうか
- 優希 ゆき
- 優那 ゆうな
- 優里 ゆり
- 環那 かんな

17-8
- 優奈 ゆうな

17-9
- 優芽 ゆめ
- 優佳 ゆうか
- 優依 ゆい
- 環奈 かんな
- 優香 ゆうか
- 優海 ゆみ

17-10
- 瞳美 ひとみ
- 優華 ゆか
- 優真 ゆま
- 優姫 ゆうき

17-11
- 環菜 かんな
- 優梨 ゆり

画数から選ぶ名づけ／女の子名／1文字目の画数 15〜17画

漢字	画数	よみ
優衣奈	17・17・6・8 (14)	ゆいな
優芽乃	17・17・8・2 (10)	ゆめの
優璃	17	ゆうり
優舞	17・15	ゆま
優歌	17	ゆうか
優維	17・14	ゆい
優楽	17・13	ゆら
優愛	17・13	ゆあ
優稀	17	ゆうき
優陽	17・12	ゆうひ

1文字目の画数 18画

雛乃	18・2	ひなの
雛繭		ひなまゆ
藍	18	らん
優里菜	17 (18)	ゆりな
優希菜	17	ゆきな
優衣奈	17・7・9	ゆいな
優衣香	17 (15)	ゆいか
優里那	17・7	ゆりな

1文字目の画数 19画

麗	19	うらら
蘭		らん
藍花		あいか
藍那		あいな
藍里	18・7	あいり
織羽		おりは
藍衣	18・6	あい
藍子		あいこ
雛子	18・3	ひなこ

蘭奈		らんな
麗奈	19・8	れいな
麗花		れいか
麗那		れな
瀬里		せり
麗未	19・7	れみ
麗加	19・5	れいか
蘭子		らんこ
麗子	19・3	れいこ
蘭乃		らんの
麗乃	19・2	れの

1文字目の画数 20画

馨	20	かおり
瀬梨		せり
麗菜	19・11	れな
瀬莉		せり
麗華	19・10	れいか
麗美		れいみ
麗香	19・9	れいか
瀬奈		せな
麗佳		れいか

1文字目の画数 21画

櫻子	21・3	さくらこ
櫻	21	さくら
響花		きょうか
響希		ひびき
響子	20・7	きょうこ
耀子		ようこ
馨子	20・3	かおるこ
響		ひびき
耀		あき

画数組み合わせリスト
男の子の名前

1文字目の画数 1画

漢字	画数	よみ
一	1	はじめ
一也	1・3	かずや
一久	1・3	かずひさ
一心	1・4	かずしん
一太	1・4	いった
一仁	1・4	かずひと
一平	1・5	いっぺい
一生	1・5	いっせい
一史	1・5	かずし

一成	1・6	かずなり
一帆	1・6	かずほ
一希	1・7	かずき
一汰	1・7	いちた
一沙	1・7	いっさ
一弥	1・8	かずや
一幸	1・8	かずゆき
一星	1・9	いっせい
一郎	1・9	いちろう
一紀	1・9	かずのり
一真	1・10	かずま

一馬	1・10	かずま
一晃	1・10	かずあき
一隆	1・11	かずたか
一清	1・11	いっせい
一翔	1・12	かずと
一稀	1・12	かずき
一聖	1・13	いっせい
一誠	1・13	いっせい
一綺	1・14	かずのり
一徳	1・14	かずのり
一輝	1・15	かずき

一慶	1・15	かずよし
一樹	1・16	いつき
一磨	1・16	かずま
一護	1・20	いちご
一耀	1・20	かずあき

1文字目の画数 2画

力	2	りき
了	2	りょう
力丸	2・3	りきまる
力也	2・3	りきや

力斗	2・4	りきと／りょうすけ
了介	2・4	りょうすけ
七海	2・9	ななみ
力哉	2・9	りきや
七聖	2・13	ななせ
十夢	2・13	とむ
力駆	2・14	りく
力輝	2・15	りき
七輝	2・15	ななき
七樹	2・16	ななき

1文字目の画数 3画

漢字	画数	よみ
大	3	だい
丈	3	じょう
大也	3・3	ひろや
丈士	3・3	たけし
大斗	3・4	ひろと
久斗	3・4	ひさと
大介	3・5	だいすけ
大生	3・5	だいき
千弘	3・3	ちひろ

大地	3・6	だいち
大成	3・7	たいせい
千志	3・7	たいし
千希	3・7	かずき
千里	3・7	せんり
大和	3・8	やまと
大空	3・8	そら
大河	3・8	たいが
久典	3・8	ひさのり
千明	3・8	ちあき
丈哉	3・9	ひろや
大海	3・9	ひろみ

千秋	3・9	ちあき
大悟	3・10	だいご
大晟	3・10	たいせい
万馬	3・10	かずま
千紘	3・10	ちひろ
丈琉	3・11	たける
大都	3・11	ひろと
大翔	3・12	ひろと
大智	3・12	だいち
大貴	3・12	だいき
千尋	3・12	ちひろ
千翔	3・12	ゆきと
夕陽	3・12	ゆうひ

丈陽	3・12	たけはる
千裕	3・12	ちひろ
千博	3・12	ちひろ
士道	3・13	しどう
大雅	3・13	たいが
大夢	3・13	ひろむ
大誠	3・13	たいせい
久遠	3・13	くおん
丈慈	3・13	じょうじ
千聖	3・13	ちさと
千寛	3・13	ちひろ
大輔	3・14	だいすけ
丈瑠	3・14	たける
千彰	3・14	ちあき

久徳	3・14	ひさのり
大輝	3・15	ひろき
千慧	3・15	ちさと
大毅	3・15	だいき
夕輝	3・15	ゆうき
大樹	3・16	だいき
士龍	3・16	しりゅう
士穏	3・16	しおん
千優	3・17	ちひろ
大翼	3・17	だいすけ
大騎	3・18	だいき
千騎	3・18	かずき

1文字目の画数 4画

大耀	3・20	たいよう
大護	3・20	だいご
千耀	3・20	ちあき
丈一郎	3・(10)	じょういちろう
小太郎	3・(13)	こたろう
丈太朗	3・(14)	じょうたろう
仁	4	じん
心	4	しん

画数	名前	読み
4・1	友	とも
4・1	元	はじめ
4・1	太一	たいち
4・1	公一	こういち
4・2	友一	ゆういち
4・2	心人	しんと
4・3	文人	あやと
4・3	文也	ふみや
4・3	友之	ともゆき
4・4	文太	ぶんた
4・4	仁太	じんた

4・5	天斗	たかと
4・5	友介	ゆうすけ
4・5	元太	げんた
4・5	友斗	ゆうと
4・5	心平	しんぺい
4・5	斗矢	とうや
4・6	公平	こうへい
4・6	天成	てんせい
4・6	日向	ひなた
4・7	元気	げんき
4・7	仁成	じんせい
4・7	太志	たいし
4・7	友希	ともき

4・8	斗亜	とあ
4・8	友吾	ゆうご
4・8	斗宏	ともひろ
4・8	友弥	とうや
4・8	文弥	ふみや
4・9	友幸	ともゆき
4・9	友和	ともかず
4・9	友哉	ともや
4・9	友亮	ゆうすけ
4・9	太郎	たろう
4・10	元春	もとはる
4・10	文彦	ふみひこ
4・10	斗真	とうま

4・11	天晟	たいせい
4・11	太朗	たろう
4・11	斗朗	とうろう
4・11	斗馬	とうま
4・11	友朗	ともろう
4・11	友都	ゆうと
4・11	友悠	ともはる
4・12	公基	こうき
4・12	元規	もとき
4・12	太陽	たいよう
4・12	太智	たいち
4・12	友翔	ともき
4・12	友貴	ともき
4・12	仁稀	ひとき

4・13	元貴	もとき
4・13	友晴	ともはる
4・13	友博	ともひろ
4・13	友聖	ゆうせい
4・13	友寛	ゆうひろ
4・14	仁嗣	ひとし
4・14	公輔	こうすけ
4・15	友彰	ともあき
4・15	天輝	てんき
4・16	斗輝	とき
4・16	友樹	ともき
4・15	天舞	てんま

4・17	斗磨	とうま
4・17	心優	みゆう
4・20	元彌	もとや
4・20	太耀	たいよう
4	心護	しんご
4・(7)	心之介	しんのすけ
4・(7)	仁之介	じんのすけ
4・(10)	心之助	しんのすけ
4	日向太	ひなた
4・(13)	心太郎	しんたろう

画数から選ぶ名づけ　男の子名　1文字目の画数　4〜4画

1文字目の画数 5画

5-1
- 仁太郎 じんたろう (4・4・9)
- 日南太 ひなた (4・9・4)
- 日那汰 ひなた (4・7・7)
- 心太朗 しんたろう (4・4・10)
- 太（14）
- 司 つかさ (5)
- 巧 たくみ (5)
- 弘 ひろし (5)
- 玄 げん (5)
- 功 こう (5)
- 弘一 こういち (5・1)

5-2
- 功一 こういち (5・1)
- 正人 まさと (5・2)
- 弘人 ひろと (5・2)
- 由人 ゆうと (5・2)
- 史人 ふみと (5・2)
- 広大 こうだい (5・3)
- 弘也 ひろや (5・3)
- 弘己 ひろき (5・3)
- 巧也 たくや (5・3)
- 正太 しょうた (5・4)
- 功太 こうた (5・4)
- 功介 こうすけ (5・4)
- 弘斗 ひろと (5・4)

5-5
- 正弘 まさひろ (5・5)
- 礼央 れお (5・5)
- 功平 こうへい (5・5)
- 正成 まさなり (5・6)
- 史行 ふみゆき (5・6)
- 弘行 ひろゆき (5・6)
- 正孝 まさたか (5・7)
- 由伸 よしのぶ (5・7)
- 功志 こうし (5・7)
- 未來 みらい (5・8)
- 叶芽 かなめ (5・8)

5-9
- 正明 まさあき (5・8)
- 弘弥 ひろや (5・8)
- 主弥 かずや (5・8)
- 正明 まさあき (5・8)
- 弘英 こうえい (5・8)
- 巧明 たくみ (5・8)
- 史明 ふみあき (5・8)
- 正哉 せいや (5・9)
- 史哉 ふみや (5・9)
- 巧海 たくみ (5・9)
- 正俊 まさとし (5・9)
- 冬真 とうま (5・10)
- 冬馬 とうま (5・10)
- 巧真 たくま (5・10)

5-11
- 司恩 しおん (5・10)
- 巧望 たくみ (5・11)
- 広都 ひろと (5・11)
- 弘隆 ひろたか (5・11)
- 正基 まさき (5・11)
- 史都 ふみと (5・11)
- 永翔 えいと (5・12)
- 叶翔 かなと (5・12)
- 正貴 まさき (5・12)
- 由晴 よしはる (5・12)
- 冬偉 とうい (5・12)
- 正裕 まさひろ (5・12)
- 功貴 こうき (5・12)

5-13
- 広夢 ひろむ (5・13)
- 弘誠 こうせい (5・13)
- 永慈 えいじ (5・13)
- 功誠 こうせい (5・13)
- 央輔 おうすけ (5・14)
- 正徳 まさのり (5・14)
- 弘輝 ひろき (5・15)
- 正輝 まさき (5・15)
- 正樹 まさき (5・16)
- 広樹 ひろき (5・16)
- 冬磨 とうま (5・16)
- 史穏 しおん (5・16)

画数から選ぶ名づけ
男の子名
1文字目の画数 4〜5画

画数から選ぶ名づけ 男の子名 1文字目の画数 6〜7画

6-13〜6-16
- 光喜 こうき
- 6-13 好誠 こうせい
- 6-14 光雅 こうが / 羽瑠 はる / 圭輔 けいすけ / 壮輔 そうすけ
- 6-15 光輝 こうき / 有毅 ゆうき / 匡輝 まさき
- 6-16 成樹 なるき / 充樹 みつき

6-17〜6-18 / 6-10〜6-15（三字名）
- 6-18 壮磨 そうま / 伊織 いおり / 光騎 こうき
- 6-10 光一郎 こういちろう / 圭一郎 けいいちろう
- 6-13 光太郎 こうたろう / 壮太郎 そうたろう
- 6-14 圭太朗 けいたろう / 伊吹希 いぶき
- 6-15 壮史朗 そうしろう / 羽琉斗 はると

6-17
- 光汰朗 こうたろう
- 伊桜里 いおり

1文字目の画数 7画

7（一字名）
- 希 のぞむ
- 快 かい
- 秀 しゅう
- 佑 ゆう
- 孝 たかし
- 寿 ひさし
- 亨 とおる

7-1
- 汰一 たいち
- 希一 きいち
- 宏一 こういち
- 伸一 しんいち

7-2
- 快人 かいと
- 秀人 しゅうと
- 孝人 たかと

7-3
- 佑大 ゆうだい
- 秀也 しゅうや
- 良之 よしゆき
- 克也 かつや

7-4
- 快斗 かいと
- 孝太 こうた
- 宏太 こうた
- 佑太 ゆうた
- 佑介 ゆうすけ
- 孝介 こうすけ
- 秀太 しゅうた
- 良介 りょうすけ

7-5
- 芯平 しんぺい
- 秀司 しゅうじ
- 良平 りょうへい
- 孝弘 たかひろ
- 那生 なお

7-6
- 佑成 ゆうせい
- 秀行 ひでゆき
- 克成 かつなり
- 孝多 こうた

7-7
- 秀寿 ひでとし
- 佑汰 ゆうた
- 良希 よしき
- 孝宏 たかひろ

7-8
- 杜和 とわ
- 秀虎 ひでとら
- 秀弥 しゅうや
- 良弥 りょうや
- 克弥 かつや

7-9
- 志音 しおん
- 秀哉 しゅうや
- 克哉 かつや

画数から選ぶ名づけ 男の子名 1文字目の画数 7〜8画

7-10
- 良亮 りょうすけ
- 佑真 ゆうま
- 快晟 かいせい
- 秀真 しゅうま
- 良馬 りょうま
- 孝浩 たかひろ

7-11
- 希望 のぞみ
- 芭琉 はる
- 快理 かいり
- 秀都 しゅうと
- 佑都 ゆうと

7-12
- 快晴 かいせい
- 志温 しおん

7-13
- 宏貴 ひろき
- 孝裕 たかひろ
- 汰雅 たいが
- 孝誠 こうせい
- 宏夢 ひろむ
- 孝寛 たかひろ

7-14
- 那緒 なお
- 良輔 りょうすけ
- 快輝 かいき
- 秀蔵 しゅうぞう

7-15
7-16
- 宏樹 ひろき
- 孝樹 こうき

7-20
- 辰樹 たつき
- 寿樹 としき
- 佑樹 ゆうき
- 良磨 りょうま
- 壱護 いちご
- 佑護 ゆうご

7-(7)
- 利久斗 りくと
- 伸之介 しんのすけ

7-(10)
- 佑一郎 ゆういちろう

7-(11)
- 伸之助 しんのすけ
- 伸一朗 しんいちろう
- 里玖斗 りくと

7-(13)
- 孝太郎 こうたろう

7-(14)
- 佑太郎 ゆうたろう

7-(17)
- 孝太朗 こうたろう
- 伸太朗 しんたろう
- 伸之輔 しんのすけ
- 孝志朗 こうしろう

- 歩 あゆむ
- 岳 がく
- 怜 れい

1文字目の画数 8画

- 昊 こう
- 空 そら
- 明 あきら
- 周 しゅう
- 直 すなお
- 弦 げん
- 昇 のぼる
- 武 たけし
- 拓 たく
- 実 みのる
- 卓 たく

8-1
- 宗一 そういち
- 幸一 こういち
- 征一 せいいち
- 侑一 ゆういち

8-2
- 幸人 ゆきと
- 岳人 がくと
- 明人 あきと
- 直人 なおと

8-4
- 幸太 こうた
- 明仁 あきひと
- 旺介 おうすけ
- 旺太 おうた
- 岳斗 がくと
- 明斗 あきと
- 和仁 かずひと
- 弦太 げんた
- 怜太 れいた
- 武文 たけふみ

画数から選ぶ名づけ 男の子名 1文字目の画数 8〜8画

8-5
| 京介 きょうすけ | 怜央 れお | 直生 なおき | 幸平 こうへい | 周平 しゅうへい | 知広 ともひろ | 和史 かずふみ | 卓矢 たくや |

8-6
| 幸成 ゆきなり | 尚行 なおゆき | 佳光 よしみつ | 和成 かずなり |

8-7
| 和希 かずき |

8-8
| 幸希 こうき | 空良 そら | 英汰 えいた | 和玖 わく | 幸助 こうすけ | 朋希 ともき | 英寿 ひでとし | 怜汰 れいた | 尚孝 なおたか | 尚吾 しょうご | 明希 はるき | 京吾 きょうご | 周作 しゅうさく | 拓実 たくみ | 歩武 あゆむ |

8-9
| 和弥 かずや | 宗治 むねはる | 昊空 そら | 和季 かずき | 拓弥 たくや | 朋佳 ともよし | 直季 なおき | 英治 えいじ | 知明 ともあき | 拓海 たくみ | 旺祐 おうすけ | 怜音 れおん | 知紀 ともき | 和哉 かずや | 歩音 あゆと |

8-10
| 幸俊 ゆきとし | 直政 なおまさ | 宗則 むねのり | 忠信 ただのぶ | 直哉 なおや | 和真 かずま | 拓真 たくま | 拓馬 たくま | 侑真 ゆうま | 明真 はるま | 侑馬 ゆうま | 拓朗 たくろう | 和馬 かずま | 和浩 かずひろ | 和晃 かずあき |

8-11
| 武琉 たける | 拓都 たくと | 和隆 かずたか |

8-12
| 幸翔 ゆきと | 尚貴 なおき | 武陽 たけはる | 佳裕 よしひろ | 歩夢 あゆむ | 拓夢 たくむ | 幸誠 こうせい | 知聖 ちさひろ | 忠寛 ただひろ | 和雅 かずまさ |

8-14
| 波瑠 はる | 幸輔 こうすけ |

8-15
| 知徳 とものり | 幸輝 こうき | 朋輝 ともき | 直輝 なおき | 武蔵 むさし | 知慧 ちさと |

8-16
| 拓磨 たくま | 直樹 なおき | 和樹 かずき | 朋樹 ともき | 英樹 えいき |

9・7
| 柊羽 しゅう | 祐丞 ゆうせい | 祐成 ゆうせい | 亮多 りょうた | 柚希 ゆずき | 奏汰 かなた | 春希 はるき | 奏志 そうし | 洸希 こうき | 俐玖 りく | 亮佑 りょうすけ | 奏良 そら | 勇志 ゆうじ | 栄作 えいさく | 洋希 ひろき |

9・8
| 柊弥 しゅうや | 俐空 りく | 音空 おとや | 春弥 しゅんや | 政宗 まさむね | 俊弥 しゅんや | 咲弥 さくや |

9・9
| 柊哉 しゅうや | 奏音 かなと | 海音 かいと | 星哉 せいや | 玲音 れおん | 春哉 はるや | 咲哉 さくや |

9・10
| 春紀 はるき | 亮祐 りょうすけ | 音哉 おとや | 春馬 しゅうま | 柊真 しゅうま | 春真 はるま | 勇真 ゆうま | 春眞 はるま | 勇悟 ゆうご | 勇馬 ゆうま | 咲都 さくと | 春琉 はる | 玲凰 れお | 飛鳥 あすか |

9・11
(see above)

9・12
| 海翔 かいと | 春翔 はると | 柚稀 ゆずき | 春陽 はるひ | 奏翔 かなと | 海晴 かいせい | 律貴 りつき | 春喜 はるき | 春稀 はるき | 政博 まさひろ | 奏詩 そうた | 恒雅 こうが | 亮雅 りょうが | 勇聖 ゆうせい |

9・13
(see above)

9・14
| 俊輔 しゅんすけ | 春瑠 はる | 亮輔 りょうすけ | 春輝 はるき | 柚輝 ゆずき | 勇輝 ゆうき | 海璃 かいり | 祐輝 ゆうき | 春樹 はるき | 柊樹 しゅうき | 柚樹 ゆずき | 春磨 はるま | 勇樹 ゆうき |

9・15
(see above)

9・16
(see above)

1文字目の画数
10画

| 咲太郎 さくたろう | 春太郎 しゅんたろう | 海南斗 みなと | 奏太朗 そうたろう | 亮太朗 りょうたろう | 咲太朗 さくたろう | 奏史朗 そうしろう | 海唯斗 かいと | 朔 さく |

画数から選ぶ名づけ　男の子名　1文字目の画数 9〜10画

画数から選ぶ名づけ 男の子名

1文字目の画数 10〜10画

1字名

隼 しゅん／航 こう／晃 あきら／悟 さとる／将 しょう／峻 しゅん／凌 りょう／祥 しょう／真 まこと／竜 りゅう／修 しゅう／剛 つよし／透 とおる／晋 しん／朗 あきら／眞 まこと

10・1

泰一 たいち／恵一 けいいち／修一 しゅういち／凌一 りょういち／真一 しんいち／竜一 りゅういち／航一 こういち

10・2

隼人 はやと／将人 まさと／恵人 けいと／真人 まさと／竜人 りゅうと／紘人 ひろと／浩二 こうじ

10・3

朔也 さくや／航大 こうた／凌大 りょうた／将大 まさひろ／凌久 りく／眞大 まひろ／透也 とうや／隼士 しゅんと／隼也 はやと／竜大 りゅうた／恵大 けいた／泰千 たいち／航也 こうや／竜也 たつや／修士 しゅうと

10・4

修也 しゅうや／哲也 てつや／航太 こうた／隼斗 はやと／桜介 おうすけ／凌太 りょうた／桜太 おうた／晃太 こうた／真斗 まなと／恵太 けいた／将斗 まさと／恵介 けいすけ／祥太 しょうた

10・5

航平 こうへい

桔平 きっぺい／哲平 てっぺい／竜生 たつき／泰生 たいき／純平 じゅんぺい／晃生 こうき／莉生 りお／隼平 しゅんぺい／恭平 きょうへい／修平 しゅうへい／将生 まさき／恵司 けいじ／晃弘 あきひろ／時生 ときお／泰史 たいし／真矢 まさや

10・6

倫弘 ともひろ／竜成 りゅうせい／将成 しょうせい／恭伍 きょうご／泰成 たいせい／修伍 しゅうご

10・7

航希 こうき／莉玖 りく／隼汰 しゅんた／凌佑 りょうすけ／息吹 いぶき／恭佑 きょうすけ／桜佑 おうすけ／晃希 こうき

男の子名 1文字目の画数 10〜10画

10-9
- 泰我 たいが
- 航汰 こうた
- 倖希 こうき
- 将吾 しょうご
- 泰知 たいち
- 朔弥 さくや
- 真幸 まさき
- 莉空 りく
- 将明 まさあき
- 桜弥 おうや
- 竜弥 りゅうや
- 将紀 まさき
- 晃紀 こうき
- 時哉 ときや

10-10
- 泰祐 たいすけ
- 竜哉 たつや
- 竜星 りゅうせい
- 純哉 じゅんや
- 将真 しょうま
- 透真 とうま
- 祥真 しょうま
- 修真 しゅうま
- 朔馬 さくま
- 泰晟 たいせい
- 竜真 たつま
- 竜馬 りょうま
- 凌真 りょうま
- 将隆 まさたか

10-11

10-12
- 恵梧 けいご
- 恵都 けいと
- 晃都 あきと
- 耕基 こうき
- 泰隆 やすたか
- 真翔 まなと
- 恵翔 けいと
- 航晴 こうせい
- 将博 まさひろ
- 将貴 まさたか
- 竜聖 りゅうせい
- 桜雅 おうが
- 泰誠 たいせい
- 晃暉 こうき

10-13

10-14
- 晃誠 こうせい
- 竜誠 りゅうせい
- 将誠 しょうせい
- 将暉 まさき
- 晃聖 こうせい
- 紘夢 ひろむ
- 恭輔 きょうすけ
- 桜輔 おうすけ
- 浩徳 たかのり
- 高彰 たかあき
- 真彰 まさあき
- 泰輔 たいすけ
- 耕輔 こうすけ
- 泰蔵 たいぞう

10-15

10-16
- 竜輝 たつき
- 凌駕 りょうが
- 将輝 まさき
- 恵蔵 けいぞう
- 晃輝 こうき
- 紘輝 ひろき
- 真慶 まさよし
- 将磨 しょうま
- 竜樹 たつき
- 航樹 こうき
- 夏樹 なつき
- 竜騎 りゅうき
- 将騎 まさき

10-18

10-20
- 将護 しょうご
- 真護 しんご
- 真七斗 まなと
- 竜乃介 りゅうのすけ

10-(6)
- 真七斗 まなと

10-(7)
- 竜之介 りゅうのすけ
- 晋之介 しんのすけ
- 晃之介 こうのすけ
- 航之介 こうのすけ
- 真央人 まおと
- 真希人 まきと
- 真那人 まなと

10-(9)

画数から選ぶ名づけ 男の子名 1文字目の画数 10〜11画

10画 (10)
- 恵一郎 けいいちろう
- 竜一郎 りゅういちろう
- 純一郎 じゅんいちろう
- 真一郎 しんいちろう
- 純之助 じゅんのすけ
- 真之助 しんのすけ
- 竜之助 りゅうのすけ
- 恵一朗 けいいちろう
- 眞一朗 しんいちろう
- 莉玖斗 りくと
- 眞那斗 まなと
- 晃一朗 こういちろう
- 恵一朗 けいいちろう

10画 (11)
- 晃之亮 しんのすけ
- 航士郎 こうしろう

10画 (12)
- 真之亮 しんのすけ
- 航士郎 こうしろう

10画 (13)
- 晃士朗 こうしろう

10画 (14)
- 竜太郎 りゅうたろう
- 祥太郎 しょうたろう
- 真太郎 しんたろう
- 倫太郎 りんたろう
- 航太郎 こうたろう
- 朔太郎 さくたろう
- 航太朗 こうたろう
- 将太朗 しょうたろう
- 恵太朗 けいたろう
- 朔太朗 さくたろう
- 桜太郎 おうたろう
- 航史郎 こうしろう
- 真稀人 まきと

1文字目の画数 11画

- 陸 りく
- 悠 ゆう
- 健 たける
- 渉 わたる
- 琉 りゅう
- 絆 きずな
- 爽 そう
- 涼 りょう
- 望 のぞむ
- 理 おさむ
- 淳 じゅん
- 羚 れい

11画 (1)
- 啓 けい
- 陵 りょう
- 進 すすむ
- 康 こう
- 脩 しゅう
- 隆 たかし
- 雫 しずく
- 悠一 ゆういち
- 理一 りいち
- 康一 こういち
- 淳一 じゅんいち
- 啓一 けいいち
- 悠人 ゆうと
- 陸人 りくと

11画 (2)
- 悠人 ゆうと

11画 (3)
- 唯人 ゆいと
- 理人 りひと
- 健人 けんと
- 隆人 りゅうと
- 彩人 あやと
- 琉人 りゅうと
- 章人 あきと
- 啓人 ひろと
- 悠二 ゆうじ
- 悠大 ゆうだい
- 理久 りく
- 陸也 りくや
- 康己 こうき
- 悠士 ゆうし
- 隆之 たかゆき

11画 (4)
- 悠斗 ゆうと
- 陸斗 りくと
- 悠仁 ゆうと
- 悠太 ゆうた
- 琉心 りゅうしん
- 健心 けんしん
- 康太 こうた
- 悠月 ゆづき
- 悠介 ゆうすけ
- 健斗 けんと
- 涼介 りょうすけ
- 彩斗 あやと
- 康介 こうすけ

男の子名 1文字目の画数 11〜11画

理仁 りひと／涼太 りょうた／貫太 かんた／脩斗 しゅうと／悠天 はるたか／章斗 あきと／勘太 かんた／隆太 りゅうた／爽太 そうた／琉仁 りゅうと／健介 けんすけ／啓介 けいすけ／唯斗 ゆいと／進太 しんた／隆文 たかふみ／雪斗 ゆきと

陵介 りょうすけ／11·5／琉生 るい／悠生 はるき／理央 りお／康平 こうへい／理功 りく／隆広 たかひろ／康生 こうせい／悠史 ゆうし／悠平 ゆうへい／悠世 ゆうせい／彩生 あやき／琉矢 りゅうや／11·6／琉衣 るい

隆成 りゅうせい／康成 こうせい／悠有 ゆう／基成 もとなり／11·7／悠希 はるき／悠吾 ゆうご／健吾 けんご／悠佑 ゆうすけ／悠里 ゆうり／健汰 けんた／隆汰 りゅうた／悠杜 はると／惟吹 いぶき／理玖 りく／康希 こうき

爽良 そら／琉玖 りく／章吾 しょうご／啓吾 けいご／11·8／悠河 ゆうが／梨空 りく／清弥 せいや／健治 けんじ／11·9／琉祐 りゅうすけ／康星 こうせい／悠音 ゆいと／唯音 ゆいと／悠星 ゆうせい／清春 きよはる

悠真 ゆうま／11·10／悠馬 ゆうま／悠悟 ゆうご／琉真 りゅうせい／隆真 りゅうま／脩真 しゅうま／琉晟 りゅうま／康真 やすあき／涼真 りょうま／隆晃 たかあき／隆浩 たかひろ／11·11／琉唯 るい

健琉 たける／康基 こうき／悠都 ゆうと／11·12／悠翔 ゆうと／琉翔 りゅうと／悠惺 りゅうせい／悠貴 ゆうひ／悠陽 ゆうひ／悠登 ゆうと／琉偉 るい／琉晴 りゅうせい／涼晴 りょうせい／悠稀 ゆうき／麻陽 あさひ／康晴 こうせい

画数から選ぶ名づけ　男の子名　1文字目の画数 11〜12画

11画

漢字	読み
清貴	きよたか
健登	けんと
隆晴	たかはる
彩登	あやと
悠聖 11·13	ゆうせい
悠聖	ゆうせい
琉雅	りゅうが
琉聖	りゅうせい
康誠	こうせい
理夢	りむ
涼雅	りょうが
隆誠	りゅうせい
悠慎	ゆうしん
悠嗣	ゆうし
悠誠	ゆうせい

漢字	読み
琉暉	りゅうき
啓夢	ひろむ
望夢	のぞむ
悠輔 11·14	ゆうすけ
爽輔	そうすけ
理駆	りく
健輔	けんすけ
啓輔	けいすけ
隆徳	たかのり
悠輝 11·15	ゆうき
琉輝	りゅうき
理輝	りき
悠樹 11·16	ゆうき

漢字	読み
悠磨	ゆうま
琢磨	たくま
理樹	りき
隆樹	りゅうき
唯織 11·18	いおり
琉騎	りゅうき
隆騎	りゅうき
隆之介 11(7)	りゅうのすけ
悠之介	ゆうのすけ
淳之介	じゅんのすけ
理久斗	りくと
理央人	りおと
悠一郎 11(10)	ゆういちろう

漢字	読み
康一郎	こういちろう
隆之助	りゅうのすけ
悠之真 11(13)	ゆうのしん
健太郎 11(14)	けんたろう
悠太郎	ゆうたろう
隆太郎	りゅうたろう
章太郎	しょうたろう
啓太郎	けいたろう
琉太朗	りゅうたろう
健太朗	けんたろう
清史郎	せいしろう
清志郎 11(16)	きよしろう
康志郎	こうしろう

12画　1文字目の画数

漢字	読み
湊	みなと
翔	しょう
陽	はる
晴	はる
尊	たける
葵	あおい
遥	はる
善	ぜん
暁	あきら
然	ぜん
温	はる
尋	ひろ

漢字	読み
開	かい
悟	さとる
晶	あきら
敬	けい
敦	あつし
瑛	あきら
竣	しゅん
創	そう
塁	るい
雄	ゆう
順	じゅん
智	さとし
敢	かん
裕	ひろし
貴一 12·1	きいち

画数から選ぶ名づけ　男の子名　1文字目の画数 12〜12画

12-2

- 智一（ともかず）
- 翔一（しょういち）
- 皓一（こういち）

- 結人（ゆいと）
- 湊人（みなと）
- 陽人（はると）
- 遥人（はると）
- 瑛人（えいと）
- 晴人（はると）
- 裕人（ひろと）
- 絢人（あやと）
- 博人（ひろと）
- 智人（ともひと）
- 裕二（ゆうじ）

12-3

- 翔大（しょうた）

- 陽大（はると）
- 遥大（はると）
- 雄大（ゆうだい）
- 瑛大（えいた）
- 湊大（みなと）
- 達也（たつや）
- 瑛士（えいじ）
- 智也（ともや）
- 遥也（はるや）
- 絢也（あやと）
- 結大（ゆいと）
- 創士（そうし）
- 雄士（ゆうし）

- 智士（さとし）
- 結也（ゆうや）
- 翔也（しょうや）
- 凱士（かいと）
- 智大（ともひろ）
- 晴也（せいや）
- 陽久（はるひさ）
- 晴久（はるひさ）
- 敦士（あつし）
- 湊也（そうや）
- 智久（ともひさ）
- 晴之（はるゆき）
- 敬己（たかゆき）
- 裕之（ひろゆき）
- 裕也（ゆうや）

12-4

- 貴久（たかひさ）
- 雄也（ゆうや）

- 陽斗（はると）
- 翔太（しょうた）
- 遥斗（はると）
- 瑛太（えいた）
- 結斗（ゆいと）
- 陽太（ひなた）
- 晴斗（はると）
- 陽仁（はるひと）
- 瑛斗（えいと）
- 晴太（せいた）
- 湊斗（みなと）
- 結仁（けんと）
- 絢斗（けんと）

- 創太（そうた）
- 晴仁（はるひと）
- 敬太（けいた）
- 陽介（ようすけ）
- 遥太（はるた）
- 暁斗（あきと）
- 竣太（しゅんた）
- 裕太（ゆうた）
- 結太（ゆうた）
- 博斗（ひろと）
- 敢太（かんた）
- 智仁（ともひと）
- 晴天（はるたか）
- 琳太（りんた）
- 瑛仁（えいと）

- 湊太（そうた）
- 創介（そうすけ）
- 勝太（しょうた）
- 裕斗（ゆうと）
- 裕介（ゆうすけ）
- 雄太（ゆうた）
- 絢太（けんた）
- 惠太（けいた）
- 惺太（せいた）
- 瑛介（えいすけ）
- 絢心（けんしん）
- 絢介（けんすけ）
- 葵斗（あおと）
- 智文（ともふみ）
- 景介（けいすけ）
- 敬介（けいすけ）

画数から選ぶ名づけ　男の子名　1文字目の画数 12〜12画

12・5
- 雄介 ゆうすけ
- 陽生 はるき
- 翔生 しょう
- 結生 ゆうせい
- 創史 そうし
- 陽平 ようへい
- 結叶 ゆいと
- 惺矢 せいや
- 尊弘 たかひろ
- 智史 さとし
- 晴矢 はるや
- 智弘 ともひろ
- 智生 ともき
- 敦弘 あつひろ
- 敦司 あつし

12・6
- 椋平 りょうへい
- 敦史 あつし
- 皓生 こうき
- 翔平 しょうへい
- 達矢 たつや
- 陽向 ひなた
- 葵羽 あおば
- 晴成 はるなり
- 瑛次 えいじ
- 琥羽 こう
- 翔伍 しょうせい
- 雄成 ゆうせい
- 陽成 ようせい
- 貴行 たかゆき

12・7
- 智行 ともゆき
- 陽希 はるき
- 晴希 はるき
- 翔汰 しょうた
- 遥希 はるき
- 智希 ともき
- 翔吾 しょうご
- 翔希 しょうき
- 惺吾 せいご
- 智宏 ともひろ
- 智吾 せいご
- 敬吾 けいご
- 敬志 けいた
- 瑛汰 えいた
- 絢汰 けんた

12・8
- 翔和 とわ
- 晴空 はるく
- 智英 ともひで
- 智明 ともあき
- 景虎 かげとら
- 翔弥 しょうや
- 翔英 しょうえい
- 結弦 ゆづる
- 雄河 ゆうが
- 智和 ともかず

12・9
- 智哉 ともや
- 琥珀 こはく
- 陽音 はると
- 裕哉 ゆうや

12・10
- 朝飛 あさひ
- 晴哉 はるや
- 雄飛 ゆうひ
- 湊音 みなと
- 竣星 しゅんせい
- 翔哉 しょうや
- 陽祐 ようすけ
- 結音 はると
- 尊哉 たかや
- 晴海 はるみ
- 晴紀 はるき
- 晴信 はるのぶ
- 遥紀 はるき
- 晴彦 はるひこ
- 雄星 ゆうせい

12・11
- 達哉 たつや
- 翔真 しょうま
- 翔真 しょうま
- 陽真 はるま
- 晴真 はるま
- 遥馬 ゆうま
- 結真 ゆうま
- 智朗 ともろう
- 瑛真 えいしん
- 陽眞 はるま
- 智晃 ともあき
- 景悟 けいご
- 翔琉 かける

男の子名 1文字目の画数 12〜13画

12·12

名前	読み
瑛都	えいと
陽都	はると
尊琉	たける
智基	ともき
湊都	みなと
結都	ゆいと
遥都	はると
晴悠	はるひさ
晴彬	はるあき
晴規	はるき
皓基	こうき
裕基	ゆうき
陽翔	はると
朝陽	あさひ
結翔	ゆいと
晴翔	はると
遥翔	はると
晴登	はると
晴貴	はるき
瑛翔	えいと
陽葵	はるき
陽登	はると
陽翔	はると
裕翔	ゆうと
遥稀	はるき
晴道	はるみち
晴喜	はると
湊渡	みなと
結陽	ゆうひ
裕貴	ひろき

12·13

名前	読み
陽稀	はるき
遥貴	はるき
智博	ともひろ
晴陽	はるあき
翔稀	しょうき
結登	ゆうと
裕登	ゆうひろ
智尋	ともはる
智晴	ともはる
智稀	ともき
博貴	ひろき
陽詩	ひなた
翔夢	しょうむ
雄聖	ゆうせい

12·14

名前	読み
智寛	ともひろ
瑛輔	えいすけ
陽瑠	はる
裕輔	ゆうすけ

12·15

名前	読み
陽輝	はるき
晴輝	はるき
裕輝	ゆうき
智輝	ともき
智慧	ちさと
敬蔵	けいぞう

12·16

名前	読み
陽樹	はるき
晴樹	はるき
智樹	ともき

名前	読み
晴磨	はるま
陽一朗 (12・11)	よういちろう
結希斗 (12・11)	ゆきと
瑛二朗 (12・12)	えいじろう
湊士郎 (12・12)	そうしろう
琥大郎 (12・13)	こたろう
翔太郎 (12・13)	しょうたろう
晴太郎 (12・13)	せいたろう
瑛太郎 (12・13)	えいたろう
琥太朗 (12・14)	こたろう
瑛太朗 (12・14)	えいたろう

1文字目の画数 13画

名前	読み
蓮	れん
蒼	あおい
新	あらた
楓	かえで
暖	はる
廉	れん
煌	こう
舜	しゅん
誠	まこと
慎	しん
聖	ひじり
敬太朗 (13・4・10)	けいたろう

画数から選ぶ名づけ　男の子名　1文字目の画数 13〜13画

13-1
想 そう／雅 みやび／楽 がく／楷 かい／滉 こう／禅 ぜん／幹 かん／寛 ひろし／稜 りょう／稔 みのる

13-1 慎一 しんいち／誠一 せいいち

13-2 暖人 はると／蓮人 れんと

蒼人 あおと／寛人 ひろと／睦人 むつと／聖人 まさと／義人 よしと／雅人 まさと／幹人 みきと／廉人 れんと／楽人 がくと／誠二 せいじ

13-3 蒼大 そうた／煌大 こうた／寛大 かんた／聖也 せいや／蒼也 そうや

雅久 がく／雅也 まさや／幹大 かんた／慎也 しんや／滉大 こうだい／奨也 しょうや／義久 よしひさ

13-4 蒼太 そうた／蓮斗 れんと／寛太 かんた／幹太 かんた／煌太 こうた／蒼斗 あおと／蒼介 そうすけ／愛斗 まなと

煌介 こうすけ／新太 あらた／想太 そうた／楓太 ふうた／楓斗 ふうと／暖斗 はると／聖斗 まさと／稜介 りょうすけ／蓮太 れんた／鉄心 てっしん／義仁 よしと／想介 そうすけ／寛仁 ひろと／源斗 げんと／聖太 せいた

鉄太 てった／雅斗 まさと／幹仁 みきひと

13-5 煌生 こうせい／蒼生 あおい／煌平 こうへい／瑞生 みずき／蒼矢 そうや／聖矢 せいや／蒼史 そうし／誠矢 せいや／鉄生 てっしょう／慎平 しんぺい／寛生 ひろき／暖生 はるき

新平 しんぺい／稜平 りょうへい／鉄平 てっぺい／雅生 まさき／蓮生 れん

13-6 煌成 こうせい／寛多 かんた

13-7 蒼汰 そうた／新汰 あらた／蒼佑 そうすけ／蒼志 そうし／想佑 そうすけ／暖希 はるき／瑞希 みずき

画数から選ぶ名づけ　男の子名　1文字目の画数 13〜14画

13・8

| 雅希 まさき | 蒼空 そら | 煌明 こうめい | 聖弥 せいや | 誠治 せいじ | 蒼弥 そうや | 想弥 そうや | 慎治 しんじ | 義明 よしあき | 義知 よしとも | 蒼典 そうすけ | 靖弥 せいや | 寛幸 ひろゆき | 寛明 ひろあき | 雅弥 まさや |

13・9

| 蒼祐 そうすけ | 蓮音 れんと | 詩音 しおん | 寛紀 ひろき | 雅紀 まさき | 雅哉 まさや | 慎哉 しんや | 13・10 蒼真 そうま | 楓真 ふうま | 暖真 はるま | 蒼馬 そうま | 想真 そうま | 楓馬 ふうま | 獅恩 しおん |

13・11

| 稜真 りょうま | 蒼眞 そうま | 瑞記 みずき | 煌真 こうま | 寛真 ひろま | 義朗 よしろう | 蒼唯 あおい | 義基 よしき | 雅基 まさたか | 13・12 愛隆 まなと | 蓮翔 れんと | 煌貴 こうき | 瑞貴 みずき |

13・13

| 蒼偉 あおい | 寛貴 ひろき | 獅童 しどう | 義智 よしとも | 雅貴 まさき | 13・13 楓雅 ふうが | 煌雅 こうが | 煌聖 こうせい | 雅義 まさよし | 13・14 稜輔 りょうすけ | 蒼輔 そうすけ | 13・15 瑞輝 みずき | 雅毅 まさき |

13・16

| 煌樹 こうき | 瑞樹 みずき | 雅樹 まさき | 13・10 蒼一郎 そういちろう | 慎之助 しんのすけ | 誠之助 せいのすけ | 13・11 煌一朗 こういちろう | 慎一朗 しんいちろう | 13・13 煌太郎 こうたろう | 蒼太郎 そうたろう | 慎太郎 しんたろう |

14画

| 13・14 誠史朗 せいしろう | 蓮太朗 れんたろう | 颯 そう | 碧 あおい | 聡 さとし | 魁 かい | 肇 はじめ | 豪 ごう | 彰 あきら | 14・1 嘉一 かいち |

1文字目の画数 **14** 画

画数から選ぶ名づけ 男の子名 1文字目の画数 15〜16画

15・1
- 遼 さとし
- 慧 じゅん
- 潤 じゅん
- 慶 けい
- 駈 かける
- 徹 とおる
- 毅 たけし
- 輝一 きいち
- 慶一 けいいち
- 潤一 じゅんいち
- 諒一 りょういち

15・2
- 璃人 りひと
- 慧人 けいと
- 遼人 はると

15・3
- 諒人 あきと
- 慶二 けいじ
- 璃久 りく
- 遼大 りょうた
- 遼也 りょうや
- 慶久 よしひさ
- 輝之 てるゆき

15・4
- 慧太 けいた
- 慶太 けいた
- 諒太 りょうた
- 慧斗 けいと
- 遼介 りょうすけ

15・5
- 潤矢 じゅんや

15・6
- 遼央 りょう
- 諒平 りょうへい
- 慶次 けいじ
- 慧伍 けいご
- 諒成 りょうせい
- 慶汰 けいた
- 慶吾 けいご
- 遼佑 りょうすけ
- 慶志 けいじ

15・8
- 璃空 りく
- 輝幸 てるゆき
- 慧典 けいすけ
- 凛空 りく

15・9
- 慶祐 けいすけ
- 璃音 りおん
- 慶彦 よしひこ
- 潤哉 じゅんや

15・10
- 慶悟 けいご
- 穂高 ほだか
- 遼馬 りょうま
- 諒真 りょうま
- 慶真 けいしん

15・11
- 慶都 けいと
- 毅琉 たける
- 慧翔 けいと

15・12

15・10
- 輝晴 よしはる
- 慶一郎 けいいちろう
- 潤之助 じゅんのすけ
- 蔵之助 くらのすけ

15・11
- 慶一朗 けいいちろう

15・13
- 璃玖斗 りくと

15・9
- 遼太郎 りょうたろう
- 凛太郎 りんたろう
- 慶太郎 けいたろう

15・14
- 遼太朗 りょうたろう

15・10
- 凛太朗 りんたろう
- 輝道 てるみち

1文字目の画数 16画

16
- 樹 いつき
- 龍 りゅう
- 薫 かおる
- 澪 れい
- 衛 まもる
- 篤 あつし
- 錬 れん
- 諧 かい
- 賢 けん
- 樹一 きいち

16・1
- 龍一 りゅういち

画数から選ぶ名づけ 男の子名 1文字目の画数 16〜16画

16-1
- 賢一 けんいち

16-2
- 龍人 りゅうと
- 篤人 あつと
- 賢人 けんと

16-3
- 龍己 りゅうき
- 龍也 たつや
- 篤士 あつし

16-4
- 龍斗 りゅうと
- 龍太 りゅうた
- 賢心 けんしん
- 賢太 けんた
- 篤斗 あつと
- 憲太 けんた

16-5
- 龍生 りゅうせい
- 樹生 いつき
- 龍平 りゅうへい
- 龍司 りゅうじ
- 龍矢 りゅうや
- 篤弘 あつひろ
- 賢司 けんじ
- 篤史 あつし
- 篤司 あつし
- 龍司 りゅうじ
- 龍成 りゅうせい
- 龍羽 りゅう
- 橙伍 とうご
- 篤成 あつなり

16-6

16-7
- 龍希 りゅうき
- 龍志 りゅうじ
- 樹希 いつき
- 龍我 りょうが
- 龍汰 たつおみ
- 賢臣 けんしん
- 賢志 けんし
- 篤志 あつし
- 憲吾 けんご
- 賢吾 けんご
- 篤吾 あつし
- 篤宏 あつひろ

16-8
- 龍空 りゅうく
- 龍治 りゅうじ
- 橙弥 とうや

16-9
- 龍青 りゅうせい
- 憲明 のりあき
- 賢治 けんじ
- 龍星 たつひこ
- 龍彦 たつひこ
- 篤紀 あつき
- 賢祐 けんすけ
- 龍郎 あつろう

16-10
- 龍馬 りょうま
- 橙馬 とうま
- 賢悟 けんご
- 龍眞 りゅうま

16-12
- 龍翔 りゅうと

16-13
- 龍惺 りゅうせい
- 篤貴 あつき
- 賢登 けんと
- 龍聖 りゅうせい
- 龍誠 りゅうせい
- 龍雅 りゅうが

16-14
- 龍輔 りゅうすけ
- 賢輔 けんすけ

16-15
- 龍輝 りゅうき
- 龍毅 たつき
- 篤輝 あつき
- 憲蔵 けんぞう
- 賢蔵 けんぞう

16-16
- 龍樹 たつき
- 篤樹 あつき
- 龍磨 たつま
- 龍乃介 りゅうのすけ
- 龍之介 りゅうのすけ
- 龍乃助 りゅうのすけ
- 龍之助 りゅうのすけ
- 龍一郎 りゅういちろう
- 龍太郎 りゅうたろう
- 賢太郎 けんたろう

1文字目の画数 **17画**

漢字	読み	番号
龍之進	りゅうのしん	16-3
憲太朗	けんたろう	16-4(14)
翼	つばさ	17
駿	しゅん	17
優	ゆう	17
謙	けん	17
嶺	りょう	17
優一	ゆういち	17-1
謙一	けんいち	17
駿一	しゅんいち	17

画数から選ぶ名づけ　男の子名　1文字目の画数 16〜17画

漢字	読み	番号
優人	ゆうと	17-2
謙人	けんと	17
優大	ゆうだい	17-3
優士	ゆうと	17
優也	ゆうや	17
駿也	しゅんや	17
優斗	ゆうと	17-4
優太	ゆうた	17
駿太	しゅんた	17
優介	ゆうすけ	17
優心	ゆうしん	17
駿斗	しゅんと	17
優月	ゆづき	17

漢字	読み	番号
駿介	しゅんすけ	17
優仁	ゆうと	17
謙心	けんしん	17
應介	おうすけ	17
謙太	けんた	17
謙介	けんすけ	17
駿平	しゅんぺい	17-5
優矢	ゆうや	17
優司	ゆうじ	17
優成	ゆうせい	17-6
優羽	ゆうわ	17
駿多	しゅんた	17
優希	ゆうき	17-7

漢字	読み	番号
優吾	ゆうご	17
優杜	ゆうと	17
優志	ゆうし	17
駿希	しゅんき	17
謙吾	けんご	17
鴻明	こうめい	17-8
駿弥	しゅんや	17
優季	ゆうき	17
優音	ゆうと	17-9
駿祐	しゅんすけ	17
優真	ゆうま	17-10
優晟	ゆうせい	17
優眞	ゆうま	17

漢字	読み	番号
優悟	ゆうご	17
謙真	けんしん	17
謙馬	けんま	17
謙悟	けんご	17
優進	けんしん	17-11
優都	ゆうと	17
優翔	ゆうと	17-12
優貴	ゆうき	17
優陽	ゆうひ	17
優晴	ゆうせい	17
駿貴	しゅんき	17
優聖	ゆうせい	17-13
優雅	ゆうが	17

漢字	読み	番号
優誠	ゆうせい	17
駿輔	しゅんすけ	17-14
優輝	ゆうき	17-15
謙蔵	けんぞう	17
優樹	ゆうき	17-16
駿樹	としき	17
優磨	ゆうま	17
優護	ゆうご	17-20
駿之介	しゅんのすけ	17(7)
優之介	ゆうのすけ	17-3

画数から選ぶ名づけ　男の子名　1文字目の画数 17〜20画

1文字目の画数 18画

- 櫂 かい 18
- 瞬 しゅん 18
- 謙太朗 けんたろう 17-10
- 駿太朗 しゅんたろう 17-4
- 優太郎 ゆうたろう 17-14
- 謙太郎 けんたろう 17-13
- 駿太郎 しゅんたろう 17-4
- 優之助 ゆうのすけ 17-1
- 燿 よう
- 類 るい
- 織人 おりと 18-2
- 藍人 あいと 18
- 藍斗 あいと 18-4
- 瞬介 しゅんすけ
- 藍介 あいすけ 18-5
- 櫂叶 かいと
- 藍生 あおい
- 燿平 ようへい
- 顕司 けんじ
- 藍希 あいき 18-7

1文字目の画数 19画

- 藤吾 とうご
- 藍琉 あいる 18-11
- 櫂都 かいと
- 藍都 あいと
- 蘭丸 らんまる 19-3
- 19-4
- 麗斗 れいと
- 麗太 れいた
- 麗矢 れいや 19-5
- 麗央 れお

- 麗志 れいじ 19-7
- 瀬那 せな
- 麗音 れおん 19-9

- 響 ひびき 20
- 護 まもる
- 燿 てる
- 馨 かおる
- 譲 じょう
- 燿一 よういち 20-1

1文字目の画数 20画

- 響一 きょういち
- 燿大 ようだい 20-3
- 響己 ひびき
- 響也 きょうや
- 響介 きょうすけ 20-4
- 燿斗 あきと
- 響太 きょうた
- 燿平 ようへい 20-5
- 響司 きょうじ
- 譲司 じょうじ
- 響希 ひびき 20-7
- 燿汰 ようた

- 燿星 ようせい 20-9
- 燿哉 きょうや
- 響起 きょうま 20-10
- 響真 きょうま
- 燿登 あきと 20-12
- 響稀 ひびき
- 譲一郎 じょういちろう 20-(10)
- 響一郎 きょういちろう
- 燿一朗 よういちろう 20-(11)
- 響太郎 きょうたろう 20-(13)

第4章

おすすめ漢字から選ぶ名づけ

この章では、名前に使えるおすすめ漢字の読みや画数、意味、
そしてその漢字に込めたいママやパパの願い、
イメージのふくらませ方などを紹介しています。
「音の響き」や「イメージ」で名前を決めかねているときや、
最初から漢字にこだわった名づけをするときに活用してください。

【 このリストの見方 】

名づけで使うおすすめ漢字を画数順に570字掲載しました。「画数と主な読み」「主な意味と(その漢字に)込めたい願い」、そして「名前例」を紹介しています。「主な意味と込めたい願い」では、漢字の意味の中でもよいイメージをふくらませて、ポジティブな印象となるように記述しました。なお、漢字は辞書によって意味が異なることもあるので、必ずほかの辞書も参考にしながら最終的に判断することをおすすめします。

※ここでは「仮成数」を加えて吉数にする場合も考えて、画数としてそのままでは吉数ではない名前例も掲載しています

おすすめ漢字 1〜2画

画数・漢字	主な読み	主な意味と込めたい願い	女の子の名前例	男の子の名前例

一 (1画)

主な読み: イチ・イツ・おさむ・かず・かつ・はじめ・ひ・ひで・ひと

意味: ①いち。ひとつ。数の名。②はじめ。最初。③最上のもの。④まとめる。⑤同じ。等しい。⑥すべて。⑦あるひとつの。⑧わずか。⑨まじりけがない。

願い: トップをめざし、物事を一つにまとめられるリーダーシップを発揮できる人にと願って。また、ママとパパにとってかけがえのない大切な子という思いも込めて。

女の子の名前例: 一花（いちか）／一葉（かずは）／一姫（かずき）

男の子の名前例: 一真（かずま）／一（たいち）／一樹（いつき）

乙 (1画)

主な読み: イツ・オツ・お・おと・き・たか・つぎ・と・とどむ

意味: ①きのと。十干の二番目。物事の二番目。②気がきいている。③みょうだ。変だ。④「幼い」「美しい」「愛らしい」などの意味を表す接頭語。

願い: 響きと字体に古風な魅力が感じられる字。みんなから愛される人に成長するようにとの願いを込めて。

女の子の名前例: 乙葉（おとは）／乙音（おとね）／梨乙（りお）

男の子の名前例: 乙樹（いつき）／駿乙（しゅんと）／乙輝（いつき）

七 (2画)

主な読み: シチ・シツ・かず・な・なな・なの

意味: ①しち。なな。ななつ。数の名。②数の多いようす。③ななせ。④むかしの時刻のよび名。現在の午前四時または午後四時ごろ。

願い: たくさんの数を表す縁起のよい数字であり、「ラッキーセブン」という言葉で知られるように、多くの幸運が訪れる人生を送れますようにとの願いを込めて。

女の子の名前例: 七海（ななみ）／七菜（なな）／七緒（なお）

男の子の名前例: 星七（せな）／海七斗（みなと）／七斗（ななと）

人 (2画)

主な読み: ジン・ニン・きよ・さね・たみ・と・ひと・ひとし・ふと・め

意味: ①ひと。人間。②他人。③りっぱな人物。④官位の低い役人。職人。⑤人民。⑥人数をかぞえることば。

願い: 人間の行動や状態、人柄も表すことから個性的な名前の止め字に人気。人望が厚く、立派な人になってほしい、人の見本となるような、優れた人格を持った人になってほしいという気持ちを込めて使われる。

男の子の名前例: 悠人（ゆうと）／隼人（はやと）／暖人（はると）

二 (2画)

主な読み: ジ・ニ・かず・さ・つぎ・つぐ・ふ・ぶ・ふた

意味: ①ふたつ。に。数の名。②ふたたび。③二番目の。つぎ。④別の。異なる。⑤並ぶ。匹敵する。それ以外に、⑥つぎという意味があることから、人生の扉を次々に開けて幸せをつかんでほしいと願って。また、二番目の子に使う文字。上の子と手を取り合って仲よく育ってほしいという思いも込めて。

女の子の名前例: 二千翔（にちか）／二葉（ふたば）／二瑚（にこ）

男の子の名前例: 柊二（しゅうじ）／瑛二朗（えいじろう）／誠二（せいじ）

乃 (2画)

主な読み: ダイ・ナイ・いまし・おさむ・の

意味: ①すなわち。接続詞。②そこで。そして。③そうでは。それなのに。逆接を表す。④なんじ。あなた。おまえ。二人称の代名詞。⑤格助詞の「の」に当てる。⑥平仮名の「の」は「乃」の草書体からできた字。

願い: 古風なイメージを持つことから、内に秘めた強さを持つ一人に。

女の子の名前例: 彩乃（あやの）／梨乃（りの）／雪乃（ゆきの）

男の子の名前例: 晴乃介（はるのすけ）／竜乃介（りゅうのすけ）／洸乃介（こうのすけ）

おすすめ漢字 2〜3画

画数・漢字	主な読み	主な意味と込めたい願い	女の子の名前例	男の子の名前例
八 (2画)	ハチ・ハツ・かず・や・やつ・やっ・よう・わ・わか	**意味** ①やつ。やっつ。②数の名。数の多いこと。③ひじょうに長い年月。④やつ。むかしの時刻のよび名。現在の午前二時または午後二時ごろ。 **願い** 末広がりで縁起のよい字とされることから、素晴らしい未来が広がるようにと願って。人と人との結びつきを広げていける人にという祈りを込めて。	八重（やえ）	八尋（やひろ）／八紘（やひろ）／八雲（やくも）
了 (2画)	リョウ・あき・あきら・さとる	**意味** ①おわる。すむ。②あきらか。はっきりする。よくわかる。 **願い** よくわかるなどの意味にも使われることから、人の気持ちを思いやり、理解して行動できる人になることを願って。		了太（りょうた）／了介（りょうすけ）／了（りょう）
力 (2画)	リキ・リョク・いさ・いさむ・か・ちか・ちから・つとむ・よし	**意味** ①ちから。②働き。作用。能力。③いきおい。精を出す。④つとめる。はげむ。⑤りきむ。ちからをこめる。⑥力の分量を表すことば。 **願い** 生命力、精神力などあらゆる強さや勢いを感じさせる漢字。頑張り屋で、体も心も力強くたくましく、優しさも併せ持った人に育ってほしいとの願いを込めて。		力輝（りき）／力斗（りきと）／力（りき）
久 (3画)	キュウ・ク・つね・なが・ひこ・ひさ・ひさし	**意味** ①ひさしい。長い間。ずっと変わらない。②以前からの。古い。 **願い** 先が長いという意味を持つことから、健康と長寿への祈りと、自分の決めた道に向かってあきらめずに進み続ける持久力のある人にという気持ちも込めて。また、いつまでも続くようにと願って。	実久（みく）／未久（みく）／久子（ひさこ）	璃久（りく）／久遠（くおん）／久典（ひさのり）
弓 (3画)	キュウ・ゆみ	**意味** ①ゆみ。つるをはり、矢をつがえて射る武器。②ゆみなり。ゆみの形に曲がったもの。③弓のまとまでの距離をはかる単位。一弓は一・三五メートル。 **願い** 弓がしなる様子から、強さとしなやかさの両面を持つイメージ。何事にもくじけず、常に明るさを持って困難に立ち向かっていける人に成長することを期待して。	愛弓（あいみ）／弓花（ゆみか）／弓月（ゆづき）	弓弦（ゆづる）／弓槻（ゆづき）
己 (3画)	キ・コ・おと・おのれ・な	**意味** ①自分。私。②相手のものをしってよぶこと。③つちのと。十干の六番目。 **願い** 自分の道を突き進む探究心と可能性にあふれた人に。また、自分の大切にし、まわりの人たちも大切にできる人になってほしいと願って。	亜己（あこ）／栞己（かんな）／夏己（なつき）	直己（なおき）／知己（ともき）／侑己（ゆうき）

おすすめ漢字 3〜3画

画数・漢字	主な読み	主な意味と込めたい願い	女の子の名前例	男の子の名前例
三 (3画)	サン・かず・さぶ・さむ・そう・ぞう・ただ・なお・み・みつ	意味 ①さん。みつ。み つつ。数の名。②数の多いよう。回数の多いようす。しばしば。何度も。 願い 数の多いようすを表すことから、多くの幸運を引き寄せる人生を送れますようにという願いを込めて。また、子孫繁栄や家の繁栄の祈りも込めて。	三奈 みな / 三結 みゆ / 三千花 みちか	拓三 たくみ / 泰三 たいぞう / 三郎 さぶろう
士 (3画)	シ・ジ・あき・あきら・お・おさむ・ただ・つかさ・と・ひと	意味 ①おとこ。成年の男子。りっぱな男子。②さむらい。むかしの四民（士・農・工・商）の一つ。③役人。周代、諸侯・大夫につぐ位のある人。④一定の資格のある人。 願い きりりとしたイメージがある漢字。技能や才能のある人などを表すことから、高い志を持ち、しんの通った才能あふれるりりしい子になるように願って。		蒼士 そうし / 湊士 みなと / 瑛士 えいじ
子 (3画)	シ・ス・こ・しげ・たか・ただ・ちか・つぐ・とし・ね・み・やす	意味 ①こども。②女子。かい。形、規模が小さい。③男子の名にそえる語。③女子の名にそえる語。④あなた。きみ。⑤実。たね。たまご。⑥小さいものや道具の名に用いる接尾語。⑦爵位の第四位。⑧ね。十二支の一番目。動物ではねずみ、時刻では午前零時または午後十一時から午前一時ごろまで。方位では北。 願い わが子を慈しむ親の思いを込めて。	莉子 りこ / 桃子 ももこ / 桜子 さくらこ	子龍 しりゅう
小 (3画)	ショウ・お・こ・さ・ささ・ちい・ちいさ	意味 ①ちいさい。こまかい。形、規模が小さい。②少ない。わずか。ちょっとした。③身分が低い。④若い。幼い。⑤自分に関係することがらにつけてへりくだる意味を表すことば。⑥「ちいさい」接頭語。「すこし」の意味を表す。⑦ほぼ。およそ。 願い 小さくかわいらしいイメージ。多くの人に愛される人にと願って。	小春 こはる / 小雪 こゆき / 小百合 さゆり	小太郎 こたろう / 小次郎 こじろう
丈 (3画)	ジョウ・たけ・ひろ・ます	意味 ①尺貫法の長さの単位。一丈は約三・〇三メートル。②身のたけ。③一人前の男子。④歌舞伎役者などの芸名につける敬称。⑤だけ。ものの分量や程度の限定を示す語。⑥健康で丈夫、たくましく、明るく、がっちりとしたイメージを持つ漢字。健やかにたくましく育つよう期待を込めて。		丈 じょう / 丈哉 ひろや / 丈瑠 たける
千 (3画)	セン・かず・ち・ゆき	意味 ①数の単位。百の十倍。②数の多いこと。たくさん。 願い 数の多いことを表すことから、豊かで実り多い人生を歩み、大きな愛ですべてを包み込む人になってほしいという祈りを込めて。	千紗 ちさ / 千穂 ちほ / 千尋 ちひろ	泰千 たいち / 千翔 ゆきと / 千裕 ちひろ

おすすめ漢字 3〜3画

大 (3画)
主な読み: タイ・ダイ・お・おお・た かし・たけし・はる・ひろ・ひろし

意味: ①おおきい。広い。②強い。③多い。④重要な。たいせつな。⑤おお いに。はなはだ。りっぱな。⑥すぐれている。⑦いちばん。最高位を示すことば。⑧おおよそ。

願い: 末広がりで、のびのびとした広い心を持ち、地位や人格などが立派で、優れた人になってほしいという願いを込めて。

男の子の名前例: 大地（だいち）／大和（やまと）／大翔（ひろと）

之 (3画)
主な読み: シ・いたる・これ・の・ひ で・ゆき・よし

意味: ①これ。この。指示代名詞。また、語調を整えたり、強調したりすることば。②ゆく。おもむく。至る。③…の。主語や所有を示すことば。④平仮名の「し」は、「之」の草書体からできた字。

願い: 自らの意思で積極的に物事を進める人にとと願って。

男の子の名前例: 龍之介（りゅうのすけ）／慎之助（しんのすけ）／淳之介（じゅんのすけ）

万 (3画)
主な読み: バン・マン・かず・かつ・すすむ・たか・つもる・ま・よろず

意味: ①数の単位。千の十倍。いろいろの。②数の多いようす。③決して。必ず。

願い: 数がとても多い、かならずといった意味を持つことから、さまざまな才能にあふれた輝く人になってほしい、また、あふれるほどの幸せを手にしてほしいという願いを込めて。

女の子の名前例: 万結（まゆ）／万優（まひろ）／万里子（まりこ）
男の子の名前例: 晴万（はるま）／万里（ばんり）／将万（しょうま）

巳 (3画)
主な読み: シ・み

意味: み。十二支の六番目。動物ではへび、時刻では午前九時から十一時ごろまで。方位では南南東。なら火を表すとともに、水や知性の神に通じていて。

願い: 動物なら蛇、五行なら火を表すとともに、水や知性の神に通じている漢字。内面に情熱的な心を持ちながらも物事にスマートに対処できる、神秘的な人に成長することを期待して。

女の子の名前例: 愛巳（まなみ）／巳琴（みこと）／真巳（まみ）
男の子の名前例: 拓巳（たくみ）／竜巳（たつみ）／和巳（かずみ）

也 (3画)
主な読み: ヤ・あり・ただ・なり

意味: ①…である。文末に用いて、断定の意味を表す。②や。か。文末に用いて、疑問・反語などの意味を表す。③…は。句末に用いて、強調・提示の意味を表す。④平仮名の「や」は、「也」の草書体からできた字。

願い: 断定や強調を表すことから、穀然と、かつさわやかで気持ちのよい人にと願って。

女の子の名前例: 彩也香（さやか）／紗也（さや）／美也子（みやこ）
男の子の名前例: 朔也（さくや）／達也（たつや）／智也（ともや）

夕 (3画)
主な読み: セキ・ゆ・ゆう

意味: ゆうべ。日ぐれ。夕焼けで赤く大きく見える太陽のように、一つのことに心を燃やせる情熱的な人になってほしい。そして、その道を極めてほしい。また、夕暮れの太陽のような大きな心を持ち、人の心を癒やすことができる人になってほしいという祈りを込めて。

女の子の名前例: 夕奈（ゆうな）／真夕（まゆ）／夕茉（ゆま）
男の子の名前例: 夕稀（ゆうき）／夕陽（ゆうひ）／夕真（ゆうま）

おすすめ漢字 4〜4画

円  (4画)

主な読み: エン・オン・つぶら・のぶ・まど・まどか・まる・み・つ

意味: ①まるい。まる。②まるい形。輪の形。③まるく立体的なもの。④まるい板状のもの。⑤なめらか。⑥満ちている。⑦欠けたところがない。一帯。⑧日本の貨幣の単位。一銭の百倍にあたり。

願い: すべてにおいて満ち足りた、豊かな人生が送れるようにとの願いを込めて。

女の子の名前例: 円 まどか／円香 まどか／円花 まどか

王  (4画)

主な読み: オウ・きみ・たか・み・わ・わか

意味: ①かしら。おさ。②きみ。天子。諸侯。③皇族の男子の称。④将棋の駒の一つ。王将のこと。⑤礼として天下を治める人。⑥第一人者。うちの二番目の地位。

願い: 何か一つでも、最高位まで上り詰め、まわりの人から尊敬や信頼を得られる人になるよう願って。

男の子の名前例: 怜王 れお／俐王 りお

介  (4画)

主な読み: カイ・ケ・あき・かたし・すけ・たすく

意味: ①はさまる。②間。③助ける。④すけ。むかしの役人の階級で、国司の四等官のうちの二番目の地位。⑤貝がら。

願い: 心身共に強くたくましく、人を助ける勇気と優しさを持つ人になることを願って。

男の子の名前例: 龍之介 りゅうのすけ／悠介 ゆうすけ／蒼介 そうすけ

月  (4画)

主な読み: ガツ・ゲツ・つき

意味: ①つき。②一か月。③七曜の一つ。

願い: 月の光のように、優しく穏やかな魅力を放つ人に育ってほしいと願って。止め字としても使うことができ、幸運の多い人生が送れるようにという祈りも込めて。

女の子の名前例: 優月 ゆづき／美月 みづき／菜月 なつき

男の子の名前例: 悠月 ゆづき／維月 いつき／偉月 いつき

元  (4画)

主な読み: ガン・ゲン・つかさ・なが・はじめ・はる・もと・ゆき・よし

意味: ①もと。おおもと。②はじめ。最初。③おさ。かしら。④あたま。こうべ。⑤年号。年号のはじめの年。年号になるものが二つ以上、またはいくさんあること。⑦げん。中国の王朝名。

願い: 始まりを表すことから、チャレンジ精神旺盛で、物事の本質を見極めることができる人に。先駆者や革新者と呼ばれるような人にと願って。

女の子の名前例: 元乃 ゆきの／元香 もとか／元子 もとこ

男の子の名前例: 元気 げんき／元貴 はるき／元春 もとはる

公  (4画)

主な読み: コウ・きみ・きん・ただ・ただし・とおる・とも・ひろ・まさ

意味: ①国家。政府。②社会一般。③共有の。④かたよらない。⑤天子。諸侯。⑥五段階に分けた爵位（公侯伯子男）の最上位。⑦年長者や同輩を敬ってつけることば。⑧親しみを込めてつけることば。

願い: 公平で正義感を持った人にと願って。また、バランス感覚に優れ、多くの人に尊敬される人という気持ちも込めて。

女の子の名前例: 公香 きみか／公子 きみこ

男の子の名前例: 公輝 こうき／公貴 きみたか／公一 こういち

332

おすすめ漢字 4〜4画

画数・漢字	主な読み	主な意味と込めたい願い	女の子の名前例	男の子の名前例
孔 4画	ク・コウ・ただ・みち・よ・し	**意味** ①あな。すきま。つきぬけたあな。②「孔子（こうし）」のこと。 **願い** 中国の偉大な思想家・孔子（こうし）にちなんで、知性や風格を連想させる字。また、深い穴という意味から、思慮深く何事にも熱心に取り組む人になってほしいという願いを込めて。		孔太 こうた 成孔 なるよし 璃孔 りく
心 4画	シン・きよ・こころ・さね・なか・み・むね・もと	**意味** ①精神。胸のうち。②考え。意志。③思いやり。なさけ。④おもむき。⑤おもむきを解するこころ。⑥しんぞう。⑦まんなか。たいせつなところ。 **願い** 思いやりに満ちあふれ、相手の身になって考えることのできる優しい人にと願って。また、物事の中心となる人物になれるようにという期待も込めて。	心春 こはる 心結 みゆ 心菜 ここな	健心 けんしん 心太郎 しんたろう
仁 4画	ジン・ニ・きみ・ただし・と・ひさし・ひと・ひとし・ひろし	**意味** ①いつくしみ。いつくしむ。②親しみ。親しむ。③思いやり。あわれみ。④儒教で、人道のもととする徳。⑤ひと。⑥果実の核のなかみ。 **願い** 人をいつくしむ心や、他人を思いやることのできる、仁徳のある人に。また、人生の困難に立ち向かい、それを自分の力にできる度量の大きな人にと願って。	仁香 にこ 仁菜 にいな 仁美 ひとみ	仁 じん 悠仁 ゆうと 陽仁 はるひと
水 4画	スイ・たいら・な・なか・み・みず・ゆ・ゆく	**意味** ①酸素と水素の化合物。②相撲が長びいたときの中休み。③ひじょうに大きい。④さえ。⑤かわ。水のあるところ。⑥五行（木・火・土・金・水）の一つ。時節では冬、方位では北。⑦七曜の一つ。⑧液体。水のようなもの。 **願い** 人の心や社会に潤いを与えられる人になってほしいと願って。	水希 みずき 泉水 いずみ	主水 もんど 水稀 みずき
太 4画	タ・タイ・おお・しろ・た・か・と・ひろ・ふと・ふとし・み・もと	**意味** ①ふとい。豊かである。②ふとる。肥える。③ひじょうに大きい。④はなはだしい。⑤始め。起こり。⑥尊んで言うときにそえることば。 **願い** 大きくたくましく、明朗な印象があり、気が強い、いちばん尊いなど言葉に使用される漢字。男の子の止め字にも人気。明朗活発で、勇気があり、豊かでおおらかな人になるように願って。		颯太 そうた 太一 たいち 太陽 たいよう
丹 4画	タン・あかし・あきら・に・あか・あかい・まこと	**意味** ①あか。あかい。②たん。丹砂と薬物をねりまぜた薬。とくに、不老不死の薬。③まごころ。 **願い** 「丹精」「丹念」など、まごころを込めて念入りに行うことを表す言葉に使用される漢字。周囲の人に思いやりを持って接することができ、気持ちの温かな人に育ってほしいという祈りを込めて。	丹菜 にな 丹衣菜 にいな	

おすすめ漢字 4〜4画

天 (4画)
主な読み: テン・あま・あめ・たか・たかし

意味: ①あめ。そら。②天の神。③自然。自然の力。④めぐりあわせ。運命。⑤目上の。生まれつきの。⑥神の国。⑦いただき。てっぺん。⑧天子や天皇に関すること。

願い: 広がる空のように、心の広い人に。また、てっぺんを表すことから、どの道に進んでも頂点に立つ人にと願って。

女の子の名前例: 天香 てんか／天祢 あまね／天音 あまね

男の子の名前例: 天斗 たかと／晴天 はるたか／天馬 てんま

斗 (4画)
主な読み: ト・トウ・け・はかる・ます

意味: ①ます。物の量をはかるうつわの総称。②ひしゃくの形をしたもの。ひしゃくの形の漢字。③容量の単位。酒・油・穀物をはかるのに使う。一斗は十升で、約一八リットル。④ひしゃく形の星座の名。⑤小さい。わずか。

願い: 止め字として人気の漢字。星空のように壮大で、広い心を持つ人になることを願って。

女の子の名前例: 千咲斗 ちさと

男の子の名前例: 斗真 とうま／陸斗 りくと／悠斗 ゆうと

日 (4画)
主な読み: ジツ・ニチ・あき・か・はる・ひ・ひる

意味: ①ひ。太陽。②昼。昼間。③一日。一昼夜。④七曜の一つ。⑤日々。日ましに。⑥日数をかぞえることば。⑦「日本」の略。

願い: 朝日が昇っていくような勢いよく進む人生であるようにと願って。また、周囲の人を明るく照らすことのできる温かい心を持った人に育ってほしいという気持ちも込めて。

女の子の名前例: 日菜 ひな／向日葵 ひまり／日和 ひより

男の子の名前例: 明日真 あすま／日奈太 ひなた／日向 ひなた

巴 (4画)
主な読み: ハ・とも・ともえ

意味: ①うずまき。②うずまき形のもよう。

願い: うずまきのように、周囲の人たちがいつのまにか引き込まれてしまうほどの魅力を持った人になってほしい。ひまわりの人と力を合わせ、大きなことを成し遂げることのできる素晴らしい人に育ってほしいという願いを込めて。

女の子の名前例: 巴菜 はな／彩巴 いろは／琴巴 ことは

男の子の名前例: 巴哉 ともや／巴樹 ともき／巴瑠 はる

比 (4画)
主な読み: ヒ・くら・たか・たすく・ちか・とも・なみ・ひさ

意味: ①くらべる。並べて検討する。②親しむ。近づく。並ぶ。③なかま。④同類のもの。⑤同類のものをくらべたときの割合。

願い: だれからも愛されて、親しい友人にも恵まれる豊かな人生を歩んでほしいと願って。人との関係を大切にできる人に育ってほしいという気持ちも込めて。

女の子の名前例: 比菜 ひな／比奈子 ひなこ／比奈乃 ひなの

男の子の名前例: 比呂 ひろ／比呂斗 ひろと

夫 (4画)
主な読み: フ・ブ・フウ・あき・お・おっと・すけ

意味: ①おっと。②おとこ。成人の男子。③労働に従う男子。④それ。発語のことば。⑤かの。その。事物を指し示すことば。⑥かな。句末につけて詠嘆を表すことば。

願い: 安心感を与える男の子の止め字として人気。優しく穏やかで、包み込むような優しさを持った人になることを願って。

男の子の名前例: 将夫 まさお／章夫 あきお／貴夫 たかお

おすすめ漢字 4〜5画

画数・漢字	主な読み	主な意味と込めたい願い	女の子の名前例	男の子の名前例
文 (4画)	ブン・モン・あき・あや・とき・のぶ・のり・ひとし・ふみ	意味 ①あや。もよう。かざり。②文字。ことば。③ふみ。手紙。④本。記録。⑤学問や芸術。⑥いれずみ。⑦もん。むかしの貨幣の単位。⑧もん。たびやくつなどの大きさの単位。 願い 学問の道を究めていくような、知的で教養ある人に。精神の引き締まった品格ある人に育ってほしいという願いを込めて。	文乃 ふみの／文奈 あやな／文香 あやか	文太 ぶんた／文人 あやと／文哉 ふみや
木 (4画)	ボク・モク・き・こ・しげ	意味 ①き。立ち木。②物をつくる材料となる木。また、木でつくったもの。③味方。④星の名。木星のこと。⑤七曜の一つ。⑥ありのまま。かざりけがない。 願い 空に向かって伸びる木のように、高みに向かい、心身共にすくすくと成長することを願って。	木乃美 このみ／木乃花 このか／木春 こはる	
友 (4画)	ユウ・すけ・とも	意味 ①とも。仲間。②ともとする。親しむ。仲がよい。仲よく助けあう。③味方。 願い 困っている友がいたら救うことのできる優しい人に。また、困ったときには手を差し伸べてくれる友もいる、多くの友人に恵まれた人生を送ってほしいという気持ちを込めて。	麻友 まゆ／友香 ゆうか／友菜 ゆうな	友輝 ともき／友樹 ゆうき／友亮 ゆうすけ
以 (5画)	イ・これ・さね・しげ・とも・もち・ゆき	意味 ①…によって。…で。目的・手段・原因・対象を示すことば。②…から。…より。範囲や方向を示すことば。③もって。用いる。④おもう。⑤ゆえ。理由。⑥率いる。⑦平仮名の「い」は「以」の草書体からできた字。 願い 明確な目的を持って取り組み、結果を残せる人に。また、責任感の強い人にと願って。	芽以 めい／結以 ゆい／留以 るい	瑠以 るい／琉以 るい
右 (5画)	ウ・ユウ・あき・すけ・たか・たすく・みぎ	意味 ①みぎ。みぎがわ。②かみ。上位。③考えが保守的なこと。④たっとぶ。重んじる。⑤助ける。 願い 尊ぶ、大事にする、助けるといった深い意味を持つ漢字。人やものを大切に思い、いつでも冷静に物事を判断することができる道徳心のある人に。人格的に優れた人になることを願って。		圭右 けいすけ／右京 うきょう／悠右 ゆうすけ
永 (5画)	エイ・ヨウ・とお・なが・のり・はるか・ひさ・ひら・ひさし	意味 ①距離が長い。遠い。はるか。②時間が長い。また、その時間。とこしえ。限りなく。 願い 川の流れが分かれている様子から形づくられた漢字。たくさんの人に恵みをもたらすような、社会に貢献できる人に育ってほしいと。長く限りなく続く幸福な人生であってほしいという祈りも込めて。	永愛 とあ／永茉 えま／彩永 さえ	永真 はるま／永翔 えいと／永太 えいた

おすすめ漢字 5〜5画

央 (5画)

主な読み: オウ・ヨウ・あきら・ちか・てる・なか・ひさ・ひさし・ひろし

意味: ①なかば。まんなか。中心。②つきる。なくなる。

願い: 世界の中央、舞台の中央な台の中央、表彰の中央、どの道を選択しても、華々しい活躍ができるように願って。また、どこへ行っても注目されるような素晴らしい人に育ってほしいという期待も込めて。

女の子の名前例:
- 莉央 りお
- 真央 まお
- 奈央 なお

男の子の名前例:
- 怜央 れお
- 尚央 なお
- 央輔 おうすけ

加 (5画)

主な読み: カ・くわ・ます

意味: ①くわえる。たす。増やす。②くわわる。増える。仲間にはいる。③たし算。④「加奈陀(カナダ)」の略。⑤平仮名の「か」は「加」の草書体からできた字。

願い: 何事もプラスにできる明るく前向きな性格を持ち、だれからも愛される社交的な人にと願って。「か」の一音とシンプルな字形で、ほかの字と組み合わせやすい。

女の子の名前例:
- 麗加 れいか
- 桃加 ももか
- 加奈子 かなこ

男の子の名前例:
- 瑠加 るか
- 琉加 るか

可 (5画)

主な読み: カ・コク・あり・とき・よし

意味: ①よい。まあまあよい。②よいとする。③…べし。…することができる。…するがよい。…してよろしい。④「可奈陀(カナダ)」の略。⑤平仮名の「か」は「可」の草書の「の」のような突起。④気持ちを表す語につける接頭語。

願い: 寛容で大きな心の持ち主になってほしいという気持ちを込めて。また、自分の実力や魅力を思う存分発揮することのできる人に成長してくれると信じて。

女の子の名前例:
- 愛可 まなか
- 怜可 れいか
- 可奈子 かなこ

男の子の名前例:
- 遥可 はるか
- 可夢偉 かむい
- 可偉 かい

禾 (5画)

主な読み: カ・いね・のぎ

意味: ①稲。②イネ科の植物。または、穀物類の総称。③わら。穀物類のやわらぎ。④のぎ。稲や麦などの花の外側に生じる針のような突起。

願い: 植物の穂の形からできた字で、豊かな実りを象徴する漢字。幸せで恵まれた人生を送ることができるようにとの願いを込めて。

女の子の名前例:
- 愛禾 あいか
- 禾蓮 かれん
- 唯禾 ゆいか

叶 (5画)

主な読み: キョウ・かな

意味: ①あう。あわせる。②願いどおりになる。③

願い: 大きな夢や目標を持ち、かならず望みをかなえる充実した人生を送ってほしいと願って。また、柔軟な心で、周囲の人たちと心を合わせることのできる協調性のある人に。バランス感覚の素晴らしい人に育ってほしいという気持ちも込めて。

女の子の名前例:
- 夢叶 ゆめか
- 羽叶 わかな
- 叶恵 かなえ

男の子の名前例:
- 叶芽 かなめ
- 叶翔 かなと
- 叶太 かなた

玄 (5画)

主な読み: ゲン・しず・しずか・つね・のり・はじめ・はる・はるか・ひろ

意味: ①黒い。やや赤みをおびた黒。②奥深い。深遠な。③やしゃご。ひまごの子。

願い: 糸の形からできた字であることから、織り上げてさまざまな形態になる糸のように、無限の可能性と柔軟性を持ってほしいと願って。また、物事を注意深く、十分に考えることのできる思慮深い人になってほしいという願いも込めて。

女の子の名前例:
- 玄稀 げんき
- 玄真 はるま

男の子の名前例:
- 玄 げん

おすすめ漢字 5〜5画

画数・漢字	主な読み	主な意味と込めたい願い	女の子の名前例	男の子の名前例
5画 乎	コ・か・や	**意味** ①か。や。文末に用いて疑問・反語などの意味を表す。②や。名詞につけて呼びかけの意味を表す。③かな。文末に用いて詠嘆の意味を表す。④形容する語につけてその状態を強調する。⑤に。より。前置詞的に用いて場所・時間・比較などの意味を表す。 **願い** 個性が感じられる字。人々の印象に残るようにと願って。	平梅 こうめ / 平春 こはる / 平雪 こゆき	悠乎 ゆうや / 優乎 ゆうや / 乎南 こなん
5画 功	ク・コウ・いさ・いさお・かつ・こと・つとむ・なり・なる・のり	**意味** ①いさお。てがら。②仕事。つとめ。働き。③ききめ。できあがり。④自分の選んだ道で腕前。手ぎわ。 **願い** 努力を惜しまずに鍛練し、素晴らしい結果を残せる道で成功をおさめてほしいという願いを込めて。	理功 りく	功太 こうた / 功介 こうすけ
5画 巧	コウ・たえ・たく・たくみ・よし	**意味** ①たくみ。ひじょうに上手なこと。②わざ。腕前。手ぎわ。③うまくつくろう。口先がうまい。④かしこい。 **願い** 技術を磨くことに努力を惜しまず、常に修業を怠らない。いつも前向きで、向上心を持ち、創意工夫をするのが得意な、職人魂を持った人になるよう願って。		巧真 たくま / 巧斗 たくと
5画 広	コウ・お・たけ・とう・ひ・ひろ・ひろし	**意味** ①面積や範囲など がひろい。②ひろまる。ひろがる。ひろめる。ひろげる。③心の広いおおらかな人に。 **願い** 世界に広く知れ渡るような活躍をしてほしいという期待を込めて。また、大きな家を表す字でもあることから、家族をきちんと守れる人に育ってほしいという思いも込めて。	千広 ちひろ / 広果 ひろか / 広美 ひろみ	広大 こうだい / 広夢 ひろむ / 広樹 ひろき
5画 弘	グ・コウ・お・ひろ・ひろし・ひろむ・みつ	**意味** ①ひろい。大きい。をおおう。かたいから。②ひろめる。いきわたらせる。ひろまる。③世界に広く知れ渡るような活躍をしてほしいという期待を込めて。②ひろめる。いきわたらせる。ひろまる。③弓を引いて弦をない っぱいに張る様子を表す漢字。 **願い** 世界に広く知れ渡るような活躍を込めて。また、弓を引いて弦をない っぱいに張る様子を表すことから、何事にもくじけず、困難に立ち向かっていける強さとしなやかさの両面を持った人に育ってほしいと願って。	弘奈 ひろな / 弘子 ひろこ / 弘佳 ひろか	弘武 ひろむ / 弘輝 ひろき / 弘明 こうめい
5画 甲	カン・コウ・か・かつ・き・きのえ・まさる	**意味** ①こうら。からだをおおう、かたいから。②きのえ。十干の一番目。③順序や等級の第一。は じめ。かしら。④よろい。⑤かぶと。⑥声の調子の高いさま。 **願い** 順位や成績の第一位の意味を持つ誇り高い漢字。何事に対しても常に高みをめざし、向上心を持って努力できる人になってほしいという期待を込めて。		甲樹 こうき / 甲介 こうすけ / 甲太郎 こうたろう

おすすめ漢字 5画〜5画

司（5画）
主な読み：シ・おさむ・かず・つかさ・つとむ・もと・もり

意味
①つかさどる。管理する。職務として行う。②つかさ。つとめ。役所。役人。

願い
人の上に立つことのできる度量を持った人になってほしいと願って。また、面倒見がよく、多くの人に慕われる存在であってほしいという気持ちも込めて。

女の子の名前例
- 司帆（しほ）5

男の子の名前例
- 司（つかさ）5
- 龍司（りゅうじ）16
- 司真（かずま）10

史（5画）
主な読み：シ・ちか・ちかし・ふひと・ふみ・み

意味
①ふびと。天子の言行や国家の記録をつかさどる役人。②王朝や時代のできごとの移り変わりを記録した書物。③さかん。むかしの役人の階級で、太政官と神祇官の四等官のうちの四番目の地位。

願い
教養があり内面から輝く人に。また、文学の才能に恵まれ活躍できるようにと願って。歴史に残る活躍を期待して。

女の子の名前例
- 史帆（しほ）5
- 史華（しおり）15
- 史織（しおり）18

男の子の名前例
- 聡史（さとし）14
- 史哉（ふみや）14
- 史温（しおん）17

市（5画）
主な読み：シ・いち・ち・まち

意味
①いち。いちば。品物の売り買いをする所。②売り買い。取り引き。③まち。人家が多く、にぎやかなところ。④市制をしいている地方自治体。

願い
人が集まる場所を示すことから、明るく楽しい人柄で、多くの人を引きつける魅力ある存在にと願って。また、経済力や商才にも恵まれるような期待も込めて。

女の子の名前例
- 市華（いちか）10
- 市佳（いちか）13

男の子の名前例
- 宗市（そういち）13
- 悠市（ゆういち）16
- 喜市（きいち）17

主（5画）
主な読み：シュ・ス・おも・かず・つかさ・ぬし・おも・もり

意味
①ぬし。所有者。社会、人の一生、一代（三十年）。②ひとりの君主が統治する期間。③あるじ。古くから住んでいる者。神や客をもてなす側の人。④おもな。おもに。⑤中心となる人や物。

願い
火ともし台の上で燃える炎の形からきている。心の中に炎のような熱い闘志を持ち、何事にも一生懸命、率先して取り組み、リーダーシップのある人になることを願って。

男の子の名前例
- 主弥（かずや）5
- 主晴（すばる）12
- 主税（ちから）12

世（5画）

主な読み：セ・セイ・つぎ・つぐ・とき・とし・よ

意味
①世の中。社会。②時代。とき。③浮き世。人の一生、一代（三十年）。④ひとりの君主が統治する期間。⑤血のつながりや相続の数を示す。

願い
自らの力で時代を築き上げる人に。また、先人から引き継いだものをさらに大きくしていくことのできる立派な人に育ってほしいという気持ちも込めて。

女の子の名前例
- 世奈（せな）13
- 莉世（りせ）15
- 紗世（さよ）15

男の子の名前例
- 世羅（せら）19
- 琉世（りゅうせい）16
- 煌世（こうせい）18

正（5画）

主な読み：ショウ・セイ・あきら・きみ・ただ・ただし・まさ・まさし

意味
①まちがっていない。ただしい。②ただす。ただしくする。③まさに。たしかに。④ほんとう。ちょうどその。主となるもの。⑤長官。かみ。⑥年のはじめ。⑦ゼロより大きい数。

願い
善悪を見分けることのできる冷静な判断力を持った人に。本物を見る目を養ってほしいという気持ちを込めて。価値のあるものを見いだすことのできる人にと願って。

女の子の名前例
- 正美（まさみ）14

男の子の名前例
- 正太（しょうた）9
- 正太郎（しょうたろう）16
- 正樹（まさき）21

おすすめ漢字 5〜5画

生 (5画)
主な読み: ショウ・セイ・い・いき・いく・う・お・おき・き・たか・なり

意味: ①はえる。草木が芽を出す。②うむ。うまれる。③いきる。いかす。④じゅうぶんに熟さない。⑤とりたての。⑥うまれたての。⑦いのち。⑧うまれながら。⑨いきいきしているらし。⑩純粋なこと。⑪ひとたみ。⑫男子が自分をへりくだっていうことば。⑬ういういしい。

願い: 純粋な心を持ち、日々をいきいきと過ごす人にと願って。

女の子の名前例: 芽生 めい／弥生 やよい／結生 ゆい
男の子の名前例: 龍生 りゅうせい／琉生 るい／悠生 はるき

代 (5画)
主な読み: タイ・ダイ・か・しろ・とし・のり・よ

意味: ①入れかわる。②人のかわりに行う。③かわる。④かわりがわる。⑤歴史上のある時代・ある期間。⑥位をうけつぐ順位。⑦人の一生。⑧数や年齢のはばを表す。⑨材料。⑩田地。

願い: 「時代」「世代」のように、脈々と引き継がれる時間の流れを感じさせる漢字。いつまでも若々しく、生命力にあふれる人に。

女の子の名前例: 桃代 ももよ／幸代 さちよ／千代 ちよ

冬 (5画)
主な読み: トウ・かず・とし・ふゆ

意味: 四季の一つ。立冬から立春までの間。太陽暦では十二・一・二月。

願い: 冬の澄みきった空気のように、透明感あふれる人に成長してほしいと願って。また、どんなに厳しい状況でも我慢強く、それを人生の糧になってほしいという気持ちも込めて。

女の子の名前例: 冬音 ふゆね／美冬 みふゆ／冬香 ふゆか
男の子の名前例: 冬真 とうま／冬馬 とうま／冬希 ふゆき

白 (5画)
主な読み: ハク・ビャク・あき・あきら・しろ・きよ・きよし・し

意味: ①しろい色。②けがれがない。③しろくする。④明らか。⑤明るい。⑥ひたすら。⑦はっきりしている。たいらげる。述べる。申す。⑧おだやか。

願い: 清く、正しく、いさぎよく、気品ある人になってほしいと願って。自分の考えを明確にはっきりと伝えることのできる快活な人に育ってほしいという期待も込めて。

女の子の名前例: 茉白 ましろ／瑚白 こはく／真白 ましろ

平 (5画)
主な読み: ビョウ・ヘイ・おさむ・たいら・とし・なる・ひとし・ひら

意味: ①たいら。ひらた。②ひとしい。ふつう。なみ。③やさしい。ひたすら。しきりに。④たいらげる。討ちしずめる。⑤おだやか。等しい。⑥かたよりがない。⑦平家のこと。⑧平家のこと。

願い: 活発で健康的な響きが人気。だれに対しても優しく穏やかに接し、人の意見を素直に聞くことができる、落ち着いた人に。波風が立たない平和な人生をと願って。

男の子の名前例: 航平 こうへい／桔平 きっぺい／平蔵 へいぞう

未 (5画)
主な読み: ビ・ミ・ひつじ

意味: ①まだ…しない。否定をあらわすことば。②ひつじ。十二支の八番目。動物では羊。時刻は午後一時から三時まで。または、午後一時から三時まで。方位では南南西。

願い: 木の枝葉をかたどり、枝葉が茂る意味を表す漢字であることから、のびやかに育ってほしいと願って。また、無限の可能性を秘めた人に。

女の子の名前例: 未来 みく／未羽 みう／未央 みお
男の子の名前例: 未来 みらい／拓未 たくみ／未来哉 みきや

おすすめ漢字 5〜6画

画数・漢字	主な読み	主な意味と込めたい願い	女の子の名前例		男の子の名前例	
矢 (5画)	シ・ただ・ちかう・なお・や	意味 ①弓のつるにかけて射るもの。武具・狩猟具の一つ。②矢のようにはやい。③ちかう。約束を固く守る。 願い 正月の縁起物である破魔矢（はまや）のように、悪いものを寄せつけない清く正しい人に。また、まっすぐに飛ぶ矢のように、勢いのある人生が送れるようにという祈りも込めて。	麻矢 まや	沙矢 さや	亜矢 あや	聖矢 せいや	蒼矢 そうや	龍矢 りゅうや
由 (5画)	ユ・ユイ・ユウ・ただ・き・よし・より・ゆ	意味 ①よりどころ。原因。②方法。手がかり。③人から伝え聞いたことを表すことば。④…から。動作・時間の起点を表す。⑤もとづく。⑥平仮名の「ゆ」の字。 願い 人々の手本となるような人にと願って、また、原因や起点を表すことから、物事を論理的に考えることのできる人に。「由」の草書体からできた字。	由芽 ゆめ	由莉 ゆり	由依 ゆい	由飛 ゆうひ	由真 ゆうま	由晴 よしはる
立 (5画)	リツ・リュウ・た・たか・たかし・たち・たつる	意味 ①まっすぐに立つ。②起こる。起こす。③始まる。④たちどころに。ただちに。⑤法律。きまり。④よい。美しい。⑤容積の単位。⑤リットル。 願い 独立心旺盛で行動力があり、頼もしい人に育ってほしいと願って、地に足をつけて、しっかりと歩んでほしいという気持ちも込めて。	立夏 りつか		立花 りつか	立貴 りつき	立成 りゅうせい	立樹 たつき
令 (5画)	リョウ・レイ・なり・のり・はる・よし	意味 ①言いつける。言いつけ。②教え。いましめ。③法律。きまり。④長官。⑤よい。美しい。⑥他人の肉親を敬っていうことば。⑦…させる。⑧もし。仮定の意味を表す。 願い まっすぐに生きて、信頼を寄せられ、多くの人に慕われる人にと願って。また、清らかな心を持った人に。	令菜 れな	令華 れいか	令奈 れいな	令真 りょうま	令 りょう	令 れい
礼 (5画)	ライ・レイ・あきら・あや・のり・ひろ・ひろし・ま・さ・まさし	意味 ①のり。人のふみ行うべききまり。②生活上の儀式・作法。③敬意を表す動作。おじぎ。あいさつ。④感謝の気持ち。また、作法や礼儀を重んじる、気品ある人に。 願い 感謝の気持ちを忘れない謙虚な人になってほしいと願って。そして多くの人に感謝される心の優しい人になってほしいという気持ちも込めて。	美礼 みれい	礼乃 あやの	礼 れい	礼人 あやと	礼央 れお	礼志 れいじ
旭 (6画)	キョク・あき・あきら・あ・さ・あさひ・てる	意味 ①朝日。②明らか。 願い 太陽が地平線から出て一気に上昇するイメージから、勢いのある人生に。大地を照らし、恵みをもたらす太陽のように、周囲の人たちを幸せにできる人になってほしいと願って。また、健康で生命力があふれるようにという気持ちも込めて。	旭妃 あさひ	旭陽 あさひ	旭夏 あさか	旭陽 あさひ	旭 あさひ	旭 あきら

340

おすすめ漢字 6〜6画

画数・漢字	主な読み	主な意味と込めたい願い	女の子の名前例	男の子の名前例

安 6画
主な読み: アン・あ・やす・やすし

意味: ①やすい。やすらか。危険がない。②品物の価値が低い。③簡単にできる。たやすい。④やすんじる。甘んじる。⑤楽しむ。⑥すえる。置く。⑦いずくんぞ。疑問や反語を表すことば。

願い: 温和で穏やかな人柄に。安心感を与える器の大きな人に。また、安定した人生であるようにと祈りを込めて。

女の子の名前例: 安莉（あんり）／安純（あずみ）／安那（あんな）
男の子の名前例: 安里（あさと）／安慈（あんじ）

伊 6画
主な読み: イ・いさ・これ・ただ・よし

意味: ①これ。この。②かれ。かの。③「伊太利（イタリア）」の略。

願い: イタリアの略称として使われ、モダンでおしゃれなイメージから、服飾やクリエイティブな世界で活躍してほしいという気持ちを込めて。

女の子の名前例: 伊万里（いまり）／伊桜里（いおり）
男の子の名前例: 伊織（いおり）／伊吹（いぶき）／琉伊（るい）

衣 6画
主な読み: イ・エ・きぬ・ころも・そ・みそ

意味: ①着物。着るもの。②着る。着物を身につける。

願い: 立派な着物を着られるような、富や財に恵まれるようにと祈って。衣服を表すことから、モダンでおしゃれな印象や、創造力に富み、服飾やデザインなどの芸術の世界で活躍できるようにという気持ちも込めて。経験という衣をたくさんまとった人にと願って。

女の子の名前例: 紗衣（さえ）／真衣（まい）／結衣（ゆい）
男の子の名前例: 琉衣（るい）／瑠衣（るい）／由衣斗（ゆいと）

宇 6画
主な読み: ウ・うま・たか・のき

意味: ①ひさし。のきば。②屋根。③家。④建物をかぞえることば。⑤そら。天。⑥天下。天地四方。⑦たましい。⑧平仮名の「う」は「宇」の草書体からできた字。

願い: 屋根や家のように、家族を守れる芯のある人にと願って。天下、天地四方のすべての空間、事柄を表すことから、すべてを受け入れる広く大きな心を持つ人に。

女の子の名前例: 美宇（みう）／由宇（ゆう）／宇海（うみ）
男の子の名前例: 悠宇（ゆう）／弘宇（ひろたか）／宇一郎（ういちろう）

羽 6画
主な読み: ウ・は・はね・わ・わね

意味: ①鳥や虫のはね。②天地間の自然現象。③息。呼吸。④目に見えない力。勢い。⑤鳥などをかぞえることば。⑥中国古代の音階を表す五音（宮・商・角・徴・羽）の一つ。

願い: 世界にはばたいて活躍できるような人になってほしいと願って。また、自由にのびのびと育ち、自分の個性を発揮してほしいという気持ちも込めて。

女の子の名前例: 優羽（ゆう）／彩羽（いろは）／美羽（みう）
男の子の名前例: 羽琉（はる）／優羽（ゆう）／悠羽（ゆう）

気 6画
主な読み: キ・ケ・おき

意味: ①水蒸気。空気。ガス。②天地間の自然現象。③息。呼吸。④目に見えない力。勢い。⑤気立て。生まれつきの性質。⑥気持ち。心持ち。⑦一年を二十四等分したその一期間。

願い: 生きていくことや目標を達成するパワーあふれた人に。空気や天地の自然にあふれ、健康で生命力にあふれ、恵まれるように。

男の子の名前例: 元気（げんき）／悠気（ゆうき）／晴気（はるき）

おすすめ漢字 6画〜6画

匡 (6画)

主な読み: キョウ・たすく・ただ・ただし・ただす・まさ・まさし

意味: ①ただす。正しい。 ②救う。

願い: 堅実で頼りがいがあり落ち着いた賢い人を思わせるイメージがある漢字。物事を落ち着いて判断することができ、正義感が強く、人から信頼される人になるように。まじめで堅実な人に育つように願って。

男の子の名前例:
- 匡亮 きょうすけ
- 匡志 まさし
- 匡貴 まさき

圭 (6画)

主な読み: ケイ・か・かど・きよ・き・よし・たま・よし

意味: ①むかし中国で、天子が諸侯に領土を賜るしるしとして与えた玉。 ②かど。玉のとがった角。

願い: 玉が積み重なっていくことをイメージして、喜びや財が拡大していくようにと願って。また、主君から領土を賜った臣下のように、切磋琢磨し、結果を残せる人になってほしいという願いも込めて。

女の子の名前例:
- 圭織 かおり
- 圭子 けいこ
- 圭都 けいと

男の子の名前例:
- 圭吾 けいご
- 圭 けい
- 圭祐 けいすけ

伍 (6画)

主な読み: ゴ・あつむ・いつ・くみ・ひとし

意味: ①いつつ。 ②組み。 ③五人、または五戸を一組にした単位。 ④組む。仲間になる。 ⑤軍隊などの列。

願い: 多くの友だち、よい仲間、親友に恵まれるようにと願って。学校生活、社会人になってからも豊かな人間関係に恵まれ、いつも人の輪の中にいるような人生になるように願って。

男の子の名前例:
- 将伍 しょうご
- 大伍 だいご
- 伍希 いつき

光 (6画)

主な読み: コウ・あき・あきら・てる・ひかり・ひかる・ひろし・みつ

意味: ①輝く。照らす。 ②ひかり。 ③つや。 ④ほまれ。名声。 ⑤けしき。 ⑥時間。

願い: 周囲を明るく照らすことのできる活力にあふれた人に。どんなときでも向上心を持ち、輝きを失わない人に育ってほしいと願って。また、明るく前向きで、多くの人たちから慕われる人になり、周囲の人たちの希望の光となる存在になってほしいという祈りの気持ちも込めて。

女の子の名前例:
- 光希 みつき
- 光莉 ひかり
- 光穂 みつほ

男の子の名前例:
- 光 ひかる
- 光輝 みつき
- 光佑 こうすけ

向 (6画)

主な読み: キョウ・コウ・ひさ・む・むか・むき・むけ

意味: ①面する。その方にむく。 ②おもむき。傾く。 ③先。以前。 ④適す

願い: 夢や目標に向かって頑張る様子をイメージできることから、素直でひたむきで純粋な人に育ってほしいと願って。また、明るく前向きで、多くの人たちから慕われる人になってほしいという気持ちも込めて。

女の子の名前例:
- 向日葵 ひまり
- 日向子 ひなこ
- 日向 ひなた

男の子の名前例:
- 陽向 ひなた
- 日向太 ひなた
- 向希 こうき

好 (6画)

主な読み: コウ・この・このむ・す・たか・み・よし・よしみ

意味: ①このむ。すく。 ②このみ。 ③よい。 ④美しい。 ⑤のましい。 ⑥うまく。たく仲よし。

願い: だれからも好かれる人に育ってほしいと願って。また、世の中によい結果を残せるような人物になってほしいという気持ちを込めて。

女の子の名前例:
- 好花 このか
- 好乃 よしの
- 好葉 このは

男の子の名前例:
- 好誠 こうせい
- 好輝 こうき
- 好生 よしき

おすすめ漢字 6〜6画

江 (6画)
主な読み: コウ・ゴウ・え・きみ・た・だ・のぶ

意味: ①中国の川の名。長江のこと。②大きな川。③いりえ。海や湖が陸地に入りこんだ部分。

願い: ゆったりとした水の流れをイメージすることから、おおらかで穏やかな人に育つことを願って。以前は女の子の止め字として使われることが多かったが、すっきりした字形は止め字以外に使ってもほかの字に合わせやすい。

女の子の名前例: 江玲奈（えれな）、江梨（えり）
男の子の名前例: 紗江（さえ）

行 (6画)
主な読み: アン・ギョウ・コウ・き・つら・のり・ひら・みち・やす・ゆき

意味: ①ゆく。歩く。進む。②おこなう。おこない。③心身をきたえるおこない。④旅。⑤並ぶ。並んだもの。⑥漢字の書体の一。⑦めぐり動くもの。天地の成り立ちつも。⑧店。問屋。商社。

願い: 決めた方向にひたすら進んでいく意志の強さと行動力とを持ち、成功をつかむ人に育つよう願って。

男の子の名前例: 善行（よしゆき）、行人（ゆきと）、貴行（たかゆき）

合 (6画)
主な読み: カツ・ガッ・コウ・ゴウ・あ・あい・かい・はる・よ

意味: ①あう。あわせる。②かなう。③集まる。集める。④容量の単位。一升の十分の一。⑤土地の面積の単位。一坪の十分の一。⑥山の高さを十に分けた一つ。

願い: 一つにぴったり合う、集めるなどの意味を表すことから、人との出会いに恵まれるように、また、よい人間関係をつくることができるようにとの思いを込めて。

女の子の名前例: 百合香（ゆりか）、小百合（さゆり）、百合（ゆり）

至 (6画)
主な読み: シ・いた・いたる・ちか・のり・みち・ゆき・よし

意味: ①いたる。届く。到達する。②いたり。きわみ。③いたって。この上なく。④時期の名。太陽が南北の極に達したとき。

願い: 矢が到達したことを表し、至るという意味に。きわめる、最高の意味もある。常に高い目標を成し遂げる向上心を持ち、成果にも恵まれる人になってほしいと願って。

男の子の名前例: 至（いたる）、康至（こうし）、至穏（しおん）

次 (6画)
主な読み: シ・ジ・ちか・つ・つぎ・つぐ・やどる

意味: ①つぐ。つぎ。二番目。②ついで。順番。順序。③回数を表すこと ば。④宿り。宿屋。

願い: しばらく立ち止まって休息する、充電してから、優しい願いを込め始めるといった意味もある。壁にぶつかっても、自分できちんと立ち上がる強さを持ち、次々と夢をかなえていける人に期待して。

男の子の名前例: 慶次（けいじ）、瑛次（えいじ）、幸次郎（こうじろう）

汐 (6画)
主な読み: セキ・きよ・しお

意味: しお。うしお。夕方に起こるしおのみちひ。

願い: きれいな夕日が水面に光るロマンチックな情景をイメージすることから、優しい願いを込めてほしいという願いに育て。海を連想する字の中でも、ひときわ繊細な印象の漢字。

女の子の名前例: 汐里（しおり）、汐莉（しおり）、汐梨（しおり）、汐穏（しおん）
男の子の名前例: 汐恩（しおん）

おすすめ漢字 6〜6画

画数・漢字	主な読み	主な意味と込めたい願い	女の子の名前例	男の子の名前例
朱 6画	シュ・あけ・あけみ・あや	【意味】①赤。②江戸時代の貨幣の単位。一両の十六分の一。③しゅずみ。赤い墨。【願い】鳥居や和食器などに使われる明るい赤色のことで、伝統を感じさせる落ち着いた人に。温かみのある色なので、人を癒やすことのできる包容力と豊かな心を持った人に育ってほしいという願いを込めて。	朱莉 あかり／朱音 あかね／朱香 あやか	朱里 しゅり／朱羽 しゅう
充 6画	ジュウ・あ・あつ・たかし・まこと・み・みち・みつ・みつる	【意味】①みちる。みたす。②あてる。あてがう。③ふさぐ。ふさがる。【願い】充実した人生を歩んでほしいと願って。また、子どもが育つことを表す字であることから、すくすくと健康に育ち、困難に打ち勝って、一人で立ち上がる強さを持った人にという気持ちも込めて。	充結 みゆ／充希 みつき／充咲 みさき	充孝 みつたか／充貴 あつき／充 みつる
旬 6画	シュン・ジュン・とき・ひとし	【意味】①十日間。一か月を三分したうちの一つ。②十年。③満ちる。いっぱいになる。④しゅん。野菜や魚などのもっとも味のよい時期。【願い】物事の旬の時期、チャンスのときを見逃さず、夢や目標を実現できる実行力ある人にと願って。いつまでもフレッシュさを持ったさわやかな人に育ってほしいという気持ちも込めて。	旬華 しゅんか／旬那 じゅんな	旬 しゅん／旬哉 しゅんや／旬平 じゅんぺい
匠 6画	ショウ・たくみ	【意味】①たくみ。職人。②先生。学問・芸術にすぐれた人。③趣向などをこらすこと。【願い】技術を身につけ、美しいものや、世の中の役に立つものをつくり出せる人に育ってほしいと願って。また、芸術的な才能にも恵まれるようにという思いを込めて。		匠 たくみ／匠海 たくみ／匠平 しょうへい
丞 6画	ショウ・ジョウ・すけ・す・すむ	【意味】①助ける。補佐する。②じょう。むかしの女官の階級で、八省の四等官のうちの三番目の地位。【願い】穴に落ちた人を救い上げる、助けるなどの意味を持つ漢字。正義感が強く、困っている人を見過ごせない優しさを持ち、常に人の立場に立って動ける人に。人から信頼される人になれるよう願って。	祐丞 ゆうすけ／心之丞 しんのすけ	丞 じょう
色 6画	シキ・ショク・いろ・しこ	【意味】①いろどり。形あるものすべて。②女間の愛情。③愛人。④ひびき。調子。⑤おまけ。⑥顔かたち。表情。⑦よう。おもむき。⑧仏教で、形あるもの全て。【願い】美しく愛情の深い人に成長することを願って。また、種類という意味もあることから、さまざまな可能性を持った人に育ってほしいという期待を込めて。	陽色 ひいろ／色葉 いろは／音色 ねいろ	

画数・漢字	主な読み	主な意味と込めたい願い	女の子の名前例	男の子の名前例
迅 6画	シン・ジン・とき・はや	**意味** ①はやい。②激しい。 **願い** 「卂」の部分は鳥のハヤブサの飛ぶ形を表し、そこから速い、激しいの意味になった。頭の回転のよさと機敏さ、能力の高い人をイメージさせる漢字。気持ちに爽快さや力強さを持った、元気で活発で行動力のある人になることを願って。		迅士 はやと 3 迅哉 ときや 6
成 6画	ジョウ・セイ・おさむ・さだ・しげる・しげ・なり・なる	**意味** ①できあがる。②なしとげる。しあげる。③まとまった形にしあげる。 **願い** どんな道を歩んでも、かならず成功するように、物事をあきらめずに成し遂げる立派な人になってほしいと願って。責任感のある落ち着いた雰囲気を持った人に育ってほしいという気持ちも込めて。	成美 なるみ 成実 なるみ 成穂 なるほ	龍成 りゅうせい 16 成也 せいや 3 成希 しげき 7
壮 6画	ソウ・あき・お・さかり・さかん・たけ・たけし・ま・さ・もり	**意味** ①さかん。②元気のよい三十歳前後の男。③強い。勇ましい。④りっぱで大きい。 **願い** 身も心も健全で生命力にあふれ、意気揚々とした力がみなぎっているイメージ。勇気を持って前へ進んでいける志の高い人に育ってほしいと期待して。		壮真 そうま 10 壮志 そうし 7
早 6画	サッ・ソウ・はや	**意味** ①はやい。②すみやか。急ぐ。③若い。④年若い意味を表す接頭語。早朝、早春という。 **願い** 言葉から連想するような、いつまでも若々しいフレッシュな人に。生命力あふれる人になってほしいという願いを込めて。	早希 さき 早智 さち 12 早穂 さほ	早翔 はやと 12 早汰 そうた 7 早太 そうた
多 6画	タ・おお・おおし・かず・とみ・な・まさ・まさる	**意味** ①おおい。たくさん。②増す。増やす。③ありがたく思う。④功績を認める。ほめる。⑤その土地。 **願い** 多くの功績を残せる人になってほしい。多くの人に幸福を与える人になってほしい。そして、多くの幸福を手にする人生を送ってほしいという気持ちも込めて。	優多 うた 日菜多 ひなた 多恵 たえ	奏多 かなた 9 駿多 しゅんた 17 亮多 りょうた 9
地 6画	ジ・チ・くに・ただ	**意味** ①土地。②国。ところ。場所。④身分。③本性。もとの部分。⑤文章の中で会話以外の部分。⑦度量と器の大きさ。 **願い** 大地を連想させることから、おおらかな心で人を受け止め、大地にしっかり足をつけて、すくすくと成長していくように願って。		大地 だいち 3 泰地 たいち 10 海地 かいち 9

おすすめ漢字 6〜6画

おすすめ漢字 6画〜6画

灯 6画

主な読み: テイ・チン・トウ・ひ

意味: ひ。ともしび。元は、ろうそく立ての上の火を表したことから、優しく人を包んでくれる温かな光を連想させる字。

願い: 人の心をホッと和ませるような、優しい人に成長してほしいと願って。

- 女の子の名前例: 灯子（とうこ）／灯里（あかり）
- 男の子の名前例: 灯真（とうま）

凪 6画

主な読み: なぎ・なぐ

意味: ①なぐ。海上の風や波が穏やかになる。②なぎ。波風がすこしもない状態。

願い: 波風の立たない平穏な様子を表すことから、どんなときでも冷静であり、穏やかで落ち着いた度量の大きな人になってほしいと願って。また、平和で穏やかな人生を送ってほしいという気持ちも込めて。

- 女の子の名前例: 凪紗（なぎさ）／栞凪（かんな）／彩凪（あやな）
- 男の子の名前例: 凪人（なぎと）／世凪（せな）

帆 6画

主な読み: ハン・ほ

意味: 風を受けて船を進ませる布。ほかけ船。

願い: 大海原を進む帆船をイメージすることから、活発で行動力ある人に。さわやかで快活な人柄で多くの人に親しまれる人に育ってほしいと願って。また、順風満帆な人生を歩んでほしいという祈りも込めて。

- 女の子の名前例: 帆南（ほなみ）／花帆（かほ）／真帆（まほ）
- 男の子の名前例: 一帆（かずほ）／帆貴（ほだか）／和帆（かずほ）

妃 6画

主な読み: ハイ・ヒ・き・ひめ

意味: ①つれあい。妻。などに使われるように、とくに天子の正妻・皇后を表す高貴な漢字。②きさき。③皇太子や皇族の妻。

願い: 元は「王妃」「后妃」などに使われるように、皇后の次に位する女性。あますところなく、気品がただよう優美な人に育つようにとの願いを込めて。

- 女の子の名前例: 妃織（ひおり）／咲妃（さき）／妃菜（ひな）

百 6画

主な読み: ハク・ヒャク・お・と・は・げむ・も・もも

意味: ①十の十倍の数。②じゅうぶん。すべて。あますところなく。③もろもろ。多数の。さまざまの。あらゆる。すぐれた。評判。なだかい。④人数をかぞえることば。

願い: 数が多いことを意味する縁起のよい字。友だちや幸せ、才能などに恵まれるようにとの願いを込めて。「もも」の音の響きもかわいらしく、女性の名前に人気。

- 女の子の名前例: 百音（もね）／百華（ももか）／百花（ももか）

名 6画

主な読み: ミョウ・メイ・あきら・な・なづく

意味: ①なまえ。呼び名。②なのる。自分のなまえを言う。名づける。③ほまれ。評判。名声・名誉。④人数をかぞえる人。

願い: 自分の名を名乗って相手に知らせるという意味を持つことから、自分の考えを明確に表現できる人に。名声・名誉など、世界に名をはせる活躍ができる人にという期待も込めて。

- 女の子の名前例: 名桜（なお）／栞名（かんな）／菜名（なな）
- 男の子の名前例: 世名（せな）／星名（せな）／晴名（せな）

おすすめ漢字 6〜7画

画数・漢字	主な読み	主な意味と込めたい願い	女の子の名前例	男の子の名前例
有 6画	ウ・ユウ・あ・あり・たも つ・なお・みち・もち・り	**意味** ①ある。存在する。②持つ。持ち続ける。③また。さらに。その上に。**願い** 存在感があり、上をめざしていける向上心のある人に。才能、知力、体力、たくさんの能力に恵まれて、豊かな人生が歩めるようにという祈りを込めて。	有紗 ありさ 有真 ゆま 有紀 ゆき	有 ゆう 悠有 ゆう 有悟 ゆうご
吏 6画	リ	**意味** 役人。官吏。**願い** 役人や仕事をする人の意味に用いることから、社会に貢献できる人に。平和な世にするため、人の役に立てる人になってほしいと願って。また、安定した堅実な人生を歩んでほしいという気持ちも込めて。	吏咲 りさ 悠吏 ゆうり 吏夏 りか	快吏 かいり 勇吏 ゆうり 吏玖 りく
亘 6画	コウ・セン・とおる・わ たり・わたる	**意味** ①わたる。両端までおよぶ。②めぐる。めぐらす。**願い** あちこちにわたるという広がりを示す漢字であることから、誠実で信念を持ち、多くの人に親しまれる人に。また多彩な分野で活躍の場を持ち、大きな視野で自分の世界をどんどん広げていける人になるよう期待して。		亘 わたる 亘佑 こうすけ 亘稀 こうき
亜 7画	ア・アツ・オウ・つぎ・つ ぐ	**意味** ①次ぐ。二番目。準じる。②亜細亜（アジア）の略。**願い** 次ぐという意味から、親や先人を敬う人に、伝統を重んじる人になってほしいと願って。また、アジア全体をイメージし、大陸的でおおらかな人に育ってほしいという気持ちも込めて。	亜子 あこ 未莉亜 みりあ 亜美 あみ	瑠亜 るあ 颯亜 そうあ 斗亜 とあ
杏 7画	アン・キョウ・コウ・あ ん・あんず	**意味** あんず。からもも。ばら。ひたすら。**願い** 杏はバラ科の落葉高木。おいしいことから、中身も容姿も素晴らしい人がいのない大切な子という思いを込めて。ひとつのことにひたむきに取り組む強い精神力を持ち、夢をかなえてほしいと願って。	杏花 きょうか 杏 あん 杏奈 あんな	杏輔 きょうすけ 杏哉 きょうや 杏介 きょうすけ
壱 7画	イチ・イツ・かず	**意味** ①ひとつ。②もっぱら。ひたすら。**願い** ママとパパにとってのオンリーワン、かけがえのない大切な子という思いを込めて。ひとつのことにひたすらに取り組む強い精神力を持ち、夢をかならずかなえてほしいと願って。		壱樹 いつき 壱護 いちご 龍壱 りゅういち

おすすめ漢字 7〜7画

画数・漢字	主な読み	主な意味と込めたい願い	女の子の名前例	男の子の名前例
伽 7画	カ・ガ・キャ	**意味** ①梵語「カ・ガ・キャ」の音訳に用いる。②人の退屈をまぎらわすこと。③病人の世話をすること。 **願い** おもしろみのあることを考える創造力を持った人に。エンターテインメントの世界で活躍できるようにと願って。また、人を楽しませて明るい笑顔を引き出せる心豊かな人になってほしいという気持ちを込めて。	桃伽 ももか / 彩伽 あやか / 伽奈 かな	琉伽 るか / 伽維 かい
花 7画	カ・ケ・はな・はる	**意味** ①草木の花。②奈良時代以降は梅の花、平安時代以降は桜の花をさす。③美しい。華やか。④芸人などに与える祝儀。⑤花の形をしたもの。⑥花に執着する心。 **願い** 華やかさや美しさを表すことができる漢字。野山に咲く花の持つ素朴な愛らしさもイメージできる。可憐な人にとのように美しいもの。の願いを込めて。	花音 かのん / 優花 ゆうか / 花 はな	花道 はなみち
我 7画	ガ・わ・われ	**意味** ①わたくし。われ。②わたしの。われわれの。③わが。自分勝手。④自分に執着する心。 **願い** 元は刃がギザギザの鋸を意味したが、自身を表す漢字に。強さや慎み深さなど多彩な意味に通じることから、強い信念を持ち、自分自身を大切にして、慎ましながらも自分の存在を上手にアピールできる人に。		龍我 りゅうが / 泰我 たいが / 我玖 がく
快 7画	カイ・ケ・こころよ・はや・やす・よし	**意味** ①気持ちがよい。すばらしい。②病気がなおる。③はやい。④よく切れる。 **願い** おもしろい、さっぱりする、充実感、晴れ晴れとした気持ちを表す漢字で、速い、鋭いの意味もある。さっぱりと晴れ上がった空に輝く、太陽のような明るい人に。魅力的な人柄で人気を集め、健康的で頭のよい人になるように願って。		快斗 かいと / 快晴 かいせい / 快理 かいり
希 7画	キ・ケ・まれ	**意味** ①まれ。少ない。珍しい。②こいねがう。③薄い。まばら。望む。 **願い** 類いまれなきらめく才能を持った人に。夢や目標に向かって、希望に満ちて前向きに進める人に育ってほしいと願って。また、輝かしい未来を予感させるイメージがあるので、夢を実現できる素晴らしい人生を歩んでほしいという祈りも込めて。	咲希 さき / 柚希 ゆずき / 希美 のぞみ	陽希 はるき / 和希 かずき / 悠希 ゆうき
芹 7画	キン・せり	**意味** せり。セリ科の多年草。湿地や水辺に生え、葉によいかおりがあり、食用にする。春の七草の一つ。 **願い** せりは独特の芳香を持つ春の七草の一つ。早春のイメージと音の響きから、明るい人に育ってほしいという願いを込めて。	芹菜 せりな / 芹奈 せりな / 芹夏 せりか	芹 せり

おすすめ漢字 7〜7画

画数・漢字	主な読み	主な意味と込めたい願い	女の子の名前例	男の子の名前例
玖 7画	キュウ・ク	意味 ①黒色の美しい玉。②書類などで、数字の「九」の代わりに用いる。③吸い込まれるよう。願い 輝く玉のように、高貴な印象を与える人に。圧倒的な気高さを持った人に育ってほしいという願いを込めて。	美玖 みく 実玖 みく 理玖 りく	莉玖 りく 和玖 わく 龍玖 りゅうく
見 7画	ケン・ゲン・あき・あきら・ちか・み	意味 ①自然に目にふれる。②考える。思う。知る。③お目にかかる。会う。④隠れていたものが出てくる。願い 目に留まる、考えるという意味を持つ漢字。物事を幅広く見渡しながら、物事の本質をしっかりと見据えることができる賢い人、まわりの人に細やかな気配りができる人になることを願って。	彩見 あやみ 見優 みゆ 菜々見 ななみ	拓見 たくみ 匠見 たくみ
吾 7画	ゴ・あ・ごろう・みち・わ・わが・われ	意味 ①われ。わが。自分。自分の。②他人に対して親しみの気持ちを表すことば。願い 自己を表すほか、守る、防ぐの意味もあり、どっしりと安定した印象がある漢字。他人に対して親しみの気持ちを表す人の気持ちをしっかり持った人に。思いやりあふれ、多くの人に慕われ尊敬される人になって大切に守っていける人になることを願って。		圭吾 けいご 悠吾 ゆうご 吾郎 ごろう
孝 7画	キョウ・コウ・たか・たかし・のり・みち・ゆき・よ	意味 ①父母や目上の人によく仕える。真心をもって仕える。②祖先に飲食物を供えてまつる。願い 親や師などの目上の人に感謝の気持ちを忘れない道徳心をしっかり持った人に。思いやりあふれ、多くの人に慕われ尊敬される人になってほしいという気持ちを込めて。	孝子 たかこ 孝美 たかみ	孝太 こうた 孝樹 こうき 尚孝 なおたか
宏 7画	コウ・あつ・ひろ・ひろし	意味 場所や規模、人物や物の度量が広くて大きい。りっぱである。②音が響き渡るほど大きなたてものを表すことから、心にゆとりのある人になってほしいという願いを込めて。	弥宏 みひろ 宏佳 ひろか 千宏 ちひろ	宏太 こうた 宏樹 ひろき 智宏 ともひろ
更 7画	コウ・さら・のぶ・ふ	意味 ①改める。かえる。②かわるがわる。③むかしの時刻のよび名で、午後七時から午前五時までを五つに分けたもの。④ふける。夜遅くなる。⑤たけなわになる。⑥年をとる。⑦さらに。その上に。⑧生きかえる。願い 未知の物事にも臆することなく立ち向かう、向上心にあふれた人にとの期待を込めて。	更紗 さらさ 更 さら 更彩 さらさ	

おすすめ漢字 7〜7画

克 (7画)

主な読み: コク・いそし・かつ・かつみ・すぐる・たえ・なり・まさる・よし

意味: ①自分の欲望や苦しみにうちかつ。②むずかしい物事や敵にうちかつ。③乗り越える。④相手にうちかつ。⑤よくす。⑥たえる。たえしのぶ。

願い: 能力がある、成し遂げる、勝つなどの意味があることから、強い意志を思わせる漢字。困難を乗り越え、運命を切り開いて最後までやり遂げる人に。

男の子の名前例: 克哉（かつや）・克佳（かつよし）・将克（まさかつ）

佐 (7画)

主な読み: サ・すけ・たすく・よし

意味: ①助ける。②助け。③すけ。むかしの役人の階級で、衛門府などの四等官のうちの二番目の地位。④軍人で将官につぐ階級。

願い: 周囲の人に信頼されて、それにこたえて人を助けることのできる人に育ってほしいと願って。また、互いに助け合える友に恵まれるようにといい祈りの気持ちも込めて。

女の子の名前例: 佐奈（さな）・梨佐（りさ）・理佐子（りさこ）

男の子の名前例: 真佐樹（まさき）・佐京（さきょう）・和佐（かずさ）

沙 (7画)

主な読み: サ・シャ・いさ・す・すな

意味: ①砂。②物事のよしあしを定める。

願い: 自由に形を変える砂のように、柔軟な心で対処できる人に。物事のよしあしや真偽を見極めることのできる人になってほしいという期待を込めて。

女の子の名前例: 沙羅（さら）・沙樹（さき）・沙弥（さや）

男の子の名前例: 渚沙（なぎさ）・真沙斗（まさと）・和沙（かずさ）

冴 (7画)

主な読み: コ・ゴ・さえ

意味: ①さえる。冷える。澄みわたる。さえわたる。②凍る。寒い。

願い: 知性と感性を兼ね備えた人に。研ぎ澄まされた感性により、芸術・技術・学問、あらゆる分野で才能を発揮して活躍できる人になってほしいと願って。

女の子の名前例: 冴香（さえか）・冴子（さえこ）・冴（さえ）

男の子の名前例: 悠冴（ゆうご）・翔冴（しょうご）・琉冴（りゅうご）

作 (7画)

主な読み: サ・サク・つく・つくり・とも・なり

意味: ①つくる。②書物などを書きあらわす。こしらえたもの。③成す。行う。④耕す。⑤書きしるしたもの。⑥おこす。⑦盛んになる。⑧かまえ。⑨よそおい。⑩働く。仕事。⑪働き。⑫振る舞い。

願い: 地道に努力を積み上げていくことができる人に。

男の子の名前例: 栄作（えいさく）・俊作（しゅんさく）・幸作（こうさく）

志 (7画)

主な読み: シ・こころざ・こころざし・さね・しるす・むね・ゆき・意志・信念。③しるす。

意味: ①心が目的に向かう。②ある目的への気持ち。意志・信念。③しるす。書きしるしたもの。

願い: 夢や目的に向かって強い信念を持って進める人に育ってほしいと願って。また、筋の通ったすがすがしい人に育ってほしいという気持ちも込めて。

女の子の名前例: 志歩（しほ）・志乃（しの）・志織（しおり）

男の子の名前例: 颯志（そうし）・太志（たいし）・龍志（りゅうし）

おすすめ漢字 7〜7画

画数・漢字	主な読み	主な意味と込めたい願い	女の子の名前例	男の子の名前例
秀 7画	シュウ・さかえ・しげる・ひで・ほ・ほず・みのる・よし	**意味** ①ひいでる。抜きん出てすぐれている。②ひじょうにすぐれた人や物。③美しさや高さの目立つもの。**願い** 精神・容姿・知性・感性など、あらゆるこ とに抜きんでているよう にと願って。また、秀で た能力を持っていてもおごり高ぶらない人柄で、多くの人に慕われ、尊敬される人になってほしい という気持ちを込めて。	秀美 ひでみ／秀香 しゅうか／秀華 しゅうか	秀樹 ひでき／秀虎 ひでとら／秀哉 しゅうや
初 7画	ショ・ソ・うい・そ・はじ・はじめ・はつ・もと	**意味** ①物事のおこりはじめ。②はじめて。③はじめてする。④うぶ。世間ずれしていないこと。**願い** フレッシュさが連想できる漢字。いつまでも初心を忘れず物事に真剣に取り組む人、未来に向かっていく元気に明るく歩んでいく人に成長することを願って。	初音 はつね／初華 ういか／初奈 はつな	
助 7画	ショ・ジョ・すけ・たす・たすく	**意味** ①たすける。力を貸す。救う。②たすけ。主となる者を手伝う人。③たすかる。④すけ。むかしの役人の階級で、殿察の四等官のうちの二番目の地位。⑤手伝い。**願い** 心が広く包容力があり、人のために努力を惜しまず、弱い者や困っている人に力を貸せる人になることを期待して。人から好かれる存在になることを願って。		幸助 こうすけ／颯助 そうすけ／慎之助 しんのすけ
伸 7画	シン・ただ・の・のぶ・のぶる・のぼる	**意味** ①のびをする。②長くなる。③まっすぐになる。④広くなる。⑤述べる。申し述べる。⑥のばして広げる。⑦のす。勢力が強くなる。**願い** 素直な心を持った人に、夢や希望に向かってまっすぐに進んでいく願いを込めて。また、のびのびと心のある人という元気に健やかに成長できるようにという祈りの気持ちも込めて。	伸子 のぶこ／伸枝 のぶえ	憲伸 けんしん／篤伸 あつのぶ／伸一朗 しんいちろう
臣 7画	シン・ジン・お・おみ・おん・しげ・とみ・み・みつ	**意味** ①家来。主君に仕える人。②家来になる。家臣としてのつとめ。③主君に対して臣下が使う自称のことば。④たみ。人民。**願い** 人の考えをよく聞き、人のために尽くすことを忘れず、人の道を正しく歩むことを願って。		龍臣 たつおみ／雅臣 まさおみ／臣吾 しんご
吹 7画	スイ・ふ・ふき・ふけ	**意味** ①息をはき出す。②管楽器をふき鳴らす。**願い** 風が吹く、芽吹くということから連想されるように、力強い生命力とさわやかさの両面を持った人に育ってほしいという願いを込めて。	美吹 みぶき／芽吹 めぶき／維吹 いぶき	勇吹 いぶき／惟吹 いぶき／息吹 いぶき

おすすめ漢字 7〜7画

汰 ⑦画
主な読み: タ・タイ

意味: ①より分け。細かいものを洗い分ける。②不用のものをのぞく。

願い: 多い、豊か、勢いを示すこともあり、活気あふれる漢字。豊かさに恵まれ、幸多く、活発で前向きに生きていけることを願って。また、大切な子であるという気持ちを込めて。

女の子の名前例: （なし）

男の子の名前例:
- 颯汰 そうた
- 奏汰 かなた
- 翔汰 しょうた

辰 ⑦画
主な読み: シン・ジン・たつ・とき・のぶ・のぶる

意味: ①たつ。十二支の五番目。動物では竜、時刻では午前八時、または、午前七時から九時ごろで。方位では東南東。②とき。時節。日。③天体。星。

願い: 大空に向かって竜のようにどこまでも昇っていく、上昇志向の強い人になることを願って。

女の子の名前例: （なし）

男の子の名前例:
- 辰樹 たつき
- 辰弥 たつや
- 辰成 たつなり

杜 ⑦画
主な読み: ズ・ト・ド・もり

意味: ①やまなし。バラ科の落葉果樹。山野に自生する。②ふさぐ。閉じる。③神社のある森。

願い: 自然の場所で実をつける木を表すことから、実りある豊かな人生をと願って。木木のそよぐようなさわやかさと透明感のある人に。また、神社の「杜」をイメージして、高貴で気品ある人になってほしいという気持ちも込めて。

女の子の名前例:
- 美杜 みもり
- 圭杜 けいと

男の子の名前例:
- 悠杜 はると
- 杜和 とわ
- 優杜 ゆうと

那 ⑦画
主な読み: ダ・ナ・とも・ふゆ・やす

意味: ①西方の異民族の国の名。現在の中国の四川省にあった。②なんぞ。いかん。疑問や反語を表すことば。③あの。あれ。④どこ。どのあたり。⑤梵語の音訳に用いる。

願い: 疑問や反語を意味することから、自分の意見をはっきりと伝えることができる人に。

女の子の名前例:
- 莉那 りな
- 那奈 なな
- 優那 ゆうな

男の子の名前例:
- 星那 せな
- 眞那斗 まなと
- 那緒 なお

芙 ⑦画
主な読み: フ・はす

意味: はすの花。はちす。

願い: 清らかで美しいはすの花のように、清純さと美しさを兼ね備えた人に成長することを願って。左右対称の落ち着いた字形からも、バランスのとれたしっとりとした雰囲気が感じられる。

女の子の名前例:
- 芙美 ふみ
- 芙優 ふゆ
- 美芙由 みふゆ

男の子の名前例: （なし）

芳 ⑦画
主な読み: ホウ・か・かおる・かんばし・みち・よし

意味: ①かんばしい。かおりがよい。②評判がよい。名声が高い。てがら。③美しい。④他人の物事につけて敬意を表すことば。

願い: 香りがよいことを表すことから、そばにいるだけで癒やされるようなすてきな人に。美しい容姿とたたずまいで評判もよく、多くの人の心をつかむ人になってほしいという気持ちを込めて。

女の子の名前例:
- 芳乃 よしの
- 芳香 よしか
- 彩芳 あやか

男の子の名前例:
- 芳明 よしあき
- 芳紀 よしき
- 芳樹 よしき

おすすめ漢字 7〜7画

画数・漢字	主な読み	主な意味と込めたい願い	女の子の名前例	男の子の名前例
邦 7画	ホウ・くに	意味 ①領土。②わが国の。日本の。 願い 故郷や環境を愛しながらも、雄大な視野を持ち、感謝の気持ちを忘れない人になるように。国際人になることを願って。		邦崇(くにたか)7/11、邦明(くにあき)7/8、邦仁(くにひと)7/4
妙 7画	ビョウ・ミョウ・たえ	意味 ①たえなる。この上なく美しい。②言うに言われないおもむき。③ふしぎな。④わかい。 願い 美しい心や姿を持ち、人の気持ちの機微を察する細やかな心づかいができる人に成長してほしいという思いを込めて。	妙華(たえか)7/10、妙子(たえこ)7/3、妙(たえ)7	
佑 7画	ウ・ユウ・すけ・たすく	意味 ①助ける。助け。②じょう。むかしの役人の階級で、神官の四等官のうちの三番目の地位。 願い 人を助けることのできるあふれた思いやりや愛情に満ちた人に。助け合える友にも恵まれるように。また、大切なものを守れる強さと優しさの両面を併せ持った人に育ってほしいという願いも込めて。	佑香(ゆうか)7/9、実佑(みゆ)8/7、佑奈(ゆうな)7/8	光佑(こうすけ)6/7、佑真(ゆうま)7/10、颯佑(そうすけ)14/7
邑 7画	オウ・ユウ・くに・さとし・すみ・むら	意味 ①国都。領地。②さと。 願い 字形や音からも素朴で温かなイメージが伝わる字。故郷や両親を思ってつまでも大切に思ってほしいという願いを託して。また、素直で心優しい人に成長してほしいという思いを込めて。	邑(ゆう)7、邑佳(ゆうか)7/8	邑眞(ゆうま)7/10、幸邑(ゆきむら)8/7
来 7画	ライ・き・きた・く・ゆき	意味 ①こちらに近づく。②はやい。③次の。これから先。④このかた。今まで。 願い 幸運を招き寄せる人生を送ってほしいと願って。わが子に明るく輝く未来が訪れるようにという思いを込めて。	未来(みく)5/7、来実(くるみ)7/8、咲来(さくら)9/7	来夢(らいむ)7/13、春来(はるき)9/7、光来(みらい)6/7
利 7画	リ・き・さと・とおる・と・し・まさ・みのる・よし	意味 ①鋭い。よく切れる。②はやい。すばやい。③つごうがよい。役にたつ。④もうけ。収益。⑤りし。りそく。⑥勝つ。⑦よく働く。⑧作用・効果があらわれる。 願い 物事をスムーズに運ぶことのできる、聡明で活発な人に願って。また、気配り上手で商才に長け、富や財を築けるようにという期待も込めて。	利奈(りな)7/8、恵利(えり)10/7、優利(ゆうり)17/7	利仁(としひと)7/4、利玖(りく)7/7、悠利(ゆうり)11/7

おすすめ漢字 7〜8画

李（7画）

主な読み：リ・すもも・もも

意味：①すもも。バラ科の落葉高木。春に白い花をつける。②中国原産のバラ科の落葉高木。③姓の一つ。

願い：木と子の字からなり、子を生む意味を表すことから、子孫繁栄を願って。また、豊かで実りのある人生を送るようにという気持ちも込めて。

女の子の名前例：
- 李果 ももか
- 李咲 りさ
- 李緒 りお

男の子の名前例：
- 魁李 かいり
- 悠李 ゆうり
- 桃李 とうり

里（7画）

主な読み：リ・さと・さとし

意味：①むらざと。さと。②育ち。また、自分の家。嫁の実家。③子どもの養育を依頼した家。④道のり。また、道のりをはかる単位。日本では、一里は三六町。約四キロメートル。

願い：ふるさとを思い出させるような、寛容で温和な人に。また、長い道のりをあきらめることなく進む人にという気持ちも込めて。

女の子の名前例：
- 里桜 りお
- 樹里 じゅり
- 朱里 あかり

男の子の名前例：
- 悠里 ゆうり
- 海里 かいり
- 里來 りく

良（7画）

主な読み：リョウ・あきら・お・かず・よ・よし・たか・つかさ・まこと・ら

意味：①できがよい。すぐれている。②穏やかな。③やや。しばらくして。④生まれつき正しい。⑤まことに。⑥妻が夫をよぶことば。

願い：あらゆる面で優れた能力を発揮し、周囲の人たちのよきお手本になるような人柄になってほしいと願って。誠実で穏やかな人柄で、多くの人に好感を持たれるようにという願いも込めて。

女の子の名前例：
- 咲良 さくら
- 紗良 さら
- 星良 せいら

男の子の名前例：
- 空良 そら
- 良弥 りょうや
- 良仁 よしひと

伶（7画）

主な読み：リョウ・レイ

意味：①演奏者。②俳優。③召し使い。④かしこい。利口。

願い：音楽の才能など、芸術的な才能に恵まれるようにと願って。知性と、人々を魅了する容姿を持った人に育ちますようにという気持ちも込めて。

女の子の名前例：
- 美伶 みれい
- 伶菜 れな
- 伶 れい

男の子の名前例：
- 伶斗 れいと
- 伶汰 りょうた
- 伶介 りょうすけ

呂（7画）

主な読み：リョ・ロ・とも・なが

意味：①中国の古代の音楽や雅楽の調子。②ことば。調子。③平仮名の「ろ」の草書体からできた字。「呂」は音楽や言語に関する才能に恵まれるように用いる。⑤梵語や外国語などの「ア」の音訳に用いる。⑤女子の名まえの上につける愛称。

願い：音楽の才能に恵まれるように。また、背骨の意味もあり、しんの強さ、人を支える強い心を持った人に成長できるようにという祈りを込めて。

女の子の名前例：
- 比呂 ひろ
- 比呂斗 ひろと

阿（8画）

主な読み：ア・あ・くま

意味：①山やおかの入りくんだところ。②大きなおか。③おもねる。④家のひさし。⑤梵語や外国語などの「ア」の音訳に用いる。⑤女子の名まえの上につける愛称。

願い：人生は、入り組んだ道や山や谷を歩いていくようなもの。柔軟な考えと健康な体で、たくましい人に育ってほしい、しなやかに歩んでほしいという思いを込めて。

女の子の名前例：
- 阿依 あい
- 阿香里 あかり
- 阿紗子 あさこ

男の子の名前例：
- 阿紋 あもん
- 斗阿 とあ
- 阿門 あもん

おすすめ漢字 8〜8画

漢字	主な読み	主な意味と込めたい願い	女の子の名前例	男の子の名前例
依 (8画)	イ・エ・より	**意味** ①よりかかる。頼る。②従う。③もとづく。④もとのまま。⑤木のおいしげるよう。 **願い** 人に頼られる度量を持ち、一方では頼りになる存在にも恵まれ、豊かな愛情の中で生涯を送れるようにと願って。また、自然のままの飾らない人柄で多くの人に愛されるようにすてきな人にという願いも込めて。	芽依 めい／陽依 ひより／依茉 えま	依吹 いぶき／怜依 れい／依織 いおり
育 (8画)	イク・そだ・なり・やす	**意味** ①そだてる。養う。②そだつ。成長する。③生まれた後の環境。 **願い** わが子の成長を見守り、あふれるほどの愛情を注ぐという親の気持ちを込めて。また、すくすくと健康に育い人、元気で活発な、明るい人に成長するようにと願って。	育海 いくみ／育歩 いくほ／育美 いくみ	育真 いくま／育人 いくと／育哉 いくや
英 (8画)	エイ・あや・すぐる・たけし・てる・とし・ひで・ふさ・よし	**意味** ①はなぶさ。実のならない花。②ひいでる。すぐれる。③英吉利（イギリス）の略。 **願い** 英知にあふれた、優れた人になってほしいという思いを込めて。花のように、人が自然と集まる求心力のある魅力あふれた人になってほしいと願って。	紗英 さえ／英里子 えりこ／英那 えな	英汰 えいた／英寿 ひでとし／翔英 しょうえい
苑 (8画)	エン・オン・その	**意味** ①庭。草木を植えた庭や畑。②まきば。囲いをもうけて、動物を放し飼いにするところ。③いろいろな物事の集まるところ。 **願い** 洗練された庭園のイメージから、品格が高い人にと願って。多くの人に支持される人が集まる大きな舞台に立てる人に、華やかな世界で活躍できるようにという気持ちも込めて。	志苑 しおん／苑子 そのこ／苑花 そのか	士苑 しおん／怜苑 れおん／璃苑 りおん
於 (8画)	ウ・オ	**意味** ①ああ。嘆息・感嘆のことば。②おいて。場所・時間などを表す。を。より。前置詞的に用いて、場所・比較③に。④平仮名の「お」は、「於」の草書体からできた字。などの意味から、場所・時間などを表す。 **願い** 感嘆する人に。ひいては、表現力豊かな人になり、芸術やスポーツの分野で輝かしい活躍ができるようにという願いを込めて。	真於 まお／奈於 なお／莉於 りお	怜於 れお／音於 ねお
旺 (8画)	オウ	**意味** ①盛んなようす。②美しい光。 **願い** 元気で活動的で、多くの人の中にいても注目を集める存在感のある人になってほしいと願って。また、スポットライトを浴びるような、芸能やエンターテインメントの世界で活躍する人になってほしいという気持ちも込めて。	茉旺 まお／美旺 みお／莉旺 りお	旺佑 おうすけ／旺志朗 おうしろう／旺太 おうた

355

おすすめ漢字 8〜8画

佳 (8画)

主な読み: カ・カイ・ケ・よし

意味: ①美しい。②すぐれている。③ほめたい。④おいしい。

願い: 内面もたたずまいも美しい聡明な人に成長し、だれからも愛されるような人になってほしいと願って。優れた能力を生かして成功し、幸せをつかんで喜びの多い人生を送ってほしいという願いも込めて。

女の子の名前例: 優佳 ゆうか／佳子 かこ／佳歩 かほ

男の子の名前例: 佳大 けいた／佳介 けいすけ／佳輝 よしき

果 (8画)

主な読み: カ・あきら・は・はた・ま・さる

意味: ①くだもの。木の実。②はたす。しとげる。③善悪のむくい。④思い切りがよい。⑤はたして。思ったとおりに。⑥はて。終わり。⑦はて。

願い: 小さな木の実やフレッシュな果物のように、愛らしい人になってほしいという期待を込めて。また、成し遂げるという意味から、何かを成就させ、実り多き人生を送れるようにとの願いも託して。

女の子の名前例: 桃果 ももか／愛果 まなか／果歩 かほ

河 (8画)

主な読み: カ・ガ・かわ

意味: ①大きな川。②川に似たもの。③中国の川の名。黄河のこと。

願い: 大河のように、ゆったりと落ち着きのある人になってほしいと願って。また、人々に恵みの水をもたらす川のように、多くの人に幸福をもたらすことのできる、社会に貢献できる人に育ってほしいという気持ちも込めて。

女の子の名前例: 美河 みか

男の子の名前例: 悠河 ゆうが／龍河 りょうが／大河 たいが

芽 (8画)

主な読み: ガ・ゲ・め・めい

意味: ①草木のめ。②めばえる。物事の起こり、始まり。

願い: 新しい感性を持った人になってほしいという気持ちを込めて。無からパワーを生み出す、未来の可能性を感じさせるほどの活躍をする人に。そして、目を見張るほどの活躍をする人に育ってほしいという願いを込めて。

女の子の名前例: 芽依 めい／彩芽 あやめ／芽咲 めいさ

男の子の名前例: 叶芽 かなめ／幸芽 こうめ／竜芽 りゅうが

学  (8画)

主な読み: ガク・あきら・さと・さとる・たか・のり・まな・まなぶ・みち

意味: ①習う。教えを受ける。勉強する。②まなびや。学校。③教育。④まなぶ者。研究する者。⑤知識の体系。

願い: 指導者と弟子の交流という意味もある。あふれる探究心を象徴する奥深さを持つ漢字。尊敬する師に出会い、常に謙虚な姿勢で教えを請い、生涯学び続けることを忘れない人になることを期待して。

男の子の名前例: 学 まなぶ／学斗 がくと／学杜 まなと

岳  (8画)

主な読み: ガク・おか・たか・たかし・たけ

意味: ①大きくて高い山。②ごつごつしていかめしい。③妻の父のよび名に用いる。

願い: 雄大で崇高な誇り高いイメージの漢字。雄大な風景や何事にも動じない堂々とした人物を連想させる。スケールの大きな夢を持ち、それに向かって一歩一歩頑張る人に。困難にも立ち向かっていく強さを持った人になるよう願って。

男の子の名前例: 岳 がく／岳大 たけひろ／岳斗 がくと

おすすめ漢字 8〜8画

画数・漢字	主な読み	主な意味と込めたい願い	女の子の名前例	男の子の名前例
祈 (8画)	キ・いの・のる	意味 ①いのる。願う。神に願って幸いを求める。②いのり。 願い 人の幸せを祈ることのできる、あふれるほどの愛情を持った人に。めざすところに向かって努力を重ねていく意志の強い人に。謙虚で、平和と正義を愛する人に育ってほしいと願って。	8 実祈 みのり / 8 祈里 いのり / 8 美祈 みき	8 晴祈 はるき / 8 瑞祈 みずき / 8 優祈 ゆうき
季 (8画)	キ・すえ・とき・とし・み	意味 ①きょうだいの中でいちばん年下の者。末っ子。②四季の終わりの月。③とき。時節。④一年を四つに分けた三か月。春夏秋冬。 願い 四季の美しさをいとおしむ感性の豊かな人に。また、年少者を気にかける優しさや、育てることのできる包容力のある人になってほしいという気持ちも込めて。	10 紗季 さき / 9 柚季 ゆずき / 16 瑞季 みずき	16 樹季 いつき / 8 佳季 よしき / 7 佑季 ゆうき
享 (8画)	キョウ・すすむ・たか・つら・ゆき	意味 ①うける。自分に与えられたものをすなおに受け入れる。授かる。②もてなす。供え物をして神をまつる。 願い どんな場所、どんな地位になっても、置かれたところで自分を輝かせることのできる人に。また、多くのものを授かることのできる幸運な人生を歩んでほしいという願いを込めて。	8 享佳 きょうか / 8 享華 きょうか / 8 享子 きょうこ	8 享介 きょうすけ / 8 享平 きょうへい / 8 享太郎 きょうたろう
京 (8画)	キョウ・ケイ・おさむ・たかし・ちか・ひろし	意味 ①みやこ。首都。②京都のこと。③東京の略。④数の単位。兆の一万倍。⑤大きい。高い。 願い 情報・流行・経済・政治など、あらゆる分野の最先端が集まる都の力を持って、物事を発信する人物をめざして。また、上品さが感じられる古風な一面を持った人いも育ってほしいという願いも込めて。	8 京香 きょうか / 8 京子 きょうこ / 8 京果 きょうか	8 京斗 けいと / 8 京 けい / 7 佑京 うきょう
空 (8画)	ク・クウ・コウ・あ・から・そら	意味 ①あな。②大空。③天候。④方向。方角。⑤落ち着かないこと。⑥文章などを暗記すること。・ギター・琴などの楽器。⑦いつわり。⑧中身がない。⑨さびしい。人の気配がない。⑩役に立たない。⑪むなしい。⑫そらごと。いつわり。⑬からになる。⑭航空の略。 願い 大空にははばたくイメージから、世界で活躍してほしいと願って。	8 蒼空 そら / 8 美空 みく / 8 空 そら	8 蒼空 そら / 8 璃空 りく / 8 空良 そら
弦 (8画)	ゲン・いと・つる	意味 ①弓に張る糸。つる。②半月。半分ほど欠けた月。③バイオリン・ギター・琴などの楽器、また、それらの糸。④円周上の二点を結ぶ直線。また、直角三角形の斜辺。 願い 月と楽器を連想させ、弾力性のあり強さがしなやかに、弓のように鋭く、弦のよな強さがしていけ閣歩（かっぽ）していける人にと願って。	小弦 こいと	8 結弦 ゆづる / 8 弦 げん / 7 弦汰 げんた

おすすめ漢字 8〜8画

画数・漢字	主な読み	主な意味と込めたい願い	女の子の名前例	男の子の名前例
呼 8画	コ・うん・よ	**意味** ①さけぶ。大声でよぶ。②名づける。③息をはく。④ああ。ため息の声。 **願い** 口から息をはく様子から、生命力を感じさせる漢字。物おじせず、自分の意思を伝えることができるハキハキした人に成長することを願って。	璃呼 りこ／呼春 こはる／亜呼 あこ	
虎 8画	コ・たけ・とら	**意味** ①とら。食肉目ネコ科の動物。鋭いきばと、黄色と黒色のしまがある。②よっぱらい。③強くおそろしいもののたとえ。④ひじょうに危険なものや場所のたとえ。⑤みゆき。天子のおでまし。 **願い** 美しい勇猛さを象徴する存在のとらにあやかってつけたい。強く勇ましく威風堂々。どんな困難も俊敏さとしなやかさで切り抜ける、パワフルな人にと願って。		虎太郎 こたろう／秀虎 ひでとら／虎之介 とらのすけ
幸 8画	コウ・さい・さき・さち・たか・ひで・みゆき・ゆき・よし	**意味** ①さいわい。しあわせ。②さち。恵み。自然界からとれたもの。③強くおかわいがる。気に入る。⑤みゆき。天子のおでまし。 **願い** 幸せになってほしいという親の愛情をいっぱいに込めて。幸運が次々にやってくる、笑顔の多い幸せな人生を送ってほしいという願いを込めて。	咲幸 さゆき／幸希 さき／幸子 さちこ	幸輝 こうき／幸平 こうへい／幸太郎 こうたろう
昂 8画	コウ・ゴウ・あき・あきら・たか・たかし・のぼる	**意味** ①あがる。のぼる。②気がたかぶる。意気があがる。③たかい。⑤仕事。つとめ。⑥さいころ。 **願い** 高まる、上がるなどの勢いを感じさせることから、意欲的で上をめざしていく意志の強い人に成長してほしいと願う字。また、豊かな感受性を持ち、いろいろな分野で活躍してほしいという思いも込めて。	昂奈 こうな	昂輝 こうき／昂汰 こうた／昂大 こうだい
采 8画	サイ・あや・うね・こと	**意味** ①とる。つみとる。選びとる。②いろどり。あや。もよう。③すがた。ありさま。④知行所。領地。⑤仕事。つとめ。役職。⑥さいころ。 **願い** 音や字体に趣がある字。元は手を合わせて草木の芽や実を取るという意味があることから、多くの幸せを手に入れ、華やかな人生を送ることを願って。	采音 ことね／采花 あやか／采芽 あやめ	
枝 8画	キ・シ・え・えだ・しげ	**意味** ①木のえだ。②分かれ出たもの。③細くても、しっかりと葉を茂らせて果実をつける枝のイメージから、しなやかさとたくましさを兼ね備えた、しんの強い人になってほしいとの期待を込めて。女の子の止め字として使われることが多いが、「え」の一音は、先頭字や中間字として使ってもほかの字とマッチしやすい。	紗枝 さえ／朋枝 ともえ／枝里子 えりこ	

おすすめ漢字 8〜8画

侍（8画）

主な読み：シ・ジ・さむらい

意味：①武士。②目上の人や高貴な人のそば近くに仕える。また、仕える人。③「ある」「いる」の丁寧語。

願い：忠誠、名誉、礼節などを重んじる「さむらい」の意味にも使う「さむらい」の意味にも使うことから、武士道精神を期待して、文武両道で礼儀正しく、誇り高い人になるように、勇敢でまっすぐな人になるようにと願って。

男の子の名前例：
- 龍侍（りゅうじ）
- 銀侍（ぎんじ）
- 勇侍（ゆうじ）

治（8画）

主な読み：ジ・チ・おさ・おさむ・さだ・ただす・つぐ・なお・はる・よし

意味：①物事の乱れを整える。国をおさめる。②なおす。なおる。③いとなむ。事業を営んだり、管理する。

願い：事業を営んだり、好きなことで身を立てることができる人に育ってほしいと願って。また、気持ちを込めて。心や体を治す研究者や医療の道など、人の役に立てる人にという願いを込めて。

女の子の名前例：
- 治美（はるみ）

男の子の名前例：
- 治希（はるき）
- 龍治（りゅうじ）
- 誠治（せいじ）

実（8画）

主な読み：シツ・ジツ・さね・なお・のり・まこと・み・みつ・みの・みのる

意味：①草や木の、み。くだもの。②みのり。草や木のみが熟する。③満たす。なかみがじゅうぶんにある。④まこと。なかみがあってほんとうである。⑤ほんとうに。まごころ。⑥なかみ。もとの。⑦なんじ。二人称代名詞。

願い：努力が実を結ぶように。生まれた。まごころのある人に出会い、豊かな家族をつくれるようにという祈りも込めて。

女の子の名前例：
- 実咲（みさき）
- 愛実（まなみ）
- 実香（みか）

男の子の名前例：
- 拓実（たくみ）
- 実樹（みつき）
- 実（みのる）

若（8画）

主な読み：ジャ・ジャク・ニャ・ニャク・も・より・わか・わく

意味：①わかい。幼い。②もし。仮定を表すことば。③もしくは。④ごとし。…のようだ。⑤状態を表すときにつけることば。⑥いくらか。すこし。⑦なんじ。二人称代名詞。

願い：若さや幼さを意味することから、生命力を感じさせる漢字。いつまでも変わらない、みずずしい気持ちや若々しい容姿を持ち続けることを願って。

女の子の名前例：
- 若菜（わかな）
- 若奈（わかな）
- 若葉（わかば）

周（8画）

主な読み：シュウ・あまね・いたる・ただ・ちか・のり・ひろし・まこと

意味：①まわり。②めぐる。物のまわりをひとまわりしてくる。③あまねく。広く行きわたる。④中国古代の王朝名。

願い：素晴らしい気配りで、一緒にいる人が心休まる思いやりにあふれた人に。周囲を隅々まで見渡せる視野の広い人に。また、まわりに祝福されることの多い人生をという気持ちも込めて。

女の子の名前例：
- 周音（あまね）
- 周子（ちかこ）
- 周華（しゅうか）

男の子の名前例：
- 周（しゅう）
- 周平（しゅうへい）
- 周作（しゅうさく）

宗（8画）

主な読み：シュウ・ソウ・たかし・とき・むね・もと

意味：①おさ。かしら。その道の第一人者。②たっとぶ。むねとする。③神や仏の教え。④おたまや。祖先のたましいをまつるところ。⑤おおもと。祖先。本家。

願い：どの道を歩んでも、指導者や先駆者になれるような器の大きい人にと願って。また、祖先を敬い、家を大事にする優しい人であるようにという気持ちも込めて。

男の子の名前例：
- 宗太郎（そうたろう）
- 宗志（そうし）
- 政宗（まさむね）

おすすめ漢字 8〜8画

画数・漢字	主な読み	主な意味と込めたい願い	女の子の名前例	男の子の名前例
尚 (8画) 	ショウ・たか・たかし・なお・なか・なり・ひさ・ひさし・まさ	**意味** ①まだ。そのうえ。②たっとぶ。とうとぶ。重んじる。③好み。④高くする。高い。⑤加える。⑥久しい。古い。重ねる。 **願い** より高みをめざしていくことのできる、強い精神力を持った人になってほしいと願って。また、古いことを重んじ、人を敬い、品格に満ちあふれた人にという期待を込めて。	尚香 なおか 尚子 なおこ 尚美 なおみ	尚吾 しょうご 尚也 なおや 尚央 なお
昇 (8画)	ショウ・すすむ・のぼ・のぼる・のり	**意味** ①上にあがる。官位や序列があがる。②③おだやか。 **願い** 繁栄や発展をイメージさせる力強い漢字。常に向上心を持ち、ひたむきな姿勢で、努力を惜しまず前進していける人になるようにと願って。		昇平 しょうへい 昇矢 しょうや 昇大 しょうた
昌 (8画)	ショウ・あき・あきら・さかえ・すけ・まさ・まさし・まさる	**意味** ①勢いが強い。栄える。③よい。美しい。④明らか。 **願い** なんでも意欲的に取り組む活力あふれる人に育ってほしいと願って。また、太陽が昇ることから形づくられた字であることから、周囲を明るくする朗らかな人になってほしいという思いも込めて。	昌奈 あきな 昌美 まさみ	昌輝 まさき 昌悟 しょうご 昌汰 しょうた
征 (8画) 	セイ・さち・そ・ただす・ただし・まさ・ゆき・ゆく	**意味** ①進んで行く。旅に出る。②うつ。あやまりや不正を武力でただす。 **願い** 人生の困難が目の前に立ちはだかっても、やる気と思慮深さの両面を持った芯の強い人に育ってほしいと願って。また、ひたむきに進んでいき、夢を実現してほしいという思いも込めて。		征士 せいじ 征樹 まさき 龍征 りゅうせい
青 (8画) 	ショウ・セイ・チン・あお・きよ・はる	**意味** ①あお。あおい。②若い。年少の。③黒い毛の馬。また、馬の俗称。④未熟。 **願い** 澄みきった空の青や、深い海の青をイメージして、若々しさわやかさと思慮深さの両面を持った人に育ってほしいという願いを込めて。また、けがれのない澄んだ心、広く大きな心を持った人に育ってほしいという気持ちを込めて。	青依 あおい 玉青 たまお 青葉 あおば	悠青 ゆうせい 青矢 せいや 龍青 りゅうせい
卓 (8画) 	タク・すぐる・たか・たかし・まこと・まさる	**意味** ①つくえ。台。テーブル。②すぐれる。ひときわすぐれている。 **願い** すっきりとした知的な印象を持つ漢字。いつでも高い志を持ち、抜群の才能を生かしながら成功をつかみとる人になることを願って。だれにも負けないひときわ優れていることを、それを一つでも持ちが、それを輝かせることができる人になることを期待して。		卓矢 たくや 卓都 たくと 卓馬 たくま

おすすめ漢字 8〜8画

拓 (8画)

主な読み: タク・ひらく・ひろ・ひろし

意味: ①切り開く。広げる。②石碑の文字などを紙に刷りとる。石ずり。

願い: 未知の分野でも積極的に挑んでいける心の強さを持ち、未来を自分で切り開くことのできる人に。たとえ困難にぶつかっても自分で解決できるパワーを持ったたくましい人に育つようにと願って。

女の子の名前例: （なし）

男の子の名前例: 拓海 たくみ／拓真 たくま／拓也 たくや

知 (8画)

主な読み: チ・あき・あきら・さと・さとし・さとる・とし・とも・はる

意味: ①感じとる。覚える。見分ける。②かしこい。ちえ。さとい。かしこいこと。③しらせる。しらせ。④友人。⑤もてなし。あしらい。⑥治める。

願い: 知性を感じさせ、学問の道に精進する優秀な人に。素晴らしい友人に恵まれるようにと願って。また、人よりも多くのことに気づく、豊かな感性を持った人にという気持ちも込めて。

女の子の名前例: 知咲 ちさ／知香 ちか／知美 ともみ

男の子の名前例: 泰知 たいち／知輝 ともき／知広 ともひろ

宙 (8画)

主な読み: チュウ・おき・ひろし・み

意味: ①空。大空、空間。②そらんじる。③空中。

願い: 小さなことにこだわらない心の広い人に。包容力にあふれた人になってほしいと願って。また、自然科学の分野で、宇宙に飛び出すほどの活躍をしてほしいという期待も込めて。

女の子の名前例: 千宙 ちひろ／美宙 みひろ／真宙 まひろ

男の子の名前例: 宙 そら／宙輝 ひろき／宙士 ひろと

直 (8画)

主な読み: ジキ・チョク・すぐ・すなお・ただ・ちか・なお・なおし・おき

意味: ①なおす。まっすぐにする。正しくする。②なおる。正しくなる。③じか。直接。④やがて。まもなく。⑤つかさどる。⑥つとめの番に当たる。⑦ただ。とのい。⑧ただそれだけ。⑨あたい。値段。価値。⑩値うちがある。

願い: 実直な人柄で、周囲の信頼を集める人に。

女の子の名前例: 直緒 なお／直美 なおみ／直子 なおこ

男の子の名前例: 直樹 なおき／直太郎 なおたろう／直人 なおと

典 (8画)

主な読み: テン・おき・すけ・つかさ・つね・のり・ふみ・みち・よし

意味: ①書物。手本となる書物。②規則、法律。③手本となることがら。儀式。作法。④しきたり。⑤つかさどる。⑥さかん。むかしの役人の階級で、大宰府の四等官のうちの四番目の地位。

願い: 思慮深くて礼儀正しい人になってほしいと願って。物事に対してまじめに取り組み、努力を続けて成功するようにという気持ちを込めて。

女の子の名前例: 典華 のりか／美典 みのり／典子 のりこ

男の子の名前例: 弘典 こうすけ／桜典 おうすけ／典之 のりゆき

東 (8画)

主な読み: トウ・あきら・あずま・はじめ・はる・ひがし・ひで

意味: ①ひがし。②東へ行く。③あずま。東の地方。京都から関東をさしていう。

願い: 太陽が昇ってくる方角を指すことから、生命力や意欲に満ちあふれた人に育ってほしいと願って。

女の子の名前例: 東子 とうこ

男の子の名前例: 東吾 とうご／東真 とうま／東磨 とうま

おすすめ漢字 8〜8画

画数・漢字	主な読み	主な意味と込めたい願い	女の子の名前例	男の子の名前例
奈 (8)画	ダイ・ナ・ナイ・なに	意味 ①いかん。いかにせん。いかんぞ。なに。疑問を表すことば。②平仮名の「な」は「奈」の草書体からできた字。③〔柰〕の意味。大きい実のなる木を表す字であり、実り多き人生を送ってほしいという気持ちを込めて。また、疑問を表す意味であることから、意見をはっきりと伝えることのできる快活な人に育ってほしいと願って。	杏奈 あんな 奈々 なな 奈央 なお	日奈太 ひなた 真奈斗 まなと 奈吾 だいご
杷 (8)画	ハ	意味 ①さらい。穀物をかき集める農具。くまで。土をならす農具。②ならし。③〔枇杷（びわ）〕は、バラ科の常緑高木の果樹。 願い 穀物を集めたり土をならしたりする農具の意味。果物の枇杷にも使う漢字。穏やかで堅実な性格を備え、かわいらしさをもった人に育つことを期待して。	杷奈 はな 杷月 はづき 杷琉 はる	
波 (8)画	ハ・ヒ・なみ	意味 ①水の起伏。②波のようになっておしよせてくるもの。また、その動き。③物事の上がり下がり。④もめごと。乱れる。⑤まなざし。 願い 青く光り輝く波のように、さわやかな人に育ってほしいという気持ちを込めて。	波奈 はな 帆波 ほなみ 美波 みなみ	波瑠 はる 波音 なみと 蒼波 あおは
枇 (8)画	ビ・ヒ	意味 〔枇杷（びわ）〕は、バラ科の常緑高木の果樹。 願い 枇杷（びわ）が持つ淡い甘さとコロンとした温かみのある形を思い起こさせる漢字。素直で素朴な、かわいらしさを持った人に育ってほしいという願いを込めて。	枇咲 ひさ 枇那 ひな 枇奈 ひな	枇天 ひだか 悠枇 ゆうび
苗 (8)画	ビョウ・ミョウ・え・たね・なえ・なり・なわ・みつ	意味 ①種子からのび出たばかりの植物。②すじ。子孫。とまたぎ。半歩。 願い 稲の苗のように、すくすくと太陽に向かって育ってほしいという思いを込めて。また、幸せな結婚をして、よき母として子宝に恵まれますようにと願って。	早苗 さなえ 香苗 かなえ 奈苗 ななえ	
武 (8)画	ブ・ム・いさ・いさむ・たけ・たけし・たける	意味 ①強い。勇ましい。②いくさ。戦い。戦争。戦いの術。③兵器。④ひとまたぎ。半歩。 願い 武士や武士道など、勇ましく力強いイメージの漢字。前向きな強さ、精神的なたくましさを秘め、強くて勇敢な人になるように願って。文武両道でまじめな人になるよう期待して。	武蔵 むさし 武武 たけし	歩武 あゆむ 武琉 たける

おすすめ漢字 8〜8画

画数・漢字	主な読み	主な意味と込めたい願い	女の子の名前例	男の子の名前例

夜 8画

ヤ・よ・よる

意味 ①日没から日の出までの暗い時間。②よふけ。よなか。
願い 星や月を想像させることから、自然を愛する情緒豊かな人に。考えが深く、気づかいのできる人になってほしいと願って。また、天文学などの自然科学の分野で活躍してほしいという思いも込めて。

女の子：桜夜（さや）／小夜子（さよこ）／沙夜（さや）
男の子：龍夜（りゅうや）／星夜（せいや）

弥 8画

ビ・ミ・いよ・ひさ・ひさし・ひろ・みつ・や・よし・わたる

意味 ①いよいよ。ます。②広くゆきわたる。③久しい。長い間。④つくろう。とじ合わせる。⑤いや。いよいよ。ますます。⑥梵語「ミ」の音訳に用いる。
願い 大きく広がっていく様子を表すことから、おおらかな人にと願って。また、周囲を広く見渡し、深い洞察力で人生を切り開いてほしいと願って。

女の子：紗弥（さや）／弥生（やよい）／弥咲（みさき）
男の子：柊弥（しゅうや）／聖弥（せいや）／和弥（かずや）

怜 8画

リョウ・レイ・レン・さと・さとし・とき

意味 さとい。かしこい。思慮深く理知的で、多くの人に尊敬されるように。
願い 気がつくようになってほしいと願って。また、人の心の痛みを察することのできる知性を持ち、思いやりにあふれた人になってほしいという気持ちも込めて。

女の子：怜奈（れいな）／怜佳（れいか）／美怜（みれい）
男の子：怜（れい）／怜央（れお）／怜慈（れいじ）

和 8画

オ・ワ・かず・かつ・ちか・とも・な・なご・のどか・ひとし

意味 ①声や調子を合わせる。②やわらぐ。なごむ。気が合い、親しむ。③なごやか。穏やかな。④あえる。まぜ合わせる。⑤穏やかになる。⑥数学で、二つ以上の数を加えたもの。⑦なぐ。なぎ。風雨がなく海が穏やかなこと。⑧日本。
願い 人の和を大切にする人に。

女の子：和奏（わかな）／日和（ひより）／美和（みわ）
男の子：大和（やまと）／和真（かずま）／和樹（かずき）

侑 8画

ウ・ユウ・あつむ・すすむ

意味 ①すすめる。ごちそうをすすめる。助け。②むくいる。③進んで人を助けたり、支えることのできる人に。
願い ①招く。②次の。これから先。今までと違って。また、感謝の気持ちを忘れない人間味豊かな人になってほしいという気持ちも込めて。

女の子：侑希（ゆき）／侑莉（ゆうり）／侑奈（ゆうな）
男の子：侑輝（ゆうき）／侑真（ゆうま）／侑大（ゆうだい）

來 8画

ライ・き・きた・く・ゆき

意味 （「来」の旧字体）①こちらに近づく。②招く。③次の。これからの。④このかた。今まで。
願い うれしいことがやってくる幸運な人生を祈って。そして、明日への喜びや期待を感じることのできる、明るく元気な人に育ってほしいという願いを込めて。

女の子：未來（みく）／桜來（さくら）／愛來（あいく）
男の子：龍來（りゅうき）／來暉（らいき）／未來（みらい）

おすすめ漢字 8〜9画

画数・漢字	主な読み	主な意味と込めたい願い	女の子の名前例	男の子の名前例
昊 8画	コウ・あきら・そら・ひろ・ひろし	**意味** ①空。大空。②大きい。 **願い** 青く広がる大空のように、さわやかで周囲の人を笑顔にすることのできるすてきな人になってほしいと願って。大空にはばたくように、のびのびと健やかに育ってほしい、広く世界で活躍できるようになってほしいという気持ちを込めて。	昊良 そら／美昊 みそら	昊 そら／昊輝 こうき／昊汰 こうた
苺 8画	バイ・マイ・いちご	**意味** いちご。バラ科の多年草。実は食用となり赤くて甘い。きいちご。 **願い** 赤く小さないちごの実のように、かわいらしくだれからも愛される人に育ってほしいという思いを込めて。一文字である半面、心穏やかで人を癒やすようなたたずまいでの音のほか、「マイ」の音も人気。	苺香 まいか／苺花 いちか／苺果 まいか	
茉 8画	バツ・マ・マツ	**意味** 〔茉莉（まつり）〕は、モクセイ科の常緑低木。ジャスミンの一種。花は白く、かおりが高い。 **願い** 優しい芳香で人を癒やすようなたたずまいから、高貴なイメージのある半面、心穏やかで人を受け入れることのできる包容力も併せ持った、素晴らしい人になってほしいと願って。	茉奈 まな／茉優 まゆ／陽茉莉 ひまり	蒼茉 そうま／悠茉 ゆうま／茉弘 まひろ
茜 9画	セン・あかね	**意味** ①あかね草。アカネ科の多年草。根から赤い染料をとる。やや黒ずんだ赤。②赤。あかね色。 **願い** 夕暮れどきの空の色にたとえられる落ち着いた赤色を表す字。穏やかで人を包み込むような温かい心を持った人になってほしいという祈りを込めて。	茜音 あかね／茜里 あかり／茜 あかね	
威 9画	イ・たか・たけ・たけし・たける・とし・なり	**意味** ①おそれさす。②いきおい。権力。③いかめしい。おごそかな。いようす。 **願い** 人を従わせる強さとおごそかな品格を感じさせる漢字。勢いがあり、堂々とした風格をイメージさせることから、自分を信じることに、正しいことに自信を持って歩んでいく人になることを願って。	瑠威 るい／威織 いおり	威 たける
郁 9画	イク・あや・か・かおる・たかし	**意味** ①文物や文化の盛んなようす。②香気の強いようす。 **願い** 文化が盛んである様子を表すことから、学問や芸術、精神などさまざまな事柄に詳しい教養のある人になってほしいと願って。また、おしゃれでたたずまいも洗練された人になるようにという気持ちも込めて。	彩郁 あやか／郁子 いくこ／郁香 あやか	郁 かおる／郁斗 いくと／郁士 あやと

おすすめ漢字 9〜9画

画数・漢字	主な読み	主な意味と込めたい願い	女の子の名前例	男の子の名前例
映 9画	エイ・ヨウ・あき・あきら・うつ・てる・は・みつ	**意味** ①かげがうつる。②照り輝く。色があざやかに見える。③日の光に照らされてきらきらと輝くように。 **願い** 日の光に照らされてきらきらと輝くように、注目される才能に恵まれてほしいと願って。映像や色彩などの芸術的な才能に恵まれるように。また、勢いがあって陽気な性格で、周囲を明るく照らすことのできる人にという気持ちも込めて。	映里奈 えりな / 佳映 かえ / 早映 さえ	映汰 えいた / 映輝 えいき / 映斗 えいと
栄 9画	エイ・さかえ・しげ・しげる・はる・ひさ・ひさし・ひで・ひろ	**意味** ①さかえる。②ほまれ。名誉。③盛んにする。④地位や名声があがる。 **願い** 栄える、繁栄するなど、愛情も富も得られるような豊かなイメージから、幸福に満ちあふれた人生を送ってほしいと願って。また、どの分野でも価値あることを成し遂げる人になってほしいと期待して。	紗栄 さえ / 栄里 えり / 栄美 えみ	栄作 えいさく / 栄輝 えいき / 栄心 えいしん
音 9画	イン・オン・お・おと・と・ね	**意味** ①おと。ね。声。②ひびき。③ねいろ。ふし。④おとずれ。たより。⑤むかしの中国の発音にもとづいている読み方。漢字の読み方の一つ。 **願い** 音楽の才能に恵まれるように。癒やしたりできる人にと願って。また、文化・芸術全般にきらめく才能を発揮してほしいという気持ちも込めて。	花音 かのん / 寧音 ねね / 音羽 おとは	陽音 はると / 奏音 かなと / 怜音 れおん
架 9画	カ・か	**意味** ①物をのせる台。のう。②かけわたす。③かける。 **願い** 元は橋をかけるという意味があり、物おじせず前に進むイメージ。自分の可能性を信じて、さまざまなことにチャレンジできる人に成長してほしいという期待を込めて。	優架 ゆうか / 明日架 あすか / 瑠架 るか	
珂 9画	カ	**意味** ①宝石の名。②くつわ貝。白めのう。③くつわ貝でつくった馬のくつわの飾り。 **願い** パワーストーンとしても知られる白めのうは、心が洗われるような輝きを放つ石。進んだ道に対して、純粋で誇り高くあってほしいと願って。また、凜とした人になってほしいという願いを込めて。	珂織 かおり / 亜珂里 あかり / 珂穂 かほ	瑠珂 るか / 珂惟 かい / 琉珂 るか
海 9画	カイ・あま・うな・うみ・み	**意味** ①うみ。地球の表面上の塩水をたたえた広いところ。②すずりの水をためるところ。③大きく広い。④ものが多く集まるところ。 **願い** 海のように大きな愛情がある人に成長してほしいと願って。また、波が動くように、元気で活発な、生命力にあふれる人になってほしいという気持ちも込めて。	七海 ななみ / 美海 みう / 海咲 みさき	海翔 かいと / 拓海 たくみ / 海成 かいせい

おすすめ漢字 9〜9画

画数・漢字	主な読み	主な意味と込めたい願い	女の子の名前例	男の子の名前例
柑 9画	カン	**意味** みかん。こうじ。ミカン科の常緑樹。**願い** みかんのようにみんなに愛される人に育ってほしいという祈りを込めて。また、みかんの甘酸っぱい香りから、さわやかで明るい人に成長してほしいという願いも。	柑那（かんな）／柑菜（かんな）／柑奈（かんな）	柑司（かんじ）／柑悟（かんご）／柑吾（かんご）
紀 9画	キ・おさむ・かなめ・す・ただし・とし・のり・はじめ・もと	**意味** ①すじ道をたてて記録する。②のり。すじみち。③いとぐち。始まり。④小さなつな。細いつな。⑤とし。歳月。⑥「日本書紀」の略。**願い** 人として正しい道を歩み、間違ったことを正せる人になってほしいと願って。また、文学の才能が花開くように。書物や歴史に記されるような活躍をしてほしいという気持ちも込めて。	有紀（ゆき）／瑞紀（みずき）／紀花（のりか）	知紀（ともき）／将紀（まさき）／紀之（のりゆき）
建 9画	ケン・コン・た・たけ・たけし・たける・たつる・たて	**意味** ①たてる。たつ。つくる。②意見をさし出す。**願い** 自分の意思をしっかり表明し、ゆるぎない人生を堂々と歩んでいく強さのある人に。新しいことにチャレンジし続けて、大きな仕事をなし遂げる人になることを願って。		建（たける）／建伸（けんしん）／建人（けんと）
研 9画	ケン・ゲン・あき・きし・きよ・と	**意味** ①とぐ。すりみがく。②きわめる。物事を深く調べる。③墨をする。**願い** 鋭い感性とシャープな頭のよさを感じさせる漢字。自分の感性を磨き、本質を追求する姿勢を常に持ち、物事を極めるための努力を惜しまない人になることを願って。		研人（けんと）／研吾（けんご）／研太（けんた）
胡 9画	ウ・コ・ゴ	**意味** ①えびす。古代中国の北方または西方に住んでいた民族。②なんぞ。どうして。疑問を示すことば。③でたらめ。いいかげんな。**願い** 古代中国の異民族に由来する大陸的でエキゾチックな漢字。世界にはばたく個性的な人に成長することを期待して。	胡桃（くるみ）／仁胡（にこ）／莉胡（りこ）	胡太郎（こたろう）／胡汰郎（こたろう）／大胡（だいご）
厚 9画	グ・コウ・あつ・あつし・ひろ・ひろし	**意味** ①ぶあつい。物の積み重なっているようす。②てあつい。ねんごろ。③豊かにする。④あつか ましい。⑤たいそう。**願い** 人の痛みを想像できる、人情味豊かな情の厚い人になってほしいと願って。物事をていねいに行える人に。また、ぶあつい、積み重なるなどのイメージから、豊かな富を築けるようにという気持ちも込めて。		厚介（こうすけ）／厚太（こうた）／厚希（あつき）

367

おすすめ漢字 9〜9画

恒 (9画)

主な読み: コウ・ゴウ・つね・ひさ・ひさし・ひとし

意味: ①いつまでも変わらない。久しい。②常に。

願い: 長い時間を経ても変わらない安定感をイメージさせる漢字。常にピンと張りつめて、たゆまぬ強い意志を感じることから、初心を忘れることなく、自分の目標に向かって強い信念を貫き通せる人になることを願って。

男の子の名前例:
- 恒輝 こうき
- 恒介 こうすけ
- 恒汰 こうた

皇 (9画)

主な読み: オウ・コウ・すべ・すめら

意味: ①きみ。おおきみ。天子。②大きい。③王室や天子にかかわる事物にそえることば。④すめら。天皇の古い言い方。

願い: 崇高で気高い漢字。誇り高く、広い視野で物事を見ることのできる人に。スマートにメージに満ちた人生を歩いていける人になることを願って。

男の子の名前例:
- 皇 こう
- 怜皇 れお
- 皇輝 こうき

紅 (9画)

主な読み: ク・コウ・あか・くれない・べに・もみ

意味: ①くれない。あざやかな赤色。②べに。べに花からとった赤い顔料や染料。③女性についていうことば。

願い: 情熱の色をイメージし、熱意と使命感によって成功を収めてほしいと願って。また、紅色のように人を引きつける力があり、芸術や芸能の世界で活躍できるようにという願いを込めて。

女の子の名前例:
- 紅愛 くれあ
- 美紅 みく
- 紅音 あかね

男の子の名前例:
- 璃紅 りく
- 紅太 こうた
- 紅輝 こうき

香 (9画)

主な読み: キョウ・コウ・か・かお・かおり・かおる・かが・た・か・よし

意味: ①よいにおい。かんばしい。においがよい。②たきもののかおりをかぎ分ける遊び。香合わせ。④「香車」の略。将棋の駒の一つ。

願い: かぐわしいにおいのように、人を引きつける魅力がイメージされる字。自然に人が集まってくるチャーミングな人になることを願って。

女の子の名前例:
- 香 かおり
- 香穂 かほ
- 桃香 ももか

男の子の名前例:
- 香月 かづき
- 香輝 こうき
- 香介 こうすけ

哉 (9画)

主な読み: サイ・えい・か・かな・き・すけ・ちか・とし・はじめ・や

意味: ①かな。詠嘆・感嘆を表すことば。②や。疑問・反語を表すことば。③感嘆を表すことば。

願い: 感嘆することのできる朗らかな人になってほしいと願って。また、疑問や反対の気持ちをしっかりと相手に伝えることのできる、強い意志を持った人に育ってほしいという気持ちを込めて。

女の子の名前例:
- 早哉香 さやか
- 美哉 みや
- 沙哉 さや

男の子の名前例:
- 晴哉 せいや
- 哉太 かなた
- 智哉 ともや

咲 (9画)

主な読み: ショウ・さ・さき

意味: ①花が開く。②笑う。

願い: 笑うという意味を表し、周囲の人を笑顔にすることのできる人になってほしいと願って。また、小さなことにこだわらないおおらかさと、花のような魅力的な笑顔で、人を引きつけることのできる人に育ってほしいという願いを込めて。

女の子の名前例:
- 咲希 さき
- 美咲 みさき
- 咲良 さくら

男の子の名前例:
- 咲人 さくと
- 咲太郎 さくたろう
- 真咲 まさき

おすすめ漢字 9〜9画

思 (9画)

主な読み: シ・おも・こと

意味
①考える。心をはたらかせる。②したう。

願い
相手の気持ちを思いやることのできる人になってほしいと願って。また、先を見通したり、慎重にじっくりと考えることができる、思慮深い人に育ってほしいという気持ちを込めて。

女の子の名前例
- 美思 みこと
- 思乃 しの
- 思緒俐 しおり

男の子の名前例
- 蒼思 そうし
- 大思 たいし
- 思温 しおん

秋 (9画)

主な読み: シュウ・あき・おさむ・とき・みのる

意味
①四季の一つ。立秋から立冬までの間。太陽暦では九・十・十一月。②穀物の実りの季節としつき。年月。④たいせつな時期。

願い
紅葉の美しい情緒に富んだ時期をイメージして、落ち着いた雰囲気の人に育ってほしいと願って。また、実り多い豊かな人生を歩んでほしいという祈りを込めて。

女の子の名前例
- 千秋 ちあき
- 秋穂 あきほ
- 秋花 しゅうか

男の子の名前例
- 秋哉 しゅうや
- 秋人 あきと
- 秋也 しゅうや

俊 (9画)

主な読み: シュン・すぐる・たかし・とし・まさる・よし

意味
①才能や知識がすぐれる。②すぐれた人。才能や知識が目立つすぐれた人。③高い。大きい。

願い
何事に対しても、冷静かつ機敏な判断ができるような人に。心身共に抜きんでた才能を持つ賢い人になることを願って。頭の回転が速く、瞬発力と行動力のある人になることを期待して。

男の子の名前例
- 幸俊 ゆきとし
- 俊太 しゅんた
- 俊輔 しゅんすけ

春 (9画)

主な読み: シュン・あずま・かず・す・とき・はじめ・はる

意味
①四季の一つ。立春から立夏までの間。太陽暦では三・四・五月。②年のはじめ。正月。③青年期。④とし。としつき。

願い
植物が芽吹いたり、生きものが誕生する春のイメージから、生命力に満ちた人に。また、春の日ざしのように、人の心を温かくする人に育ってほしいという気持ちも込めて。

女の子の名前例
- 心春 こはる
- 春花 はるか
- 春奈 はるな

男の子の名前例
- 春樹 はるき
- 春斗 はると
- 春馬 はるま

昭 (9画)

主な読み: ショウ・あき・あきら・てる・はる

意味
①明らか。明るい。②明らかにする。

願い
周囲の人たちを明るく照らすことのできる、綿密な計算のもとに築きあげた強固な城のイメージして、快活でおおらかな人に育ってほしいと願って。また、社会で輝かしい活躍をしてほしいという気持ちも込めて。

女の子の名前例
- 昭予 あきよ
- 昭香 はるか

男の子の名前例
- 昭 あきら
- 昭太 しょうた
- 智昭 ともあき

城 (9画)

主な読み: ジョウ・セイ・き・くに・しげ・しろ・なり・むら

意味
①しろ。城壁をめぐらした町。②大名の住居。とりで。

願い
綿密な計算のもとに築きあげた強固な城をイメージして、聡明な人になってほしいと願って。また日本一城の主に。トップ・代表者・指導者になってほしいという気持ちも込めて。

男の子の名前例
- 城司 じょうじ
- 陽城 はるき
- 瑞城 みずき

おすすめ漢字 9〜9画

信 (9画)

主な読み: シン・あき・あきら・さだ・しげ・しの・のぶ・のぶる・まこと

意味: ①誠実。うそいつわりのないこと。②しんじる。③しるし。あかし。④わりふ。手形。証拠。⑤伝達の合図。めじるし。⑥たより。手紙。

願い: 誠実な人柄で、信頼を裏切らない人望の厚い人に育ってほしいと願って。互いに信頼し合える仲間に恵まれて、豊かな人生が送れるようにという気持ちも込めて。

女の子の名前例: 信歩（しほ）／信保（しほ）／信乃（しの）

男の子の名前例: 龍信16,9（りゅうしん）／晴信12,9（はるのぶ）／信太9,4（しんた）

政 (9画)

主な読み: ショウ・セイ・おさ・ただ・ただし・ただす・のり・まさ・まさし

意味: ①まつりごと。②ととのえおさめること。国を治めること。

願い: まじめできちんとした印象を与える字。心がまっすぐで、まわりの意見に惑わされず、自分の意見をしっかり言える人に。統率力と行動力を兼ね備え、正しいこと、間違ったことの判断がきちんとできるようなリーダーシップを発揮できる人になることを願って。

男の子の名前例: 政宗9,8（まさむね）／政博9,12（まさひろ）／龍政16,9（りゅうせい）

星 (9画)

主な読み: ショウ・セイ・とし・ほし

意味: ①空に光るほし。②小さな点。ぽち。③うつぼ。④犯人。⑤年月。時の流れ。⑥重要な人物のたとえ。

願い: どの道に進んでも、輝く才能を発揮できるようにと願って。その名のとおり、スターや世の中の重要人物になってほしいという期待も込めて。

女の子の名前例: 星那（せな）／星奈（せいな）／星良（せいら）

男の子の名前例: 龍星16,9（りゅうせい）／星哉9,9（せいや）／竣星12,9（しゅんせい）

泉 (9画)

主な読み: セン・い・いずみ・ずみ・み・みず・もと・きよし

意味: ①いずみ。地中からわき出る水。②温泉。鉱泉のこと。③滝。④みなもと。⑤地下。冥土。あの世。

願い: 尽きることなくわき上がってくる知恵やひらめき、才能に恵まれるように願って。生まれ持った魅力や能力を生かして、社会に貢献できる人にと期待して。

女の子の名前例: 泉（いずみ）／七泉（ななみ）／瑠泉（るい）

男の子の名前例: 泉吹9,7（いぶき）／拓泉8,9（たくみ）／泉里9,7（せんり）

奏 (9画)

主な読み: ソウ・かな

意味: ①すすめる。さしあげる。②申す。君主に申し上げる。③かなでる。楽器を鳴らす。④なしとげる。

願い: 音楽のように、楽しい気分にさせたり和ます、人を癒やすことのできる人にと願って。また、周囲の人たちと調和をとることができる、バランス力と統率力の両方を兼ね備えた人にという気持ちを込めて。

女の子の名前例: 奏（かなで）／奏音（かのん）／和奏（わかな）

男の子の名前例: 奏太9,4（そうた）／奏汰9,7（かなた）／奏介9,4（そうすけ）

則 (9画)

主な読み: ソク・つね・とき・のり

意味: ①自然の道理。すじみち。②きまり。③のっとる。手本とする。④まじめな人。⑤すなわち。接続詞。規定された条文。

願い: ルールを守り、周囲の手本となるような、まじめな人に。道理をわきまえて行動し、努力を惜しまない、立派な人になることを願って。

男の子の名前例: 宗則8,9（むねのり）／智則12,9（とものり）／孝則7,9（たかのり）

おすすめ漢字 9〜9画

津 (9画)
主な読み: シン・つ

意味: ①港。渡し場。船着き場。②しみ出る。

願い: 港や岸という意味を持つことから、人が集まってにぎわうイメージ。人から信頼され、たくさんの友人に囲まれて充実した人生を送ることができるようにという願いを託して。

女の子の名前例:
- 夢津美 むつみ
- 紗津季 さつき
- 奈津 なつ

南 (9画)
主な読み: ダン・ナ・ナン・あけ・な・み・みな・みなみ・よし

意味: ①みなみ。②南の方向へ行く。

願い: 南の国の豊富な果実と広がる花々のイメージから、すくすくと元気に成長し、実り多い豊かな人生を送ってほしいと願って。また、明るくおおらかな人生に育ってほしいという気持ちも込めて。

女の子の名前例:
- 咲南 さな
- 杏南 あんな
- 南帆 みなほ

男の子の名前例:
- 晴南 せな
- 日南汰 ひなた
- 南翔 みなと

虹 (9画)
主な読み: コウ・にじ

意味: ①雨あがりなどに、空気中の水滴に日光があたって生じる現象。七色の弓形の光を放つ。②長い橋のたとえ。

願い: 夢や栄光に向かっていくイメージがあり、努力を惜しまずに頑張る人に。成功や栄光を手にしてほしいと願って。また、世の中に夢を与えられるような、国や人のかけ橋になってほしいという気持ちも込めて。

女の子の名前例:
- 虹羽 こはね
- 杏虹 あこ
- 虹花 にじか

男の子の名前例:
- 虹太 こうた
- 虹輝 こうき
- 虹大 こうだい

祢 (9画)
主な読み: ネ・デイ

意味: ①父の霊をまつる。また、親の廟。②廟(びょう)を意味することから、祖先を敬い、伝統を重んじる子になるようにという願いを込めて。また、いつまでも変わらない父子の深い絆を願う気持ちを託して。③神職者のこと。④平仮名の「ね」は、「祢」の草書体。

女の子の名前例:
- 祢音 ねね
- 綾祢 あやね
- 朱祢 あかね

飛 (9画)
主な読み: ヒ・と

意味: ①空中をかけまわる。また、かけめぐらせて進む。②順序を経ずに空中にかけのぼる。とびあがる。③とびあがる。④ぶようにはやい。すみやか。急な。そびえる。⑤高い。

願い: 大空を自由自在に飛んでいく鳥のように、自由を愛し、輝く未来の希望へ向かって大きくはばたいていけるような人になることを願って。

女の子の名前例:
- 飛奈 ひな
- 飛鳥 あすか
- 優飛 ゆうひ

男の子の名前例:
- 朝飛 あさひ
- 飛和 とわ
- 雄飛 ゆうひ

美 (9画)
主な読み: ビ・ミ・うつく・うまし・きよし・とみ・はる・ふみ・よし

意味: ①うつくしい。きれい。見た目がよい。②おいしい。正しい。③よい。④ほめる。

願い: 好ましい意味をいくつも備えたきれいな心・美しい容姿ときれいな心を併せ持った人に成長することを願って。止め字、先頭字、中間字のいずれに使っても収まりがよい。字形も整っているので、止め字、先頭字、中間字のいずれに使っても収まりがよい。

女の子の名前例:
- 美咲 みさき
- 美桜 みお
- 美結 みゆ
- 美孝 よしたか

男の子の名前例:
- 達美 たつみ
- 拓美 たくみ

おすすめ漢字 9〜9画

画数・漢字	主な読み	主な意味と込めたい願い	女の子の名前例	男の子の名前例
柊 9画 	シュウ・ひいらぎ	**意味** ひいらぎ。モクセイ科の常緑小高木。かたく光沢のある葉は、先にとげのようなふちがあり、節分の夜には魔よけとして用いる。 **願い** 柊の花は冬の季語なので、冬生まれの子の名前に使われる漢字。柊にあやかって、いつまでも強く優しく、健やかにすくすくと成長することを願って。	柊 ひいらぎ / 柊華 しゅうか / 柊花 しゅうか	柊 しゅう / 柊哉 しゅうや / 柊真 しゅうま
彦 9画 	ゲン・お・さと・ひこ・やす・よし	**意味** ①男子の美称。才能やおこないのすぐれた男子。②美男子。 **願い** 美男子を意味することから、品を感じさせるイメージの漢字。容姿や学問、才徳に優れ、明るい未来をまっすぐに見つめて軽やかに歩んでいける人になることを願って。		和彦 かずひこ / 彦太 げんた / 龍彦 たつひこ
風 9画 	フ・フウ・かざ・かぜ	**意味** ①かぜ。②教え導く。③ならわし。習慣。④すがた。ようす。⑤けしき。⑥うわさ。⑦味わい。おもむきがある。⑧ほのめかす。遠まわしに言う。 **願い** 風のようにどこにでも行ける行動力と、のびのびとした人にと願って。風をイメージさせるさわやかな人に。	風子 ふうこ / 風香 ふうか / 風真 ふうま	風人 ふうと / 風雅 ふうが / 風真 ふうま
保 9画 	ホ・ホウ・お・たも・たもつ・まもる・もち・もり・やす・やすし	**意味** ①たもつ。もつ。②養い育てる。また、子守り役。つきそい。③からだを休め守る。弱いものを助ける。⑤「保」の草書体からできた字。 **願い** 助ける、育てるような意味を持つことから、自分より弱いものを守ることや、慈愛に満ちた優しい人に育つようにとの思いを込めて。	志保 しほ / 花保 かほ / 美保 みほ	保 たもつ / 保孝 やすたか / 保弘 やすひろ
柾 9画 	まさ	**意味** まさ。まさめ。縦に切った材の木目が平行な直線でそろっているもの。 **願い** 木目が縦にまっすぐ並んでいるものを表すことから、まっすぐ素直にのびのびと育っていくようにと願って。曲がったことが嫌いで、一本筋の通った人になることを期待して。		柾樹 まさき / 柾貴 まさたか / 柾人 まさと
耶 9画 	ジャ・ヤ	**意味** ①や。か。句末につけて、疑問・反語・感嘆などの意味を示すことば。②父をよぶことば。 **願い** 疑問や反語を表すことから、意見や意志をきちんと伝えられる人になってほしいと願って。また、感じて個性を伸ばしていける人にと願って。感嘆を表す漢字でもあるので、豊かな感性を持った人間味あふれる人にという気持ちも込めて。	沙耶香 さやか / 茉耶 まや / 咲耶 さや	智耶 ともや / 尚耶 なおや / 誠耶 せいや

おすすめ漢字 9〜9画

勇 (9画)
主な読み: ユウ・いさ・いさお・いさみ・いさむ・お・たけ・た・けし・はや

意味: ①いさむ。ふるいたつ。②いさましい。強い。③いさぎよい。思いきりがよい。④いきおいこむこと。⑤おとこだて。おとこぎ。

願い: 周囲が躊躇するときでも、恐怖や不安な気持ちを抑えて気持ちを奮い立たせることのできる勇ましい人に。心身共にたくましく、自信を持ってわが道を進める人に成長してくれると信じて。

男の子の名前例: 勇成（ゆうせい）／勇人（はやと）／勇太（ゆうた）

宥 (9画)
主な読み: ユウ・すけ・ひろ

意味: ①許す。大目にみる。②なだめる。やわらげしずめる。

願い: 懐が深く、人を包み込むことのできる寛大な心を持った人に育ってほしいと願って。また、説得したり、なだめたりすることのできる人になってほしいという気持ちも込めて。

女の子の名前例: 宥那（ゆうな）／宥里（ゆうり）／千宥（ちひろ）

男の子の名前例: 宥人（ひろと）／宥吾（ゆうご）／宥（ゆう）

柚 (9画)
主な読み: ジク・ユ・ユウ・ゆず

意味: ①ゆず。ミカン科の常緑小高木。柑橘類の一種で、かおりのよい実は調味料として用いられる。②たてまき。織物の縦糸をまく道具。

願い: ゆずの果実のように、いつでもみずみずしい感覚を持った人に。また、自らの魅力を発揮しながら、まわりの人のよいところを引き出すことのできる、包容力のある人にと願って。

女の子の名前例: 柚希（ゆずき）／柚花（ゆずか）／柚（ゆず）

男の子の名前例: 柚樹（ゆずき）／柚太（ゆうた）／柚稀（ゆずき）

祐 (9画)
主な読み: ユウ・さち・すけ・たすく・よし

意味: ①助ける。天や神が助ける。人が助ける。②助け。さいわい。また、天や神の与える助け。③しめくくる。文章などをかんたんにまとめたもの。あらまし。④幸福。

願い: 大きな力に守られ、幸運やチャンスの多い恵のある人生を歩んでほしいと願って。また、人を助け、人に助けられる徳のある人に育ってほしいという気持ちを込めて。

女の子の名前例: 祐希（ゆうき）／祐菜（ゆうな）／祐香（ゆうか）

男の子の名前例: 圭祐（けいすけ）／聡祐（そうすけ）／祐人（ゆうと）

洋 (9画)
主な読み: ヨウ・うみ・きよ・ なみ・ひろ・ひろし・み

意味: ①大海。そとうみ。②広々としたようす。もっとも大切なところ。③しめくくる。④西洋の。

願い: 海のように、広く大きな心を持った包容力のある人になってほしいと願って。また、世界を駆けめぐって活躍できるようにという願いも込めて。

女の子の名前例: 洋香（ひろか）／洋子（ようこ）／千洋（ちひろ）

男の子の名前例: 洋太（ようた）／洋希（ひろき）／洋助（ようすけ）

要 (9画)
主な読み: ヨウ・い・かなめ・とし・め・もとむ・やす

意味: ①かんじんなところ。もっとも大切なところ。②扇のもとの部分。③しめくくる。④望む。

願い: どのような道を進んでも最も重要な人物に。物事の最も大切な部分を担って、人となってほしいと願って。人をまとめることができる人になってほしいという気持ちを込めて。

女の子の名前例: 要央里（いおり）／要（かなめ）

男の子の名前例: 要太（ようた）／要斗（かなと）／要輔（ようすけ）

おすすめ漢字 9〜9画

律 9画

主な読み: リチ・リツ・ただし・ただす・のり

意味: ①おきて。法令や刑罰に関するきまり。②のっとる。基準や法則に従う。③学問上などの法則。④僧が守るべきいましめ。⑤音楽の調子。音階。⑥漢詩の一形式。

願い: 目標に向かって自分を厳しく律することができる精神力の強い人にと願ったり、学問を究めたり、芸術的な才能にも恵まれるようにという願いも込めて。

女の子の名前例: 律子³ りつこ

男の子の名前例: 律³ りつ / 律希¹² りつき / 律貴¹² りつき / 律人¹¹ りつと

亮 9画

主な読み: リョウ・あき・あきら・き・と・よし・すけ・とおる・まこと・よし

意味: ①明らか。はっきりしている。②すけ。むかしの役人の階級で、職・坊の四等官のうちの二番目の地位。

願い: 自分の意見をはっきりと伝えることのできる積極性を持った人になってほしいと願った、明るく朗らかで、ふれた人に育ってほしいという思いも込めて。

女の子の名前例: 亮子³ りょうこ

男の子の名前例: 亮太⁴ りょうた / 友亮⁴ ゆうすけ / 亮人² あきと

玲 9画

主な読み: リョウ・レイ・たま

意味: ①玉や金属がふれあって鳴る音。②透き通るように美しいようす。

願い: 玉が触れ合ったときの美しい音をイメージして、涼やかで透明感のあるたたずまいの人に。純粋で清廉、実直な人になってほしいという願いを込めて。

女の子の名前例: 玲³ れな / 玲花⁷ れいか / 美玲⁹ みれい

男の子の名前例: 玲音⁹ れおん / 玲生⁵ れお / 玲太⁴ りょうた

郎 9画

主な読み: ロウ・お

意味: ①若者。若い男子をよぶことば。②夫。③仕える人。家来。④官をよぶことば。⑤男子の名につけることば。

願い: 清らかな男子という意味もあり、伝統的な男らしい響きの名前に。好感度が抜群で、いつまでも若々しいさわやかな人になることを願って。

男の子の名前例: 琥太郎¹² こたろう / 遼太郎² りょうたろう / 翔太郎⁴ しょうたろう

俐 9画

主な読み: リ・さと・さとし

意味: かしこい。さかし。

願い: 知的で落ち着いた人に。素晴らしい洞察力と知恵であふれる賢い人に育ってほしいと願って。気品あふれる人生を切り開く人になってほしいと願って。

女の子の名前例: 思緒俐 しおり / 俐央¹⁴ りお / 俐奈⁸ りな

男の子の名前例: 俐空⁸ りく / 優俐¹⁴ ゆうり / 俐希⁷ りき

昴 9画

主な読み: ボウ・すばる

意味: すばる。星座の名。二十八宿の一つ。牡牛座のプレアデス星団。古くは王者の象徴ともされた気高い印象がある。星の名前を表す漢字。王のように多くの人の支えとなり、まわりを明るく照らしながらも、ひときわ輝きを放つ人になることを願って。星のように輝き続ける人生を歩んでいけるように。

男の子の名前例: 昴⁹ すばる / 昴瑠¹⁴ すばる / 昴琉¹¹ すばる

374

おすすめ漢字 9〜10画

漢字	主な読み	主な意味と込めたい願い	女の子の名前例	男の子の名前例
洸 (9画)	コウ・たけし・ひろ・ひろし・ふかし	**意味** ①水がわき立つようす。②勇ましいようす。③水が深く広いようす。 **願い** わき立つ水が広がっていくように、勢いがあってエネルギーに満ちあふれた人に。明感があってフレッシュで、まぶしい笑顔の人に育ってほしいという思いも込めて。	真洸（まひろ）／美洸（みひろ）／千洸（ちひろ）	洸（こう）／洸希（こうき）／洸斗（ひろと）
洵 (9画)	シュン・ジュン・のぶ・まこと	**意味** ①まことに。まこと。②ひとしい。③うず まく水。 **願い** 清らかな水の流れのように澄んだ心と穏やかな性格の人に育つようにとの思いを込めて。「シュン」や「ジュン」の音を持つ字としてはそれほど使われていないので、印象的な名前をつけることができる。	洵子（のぶこ）	洵（しゅん）／洵哉（じゅんや）／洵太（じゅんた）
珈 (9画)	カ	**意味** ①女性の髪飾り。玉をつけたかんざし。②〔珈琲（コーヒー）〕は、オランダ語koffieの音訳。 **願い** コーヒーのあて字（珈琲）にも使われる漢字。読みやすいが、一般的にはあまり使われない珍しさもポイント。古風でしゃれたイメージから、個性的でおしゃれな人になることを期待して。	美珈（みか）／亜珈里（あかり）／珈織（かおり）	珈惟（かい）／珈伊（かい）
珀 (9画)	ハク	**意味** 〔琥珀（こはく）〕は、樹脂が化石となったもの。黄色で、つやがある。 **願い** 古来から貴重なものとして大事にされ、長い月日をかけてできた宝石をイメージして、世の中の宝となるような人に厚く、人から受けた恩を忘れず受け止め、優しさをきちんと与えることができる人に。歴史に残るようなことを成し遂げてほしいという期待も込めて。	琥珀（こはく）／小珀（こはく）／瑚珀（こはく）	珀斗（はくと）／珀久（はく）／珀仁（はくと）
恩 (10画)	オン・おき・めぐみ	**意味** ①恵む。恵み。②いつくしむ。いつくしみ。③情け。 **願い** 「オン」という優しい響きや字体から、愛情や思いやりを感じさせ、優しい人のイメージ。情に厚く、人から受けた恩を忘れず受け止め、その優しさをきちんと与えることができる人に。	理恩（りおん）／詩恩（しおん）／華恩（かのん）	獅恩（しおん）／士恩（しおん）／玖恩（くおん）
夏 (10画)	カ・ゲ・なつ	**意味** ①四季の一つ。立夏から立秋までの間。太陽暦では六・七・八月。②か。中国最古の王朝名。③むかしの中国の自称。 **願い** 元気で躍動的なイメージがある漢字。夏は生命活動が最も活発な時期であるように、明るく活動的、いきいきと輝きながら人生を闊歩（かっぽ）していく人になることを願って。	小夏（こなつ）／彩夏（あやか）／夏帆（かほ）	琉夏（るか）／夏希（なつき）／夏輝（なつき）

おすすめ漢字 10〜10画

画数・漢字	主な読み	主な意味と込めたい願い	女の子の名前例	男の子の名前例
華（10画）	カ・ケ・は・はな・はる	**意味** ①草木の花。②はなやか。にぎやか。③はえる。④すぐれている。⑤中国の美称。⑥おしろい。粉。 **願い** 美しく咲きほこった花を意味することから、ゴージャスなイメージがある字。人を引きつける魅力を持った、きらびやかな人に育ってほしいという期待を込めて。	華 はな／華音 かのん／百華 ももか	瑠華 るか／華威 かい／華輝 はるき
浬（10画）	リ・かいり	**意味** 海里。海上での距離の単位。一浬は一八五二メートル。 **願い** 航海上での距離の単位である「海里」を表す字。大海原を船が悠然と進むイメージから、自分のペースを守りながら大きな夢に向かって人生を歩んでいけるようにという願いを込めて。	優浬 ゆり／万浬 まり／浬緒 りお	悠浬 ゆうり／浬恩 りおん／浬 かいり
莞（10画）	カン	**意味** ①カヤツリグサ科の多年草。むしろを織るのに用いる。②にっこり笑うよう。 **願い** 穏やかで素直、いつもニコニコしている人間味のあふれた人になれるように。優しくて、だれとでも円満な人間関係を築くことができる純粋な人になれるよう願って。	莞菜 かんな／莞奈 かんな	莞太 かんた／莞介 かんすけ／莞太朗 かんたろう
起（10画）	キ・おき・かず・たつ	**意味** ①おき上がる。立つ。立ち上がる。②身をおこす。③始める。よびおこす。気つかせる。④盛んになる。⑤始まる。⑦物事のはじめ。 **願い** 始めるという意味から、先見の明を持ち、行動力を発揮しながら先駆者、開拓者になっていける人に。新しいものを生み出すパワーを持ち、目標に向かって自ら行動を起こす人にと願って。	由起 ゆき／真起 まき／由起奈 ゆきな	悠起 ゆうき／直起 なおき／和起 かずき
桔（10画）	キツ・ケツ	**意味** 〔桔梗（ききょう）〕は、キキョウ科の多年草。白または紫色の花をつけ、根はせきどめの薬として用いる。日本では、秋の七草の一つ。 **願い** 桔梗は山野で白や紫のかわいらしい花を咲かせる日本古来の植物。その様子から、清楚でりんとした強さを持った人に成長することを願って。	桔花 きっか／桔梗 ききょう／瑞桔 みずき	桔平 きっぺい／桔兵 きっぺい
恭（10画）	キョウ・たか・たかし・ただ・ただし・のり・やす・やすし・よし	**意味** ①うやうやしい。うやまいかしこまる。つつしむ。つつしみ深い。② **願い** 謙虚な気持ちを忘れずに、冷静に自分を見つめることができるイメージ。真の自信を胸に秘めて、礼儀正しく、まわりから愛され、信頼される人気者になることを願って。	恭 きょう／恭子 きょうこ／恭果 きょうか	恭平 きょうへい／恭佑 きょうすけ／恭太郎 きょうたろう

おすすめ漢字 10〜10画

桐 (10画)

主な読み: トウ・ドウ・きり

意味: きりの木。ゴマノハグサ科の落葉高木。材は軽く、木目も美しいので、家具・げた・琴などの材料に用いる。

願い: まっすぐに伸びる桐の特徴や、「きり」という響きから、りりしい印象の名前に。素直な人柄で、心身共にしなやかに、まっすぐのびのびと育つことを願って。

女の子の名前例:
- 桐奈 きりな
- 桐花 きりか
- 桐子 とうこ

男の子の名前例:
- 桐也 とうや
- 桐真 とうま
- 桐斗 きりと

恵 (10画)

主な読み: エ・ケイ・あや・さとし・しげ・とし・めぐ・めぐみ・やす・よし

意味: ①めぐむ。ほどこす。あわれむ。②かしこい。

願い: 穏やかさと温かさのイメージがある漢字。人間の本質的な優しさを持ち、だれに対しても分け隔てなく接することのできる人に。素直で賢く、思いやりに満ちた人生を歩めることを願って。

女の子の名前例:
- 恵奈 えな
- 恵衣 けい
- 恵美 めぐみ

男の子の名前例:
- 恵人 けいと
- 恵太朗 けいたろう
- 恵介 けいすけ

桂 (10画)

主な読み: ケイ・かつ・かつら・よし

意味: ①にっけい・もくせいなど、かおりのよい木の総称。②中国の伝説で月に生えているという木。そこから「月」の別名。③カツラ科の落葉高木。良質の建材として建築・家具などに用いる。④「桂馬」の略。将棋の駒の一つ。

願い: 月桂樹にあやかり、日々の努力が実り栄誉に輝く人に。人々をひきつける魅力がある人に。

女の子の名前例:
- 桂子 けいこ
- 桂奈 けいな
- 桂 けい

男の子の名前例:
- 桂汰 けいた
- 桂吾 けいご
- 桂輔 けいすけ

兼 (10画)

主な読み: ケン・か・かね・とも

意味: ①合わせてもつ。合わせる。②遠慮する。③…しがたい。…できない。④かねて。前もって。

願い: 二つのものを併せ持つことから、多くの才能に恵まれることを願って。たくさんの友人に恵まれるように。

男の子の名前例:
- 兼続 かねつぐ
- 兼伸 けんしん
- 兼大 けんた

剣 (10画)

主な読み: ケン・あきら・つとむ・つるぎ・はや

意味: ①つるぎ。両側から刃をつけた、まっすぐで先のとがった刀。②あい口。かたこい。③剣を用いるわざ。

願い: 力強さとシャープさを併せ持つ漢字。剣のように重厚な輝きを胸に秘めて、研ぎ澄まされた感性とひらめき、しんの強さを持った人になることを願って。

男の子の名前例:
- 剣心 けんしん
- 剣士 はやと
- 剣太 けんた

悟 (10画)

主な読み: ゴ・さと・さとし・さとる

意味: ①さとる。さとり。②さとす。③さとい。かしこい。

願い: 知的で落ち着いたイメージのある漢字。道理がわかる、会得するなどの意味から物事の本質を見極める力を持ち、自分の信じた道を迷わず進んでいけるように願いを込めて。

男の子の名前例:
- 圭悟 けいご
- 悟 さとる
- 大悟 だいご

おすすめ漢字 10〜10画

倖  10画

主な読み: コウ・さいわい・さち

意味: さいわい。思いがけないしあわせ。

願い: 個性と古風な雰囲気を感じさせ、幸せがあふれるイメージの漢字。運が強く小さな幸せにも満足しながら、大きな幸せもつかむ人生を歩めるように。多くの愛情に恵まれ、その恵みをまわりの人にも分け与えられる人になることを願って。

女の子の名前例:
- 倖羽 こはね
- 倖良 さら
- 倖花 さちか

男の子の名前例:
- 倖希 こうき
- 倖士朗 こうしろう
- 倖太 こうた

晃  10画

主な読み: コウ・あき・あきら・きら・ろ・そら・てる・ひかる・ひろし・みつ

意味: ①明らか。②輝く。③光。

願い: 日光がまぶしく輝いている様子を表す。いつも陽気で朗らかで、だれからも愛されるように明るい性格になるようにという願いを込めて。まぶしいくらい輝かしい人生を自分でつかんで歩んでいけることを期待して。

女の子の名前例:
- 晃里 ひかり
- 晃子 あきこ
- 千晃 ちあき

男の子の名前例:
- 晃誠 こうせい
- 晃汰 こうた
- 晃 あきら

浩  10画

主な読み: コウ・いさむ・おおい・きよし・はる・ひろ・ひろし・ゆたか

意味: ①広く大きい。②豊か。分量が多い。

願い: 広々と広がる水面を表すことから、広い心を持ち、人生が豊かにのびのびと広がっていくように、ゆったりとしたおおらかな心を持つ人に成長するよう願いを込めて。

女の子の名前例:
- 浩美 ひろみ
- 浩華 ひろか
- 浩菜 ひろな

男の子の名前例:
- 浩輝 こうき
- 浩太 こうた
- 智浩 ともひろ

紘  10画

主な読み: コウ・ひろ・ひろし

意味: ①ひも。冠のひも。②つな。大づな。③はて。境界。④大きい。広い。

願い: 鋼のように長く続くことを表すことから、縁起のよいイメージを持つ漢字。好きなことを長く続ける集中力や粘り強さを持ち、あきらめることとのないスケールの大きい人になることを願って。

女の子の名前例:
- 千紘 ちひろ
- 万紘 まひろ
- 麻紘 まひろ

男の子の名前例:
- 紘夢 ひろむ
- 紘希 こうき
- 紘人 ひろと

耕  10画

主な読み: コウ・おさむ・たがや・つとむ・やす

意味: ①田畑の土をすきで掘り起こす。農業をする。②働いて生計を立てる。

願い: 物事の土台を大切にし、一生懸命努力を重ねる意味もあることから、自分の夢や才能の種をまき、コツコツと育てていくことができる人に。自分の信じた道を切り開いていけるように。ひたむきに物事に取り組む人になることを願って。

男の子の名前例:
- 耕基 こうき
- 耕太朗 こうたろう
- 耕一 こういち

航  10画

主な読み: コウ・わたる

意味: ①舟で水を渡る。②空中を飛ぶ。

願い: スケールが大きくて前向きなイメージがある漢字。空を渡るという意味から、広い世界を知り、器の大きな人になることを願って。まっすぐ堂々と世界へはばたいていく国際人になるように願いを込めて。

男の子の名前例:
- 航平 こうへい
- 航 わたる
- 航太朗 こうたろう

378

おすすめ漢字 10〜10画

画数・漢字	主な読み	主な意味と込めたい願い	女の子の名前例	男の子の名前例
高 10画	コウ・うえ・たか・たかし・たけ	**意味** ①たけが高い。②身分が高い。とうとい。③値段・音・価値などが高い。④りっぱ。すぐれている。気品がある。⑤人をほめることば。⑥たかぶる。おごる。⑦かさ・数量・程度などの意味を表す。**願い** 優秀、気高いなどの意味から、人柄、腕前が優れた人になることを願って。前向きで誇り高く生きる人に。		穂高（ほたか）／高弘（たかひろ）／高太郎（こうたろう）
剛 10画	ゴウ・たか・たかし・たけ・たけし・つよし・ひさ・まさ・よし	**意味** ①かたい。曲がらない。②意志が強い。③盛ん。たくましい。**願い** 勇猛果敢、強い意志を象徴するような漢字。常に自分を鍛え上げる心身の強さを持ち、簡単にはくじけずに自分の道を突き進んでいくことができる人になることを願って。		健剛（けんごう）／剛臣（たけおみ）／剛（つよし）
朔 10画	サク・きた・はじめ・もと	**意味** ①ついたち。月の第一日。陰暦で、月の第一日。②こよみ。③北の方角。**願い** 始まりを表すことから、スタートラインからいちばんにスタートできる人になるよう願って。打たれ強く何度でもチャレンジする強さを持った人に。	朔采（さあや）／朔良（さくら）／朔楽（さくら）	朔（さく）／朔弥（さくや）／朔太郎（さくたろう）
桜 10画	オウ・さくら	**意味** ①バラ科の落葉高木。日本の国花で、古くから観賞用として親しまれている。②しなみざくら。桜桃。バラ科の落葉低木。紅色の小さな実は食用となる。③鹿肉。さくら肉。④露店などで客寄せの役をする人。**願い** 古来から愛され、美しさと日本の情緒を感じさせる漢字。春の日差しのように温かい心を持った人にと願って。	美桜（みお）／里桜（りお）／桜子（さくらこ）	桜雅（おうが）／桜介（おうすけ）／桜太（おうた）
紗 10画	サ・シャ	**意味** ①うすぎぬ。地の薄い絹織物。**願い** 軽やかで優しい印象の漢字。強さとしなやかさや繊細な感性を備えた気品を感じさせる漢字であることから、人生をしなやかに送る柔軟性を持った人に。	紗弥（さや）／有紗（ありさ）／紗季（さき）	一紗（いっさ）／司紗（つかさ）
珠 10画	シュ・ジュ・ス・たま・み	**意味** ①貝の中にできるまるく美しいたま。真珠のこと。②まるいもの。③美しいもののたとえ。**願い** 美しいものを見極めることができる、澄んだまなざしを持った人に。玉のように美しい、本物の輝きを放つ人になることを願って。	珠希（たまき）／杏珠（あんじゅ）／結珠（ゆず）	蓮珠（れんじゅ）／珠吏（しゅり）／珠生（しゅう）

男の子の名前例	女の子の名前例	主な意味と込めたい願い	主な読み	画数・漢字
修 おさむ／修平 しゅうへい／修真 しゅうま	修加 しゅうか	**意味** ①清めおさめる。②学びおさめる。また、その人。③きたえおさめる。④つくろう。なおす。⑤辞典や書物をまとめる、編集する。⑥文章などを飾りととのえる。**願い** 学問技芸を身につける意味で使われることから、文芸・芸術方面での成功を願って。常に向上心を持って、目標に向かって努力する人になることを期待して。	シュ・シュウ・あつむ・おさ・おさむ・なお・のぶ・のり・ひさ	 修 10画
峻 しゅん／峻弥 しゅんや／峻大 たかひろ		**意味** ①山が高くてけわしい。②高い。③きびしい。**願い** 崇高なイメージで圧倒的な迫力でそびえ立つ様子を表すことから、心身共に堂々として何事にもぶれない心を持つ力強い人になることを期待して。気高く、だれからも一目置かれる、頼りになる大人物になれるよう願って。	シュン・たか・たかし・と・し・みね	 峻 10画
純玲 すみれ／純平 じゅんぺい／純之助 じゅんのすけ／純志 あつし	純玲 すみれ／純菜 じゅんな／花純 かすみ	**意味** まじりけがない。自然のままでかざりけがない。けがれがない。**願い** 誠実で、皆から愛される心の持ち主で穏やかな人柄、周囲に惑わされず、ありのままの自分の魅力を大切にできる人になることを願って。	ジュン・あつ・あつし・あお・すみ・いたる・きよし・すな	 純 10画
将人 まさと／将大 まさひろ／将真 しょうま		**意味** ①従える。指揮する。また、その人。②いままにも…しようとする。これから…しようとする。③それとも、もしかすると。逆接や仮定の意味を表す。④むかしの役人の階級で、近衛府の官名。**願い** りりしい武将をイメージさせる漢字。決断力や行動力を持ちながらも、困っている人に手を差し伸べる心のゆとりを持った人に。	ショウ・すすむ・たすく・ただし・はた・ひとし・ま・さ・もち	 将 10画
祥大 しょうた／祥真 しょうま／祥 あきら	祥子 しょうこ／祥季 さき／祥代 さちよ	**意味** ①めでたいこと。②きざし。しるし。めでたいことの前ぶれ。③喪明けの前の祭り。**願い** 喜びのきざしを意味することから縁起のよいイメージの漢字。小さなきざしから大きなものまで運をしっかりキャッチできる感受性を持ち、幸運に満ちた人生を送れるようにと願って。	ショウ・あきら・さか・さき・さち・さむ・ただ・やす・よし	 祥 10画
笑平 しょうへい／笑多 しょうた／笑太 しょうた	彩笑 さえ／笑果 えみか／笑里 えみり	**意味** ①わらう。えむ。②わらい。えみ。**願い** 文字どおり、いつも笑顔で幸せな人生を送めてという願いを込て。また周囲の人を笑顔にできる、明るく朗かな人に成長してほしいという思いも託して。	ショウ・え・えみ・わら	 笑 10画

漢字	画数	主な読み	主な意味と込めたい願い	女の子の名前例	男の子の名前例
晋	10画	シン・あき・くに・すすむ・ゆき	意味 ①進みのぼる。しん。②中国の王朝名。 願い 前向きで力強い印象を与える漢字。積極的で活発、自分の目標に向かって、前へ前へと突き進んでいけるようにという願いを込めて。いつも前向きに物事を考えることのできる人に。		晋太郎 しんたろう 晋吾 しんご 晋司 しんじ
真	10画	シン・さな・さね・ただ・ただし・ま・まこと・まさ・まな・み	意味 ①ほんとう。いつわりのない。②本来の姿。③まことの道。自然の道。④書法の一体。楷書。⑤頭語。 願い ポジティブで明るいイメージの漢字。誠実で飾りのないありのままの自分を信じ、前向きに生きることのできる人に。純粋でまごころのある人にと願いを込めて。「正しい・まじりけのない」などの意味を表す接頭語。	真央 まお 真奈 まな 真由 まゆ	真翔 まなと 真之介 しんのすけ 真之 まさゆき
粋	10画	スイ	意味 ①まじりけがない。もっともすぐれたもの。③くわしい。④いき。世の中や人情に通じてものわかりがよいこと。 願い 純粋さに加え、気位や肩書きがない。「粋（いき）」の意味もある。素朴で清らかな心を持ち、信じたものをまっすぐに受け止めることのできる純粋なイメージのある字。素朴で清らかな心を持ち、風流でおしゃれのセンスも抜群。人情肌で芸術的な一面も持ち併せ、きらりと光る優れた才能を持つ人になるように願って。	小粋 こいき	心粋 こいき 由粋 ゆいき
素	10画	ス・ソ・しろ・しろし・す・なお・はじめ・もと	意味 ①白い。ありのまま。かざりけのない。③根本となるもの。④もとから。ふだん。⑤本職でない。⑥身分が低い。 願い 純粋なイメージがある字。素朴で本質を見失わずに育ち、穏やかで人の心を和ませる、包容力のある人になることを願って。波乱の少ない人生になることを祈って。	素子 もとこ 素楽 そら	素直 すなお 素良 そら 素晴 すばる
泰	10画	タイ・あきら・とおる・ひろ・ひろし・やす・やすし・ゆたか	意味 ①安らか。穏やか。②広い。大きい。ゆったりとしている。③はなはだ。きわめて。 願い ゆったりと、何事にも動じないおおらかな心を持った人に。のびやかに育ち、穏やかで人の心を和ませる、包容力のある人になることを願って。波乱の少ない人生になることを祈って。	泰子 やすこ 泰葉 やすは	泰知 たいち 泰誠 たいせい 泰宏 やすひろ
哲	10画	テツ・あき・あきら・さと・さとし・のり・よし	意味 ①明らか。物の道理を明らかにする。②さとい。かしこい。物事の道理に明るく、見識の高い人。 願い 知性と才気を感じさせる聡明なイメージの漢字。物事を深く考え、豊かな教養を持ち、頭の回転の速さを生かして、人のために素早く動くことのできる人になることを願って。		哲平 てっぺい 哲也 てつや 哲大 てつた

おすすめ漢字 10〜10画

おすすめ漢字 10〜10画

桃 (10画)

主な読み: トウ・もも

意味: もも。ももの木。中国原産のバラ科の落葉小高木。春先に白色または淡紅色の花をつけ、夏に実をつける。実は食用となる。

願い: 「桃」には古来から不老長寿を与え、邪気を払う力があるとされることから、元気に健やかな成長を願っての。神秘的な雰囲気を持った人に。

女の子の名前例	男の子の名前例
桃花 ももか	桃李 とうり
桃子 ももこ	桃汰 とうた
桃菜 ももな	桃真 とうま

透 (10画)

主な読み: トウ・す・すき・とおる

意味: ①とおる。とおす。②すく。すける。物の中をぬけてとおる。

願い: さわやかな響きで、純粋でけがれのない心を持つ人に。すきとおるという意味もあることから、透明感にあふれて、頭明晰、頭の回転も速い才能あふれる人に育つよう願って。

女の子の名前例	男の子の名前例
透子 とうこ	透也 とうや
透羽 とわ	透真 とうま
透花 とうか	透 とおる

馬 (10画)

主な読み: バ・マ・メ・うま・たけし・ま・むま

意味: うま。家畜の一種。サラブレッドの颯爽としたイメージから、生命力やたくましさを感じさせる漢字。自由で勇敢、いきいきとした快活な人になることを願って。

願い: 足の速さやパワーを持ち、いつでも前向きに突き進んでいく人生を歩むことを願って。

男の子の名前例
翔馬 しょうま
悠馬 ゆうま
春馬 はるま

梅 (10画)

主な読み: バイ・うめ・め

意味: ①うめ。うめの木。中国原産のバラ科の落葉高木。早春に白色または紅色の花をつけ、初夏に果実を梅干しなどにして食用にする。②つゆ。梅の実が熟すころに降り続く長雨。

願い: 安産や結婚を祝う縁起のよい字。春の日だまりのような温かい心を持ち、だれからも愛される人にと願って。

女の子の名前例
小梅 こうめ
梅乃 うめの
梅華 うめか

隼 (10画)

主な読み: シュン・ジュン・はや・はやと・はやぶさ

意味: ①はやぶさ。ワシタカ科の鳥。鳥の仲間ではもっとも速いといわれ、むかし、たか狩りに使われる。猛鳥。②勇猛な男子にたとえる。

願い: 鋭さやスマートなイメージの漢字。物事に素早く対応できる機敏さや勇気がある人に。小惑星探査機「はやぶさ」にあやかって、一つの目標に向かってあきらめずにやり遂げる人に。

女の子の名前例	男の子の名前例
美隼 みはや	隼人 はやと
千隼 ちはや	隼 しゅん
	隼也 しゅんや

桧 (10画)

主な読み: カイ・ひのき・ひ

意味: (「檜」の略字) ①いぶき。ヒノキ科の常緑高木。庭木やいけがきに植えられ、材は、床柱・器具・鉛筆などに用いられる。②ひのき。ヒノキ科の常緑高木。日本の特産で、材は耐水力が強く、良質の建築・器具材になる。

願い: ひのきは香りがよく建材として優れていることから、何事にもくじけない、しんの強い人に。

女の子の名前例	男の子の名前例
桧菜 ひな	桧士 かいし
桧李 かいり	桧星 かいせい
桧依 ひより	桧人 かいと

おすすめ漢字 10〜10画

画数・漢字	主な読み	主な意味と込めたい願い	女の子の名前例	男の子の名前例
姫 10画	キ・ひめ	意味 ①女子の美称。②身分の高い人のむすめ。③小さなものの意味を表す接頭語。④きさき。君主の妻。⑤そばめ。君主に愛される正妻以外の婦人。 願い 高貴な女性を意味する上品な漢字。愛らしさの中にも、毅然（きぜん）とした美しさを持った人に成長してほしいという願いを込めて。	姫華 ひめか／咲姫 さき／瑞姫 みずき	
敏 10画	ビン・さと・さとし・す・む・つとむ・とし・はやし・はる・ゆき	意味 ①はやい。すばやい。②さとい。かしこい。 願い 頭の回転が速く行動が機敏、フットワークが軽く、なんでも手際よくこなせる器用さを併せ持つ人に。神経が細やかで何事にも敏感な、頭脳明晰な人になることを願って。		敏哉 としや／敏之 としゆき／将敏 まさとし
峰 10画	フ・ホウ・お・たか・たかし・ね・みね	意味 ①山のいただき。頂上。②やま。高い山。③刀の刃の背の部分。 願い 高くそびえる美しい山のイメージから、堂々とした気品を感じさせる漢字。みんなから慕われ、尊敬される人に成長することを期待して。	峰子 みねこ／萌峰 もね／彩峰 あやね	高峰 たかみね／峰史 たかふみ／一峰 かずたか
峯 10画	フ・ホウ・お・たか・たかし・ね・みね	意味 「峰」の本字。 願い 峰と同じ意味を持つが、左右対称のシャープな、よりイメージ。名高い山の頂上をめざして多くの登山者が集まってくるように、人が自然に集まってくる魅力的で包容力のある人に成長することを願って。	彩峯 あやね／峯里 みねり／峯花 みねか	峯輔 ほうすけ／峯人 みねと／峯彦 みねひこ
哩 10画	リ・まいる	意味 マイル。ヤード・ポンド法の距離を表す単位。一哩は約一・六キロメートル。 願い どこまでも続く長い道を連想させる漢字。はるか遠くをめざして歩く旅人のように、未来に夢や希望を持ち続ける人になってほしいと願って。	愛哩 あいり／杏哩 あんり／哩央 りお	海哩 かいり／有哩 ゆうり／哩玖 りく
紋 10画	ブン・モン・あや	意味 ①あや。もよう。②家ごとに決められているしるし。もんどころ。 願い 織物の模様の華やかさと、家紋のおごそかなイメージあふれる漢字。美的センスを持つ上品な印象の名前に。伝統を大切にする心を持ち、豊かにていねいに毎日を大切に生きる人になることを願って。	紋華 あやか／紋子 あやこ／紋乃 あやの	阿紋 あもん／亜紋 あもん／士紋 しもん

画数・漢字	主な読み	主な意味と込めたい願い	女の子の名前例	男の子の名前例
流 ⑩画 	リュウ・ル・しく・とも・なが・はる	**意味** ①水などが流れる。②形にならずに終わる。成立しない。③刑罰として遠くへ追いやる。④世に広まる。⑤さすらう。⑥水・電気・空気などの想や手法の違いによって生じた系統。⑦根拠のない。⑧学問や芸術などで、思⑨等級。⑩血すじ。⑪それる。はずれる。 **願い** 気配りができ、だれからも好かれる人に。	愛流 あいる／流歌 るか／流菜 るな	武流 たける／駆流 かける／流聖 りゅうせい
留 ⑩画 	リュウ・ル・ため・と・とめ・ひさ	**意味** ①ひきとめる。つなぎとめる。心にとめる。②とまる。とどまる。同じところに長くいる。③とどこおる。 **願い** 穏やかな安定感を感じさせるイメージの漢字。とどまるという意味があることから、自分の故郷や居場所をしっかり持ち、その場所をいつまでも大切に思える人に。	留里 るり／留奈 るな／留佳 るか	岳留 たける／成留 なる／留偉 るい
竜 ⑩画 	リュウ・リョウ・ロウ・き・み・しげみ・たつ・とおる・めぐむ	**意味** ①たつ。りゅう。想像上の動物。形は巨大なへびに似てかたいうろこと角をもち、雲をよび天にのぼるといわれる。②天子に関係する物事につけることば。③英雄や豪傑のこと。④名馬のこと。特別にすぐれている部屋。 **願い** 勇気と優れた知性を持ち、運をも自分の力で引き寄せる縁起のよい名前に。		竜之介 りゅうのすけ／竜聖 りゅうせい／竜輝 たつき
凌 ⑩画 	リョウ・しのぐ	**意味** ①しのぐ。相手を越える。おしのける。うわべきすじ道に勝つ。別天地にのぼる。上に出る。②うち勝つ。③ひむ。氷をたくわえておく部屋。⑤激しい。 **願い** 強さを感じさせる漢字。心身共に強靭で、ほかの人より抜きんでいるものを持つ。どんな困難にも乗り越える力を兼ね備え、自分で人生を切り開いていける人になることを願って。	凌花 りょうか／凌香 りょうか	凌大 りょうた／凌佑 りょうすけ／凌 りょう
倫 ⑩画 	リン・おさむ・とし・とも・ち・のり・ひと・ひとし・み・もと	**意味** ①人としてふみ行うべきすじ道。②友。仲間。同類。③秩序。順序。 **願い** 人の守るべき道、道理の意味もあることから、困っている人を助けや音にかわいらしさが感じられる字。素直で一途な気持ちを持った人、周囲の人に愛される人にストレートに表し、字形	倫子 りんこ／果倫 かりん／倫琉 みちる	倫太郎 りんたろう／倫都 りんと／倫弘 ともひろ
恋 ⑩画 	レン・こ・こい	**意味** こう。こい。こいしい。心がひかれる。 **願い** 人を思う気持ちをまじめな正義感を持ち、道徳を重んじながら社会貢献できる人に。思いやる心を持ち、多くの人から信頼される。いつもよい仲間に囲まれた幸せな人生を送れることを願って。長してほしいという祈りを込めて。	花恋 かれん／璃恋 りこ／恋雪 こゆき	恋 れん

おすすめ漢字 10〜10画

画数・漢字	主な読み	主な意味と込めたい願い	女の子の名前例	男の子の名前例
連 10画	レン・つ・つぎ・つら・ま	**意味** ①つらねる。つらなる。続く。②ひき続いて。続けざまに。③ひき連れる。つれ。④仲間。 **願い** 人と人のつながりや、さまざまな物事の結びつきをイメージさせることから、多くの人との出会いや触れ合い、友人や仲間を大切にする人になるよう願って。幸せが永遠に続くようにとの祈りを込めて。	果連 かれん 花連 かれん 華連 かれん	連 れん 連也 れんや 連人 れんと
朗 10画	ロウ・あき・あきら・お・さえ・ほが・ほがら	**意味** ①ほがらか。明るい。快活なようす。②明らか。はっきりしたようす。清らかなようす。③高らか。声が澄んでいるようす。 **願い** フレッシュで明るくユーモアに富んだ人にピッタリの漢字。すっきりと晴れた空のようにさわやかで快活、健康で心豊かな人に育つように。	凜太朗 りんたろう 瑛太朗 えいたろう	朗 あきら
倭 10画	イ・ワ・かず・しず・まさ・やす・やまと	**意味** やまと。むかし中国人が、日本および日本人をさして呼んだことば。②昔、日本が「倭(わ)」と呼ばれていたことから、ロマンあふれるイメージがある漢字。故郷や自分のルーツを大切に生きる人に。謙虚な姿勢で物事を見つめ、いつも心に豊かさを持った人になることを願って。 **願い** 個性的な名に。	倭伽那 わかな 倭子 わこ	倭士 やまと 琉倭 るい 倭斗 やまと
涼 10画	リョウ・すず	**意味** （「涼」の俗字）①すずしい。すずむ。②ものさびしい。③すず。 **願い** 木陰を渡る風の心地よさを連想させる漢字。さわやかで軽やかに、風のように人生を渡っていける人に。洗練されたすがすがしい印象を与える名前にぴったり。曇りのない澄みきった空のような心を持った人になることを願って。	涼香 すずか 涼音 すずね	涼 りょう 涼雅 りょうが 涼太朗 りょうたろう 涼也 りょうや
晏 10画	アン・はる・やす	**意味** ①遅い。②安らか。 **願い** 心がいつも安定し、頼りがいがあり、どんなときも落ち着いた行動がとれる、穏やかでだれからも好かれるような人に。曇りのない澄みきった空のような心を持った人になることを願って。	晏朱 あんじゅ 晏奈 はるな 晏里 あんり	晏大 はると 晏士 あんじ 晏輝 はるき
晄 10画	コウ・あき・あきら・てる・ひかる・みつ	**意味** ①明らか。②輝く。③光。 **願い** 「日」と「光」が並んだだけでも明るい印象がある字。日の光が輝く様子を表すことから、いつも笑顔で周囲の人を幸せな気持ちにさせる、朗らかな人に育ってほしいという思いを込めて。	晄 あき 晄花 こうか 晄夏 こうか	晄良 あきら 晄一朗 こういちろう 晄希 こうき

おすすめ漢字 10〜11画

栞（10画）

主な読み：カン・しおり

意味：①読みかけの本にはさんで目じるしとするもの。②案内書。手引き。③山道などを歩くときに、木の枝などを折って目じるしとするもの。

願い：文学的、芸術的な雰囲気が漂う漢字。道しるべという意味を持つことから、自分のセンスを磨きながら人の手本となり、高みをめざしていく人になることを願って。

男の子の名前例	女の子の名前例
栞太朗（かんたろう）栞多（かんた）栞汰（かんた）	栞（しおり）栞奈（かんな）栞里（しおり）

眞（10画）

主な読み：シン・さな・さね・ただし・ただ・ま・まこと・まさ・まな・み

意味：（「真」の旧字体）①ほんとう。いつわりのない。②本来の姿。自然の道。③まことの道。④書法の一体。楷書。⑤「正しい・まじりけのない」などの意味を表す接頭語。

願い：ポジティブで明るいイメージの漢字。ありのままの自分を信じて、前向きに生きる人に。純粋でまごころのある人にとの願いを込めて。

男の子の名前例	女の子の名前例
眞（まこと）蒼眞（そうま）眞大（まひろ）	眞子（まこ）眞彩（まあや）眞希（まき）

莉（10画）

主な読み：リ・レイ・まり

意味：【茉莉（まつり）】は、モクセイ科の常緑低木。ジャスミンの一種。

願い：癒やしのイメージがあり、芳香のように人を和ませ、リラックスさせるような温かい人に。愛らしくだれからも好かれる人気者になることを願って。

男の子の名前例	女の子の名前例
莉仁（りひと）莉生（りお）莉玖（りく）	莉子（りこ）莉桜（りお）莉奈（りな）

晟（10画）

主な読み：ジョウ・セイ・あきら・てる・まさ

意味：①明らか。明るく輝く。②頭脳明晰な人に。

願い：おおらかで心が広く、壮大なスケールの大きな夢に向かって一歩一歩努力する人にぴったりの漢字。明るい未来を信じて輝くような人生を送ることができるように願って。

男の子の名前例	女の子の名前例
琉晟（りゅうせい）快晟（かいせい）悠晟（ゆうせい）	

梓（11画）

主な読み：シ・あずさ

意味：①とうきささげ。ノウゼンカズラ科の落葉高木。夏に淡黄色の花が咲く。②カバノキ科の落葉高木。弓や版木をつくるのに用いる。③版木。版木で印刷する。④木工。大工。木の器質をつくる人。

願い：出版することを「上梓」ということからも、本が好きな文才のある人に育ってほしいという期待を込めて。

男の子の名前例	女の子の名前例
梓真（しづき）梓月（あずま）	梓（あずさ）梓乃（しの）梓実（あずみ）

庵（11画）

主な読み：アン・いおり・いお

意味：①いおり。隠者や僧侶の住む、質素で小さい草ぶきの住居。②風流人や文人などの雅号に用いることば。また、その住居。③料理店などの屋号に用いることば。

願い：和風で趣があり、日本情緒にあふれた個性的な名前に。落ち着いた雰囲気で趣のある、文化、芸術などで才能が開花することを願って。

男の子の名前例	女の子の名前例
庵司（あんじ）庵里（いおり）庵悟（あんご）	庵珠（あんず）庵那（あんな）庵李（あんり）

おすすめ漢字 11〜11画

惟 (11画)
主な読み: イ・ユイ・これ・ただ・た・もつ・のぶ・よし

意味: ①思う。よく考える。②限定を表すことば。③これ。この。発語のことば。

願い: 思慮深いというイメージを持つ漢字。人を思いやる心を忘れずに、分別を持ち、自らの考えで行動できる人になることを願って。

女の子の名前例:
- 結惟 ゆい
- 惟奈 ゆいな
- 芽惟 めい

男の子の名前例:
- 惟吹 いぶき
- 琉惟 るい
- 蒼惟 あおい

逸 (11画)
主な読み: イチ・イツ・すぐる・とし・はつ・はや・まさ・やす

意味: ①にげる。②いさむ。③はずれる。そびれる。④世間から身をかくす。⑤めずらしい。⑥すぐれている。ぬきんでる。⑦わがまま。⑧気楽に楽しむ。のんびりする。

願い: すり抜けるという意味から、類いまれなセンスを持ち、枠を超えて自分の信じる道を歩いていける人に。常識にとらわれない自由で独創的な発想ができる人に。

女の子の名前例:
- 逸希 いつき
- 逸香 いちか

男の子の名前例:
- 逸冴 いっさ
- 逸平 いっぺい
- 逸 すぐる

椛 (11画)
主な読み: かば・もみじ

意味: ①もみじ。秋の終わりに落葉樹の葉が、赤や黄色などに変わること。また、その葉。紅葉。②カエデ科の落葉高木の通称。

願い: 葉が花のように色づく、もみじを意味する漢字。和の趣を感じさせる名前にぴったり。紅葉した木々のように、美しく成長してほしいという願いを込めて。

女の子の名前例:
- 椛音 かのん
- 結椛 ゆいか
- 百椛 ももか

貫 (11画)
主な読み: カン・つら・つらぬ・とお・ぬき

意味: ①つらぬく。とおす。つきとおす。②やり。③銅銭に、これ以上分解しない一千枚の単位。千銭。④重量の単位。三・七五キログラム。⑤貨幣の単位。江戸時代の銭九百六十文。

願い: 始めから終わりまで一筋に通ることから、困難に直面しても自分を貫いて進めるように、力強い願いを込めて。しっかりとした強さな人になることを願って。

男の子の名前例:
- 貫吾 かんご
- 貫 かん
- 貫太 かんた

基 (11画)
主な読み: キ・のり・はじむ・はじめ・もと

意味: ①土台。②根本。③始め。起こり。④もと。コンパス。⑤化学変化のとき決まり。⑥化学変化のときに、これ以上分解しない原子集団。根。

願い: 土台という意味から、どっしりとした努力家に。日々の積み重ねを大切にする堅実な名前に。しんの通った人になることを願って。心身共にしっかりとした、強さのある人に。

男の子の名前例:
- 祐基 ゆうき
- 基成 もとなり
- 基晴 もとはる

規 (11画)
主な読み: キ・ただ・ただし・ただす・ちか・なり・のり・もと

意味: ①ぶんまわし。コンパス。②おきて。手本。③ただす。正しくする。

願い: 物事の基準を表すことから、規律を守り、人の手本になるような行いができる人に。優れた指導力を備えた、みんなから頼りにされるような人になることを願って。

女の子の名前例:
- 瑞規 みずき
- 亜規 あき
- 真規 まき

男の子の名前例:
- 晴規 はるき
- 弘規 ひろき
- 智規 とものり

おすすめ漢字 11〜11画

画数・漢字	主な読み	主な意味と込めたい願い	女の子の名前例	男の子の名前例
菊 11画	キク	**意味** キク科の多年草。品種がたくさんあり、秋に赤・黄・白などの花をさかせ、観賞用となる。 **願い** 菊は、色とりどりの花を咲かせ古くから人に愛されている。高貴の秋を代表する花。日本で凛とした美しさを持つ人に成長してほしいという願いを込めて。	菊花 きっか 菊乃 きくの 菊恵 きくえ	
啓 11画	ケイ・あきら・さとし・たか・のぶ・ひろ・ひろむ	**意味** ①導く。教え導く。②あける。はい出る。③申し上げる。お出ましになる。④先ばらいする。 **願い** 視界がぱっと明るく開けていく前向きなイメージを持つ漢字。まわりから慕われる知性と人柄を持つ人に。知的な世界への扉を自らが先頭に立って開き、着々と前へ進んでいくことを願って。	啓乃 ひろの 啓子 けいこ 啓華 けいか	啓太 けいた 啓 けい 啓夢 ひろむ
健 11画	ケン・たけ・たけし・たける・たつ・つよ・つよし・とし・まさる	**意味** ①すこやか。からだがじょうぶなこと。②強い。力が強く勇ましい。③はなはだしいこと。 **願い** 明るくはつらつとした印象を持ち、意味や響きも男の子に人気の漢字。朗らかで、心身共に健やかな成長を願って。丈夫で、病気知らずの人生を歩めるように。		健 たける 健斗 けんと 健太郎 けんたろう
絃 11画	ゲン・いと・お・つる	**意味** ①楽器に張る糸。②弦楽器をひく。③弦楽器の総称。 **願い** 音楽の才能に恵まれることを願って。弦楽器の音色のように、優美で人を引きつける魅力ある人に成長するよう、楽器の中でも琴のような和楽器のイメージを込めて。弦楽器への思いを自らも琴などは家具などをつくるのに用いる。古風な雰囲気を添えられる漢字。	絃葉 いとは 千絃 ちづる 絃 いと	真絃 まいと 絃希 げんき 絃太 げんた
梧 11画	ゴ・あおぎり	**意味** あおぎり。アオギリ科の落葉高木。夏に黄白色の花をつける。庭木や街路樹として植え、材は琴や家具などをつくるのに用いる。 **願い** 街路樹に使われる木の名を表すことから、大きな葉を茂らせ、どっしりと町を見守る安定したイメージを持つ。大きくたくましく育ち、壮大なスケールの心を持った人になることを願って。	圭梧 けいご	友梧 ゆうご 恭梧 きょうご
康 11画	コウ・しず・しずか・みち・やす・やすし・よし	**意味** ①安らか。心配ごとがない。②からだがじょうぶである。③楽しい。 **願い** 体が丈夫で安定した精神力を持ち、健やかに成長していけることを願って。仲がよい、楽しいという意味もあることから、多くの友人に恵まれ、楽しく、支え合い、相手に安らぎを与えられる人になることを願って。	康恵 やすえ	康太 こうた 康祐 こうすけ 康晴 やすはる

おすすめ漢字 11〜11画

梗 （11画） コウ・キョウ

意味 ①やまにれ。ニレ科の落葉高木。山野に自生し、とげがある。②おおむね。あらまし。③ふさがる。④強い。⑤〔桔梗（ききょう）〕は、キキョウ科の多年草の一。秋に紫色または白色の花をつける。

願い しんが通り、誠実さがある人にと願って。強い意志を持ち、信じた道を突き進む人に。

女の子の名前例
- 梗香 きょうか
- 梗子 きょうこ
- 桔梗 ききょう

男の子の名前例
- 梗一郎 こういちろう
- 梗平 きょうへい
- 梗太 こうた

彩 （11画） サイ・あや・いろど・たみ

意味 ①飾りをつける。色をつける。②飾り。③姿。ようす。美しい色模様。あや。

願い 色彩豊かなイメージのある名前に。多くの才能に恵まれ、それを上手に生かしていくことができる人に。まわりの人をひきつける魅力的な人になることを願って。

女の子の名前例
- 彩乃 あやの
- 彩葉 いろは
- 陽彩 ひいろ

男の子の名前例
- 彩太 あやた
- 彩仁 あやと
- 彩斗 あやと

菜 （11画） サイ・な

意味 ①なっぱ。あおもの。野菜。②あぶらな。〔菜の花〕は、春のいぶきを感じさせる黄色い花。③おかず。

願い あぶらな（菜の花）は、春のいぶきを感じさせる黄色い花。また、青々とした野菜のイメージから、飾らない健康的な魅力を持ってほしいという思いを込めて。

女の子の名前例
- 陽菜 ひな
- 菜月 なつき
- 菜々美 ななみ

男の子の名前例
- 日菜多 ひなた
- 陽菜太 ひなた

皐 （11画） コウ・すすむ・たか・たかし・さ

意味 ①さわ。水辺の低地。②きつき。旧暦の五月を表す字。陰暦五月の別の名。

願い 五月のさわやかな季節を感じさせる字。明るい日ざしにあふれ、いきいきとした木々の葉のようにまわりの人を元気にさせるパワーを持った人に。のびのびと成長していく生命力を持った人になることを願って。

女の子の名前例
- 皐姫 さつき
- 皐希 さつき
- 皐月 さつき

男の子の名前例
- 皐雅 こうが
- 皐平 こうへい

雫 （11画） ダ・しずく

意味 しずく。雨だれ。おもに水のしたたり。

願い しずくが落ちるというイメージから、清涼感やみずみずしさを感じさせる人に。すぐになじむことができる協調性や心の豊かさを持った人に。まわりにいく生命力を持った人になることを願って。

女の子の名前例
- 雫奈 しずな
- 雫佳 しずか
- 雫玖 しずく

男の子の名前例
- 雫空 しずく
- 雫久 しずく
- 雫 しずく

淑 （11画） シュク・とし・よし

意味 ①しとやか。上品。おもに女性の美徳について言うことば。②よい。善良。③よしとする。あこがれしたう。

願い しとやかで上品な漢字。女性の美徳を表す漢字。女性を『淑女』というように、女性らしい細やかな気配りや、美しい身のこなしができる人に成長してほしいとの思いを込めて。

女の子の名前例
- 淑乃 としの
- 淑乃 よしの

おすすめ漢字 11〜11画

淳 (11画)

主な読み: ジュン・あつ・あつし・きよ・きよし・すなお・ただし・まこと

意味: ①人情がある。真心がある。②まじりけがない。すなお。かざりけがない。

願い: まこと、素直などの意味を表すことから、純粋でまじめ、飾りけなく、思いやりに満ちた素直な人に。情に厚く人に潤いを与えることができる人になるようにという願いを込めて。

女の子の名前例: 淳奈 じゅんな／淳美 あつみ

男の子の名前例: 淳之介 じゅんのすけ／淳 じゅん／淳史 あつし

渚 (11画)

主な読み: ショ・なぎさ

意味: なぎさ。みぎわ。海辺。波打ちぎわ。

願い: 河川や海などを表すことから、さわやかで、情緒的なイメージを与えることから、夏らしい印象もあることから、青い空や潮風が似合う元気で活発な人になることを願って。

女の子の名前例: 渚 なぎさ／渚紗 なぎさ／渚沙 なぎさ

男の子の名前例: 渚生 しょう／渚斗 なぎと／渚太 しょうた

梢 (11画)

主な読み: ショウ・ソウ・こずえ・たか

意味: ①木の枝の先。はし。すえ。②物事の終わり。

願い: 細い小枝を意味することから、しなやかさを持った人に成長するように。周囲の人から愛される人になるようにとの思いを込めて。

女の子の名前例: 梢瑛 こずえ／梢 こずえ／梢恵 こずえ

男の子の名前例: 梢太 しょうた／梢平 しょうへい

渉 (11画)

主な読み: ショウ・さだ・たか・ただ・わたり・わたる

意味: ①水の中を歩いて渡る。②川を舟で渡る。③あずかる。かかわる。④あさる。広く目を通す。

願い: 困難を乗り越えて進む、より遠くへ進むという漢字。一歩ずつ着実に見聞を広げて学びながら、広い世界にかかわる人になるように。

男の子の名前例: 渉 わたる／渉悟 しょうご／渉太 しょうた

章 (11画)

主な読み: ショウ・あき・あきら・あや・たか・とし・のり・ふみ・ゆき

意味: ①もよう。②飾り。③明らかにする。あらわす。④ふみ。文書。⑤音楽や詩文のひと区切り。一段落。

願い: 物事の秩序や節目ごとのけじめを重んじる意味もあることから、まじめで勤勉、規則正しい生活を送れる人に。努力を惜しまず成功していく人になることを願って。詩文の意味もあることから、文才が豊かな人に。

女の子の名前例: 章圭 あきか／章乃 あきの／章子 あきこ

男の子の名前例: 章斗 あきと／章吾 しょうご／章太郎 しょうたろう

菖 (11画)

主な読み: ショウ

意味: ①せきしょう。サトイモ科の多年草。水辺に生える草花の一種。②あやめ。花しょうぶ。

願い: せきしょうは薬草として用いられ、しょうぶはその芳香が邪気をはらうと言い伝えられる植物。凛とした美しさを持ち、心身共に健康な人に育ってほしいという願いを込めて。

女の子の名前例: 菖 あやめ

男の子の名前例: 菖太郎 しょうたろう／菖太 しょうた

おすすめ漢字 11〜11画

深 (11画)
主な読み: シン・とお・ふか・ふみ・み

意味
①氷がふかい。②おくぶかい。底がふかい。③夜がふけている。④色が濃い。⑤厚い。ねんごろな。⑥深いの意味を表す接頭語。

願い 物事をじっくりと緻密に考えることができる思慮深い人になってほしいという期待を込めて。また、上品で奥ゆかしい人に成長するようにとの願いも。

女の子の名前例: 深結（みゆ）／深優（みゆ）／恵深（めぐみ）

男の子の名前例: 深月（みつき）／深（しん）

紳 (11画)
主な読み: シン

意味
①おおおび。身分の高い人が礼装に着用した帯。②身分の高い人。③教養や徳などの備わった人。

願い 教養や品格のある高貴な男性のイメージ。エチケットをわきまえたスマートで知的なジェントルマン、誠意を尽くして事にあたられる人になるようにと願って。

男の子の名前例: 瑛紳（えいしん）／紳之介（しんのすけ）／紳一郎（しんいちろう）

進 (11画)
主な読み: シン・す・すす・すすむ・のぶ・みち・ゆき

意味
①すすむ。すすめる。②のぼる。階級や地位があがる。③向上する。④すすめて行わせる。⑤さしあげる。たてまつる。⑥状態がひどくなる。⑦むかしの役人の階級で、職・坊の四等官のうちの三番目の地位。

願い 自ら道を切り開く向上心と積極性を持ち、一歩ずつ確実に前進する人になることを期待して。

男の子の名前例: 龍之進（りゅうのしん）／進太（しんた）／進（すすむ）

清 (11画)
主な読み: ショウ・シン・セイ・きよ・きよし

意味
①きよらか。澄む。②けがれがない。③すがすがしい。さっぱりして気分がよい。④きれいにする。洗い清める。⑤清らか。⑥俗でない。⑦しん。中国の王朝名。

願い 清らかで清潔な印象がある漢字。澄んだ心を持ち穏やかな人柄、清涼感あふれるすがすがしい魅力を持った人になることを願って。

女の子の名前例: 清佳（きよか）／清良（せいら）／清香（せいか）

男の子の名前例: 清志郎（きよしろう）／清貴（きよたか）／清弥（せいや）

雪 (11画)
主な読み: セチ・セツ・きよみ・きよむ・そそぐ・ゆき

意味
①ゆき。ゆきが降る。②白い色。雪のように白いようす。③清い。④洗い清める。

願い 白く美しい様子から、純粋で清楚な心の持ち主に。すぐに、清める意味もあることから、清潔感とクールさを併せ持つ、さわやかできれいな心の持ち主に。素直で真っ白な心の持ち主になることを願って。

女の子の名前例: 紗雪（さゆき）／小雪（こゆき）／雪乃（ゆきの）

男の子の名前例: 雪斗（ゆきと）／雪那（せつな）／雪都（ゆきと）

爽 (11画)
主な読み: ソウ・あきら・さ・さや・さわ

意味
①さわやか。さっぱりして気持ちのよいようす。②勢いがよい。③明らか。夜明けの明るさ。

願い すっきりして気持ちがよい様子を表すことから、明るくさっぱりした性格、さわやかで優しい人に。笑顔がすてきで、だれからも好かれる快活な雰囲気を持った人になることを願って。

女の子の名前例: 爽良（そら）／爽歌（さやか）／爽楽（さら）

男の子の名前例: 爽汰（そうた）／爽輔（そうすけ）／爽（そう）

男の子の名前例	女の子の名前例	主な意味と込めたい願い	主な読み	画数・漢字
琢磨 たくま 琢斗 たくと 琢海 たくみ		**意味** ①玉を美しくきざみがく。②努力して勉学して学問や技術をみがく。 **願い** 努力して勉学して学問や技術を磨くという意味を持つことから、人一倍努力を重ね、常に自分を磨き続けることができる人に。まじめで堅実、頭の回転が速い人になるよう願って。	タク・あや・たか・みがく	 11画
飛鳥 あすか	美鳥 みどり	**意味** 鳥類の総称。 **願い** 力強くはばたき、大空を舞う鳥のイメージから、自由にのびのびと育つようにとの願いを込めて。また将来、広い世界で活躍できるようにという期待を込めて。	チョウ・とり	 11画
紬希 つむぎ 紬生 つむぎ	紬 つむぎ 紬稀 つむぎ 紬衣 つむぎ	**意味** ①真綿をつむいだ糸で織った絹織物。②つむぐ。まゆから糸をひき出す。 **願い** 紬は、絹織物の中でも非常に丈夫で庶民に愛された織物。そのことから、素朴で健康的な人に育つようにとの願いを込めて。また糸から布を織るように、こつこつと自分の夢に向かって進むようにとの思いも託すことができる。	チュウ・つむぎ	 11画
瑛都 えいと 湊都 みなと 結都 ゆいと	都 みやこ 景都 けいと 瑚都 こと	**意味** ①みやこ。②大きな町。③すべて。みな。④みやびやか。美しい。⑤[行政区画の一つ。「東京都」の略]。 **願い** みやびで華やかなイメージ。人が集まる華やかな場所でも自分の存在や意見を主張できる人に。人をまとめ統率することができる人になることを願って。洗練された雰囲気に。	ツ・ト・いち・くに・さと・ひろ・みやこ	 11画
惇人 あつと 惇平 じゅんぺい 惇志 あつし		**意味** ①人情にあつい。②まごころ。 **願い** 心が落ち着いてあつい人に。実直な姿勢で物事に向かい、懐が深く、だれからも好かれる人になることを願って。	ジュン・トン・あつ・あつし・すなお・とし・まこと	 11画
捺希 なつき 捺生 なつき	智捺 ちな 捺貴 なつき 捺美 なつみ 捺希 なつき	**意味** おす。手でおさえつける。 **願い** やわらかな仕草ながらしっかりと押さえる様子を表す漢字。そのことから、やわらかな物腰であリながら、自分の意思をきちんと通すことができる人に成長するようにとの思いを込めて。	ダツ・ナツ	11画

おすすめ漢字 11〜11画

392

おすすめ漢字 11〜11画

埜 (11画)
主な読み: ショ・ヤ・ぬ・の・ひろ

意味: ①〔野〕の古字。①のはら。広々としたところ。②畑。耕地。③未開。人知や文化が開けていないこと。④民間。⑤自然のまま。だいそれた。⑥いなかびた。いやしい。⑦分に過ぎる。⑧区域。範囲。

願い: おおらかな人柄、素朴で飾らず自分の信じた道をしっかり歩いていける人に。健やかにのびのびとした成長を願って。

女の子の名前例:
- 埜乃花 ののか
- 埜愛 のあ
- 彩埜 あやの

男の子の名前例:
- 和埜 かずや
- 雅埜 まさや
- 直埜 なおや

彬 (11画)
主な読み: ヒン・あき・あきら・あや・しげし・ひで・よし

意味: 〔彬彬（ひんぴん）〕は、文（かざり）と質（なかみ）とがよく調和しているようす。外形も内容もともにすぐれているようす。

願い: 樹木の並んだようすな美しい字体。賢くて優しいイメージで、外見も内面も整った人になれることを願って。心の豊かさを持った人に。

女の子の名前例:
- 彬乃 あきの

男の子の名前例:
- 彬仁 あきひと
- 晴彬 はるあき
- 光彬 みつあき

萌 (11画)
主な読み: ホウ・ボウ・ミョウ・きざし・め・めぐみ・めみ・も

意味: ①きざし。事の起こり。②草木が芽を出す。芽ばえ。

願い: 新しいことのスタートや誕生を意味することから、いつもフレッシュな気持ちを抱き、明るく希望に満ちた人生を送れるようにという願いを込めて。

女の子の名前例:
- 萌々花 ももか
- 萌絵 もえ
- 萌衣 めい

男の子の名前例:
- 萌斗 もえと
- 萌希 もえき
- 萌 きざし

望 (11画)
主な読み: ボウ・モウ・のぞむ・み・もち

意味: ①遠くを見る。ねがう。③ほまれ。人気。②満月。陰暦十五日の月。④人気や評判という意味もあることから、人望のある人になるように願って。ロマンに満ちて、努力して望みをかなえる強い意志を期待して。多くの可能性を力にかなえる人になるように。

願い: 夢をかなえる人になるように。

女の子の名前例:
- 望結 みゆ
- 七望 ななみ
- 望美 のぞみ

男の子の名前例:
- 望 のぞみ
- 巧望 たくみ
- 望海 のぞみ

麻 (11画)
主な読み: マ・あさ・お・ぬさ

意味: ①あさ。クワ科の一年草。茎の皮から繊維をとり、糸・布をつくる。②あさいと。あさぬの。③しびれ。しびれる。④未開。⑤いなかびた。いやしい。⑥自然の温かさを感じさせ、丈夫でしなやか、まわりを包み込むような優しさを持つ人になることを願って。

願い: 自然の温かさを感じさせ、丈夫でしなやかな人に。

女の子の名前例:
- 麻央 まお
- 麻衣 まい
- 恵麻 えま

男の子の名前例:
- 麻陽 あさひ
- 透麻 とうま
- 麻人 あさと

野 (11画)
主な読み: ショ・ヤ・ぬ・の・ひろ

意味: ①のはら。広々としたところ。②畑。耕地。③未開。人知や文化が開けていないこと。④民間。⑤自然のまま。だいそれた。⑥いなかびた。いやしい。⑦分に過ぎる。⑧区域。範囲。

願い: 広い野原のイメージから、明るく自然と親しみ、心身ともにのびのび成長する元気な人になることを願って。

女の子の名前例:
- 野乃花 ののか
- 彩野 あやの
- 志野 しの

男の子の名前例:
- 野亜 のあ
- 颯野 そうや

おすすめ漢字 11〜11画

画数・漢字	主な読み	主な意味と込めたい願い	女の子の名前例	男の子の名前例
 唯 11画	イ・ユイ・ただ	**意味** ①ただ。それだけ。②はい。返事の声。**願い** 大切な人という気持ちを込めて、唯一無二の存在であることを伝えるメッセージとしてつけたい漢字。素直でのびのびと成長していく人に。魅力的な個性と存在感を持ち、自分自身を大切にしながら生きてほしいという願いを込めて。	唯花 ゆいか／唯菜 ゆいな／葵唯 あおい	唯人 ゆいと／唯織 いおり／斗唯 とうい
 悠 11画	ユウ・ちか・はるか・ひさし	**意味** ①はるか。遠い。久しい。②ゆったりしている。**願い** 広大な風景や時の流れを表す。ゆったり落ち着いた印象で、スケールの大きさを感じられる漢字。いつも自然体でのびやかにマイペースで、笑顔がたえない人に。	悠月 ゆづき／悠 はるか／真悠 まゆ	悠真 ゆうま／悠斗 ゆうと／悠希 はるき
 梨 11画	リ・なし	**意味** なしの木。なしの実。中国原産のバラ科の落葉高木。春に白い花がさき、秋に水分の多い甘い実をつける。果実は食用。**願い** 果樹がたわわに実っているイメージから、豊かな才能や感性を持ち、多くの人に優しさを分けることができる人になれることを願って。	梨乃 りの／梨緒 りお／梨花 りか	梨功 りく／梨仁 りひと／梨音 りおん
 理 11画	リ・おさむ・すけ・たか・ただ・ただし・とし・のり・まさ・みち	**意味** ①とりあつかう。②筋道。③分かる。さとる。④筋目。物の表面にあるもよう。⑤自然科学のある漢字。**願い** 知的なイメージがある漢字。理性があり、知性豊かで、理解力に優れ、義理人情を重んじる人になるよう願いを込めて。物事の道理を理解し、筋道を立てて考えることができる人に。	理央 りお／理子 りこ／理紗 りさ	理央 りお／理仁 りひと／理玖 りく／理 おさむ
 陸 11画	リク・ロク・あつし・たか・し・ひとし・みち・む・むつ	**意味** ①水面より高く続く台地。②続くようす。③証書などに書く数字の「六」の代用字。**願い** どこまでも続く大地に思いをはせるスケールの大きなイメージ。おおらかさや心の広さを感じさせる名前に。まっすぐきちんとしているなどの意味から、地にしっかりと足をつけた安定感のある人になることを願って。		陸斗 りくと／陸也 りくや／陸玖 りく
 琉 11画	リュウ・ル	**意味** ①〔琉璃（るり）〕は、宝石の名。七宝の一つ。ガラスの古いおよび紺青色の宝石。また、宝石の古いおよび紺青色の宝石。②琉球のこと。沖縄県の古いよび名。**願い** きれいな字体で、さわやかな南国のイメージの漢字。青い海や空をイメージして使われることも多い。青く深く澄んだ美しい海のような広い心を持ち、暖かい風のように優しい人にと願って。	愛琉 あいる／琉那 るな／琉花 るか／琉生 るい／琉花 るか	琉斗 りゅうと／羽琉 はる

394

おすすめ漢字 11〜11画

隆（11画）
主な読み: リュウ・オ・シゲ・タカ・たかし・お・ゆたか

意味: ①盛り上がって高い。高くなる。②身分や官職がとうとい。③盛ん。盛んにする。

願い: 豊か、大きい、尊いなどの意味があることから、家業がますます豊かに栄えることを願って。勢いがあって上昇するエネルギーを表す縁起のよい漢字。人生のさまざまな場面で上昇できる人になることを願って。

男の子の名前例: 隆之介（りゅうのすけ）、隆成（りゅうせい）、隆広（たかひろ）

梁（11画）
主な読み: リョウ・はり・やな・はし

意味: ①川にかけ渡した木の橋。②屋根を支えるために二本の支柱の上に渡す横木。③水中に木や竹などを並べ立てせきとめて魚をとるしかけ。④りょう。中国の王朝名。

願い: 川にかけた橋を表すことから、国際社会で国や人をつなぐかけ橋になり活躍することを期待して。

女の子の名前例: 梁奈（りょうな）、梁夏（りょうか）、梁佳（りょうか）

男の子の名前例: 梁（りょう）、梁輔（りょうすけ）、梁太（りょうた）

涼（11画）
主な読み: リョウ・すず

意味: ①すずしい。すず しさ。②ものさびしい。③すずむ。

願い: 木陰の涼しい風の心地よさを感じさせる字。清涼感のある響きで、さわやかな印象のある名前に。好感度が高く、優れた知性と表現力を持った、純粋な人になることを願って。

女の子の名前例: 涼子（りょうこ）、涼夏（すずか）、未涼（みすず）

男の子の名前例: 涼介（りょうすけ）、涼太（りょうた）、涼晴（りょうせい）

陵（11画）
主な読み: リョウ・みささぎ

意味: ①大きなおか。みささぎ。天子や皇妃の墓。②しのぐ。のぼる。相手より上に出る。④し

願い: 越えるのが困難な様子を表すことから、だれにも越えられない高みに行けることを願って。なだらかなイメージから、心の広さを感じさせる包容力のある人になれるように。

男の子の名前例: 陵（りょう）、陵介（りょうすけ）、陵雅（りょうが）

凰（11画）
主な読み: オウ・おおとり

意味: おおとり。くじゃくに似た想像上の霊鳥。凰はおおとりの雌、鳳はおおとりの雄。

願い: めでたい鳥を表すことから、大きな翼を広げて天高く自由に飛ぶことのできる人生を願って。幸運を招く運を持っていて、格調高く高貴な印象の名前に。

女の子の名前例: 凰花（おうか）、凰佳（おうか）、莉凰（りお）

男の子の名前例: 玲凰（れお）、眞凰（まお）、凰介（おうすけ）

彗（11画）
主な読み: エ・ケイ・スイ

意味: ①ほうき。②はく。③ほうき星。彗星（すいせい）。

願い: 彗星のロマンに満ちたイメージと、スケールの大きさや神秘的な印象を感じさせる漢字。夜空にきらめきと宇宙のようなきらならかな大きさを持ち併せ、だれからも好かれる人になることを願って。

女の子の名前例: 彗（すい）、彗玲奈（えれな）

男の子の名前例: 彗（けい）、彗太（けいた）、彗斗（けいと）

おすすめ漢字 11〜11画

徠 (11画)
主な読み: ライ・き・きた・く・ゆき

意味: (「来」の古字)
① こちらに近づく。② 招く。③ 次の。この、これから先。④ このかた。今まで。

願い: 将来や未来をイメージさせる漢字。好奇心と柔軟な発想力を持ち、未来へ向かって着実に前へ進めるように。また、次の世代にきちんと伝承していけるものを身につけることを願って。

女の子の名前例: 愛徠 (あいら)、未徠 (みく)、美徠 (みらい)
男の子の名前例: 徠 (らい)、徠夢 (らいむ)、徠希 (らいき)

梛 (11画)
主な読み: ダ・ナ・なぎ

意味: なぎ。暖地に自生するマキ科の常緑高木。木目が細かく、家具などに用いられる。

願い: なぎは神木とされ、よく神社の境内に植えられている漢字から、清らかで神聖なイメージから、穏やかな性格の子に育ち、神様から守られた安楽な人生が送れるようにといった祈りを込めて。

女の子の名前例: 心梛 (ここな)、結梛 (ゆな)、愛梛 (まな)
男の子の名前例: 梛 (なぎ)、梛音 (なおと)、聖梛 (せな)

毬 (11画)
主な読み: キュウ

意味: ① まり。② まりの形をしたもの。③ いが。とげの密生している外皮。

願い: 日本に古くからあるおもちゃの「まり」を表す漢字。色とりどりの糸で美しく模様がほどこされた手まりのイメージから、繊細で優しい人となることを願って。

女の子の名前例: 毬花 (まりか)、毬亜 (まりあ)、日毬 (ひまり)

笙 (11画)
主な読み: ショウ・セイ

意味: しょうのふえ。長短十七本の竹の管を立て並べた管楽器。雅楽に使める。

願い: 日本古来の音楽にまつわる漢字で、和の心を伝える伝統的な印象を名前に。ゆったりした大河の流れを感じられるおおらかな人に。複数の竹管が響き合って澄んだ音を出すことから、協調性があり、高貴な心を持つ人にと願って。

女の子の名前例: 笙花 (しょうか)、笙子 (しょうこ)、笙 (しょう)
男の子の名前例: 笙真 (しょうま)、笙汰 (しょうた)、笙吾 (しょうご)

絆 (11画)
主な読み: ハン・バン・きずな

意味: ① ものをつなぎとめるもの。② 強い結びつき。③ つなぐ。つなぎとめる。

願い: 人とのつながりを意味する漢字。人と人のつながり、縁を大切にして心と心のつながりを築ける人に。約束を守り、信頼にこたえられる人になることを願って。

女の子の名前例: 絆菜 (はんな)、絆那 (きずな)、絆奈 (はんな)
男の子の名前例: 絆 (きずな)、絆希 (きずき)、絆人 (はんと)

羚 (11画)
主な読み: レイ・リョウ

意味: かもしか。やぎに似た動物で、雌雄とも二本の短い角をもつ。

願い: 独特の字形でインパクトのある個性的な名前にぴったり。かもしかは、軽やかで姿が美しいことから、俊敏でしなやかに何事もこなせる器用さを身につけた人に。クールで健康的な人になることを願って。

女の子の名前例: 羚蘭 (れいら)、羚夏 (れいか)、羚那 (れいな)
男の子の名前例: 羚 (れい)、羚央 (れお)、羚司 (れいじ)

おすすめ漢字 11〜12画

菫 (11画) キン・すみれ

意味 ①すみれ。スミレ科の多年草。春、むらさきの花をつける。②とりかぶと。キンポウゲ科の多年草。毒草の一種。③むくげ。アオイ科の落葉低木。

願い 野山に咲く紫色の小さな菫（すみれ）の花のイメージから、素朴なかわいらしさを持ち、だれにでも愛される人に育ってほしいという願いを込めて。

- 女の子の名前例: 菫礼（すみれ）、菫玲（すみれ）
- 男の子の名前例: 菫（すみれ）

逞 (11画) テイ・たくま

意味 ①たくましい。たくましくする。強い。②たくましままにする。思いどおりにする。

願い たくましく、勢いがあるイメージの漢字。心身共に丈夫で、腕白だけど力強い精神力を持った人になるよう願って。快い、楽しいなどの意味もあることから、楽しく朗らかな明るい人生を歩めるように。

- 男の子の名前例: 逞真（たくま）、逞翔（たくと）、逞（たくま）

葵 (12画) キ・あおい・まもる

意味 ①あおい。アオイ科の多年草。観賞用の植物。②【向日葵（こうじ）】は、ひまわり。

願い 落ち着いた品格がある美しさが際立つ人に。徳川家の家紋「三葉葵（みつばあおい）」でも知られる和をイメージする漢字。穏やかで気品のある人に成長してほしいという思いを込めて。

- 女の子の名前例: 葵（あおい）、陽葵（ひまり）、紗葵（さき）
- 男の子の名前例: 陽葵（はるき）、葵羽（あおば）、瑞葵（みずき）

絢 (12画) ケン・あや

意味 あや。いろどり。織物の美しいもよう。色を折り重ねた美しい柄のように、深みのある美しさ。

願い 彩りや深みのある人生を送れるように。華やかな人生が送れるように。いろいろな体験を通して、個性的な魅力を醸し出す人に。という願いを込めて。

- 女の子の名前例: 絢音（あやね）、絢香（あやか）、絢乃（あやの）
- 男の子の名前例: 絢斗（けんと）、絢士（あやと）、絢介（けんすけ）

偉 (12画) イ・いさむ・えら・おおい・たけ

意味 ①えらい。すぐれている。②りっぱ。③大きい。からだつきがりっぱ。

願い 非常に優れていて、大きくて立派なイメージの漢字。心身のスケールの大きさが感じられ、立身出世し、まわりから尊敬されるような人になるように願って。

- 男の子の名前例: 琉偉（るい）、偉月（いつき）、碧偉（あおい）

雲 (12画) ウン・くも・も

意味 ①くも。②くものようなものの形容。ただよう、高い、多い、盛ん、遠いなどのようす。③身分の高いことのたとえ。④空。天。

願い さまざまに形を変えながら大空に浮かぶ雲の様子から、おおらかで想像力豊かな人に。のびのびと成長し、自分の好きなことに才能を発揮できるようにとの期待も込めて。

- 女の子の名前例: 美雲（みくも）、美雲（みく）
- 男の子の名前例: 羽雲（わく）、早雲（そううん）、八雲（やくも）

おすすめ漢字 12〜12画

瑛（12画）

主な読み: エイ・あき・あきら・てる

意味:
① 美しい透明な玉。
② 玉の光。

願い: 水晶のように透明で美しいイメージの漢字。純真無垢な心根とキラリと光る個性を兼ね備えた人に。幻想的で気品があり、優しい心でまわりの人に癒やしを与えられる人に。

女の子の名前例:
- 奏瑛 かなえ
- 彩瑛 さえ
- 瑛麻 えま

男の子の名前例:
- 瑛太 えいた
- 瑛斗 えいと
- 瑛士 あきと

詠（12画）

主な読み: エイ・うた・よ

意味:
① 声を長くのばし、ふしをつけて漢詩や和歌をうたう。
② 漢詩や和歌などを声に出す。
③ 感動などを声に出す。

願い: 漢詩や和歌を吟じたり創作したりするという意味から、古風な印象の漢字。ゆったりと穏やかな性格で、文学や芸術に関心や才能がある人に育ってほしいという期待を込めて。

女の子の名前例:
- 詠美子 えみこ
- 詠梨 えり
- 詠 うた

男の子の名前例:
- 詠斗 えいと
- 詠介 えいすけ
- 詠太 えいた

温（12画）

主な読み: オン・あつ・あつし・すな・お・のどか・はる・みつ・ゆたか

意味:
① あたたかい。あたたかさ。あたためる。
② 穏やか。なごやか。やさしい。
③ たずねる。復習する。
④ すなお。

願い: 寛大さや優しさを表す漢字。穏やかで優しく温かい気持ちを持ってでたいこと、よろこび。
心の温かさで人を包み込んであげられるような、だれからも好かれる人になることを願って。

女の子の名前例:
- 千温 ちはる
- 温香 はるか
- 心温 しおん

男の子の名前例:
- 温大 はると
- 志温 しおん
- 温志 あつし

賀（12画）

主な読み: カ・ガ・しげ・のり・ます・よし・より

意味:
① よろこぶ。こと・ありさまなどを祝いでたいこと、よろこび。
② めでたいこと、よろこび。

願い: 「賀正」「慶賀」など、めでたさを表す縁起のよい意味を持つ漢字。喜びに満ちた人生に成長することを願って。幸せな人生を送ってほしいという親の祈りを託して。

女の子の名前例:
- 千賀 ちか
- 彩賀 あやか
- 晴賀 はるか

男の子の名前例:
- 悠賀 ゆうが
- 亮賀 りょうが
- 大賀 たいが

絵（12画）

主な読み: エ・カイ

意味:
① え。物の姿・形を描いたもの。
② 描く。

願い: 美術や芸術を連想させる漢字。豊かな感性と美的センスを持った人のことを願って。また、キャンバスに絵筆を走らせるように、自分の人生を自由にのびのびと描いてほしいという思いを託して。

女の子の名前例:
- 彩絵 さえ
- 絵麻 えま
- 絵里香 えりか

開（12画）

主な読み: カイ・あ・さく・はる・はるき・ひら・ひらき

意味:
① 閉じているものを広げる。
② 文化が進む。ひらく。
③ 始める。始まる。
④ ひらく。
⑤ おひらき。閉会のことば。
⑥ へだたり。
⑦ 手足を広げて立つ。

願い: 自分で未来を切り開いていける人に。光が差し込むように明るく開放的な魅力を持ち、前を向いて歩く開拓者、先駆者になることを願って。

男の子の名前例:
- 開斗 かいと
- 開 かい
- 開誠 かいせい

398

画数・漢字	主な読み	主な意味と込めたい願い	女の子の名前例	男の子の名前例
凱 12画	カイ・ガイ・たのし・とき・よし	【意味】①かちどき。戦いに勝って喜ぶときの声や音楽。②かちいくさ。勝戦。③やわらぐ。なごやか。 【願い】スケールの大きさを感じさせる漢字。人生を意気揚々と楽しみながら歩んでいける人に。喜びのイメージから、あらゆることの成功を願い歓喜に満ちあふれる人生になることを願って。		凱士 かいと / 大凱 たいが / 凱也 ときや
敢 12画	カン・あ・いさみ・いさむ	【意味】①あえて。進んでする。②勇ましい。強い。③思いきりがよい。 【願い】勇ましく思いきって行動を起こす人に。困難にも勇気を持って立ち向かう精神力と実力を持った人になることを願って。判断力や決断力の優れた人に。		敢 かん / 敢士 かんじ / 敢太 かんた
喜 12画	キ・このむ・たのし・のぶ・はる・ひさ・ゆき・よし・よろこ	【意味】①よろこぶ。うれしい。うれしがる。②おかしい。楽しい。 【願い】人に喜びをもたらし、広い心で人に接することができ、うれしさや楽しみを分かち合える人に。喜びの多い人生を歩むことができるようにという願いを込めて。誕生の喜びと祝福の気持ちを込めてつけたい。	結喜 ゆき / 咲喜 さき / 喜衣 きい	晴喜 はるき / 恒喜 こうき / 喜紀 よしき
幾 12画	キ・いく・おき・ちか・ち・かし	【意味】①いくばく。いくつ。どれほど。②ほとんど。ちかい。③きざし。きざす。④こいねがう。ねがう。 【願い】数を問う意味を表すことから、探究心や向上心が旺盛な人に成長し、いつも前向きに人生を歩んでほしいという思いを込めて。	幾帆 いくほ	幾翔 いくと / 幾也 いくや / 幾斗 いくと
揮 12画	キ	【意味】①ふるう。ふりまわす。ふるいおこす。②飛び散る。まき散らす。③さしずする。 【願い】統率力に優れ、さまざまな分野のリーダーとして、実力を余すことなく発揮できる人に。指揮者のイメージから、人々に頼られ、多くのことを瞬時に判断できる力を持ち、大きな感動を与えることのできる人になることを願って。		大揮 だいき / 尚揮 なおき / 悠揮 ゆうき
稀 12画	キ・ケ・まれ	【意味】①めったにない。珍しいこと。②まばら。薄い。 【願い】めったにない、貴重なことを表す。類いまれなる存在感があり、際立つ感性と個性がきらりと光る人に育つように願って。親にとってかけがえのない存在であることを伝えたい。	由稀 ゆき / 稀衣 きい / 早稀 さき	柚稀 ゆずき / 遥稀 はるき / 光稀 みつき

おすすめ漢字 12画〜12画

画数・漢字	主な読み	主な意味と込めたい願い	女の子の名前例	男の子の名前例
貴 12画 	キ・あつ・あて・たか・たかし・たけ・たっと・とうと・よし	意味 ①値段が高い。すぐれた値打ちがある。②身分が高い人。③うやまう。たいせつにする。④相手への尊敬の気持ちを表すことば。 願い 貴いもの、身分が高い人などを表す、誇り高く上品なイメージの漢字。落ち着いた気品のある振る舞いができる、賢い人に成長してほしいという期待を込めて。	彩貴 さき / 結貴 ゆき / 貴穂 きほ	大貴 だいき / 悠貴 ゆうき / 貴弘 たかひろ
暁 12画 	ギョウ・あき・あきら・あけ・さとし・さとる・とき・とし	意味 ①あかつき。夜明け。②さとる。よく知る。 願い 夜明けの空を表すことから、すがすがしく明るく希望にあふれる未来に向かって前向きに歩き出す人になれるようにという思いを込めて。目標を失わず、成功を重ねていけるような、しんの強い人になることを願って。	暁音 あきね / 暁美 あけみ / 暁帆 あきほ	暁斗 あきと / 暁 さとる / 暁人 あきと
琴 12画 	キン・ゴン・こと	意味 ①弦楽器の一種。箱形の胴の上に弦を張ったもの。日本では、十三弦の琴をさす。②琴に似た楽器。 願い 琴が奏でる、美しい音色のイメージから、しとやかで古風な趣のある人に育ってほしいという期待を込めて。	琴音 ことね / 美琴 みこと / 琴羽 ことは	真琴 まこと / 海琴 みこと
敬 12画 	ケイ・あき・あつ・さとし・たか・たかし・とし・ひろ・ひろし	意味 ①うやまう。たっとぶ。②つつしむ。つつしみ。 願い 礼儀正しくまじめで、誠実で、だれからも尊敬される人に。相手を敬い、相手からも敬われる存在になることを願って。	敬子 けいこ	敬太 けいた / 敬吾 けいご / 敬章 たかあき
景 12画 	エイ・ケイ・あきら・かげ・ひろ	意味 ①光。日光。②かたち。ありさま。③けしき。④うやまう。⑤めでたい。大きい。⑥景。⑦みずぐ。 願い 明るく雄大な風景を連想させることから、おおらかで広い心を持ち、すべてを包み込むような優しさが身についている人に。風情や落ち着きがある人になることを願って。	千景 ちかげ / 景子 けいこ / 景都 けいと	景太郎 けいたろう / 景太 けいた / 景士 けいし
結 12画 	ケチ・ケツ・ひとし・むすぶ・ゆ・ゆい・ゆう	意味 ①むすぶ。つなぐ。糸やひもでつないで一つにまとめる。②集まる。③むすびつく。④終わる。 願い 日々の努力が実を結び、成功をつかみ取れる人になることを願って。人との結びつきを大切にし、優しい思いやりのある人間関係を築くことができるように願って。	結愛 ゆあ / 結衣 ゆい / 結菜 ゆいな	結斗 ゆいと / 結人 ゆうと / 結馬 ゆうま

おすすめ漢字 12〜12画

堅（12画）
主な読み：ケン・かき・かた・たか・たかし・つよし・み・よし

意味：①かたくて強い。②しっかりしている。③まじめで堅実、しっかりと。

願い：まじめで堅実、しっかりしている性格で、信用できる人物に。信念を持って物事にあたり、充実した成果を出すことができる人になれることを願って。心身共に丈夫で立派であるようにという祈りを込めて。

男の子の名前例：堅人（けんと）、堅（けん）、堅心（けんしん）

湖（12画）
主な読み：コ・みずうみ

意味：①みずうみ。②中国ではとくに洞庭湖（湖南省）にある名勝をさす。

願い：澄んだ水をたたえる大きな湖のように、心が広い豊かな人に育ってほしいという願いを込めて。静かな水面のイメージから神秘的で穏やかで優しい人に。湖のようなさわやかさや、心地よさにあふれる温厚な人に。

女の子の名前例：湖晴（こはる）、美湖（みこ）、湖都（こと）
男の子の名前例：湖太郎（こたろう）

紫（12画）
主な読み：シ・むら・むらさき

意味：①むらさき。赤と青の間の色。②しょうゆのこと。

願い：紫色は古くより高貴な色とされていたことから、気品のある人に成長してほしいという願いを持つ漢字の中でも、上品な印象を与える漢字。「シ」の音を持つ漢字の中でも、上品な印象を与える漢字。

女の子の名前例：紫音（しおん）、紫乃（しの）、紫帆（しほ）、蒼紫（あおし）、紫恩（しおん）、紫月（しづき）

詞（12画）
主な読み：シ・ジ・こと・ふみ

意味：①ことばの総称。単語や文章など「ことば」全般を意味する。②中国の宋の時代にさかんになった韻文。③文法上のことば。

願い：文学的な才能に恵まれた知的な人になってほしいという願いを込めて。

女の子の名前例：詞音（ことね）、詞帆（しほ）、美詞（みこと）
男の子の名前例：奏詞（そうし）、詞音（しおん）

竣（12画）
主な読み：シュン

意味：①終わる。仕事を完成する。②とどまる。

願い：しっかりと、地に足が着いた人生を送れるように。目標を成し遂げる強い意志を持ち、まめで忍耐強い人になるように願って。

男の子の名前例：竣太（しゅんた）、竣星（しゅんせい）、竣輔（しゅんすけ）

順（12画）
主な読み：ジュン・すなお・とし・な お・のぶ・のり・はじめ・まさ・みち

意味：①従う。さからわない。すなお。おとなしい。②ことのしだい。道筋。並び。③物事が都合よく進行する。

願い：穏やかでだれにでも好かれる人に。またトラブルのない順調な人生を送れるようにという願いを込めて。「ジュン」の音を持つ漢字の中では、すっきりとした素直な印象の漢字。

女の子の名前例：順子（よりこ）
男の子の名前例：順一（じゅんいち）、順平（じゅんぺい）、順也（じゅんや）

おすすめ漢字 12画〜12画

晶 (12画)

主な読み: ショウ・セイ・あき・あきら・まさ

意味: ①明らか。明るく きらめく。②鉱石の名。 ③純粋な鉱物がもつ一定 のかたち。

願い: 星の光を三つ組み合わせた形で、明らかに輝くという意味がある。澄んだ光が、まばゆくきらめく様子から清らかな魅力を思わせる漢字に。クールな輝きを放つ人になることを願って。

女の子の名前例:
- 晶子 あきこ
- 晶菜 あきな
- 晶絵 あきえ

男の子の名前例:
- 晶 あきら
- 晶斗 あきと
- 晶太 しょうた

湘 (12画)

主な読み: ショウ

意味: 〔湘水（しょうすい）〕は、中国の川の名。地名の湘南のイメージから、太陽のような笑顔が輝き、海のように大きな懐を持つ、優しい人に。中国にある川のイメージから、さわやかで、豊かな心の持ち主になることを願って。

女の子の名前例:
- 湘夏 しょうか
- 湘佳 しょうか
- 湘香 しょうか

男の子の名前例:
- 湘太 しょうた
- 湘吾 しょうご
- 湘平 しょうへい

尋 (12画)

主な読み: ジン・たず・ひろ・ひろし

意味: ①さがしもとめる。②つね。ふつう。③長さの単位。一尋は手を左右に広げた長さで、日本では六尺（約一・八メートル）にあたる。

願い: 古典的で個性的な字体から印象に残る名前となる。とても深く長いという意味があることから、精神的に奥深く、気持ちが温かく、人に誠実な対応ができる人にと願って。

女の子の名前例:
- 千尋 ちひろ
- 美尋 みひろ
- 麻尋 まひろ

男の子の名前例:
- 尋 じん
- 真尋 まひろ
- 智尋 ともひろ

晴 (12画)

主な読み: セイ・きよし・てる・はる・はれ

意味: ①はれる。②表向く。じゅうぶんに。③名誉。④はらす。

願い: 澄んだ青空のように心が澄み渡り、相手を和ませるさわやかな明るさを持った人に。晴れやかで、のびのびとした笑顔の似合う人に。いつも前向きな気持ちでどんなことも一生懸命頑張る人になることを願って。

女の子の名前例:
- 心晴 こはる
- 美晴 みはる
- 晴香 はるか

男の子の名前例:
- 晴斗 はると
- 晴輝 はるき
- 晴真 はるま

善 (12画)

主な読み: セン・ゼン・さ・ただし・たる・よ・よし

意味: ①正しい。②うまく。じゅうぶんに。③親しくする。

願い: 人としてよいところをたくさん持った子に育ってほしいという気持ちを、ストレートに託すことができる漢字。ほかの人を思いやる心を持ち、みんなと成長するように、喜びに満ちた人生を送ることができるようにという思いを込めて。

女の子の名前例:
- 善香 よしか
- 善美 よしみ

男の子の名前例:
- 善 ぜん
- 善行 よしゆき
- 善太 ぜんた

創 (12画)

主な読み: ソウ・はじむ

意味: ①傷。傷つける。②始める。始め。③つくる。

願い: 柔軟な発想力や創造的な才能に恵まれ、先見の明を持った時代の先駆者となるように願って。未来をつくり出すパワーにあふれ、力強く前進していく人になれるように。

男の子の名前例:
- 創太 そうた
- 創史 そうし
- 創介 そうすけ

402

おすすめ漢字 12〜12画

尊 (12画)
主な読み: ソン・たか・たかし・たつ・とうと
意味: ①たっとい。たっとぶ。②相手に関することがらを敬っていうことば。③神や皇族を敬ってよんだことば。
願い: 神様などに使う漢字であることから、上品で厳かなイメージがある。存在感のある人になるような、何事にも自分から立ち向かっていける勇気を持った人に。人から尊敬されるような、勇ましい印象もあり。
男の子の名前例: 尊弘（たかひろ）／尊哉（たかや）／尊琉（たける）

達 (12画)
主な読み: タツ・いたる・さと・さとし・しげ・すすむ・とおる
意味: ①通る。道がどこまでも通じる。②目的を果たす。③道理などに通じる。④高い地位にのぼる。⑤すぐれている。技術などが高くなる。⑥すぐれた人。⑦通知。命令。⑧複数を表すことば。
願い: 多くの分野での活躍を期待して。優れた見識や技能を持ち、やり遂げられる人にと願って。
男の子の名前例: 達也（たつや）／達真（たつま）／達琉（たつる）

智 (12画)
主な読み: チ・あきら・さと・さとし・さとる・とし・とも・のり・まさる
意味: ①知恵。②かしこい。さとい。③物知り。④知る。さとる。
願い: 本質的な賢さがあり、豊富な知識とあふれる好奇心、優れた判断力を兼ね備えた、頭のよい人に。傑出した思考や能力に恵まれることを願って。
女の子の名前例: 智香（ともか）／智咲（ちさ）／智春（ちはる）
男の子の名前例: 大智（だいち）／智哉（ともや）／智士（さとし）

朝 (12画)
主な読み: チョウ・あさ・あした・さ・つと・とき・とも・はじめ
意味: ①あさ。②ひととき。③天子が政治を行うところ。④ある天子が在位する期間。⑤ある王朝が継続する期間。⑥国。国家。
願い: 澄んだ空気に満ち、明るい日差しが差し込むさわやかなイメージ。新しい一日の始まりにちなんで、いつでも新鮮な気持ちで向かい合うことができる人になることを願って。
女の子の名前例: 朝香（ともか）／朝花（あさか）／朝妃（あさひ）
男の子の名前例: 朝登（あさと）／朝輝（ともき）／朝陽（あさひ）

椎 (12画)
主な読み: スイ・ツイ・しい・つち
意味: ①しい。ブナ科の常緑高木。実はどんぐり状で食用。材はかたく、建築・家具などの用材となる。②つち。物をたたくための工具。つちで打つ。たたく。③打つ。④さずける。
願い: 椎は木材として、また実のどんぐりは食用にもなり、生活に密着してきた樹木。自然の力に守られて、みんなに親しまれるように。
女の子の名前例: 椎奈（しいな）／椎南（しいな）／椎菜（しいな）

渡 (12画)
主な読み: ト・ド・わた・わたる
意味: ①向こう岸へ行く。②暮らしをたてる。川や海をわたる。③交渉する。④わたす。手わたす。ゆずる。⑤手わたす。
願い: 自由にあちこち渡り歩く行動力を持ち、自ら決めた人生の目標となる大海原を無事に渡っていける前向きな人に。世間をも上手に渡っていける要領のよさも持った積極的な人になることを願って。
男の子の名前例: 渡（わたる）／悠渡（ゆうと）／晴渡（はると）

男の子の名前例	女の子の名前例	主な意味と込めたい願い	主な読み	画数・漢字
晴登 はると 悠登 ゆうと 登真 とうま	美登 みと	**意味** ①高い所にのぼる。物の上にあがる。②行く。公式の場に参上する。出勤する。③高い地位につく。④試験に合格する。⑤人を登用する。⑥記録する。⑦たてまつる。 **願い** 向上心と行動力を持ち、たゆまぬ努力を続け目標に向かって着実に進む人に。自分のやるべきことを果たし、尊敬される人になることを願って。	ト・トウ・たか・ちか・み・とも・なり・のり・ぼる	登 12画
塔也 とうや 塔哉 とうや	塔子 とうこ	**意味** ①そとば。死者をとむらうために立てる木や石の細長いもの。また、仏骨をおさめるための高い建造物。②高い建造物。 **願い** 元は梵語の音訳で卒塔婆（そとば）を表す漢字だが、「高い建物＝タワー」の意味も。そのことから、高い理想に向かってこつこつと努力できる、向上心のある人にという期待を込めて。	トウ	塔 12画 
統真 とうま 統悟 とうご 統偉 とうい		**意味** ①すべる。とりまとめる。治める。支配する。②ひと続きのつながり。すじ。 **願い** ひとつにまとめる、つながりなどを意味することから、頭脳明晰でリーダーに適した人格者になるよう願って。筋を通す統率力のある人に。まわりから慕われ、よい仲間に恵まれた人生を送れるように。	トウ・おさ・おさむ・かね・すみ・つな・つね・のり・むね・もと	統 12画
尚道 なおみち 道吾 とうご 晴道 はるみち	道世 みちよ 道香 みちか 道保 みちほ	**意味** ①通りみち。人や物の通るところ。②人の守り行うべきすじみち。③方法。わざ。④学問や技芸。⑤老子の教え。⑥たが、それを修める人。⑦導く。⑧行政区画の名。北海道の略。 **願い** 社会のルールや物事の道理を重んじながら、自分の夢に向かって努力するひたむきな心を持った人になることを願って。	トウ・ドウ・おさむ・つな・みち・まさ・みち・ゆき	道 12画 
敦登 あつと 敦弘 あつひろ 敦士 あつし	敦子 あつこ 敦美 あつみ	**意味** あつい。てあつい。人情があつい。 **願い** 人とのかかわりを大切にする気持ちや情の深さ、思いやりの心を持ち、誠実な人柄で相手に接することができる人に。社交性があり、だれとでもすぐに打ち解けて話ができる人になることを願って。	タイ・トン・あつ・あつし・おさむ・たい・つとむ・つる	敦 12画 
博希 ひろき 智博 ともひろ 博斗 はくと	美博 みひろ 博美 ひろみ	**意味** ①広い。広める。広く行きわたる。広く。②ぱく。かけごと。うける。すごろく。③ばく。 **願い** 知性と懐の深さを感じさせる漢字。世界を見渡す広い視野と豊富な知識、大きく豊かな心を持った賢い人になることを願って。勉強好きでコツコツと努力する人に。	ハク・バク・とおる・はか・ひろ・ひろし・ひろむ	博 12画 

おすすめ漢字 12〜12画

画数・漢字	主な読み	主な意味と込めたい願い	女の子の名前例	男の子の名前例
媛 12画	エン・ひめ	**意味** ①たおやめ。才能のある美しい女。②身分の高い女性を敬ってよぶことば。③たおやか。美しい。 **願い** 同じ「ひめ」の音を持つ字の中でも、かわいらしさをより強くイメージする「姫」に対し、「媛」は落ち着いた優美な印象。才色兼備の魅力ある人に成長することを願って。	媛菜 ひな 媛乃 ひめの 媛佳 ひめか	
満 12画	マン・ます・まろ・み・みつ・みつる	**意味** ①みちる。みたす。いっぱいになる。みちたりる。②ゆきわたる。③皮膚のすじめ。全体。全部。すっかり。 **願い** あらゆる豊かさや満ち足りた様子を表す漢字。多くの福徳に恵まれるように、精神的にも物質的にも豊かで満ち足りた人生を送れるようにと願って。※丸一年を一歳とする年齢のかぞえ方。④一定の期限・標準に達する。	満里奈 まりな 日満里 ひまり 満優 みゆう 満希 みつき	満 みつる 悠満 ゆうま
湊 12画	ソウ・あつ・みなと	**意味** ①みなと。多くのものが一か所に集まる。②多くのものが集まる。③「湊合」。 **願い** 多くのものが集まる活気がありながらも、落ち着いた風情が漂う漢字。社交的で多くの人を引きつける魅力にあふれた人になるように。大きな海原へ旅立つ国際人になるようにという願いを込めて。	湊佳 そうか 湊花 そうか 湊美 みなみ	湊 みなと 湊斗 みなと 湊太 そうた
椋 12画	リョウ・むく	**意味** ①ちしゃの木。ムラサキ科の落葉高木。材はかたく、車輪の用材となる。②むくの木。ニレ科の落葉高木。実は食用、葉は物をみがくのに用いる。③「椋鳥」の略。 **願い** むくの木のように、空に向かってまっすぐに育つ素直で穏やかな、人としても大きく育った人生を送り、社会に貢献できるようにとの願いを込めて。	椋花 りょうか 椋子 りょうこ	椋 りょう 椋平 りょうへい 椋大 りょうた 椋矢 りょうや
裕 12画	ユ・ユウ・すけ・ひろ・ひろし・まさ・みち・やす・ゆたか	**意味** ①豊か。ゆとり。ゆったり。ゆるやかで楽しむ。②酒や芸事などのため他国へ行く。各地を自由に動きまわる。④あちこち歩きまわる。⑤さまよう。⑥ゆとり。余裕。 **願い** 「裕福」「余裕」などの言葉に代表されるように、さまざまな物事が豊かであることを表す漢字。おおらかで広い心を持ち、物心共に恵まれた人生を送ることができるようにとの願いを込めて。	裕美 ひろみ 裕菜 ゆうな 裕愛 ゆあ	裕太 ゆうた 裕哉 ゆうや 裕輝 ゆうき
遊 12画	ユ・ユウ・あそ	**意味** ①あそぶ。楽しむ。あそび。②酒や芸事などで楽しむ。③勉学などのため他国へ行く。各地を自由に動きまわる。④あちこち歩きまわる。⑤さまよう。⑥ゆとり。 **願い** 子どもが遊びに夢中になるように、何事にも縛られることなく、自分の希望する道を軽やかに進んでいってほしいという思いを託して。	美遊 みゆ 遊唯 ゆい 遊那 ゆうな	遊斗 ゆうと 遊介 ゆうすけ 遊汰 ゆうた

おすすめ漢字 12〜12画

おすすめ漢字 12〜12画

雄 (12画)

主な読み: ユウ・お・かず・かつ・た・か・たけ・たけし・のり・よし

意味: ①おす。生物の男性の総称。②勇ましい。おおしい。強い人。武力・知力にすぐれた者。③はたがしら。

願い: 雄大で活発で元気、たくましく威勢がよいスケールの大きな人をイメージして。力が強くて優れた才能を持つ人になることを願って。頼りになる人柄で、人の上に立つことができるように。

男の子の名前例:
- 雄大 ゆうだい
- 雄斗 ゆうと
- 雄太 ゆうた

葉 (12画)

主な読み: ショウ・ヨウ・のぶ・は・ば

意味: ①草木の は。②草木の葉のように薄いもの。③薄いものを数えること ば。④すえ。わかれ。⑤世。時代。

願い: 青々と茂る葉の生命力にあふれるイメージから、元気でいきいきした人に育ってほしいという願いを込めて。自然を連想するさわやかな名前にぴったり。

女の子の名前例:
- 彩葉 いろは
- 一葉 かずは
- 葉月 はづき

男の子の名前例:
- 碧葉 あおば
- 葉琉 はる
- 葉介 ようすけ

遥 (12画)

主な読み: ヨウ・はる・はるか

意味: ①はるか。遠い。へだたりが大きい。②長く続いているよう。③さまよう。ぶらぶら歩く。

願い: スケールの大きさを感じさせる漢字。さまざまな体験をしながら成長していく、自立心や好奇心を持った人に育つように。また、可能性ある未来が長く続くようにという願いを込めて。

女の子の名前例:
- 遥 はるか
- 心遥 こはる
- 美遥 みはる

男の子の名前例:
- 遥斗 はると
- 遥希 はるき
- 遥也 はるや

陽 (12画)

主な読み: ヨウ・あき・あきら・お・きよ・きよし・たか・はる・ひ・や

意味: ①日の光。太陽。②ひなた。日の当たる場所。山の南側。川の北側。③暖かい。明るい。④物事の積極的・動的な面。プラス。⑤うわべ。表面。⑥いつわる。ふりをする。

願い: エネルギーに満ち、太陽のように周囲を元気にできる、いきいきした人にと願いを込めて。明るく生命力あふれるイメージで人気の漢字。

女の子の名前例:
- 陽菜 ひな
- 心陽 こはる
- 陽香 はるか

男の子の名前例:
- 陽翔 はると
- 朝陽 あさひ
- 陽希 はるき

嵐 (12画)

主な読み: ラン・あらし

意味: ①あらし。激しく吹く風。暴風雨。②山にたちこめる水蒸気。みきった山の空気。③澄みきった音を表すことから、

願い: 激しい風が吹く嵐にも負けない、強さとすがすがしさ、情熱的な意思を持った人に。新しい風を起こすような華やかで鮮烈なイメージも感じられ、相手の心を揺ぶるような印象を残す人になることを願って。

女の子の名前例:
- 美嵐 みらん
- 咲嵐 さら

男の子の名前例:
- 嵐 あらし
- 嵐丸 らんまる
- 嵐士 あらし

琳 (12画)

主な読み: リン

意味: ①美しい玉の名。②玉がふれあう音。玉が触れ合って鳴る音を表すことから、ルックス、スタイル、声共に優れた、華やかな人になることを。気品あふれた、純粋な精神と思いを持った人になるという思いを込めて。

女の子の名前例:
- 琳 りん
- 香琳 かりん
- 佳琳 かりん

男の子の名前例:
- 琳太 りんた
- 琳凰 りお
- 琳久 りく

おすすめ漢字 12〜12画

墨 (12画)
主な読み: ルイ

意味: ①とりで。石や土を重ねてつくった小さな陣地。②重ねる。重なる。③野球のベース。

願い: 野球のベースを表すことから、ひたむきで堅実に努力する人になることを願って。コツコツと積み重ねていけば大きな成果を出すことができることを知っている人に。

男の子の名前例:
- 墨斗 るいと
- 墨 るい
- 墨生 るい

惺 (12画)
主な読み: セイ・さと

意味: ①さとい。かしこい。②さとる。

願い: 澄みきった星を表すことから、純粋でまじめな人になるように。さえわたる星空のように、物静かで聡明な心を持った人になることを願って。星のように輝く未来に向かってまっすぐに歩いていける人に。

女の子の名前例:
- 惺菜 せいな
- 惺羅 せいら
- 千惺 ちさと

男の子の名前例:
- 大惺 たいせい
- 琉惺 りゅうせい
- 惺矢 せいや

琥 (12画)
主な読み: コ

意味: ①〔琥珀（こはく）〕は、樹脂が化石となったもの。黄色でつやがある。②虎のもようを刻んだ玉の器。祭器の一種。

願い: 優美で個性的な名前。琥珀（こはく）のように清らかで無欲な、美しい輝きを放つような人に。とらのように強く美しく、しなやかさを持った人になることを願って。

女の子の名前例:
- 琥白 こはく
- 琥乃美 このみ
- 琥珀 こはく

男の子の名前例:
- 琥太朗 こたろう
- 琥太郎 こたろう
- 琥南 こなん

皓 (12画)
主な読み: コウ・あき・あきら・てる・ひろ・ひろし

意味: ①色が白い。②髪が白い。老人。③明らか。白く輝く。④清い。いさぎよい。

願い: 元は太陽が顔を出し、空が白む様子を表した字。澄みわたった清かな心を持ち、希望に満ちた人生を歩んでほしいという祈りを託して。

女の子の名前例:
- 千皓 ちひろ
- 真皓 まひろ

男の子の名前例:
- 皓翔 こうき
- 皓生 こうき
- 皓介 こうすけ

翔 (12画)
主な読み: ショウ・かける

意味: ①かける。飛びめぐる。②つまびらか。いろいろの。③決して。かならず。

願い: 鳥が羽を広げて空を飛ぶ様子を表す、スケールの大きな漢字。自由にのびのびと成長するようにという願いを込めて。

女の子の名前例:
- 翔子 しょうこ
- 彩翔 あやか
- 夢翔 ゆめか

男の子の名前例:
- 大翔 ひろと
- 翔太 しょうた
- 翔 しょう

萬 (12画)
主な読み: バン・マン・かず・かつ・すすむ・たか・つもる・ま・よろず

意味: ①数の単位。千の十倍。②数の多いよう。いろいろの。③決して。

願い: 非常に数が多いことを表す漢字。さまざまな分野に才能を持ち、可能性あふれる人生を送ることができるようにという思いを込めて。

女の子の名前例:
- 萬桜 まお
- 萬莉 ばんり
- 萬琴 まこと

おすすめ漢字 13〜13画

愛 (13画)
主な読み: アイ・ちか・なり・なる・のり・ひで・まな・めぐむ・よし

意味: ①あいする。いつくしむ。かわいがる。②異性を恋いしたう。めでる。好む。③めでる。④おしむ。⑤たいせつにする。⑥親しみ愛する意味を表すことば。

願い: 優しさや思いやりのある子に成長するようにという願いを込めて。また、周囲の人からもたくさんの愛情を注がれて育つようにという祈りを込めて。

女の子の名前例: 結愛（ゆあ）／愛莉（あいり）／愛子（あいこ）
男の子の名前例: 愛翔（まなと）／愛斗（まなと）／愛之介（あいのすけ）

園 (13画)
主な読み: エン・オン・その

意味: ①草木・花・果樹などを植えた庭や畑。②人が集まる場所。

願い: 美しい花々やたくさんの果実でいっぱいの土地をイメージする漢字。そのことから、幸せな出来事や友人に恵まれた、実り多き人生を送れるようにという願いを込めて。

女の子の名前例: 美園（みその）／園子（そのこ）／園佳（そのか）

遠 (13画)
主な読み: エン・オン・とお

意味: ①とおい。距離や時間がへだたっている。②うとい。③奥深い。④とおざける。とおざかる。

願い: 物事をじっくりと落ち着いて考える思慮深さや、先のことまで見通す冷静さを持った人に成長してほしいという願いを込めて。

女の子の名前例: 永遠（とわ）／永遠子（とわこ）／永遠（はるか）
男の子の名前例: 久遠（くおん）／怜遠（れおん）／志遠（しおん）

雅 (13画)
主な読み: ガ・ただし・のり・ひとし・まさ・まさし・まさる・みやび

意味: ①みやびやか。上品。洗練された美しさ。②正しい。正統。③相手に関することばに対して敬することば。④つね。⑤興行の終わりの日。

願い: 上品で風流な様子を意味する漢字。日本の伝統的な美徳を表す。落ち着いた高貴な雰囲気を持った人に成長してほしいという思いを込めて。

女の子の名前例: 雅（みやび）／雅姫（みやび）／雅美（まさみ）
男の子の名前例: 大雅（たいが）／悠雅（ゆうが）／雅人（まさと）

楽 (13画)
主な読み: ガク・ラク・ささ・たのし・たのしむ・もと・よし

意味: ①おんがく。楽器をひく。②六芸（礼・楽・射・御・書・数）の一つ。③たのしい。たのしむ。④物事がたやすい。からだを休める。⑤許す。

願い: 人生にたくさんの楽しみを見つけることができるようにという願いを込めて。音楽を意味することから、音楽の才能や豊かな感性を持った人に成長するようにという期待を託して。

女の子の名前例: 奏楽（そら）／咲楽（さくら）／結楽（ゆら）
男の子の名前例: 楽（がく）／楽人（がくと）／颯楽（そら）

寛 (13画)
主な読み: カン・ちか・とみ・とも・のり・ひと・ひろ・ひろし・ゆたか

意味: ①広々としてゆとりがある。心が広い。②ゆるやか。ゆったりしている。③くつろぐ。からだを休める。④大目にみる。許す。

願い: 「寛大」「寛容」などに代表されるように、心が広いことを表す漢字。穏やかで、だれにでも優しく接することができる人に育ってほしいという願いを込めて。

女の子の名前例: 千寛（ちひろ）／寛子（ひろこ）／寛奈（かんな）
男の子の名前例: 寛太（かんた）／寛人（ひろと）／寛紀（ひろき）

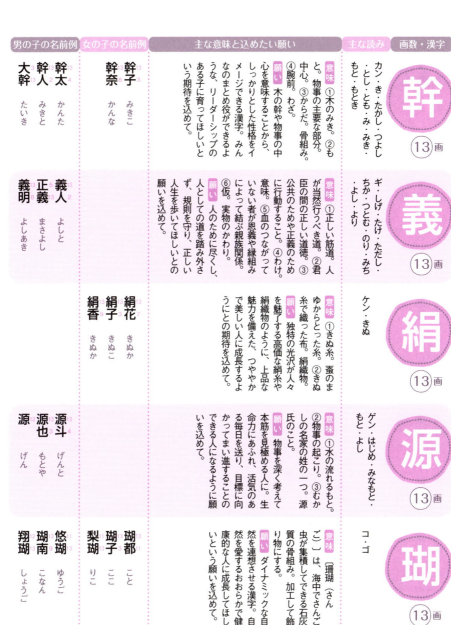

おすすめ漢字 13〜13画

幹 13画
主な読み：カン・き・たかし・つよし・とし・とも・み・みき・もと・もとき

意味 ①木のみき。②ものごとの主要な部分。中心。③からだ。骨組み。④腕前。わざ。

願い 木の幹や物事の中心を意味することから、しっかりとした性格をイメージできる漢字。みんなのまとめ役ができるような、リーダーシップのある子に育ってほしいという期待を込めて。

女の子：幹子（みきこ）、幹奈（かんな）
男の子：幹太（かんた）、幹人（みきと）、大幹（たいき）

義 13画
主な読み：ギ・しげ・たけ・ただし・ちか・つとむ・のり・みち・よし・より

意味 ①正しい筋道。人が当然行うべき道。②君臣の間の正しい道徳。③公共のためや正義のために行動すること。④わけ。⑤血のつながっていない者が恩義や縁組みによって結ぶ親族関係。⑥仮。実物のかわり。

願い 人のために尽くし、人としての道を踏み外さず、規則を守り、正しい人生を歩いてほしいとの願いを込めて。

男の子：義人（よしと）、正義（まさよし）、義明（よしあき）

絹 13画
主な読み：ケン・きぬ

意味 ①きぬ糸。蚕のまゆからとった糸。②きぬ糸で織った布。絹織物。

願い 独特の光沢が人々を魅了する高価な絹糸や絹織物のように、つややかで美しい人に成長するように、上品な魅力を備えた、つややかで美しい人に成長するようにとの期待を込めて。

女の子：絹花（きぬか）、絹子（きぬこ）、絹香（きぬか）

源 13画
主な読み：ゲン・はじめ・みなもと・もと・よし

意味 ①水の流れるもと。②物事の起こり。③むかしの名家の姓の一つ。源氏のこと。

願い 物事を深く考えて本筋を見極める人に。生命力にあふれ、活気のある毎日を送り、目標に向かってまい進することのできる人になるように願いを込めて。

男の子：源斗（げんと）、源也（もとや）、源（げん）

瑚 13画
主な読み：コ・ゴ

意味 〔珊瑚（さんご）〕は、海中でさんご虫が集積してできる石灰質の骨組み。加工して飾り物にする。

願い ダイナミックな自然を連想させる漢字。自然を愛するおおらかで健康的な人に成長してほしいという願いを込めて。

女の子：瑚都（こと）、瑚子（ここ）、梨瑚（りこ）
男の子：瑚南（こなん）、悠瑚（ゆうご）、翔瑚（しょうご）

嗣 13画
主な読み：シ・ジ・つぎ・つぐ

意味 あとをつぐ。あととぎ。

願い 家系や家業を受け継ぐという意味があることから、子孫が代々栄えることを願ってつける ことが多い。また、伝統や文化などをしっかりと引き継いでほしいという願いを託すことも。

女の子：嗣実（つぐみ）
男の子：悠嗣（ゆうし）、英嗣（えいじ）、嗣音（しおん）

画数・漢字	主な読み	主な意味と込めたい願い	女の子の名前例	男の子の名前例
　詩　13画	シ・うた	[意味] ①うた。心に感じたことを、リズムにもとづいてことばに表したもの。②うた。③中国の韻文の一つ。五経の一つ。『詩経』のこと。 [願い] 自分の心の動きを言葉にすることを表す、優しく繊細な雰囲気を持つ漢字。優れた感性や表現力を持つ人に成長することを願って。	詩織 しおり 詩乃 しの 詩穏 しおん	奏詩 そうし 詩音 しおん 悠詩 ゆうし
　慈　13画	シ・ジ・いつく・しげ・し げる・ちか・なり	[意味] ①いつくしむ。かわいがる。恵む。②人々の苦しみを救う仏の広大な愛。 [願い] 親から子に注がれるような、見返りを求めない愛情を表す漢字。情け深く温かい心を持った人に成長してほしいという思いを込めて。	杏慈 あんじ 慈 ちか 慈乃 しの	怜慈 れいじ 慈英 じえい 修慈 しゅうじ
　蒔　13画	シ・ジ	[意味] ①移し植える。②種をまく。③金銀の粉を散らして絵を描く。 [願い] 種をまくという意味から、生命力にあふれた人になってほしいという願いを込めて。また、漆器に金銀の粉を散らして絵を描く蒔絵のイメージから、華のある魅力的な人に育つようにという期待も。	小蒔 こまき 蒔乃 しの 蒔織 しおり	蒔人 まきと 蒔音 しおん 蒔斗 まきと
　舜　13画	シュン・きよ・とし・ひと し・みつ・よし	[意味] ①むくげ。アオイ科の落葉低木。あさがお。③中国古代の伝説上の聖天子。 [願い] 美しい花を咲かせるむくげのイメージから、おおらかで明るい人に成長してほしいという願いを込めて。また、「舜」は、中国古代の伝説上の帝王の名前であることから、リーダーシップのある人になってほしいという期待も。	舜華 しゅんか	舜 しゅん 舜悟 しゅんご 舜弥 しゅんや
　奨　13画	ショウ・ソウ・すすむ・つ とむ	[意味] ①はげます。力づける。②推薦する。ほめる。③助ける。助成する。 [願い] 励ます、助けるという意味もあることから、だれに対しても親切に優しく、ほめられるような力づけてあげられるような人に。人々を統率し、長所を認めて育てるリーダーになることを願って。	奨子 しょうこ	奨也 しょうや 奨汰 しょうた 奨悟 しょうご
　照　13画	ショウ・あきら・て・てら し・てり	[意味] ①てらす。輝く。②天気が晴れる。③てり。④てらし合わせて比べる。⑤てる。⑥てれる。気はずかしく思う。大陽の光。つき合わせて比べる。ねらう。あてる。 [願い] 明るい日ざしのように、周囲の人を元気にするパワーと優しさを持った人に育ってほしいという願いを込めて。	照子 てるこ 照香 てるか 照美 てるみ	照真 しょうま 照太 しょうた 照基 てるき

おすすめ漢字 13〜13画

画数・漢字	主な読み	主な意味と込めたい願い	女の子の名前例	男の子の名前例
慎 13画	シン・ちか・つつし・まこと・よし・のり	意味 細かに気を配る。 願い 誠実で周囲の人に細やかな配慮ができる人に育ってほしいという願いを込めて。また、謙虚な心を忘れないようにという思いも託して。「心」と「真」が並ぶことから、まじめできちんとした印象を持つ漢字。	慎 しん	慎之助 しんのすけ / 慎一郎 しんいちろう
新 13画	シン・あきら・あたら・あら・あらた・にい・はじめ・わか	意味 ①あたらしい。あらた。②あらたにする。③初めて。あたらしく する。④新しいの意味の接頭語。 願い 新しい、初めてなどの意味を持つことから、わが子の豊かな可能性を信じる親の気持ちを託して。また、希望ある未来を願う祈りを込めて。	新奈 にいな / 新菜 わかな / 新那 にいな	新 あらた / 新太 あらた / 新平 しんぺい
瑞 13画	ズイ・たま・みず	意味 ①みずみずしい。②めでたいしるし。③天子が諸侯を任命するときに与える玉。 願い 何かよいことが起きる前兆を意味する縁起がよい漢字。みずみずしいという意味もあることから、フレッシュでさわやかな雰囲気の人になるように。また、幸運に恵まれることを願って。	瑞季 みずき / 瑞姫 みずき / 瑞穂 みずほ	瑞生 みずき / 瑞輝 みずき / 瑞貴 みずき
嵩 13画	シュウ・スウ・たか・たかし	意味 ①高い。②かさ。分量。体積。③かさむ。 願い 安定感のあるどっしりとした字体で、高い山の頂をめざす人のように。大きく高く落ち着いた人柄でまわりから慕われ、人生の雄大なイメージを持つ。仲間の中心にいるような人物になることを願って。		嵩琉 たける / 智嵩 ともたか / 嵩仁 たかひと
聖 13画	セイ・あきら・きよ・さと・さとし・さとる・ひじり・まさ	意味 ①ひじり。知徳がすぐれ、すべての物事の道理に通じている人。②ほんとうに。思ったとおりに。③奥義をきわめた、その道の第一人者。高徳の僧。④宗教や、それを開いた人に関することにそえることば。⑤けがれがなく清らか。⑥英語の Saint に漢字をあてたもの。 願い 気高く清廉な心を持った人に成長してほしいという思いを託して。	聖奈 せな / 千聖 ちさと / 聖羅 せいら	聖也 せいや / 悠聖 ゆうせい / 琉聖 りゅうせい
誠 13画	セイ・あきら・しげ・たか・たかし・なり・なる・まこと	意味 ①まごころ。いつわりがないこと。真実。②ほんとうに。 願い 言葉と心が一致している状態を表す漢字。うそがなく、寄せられた信頼にこたえられる誠実で心豊かな人になるようにと願って。	誠子 せいこ	大誠 たいせい / 誠 まこと / 誠之 まさゆき

おすすめ漢字 13〜13画

画数・漢字	主な読み	主な意味と込めたい願い	女の子の名前例	男の子の名前例
想 13画	ソ・ソウ	**意味** 思う。おしはかる。思い。 **願い** 心の中に形や姿を思い浮かべることから、人の気持ちを深く思いやることができる、温かく思慮深い人に育ってほしいという願いを込めて。「ソウ」の優しい音の響きと字形が人気。	想空 そら / 想來 そら / 想 そう	想太 そうた / 想真 そうま / 想佑 そうすけ
蒼 13画	ソウ・あお・しげる	**意味** ①草の青い色。②茂る。草木が青々と茂るようす。③年老いたようす。古めかしいようす。④薄暗い。⑤白髪がまじっているようす。⑥あわてふためくようす。 **願い** 草木が青々と成長するようにという祈意を込めて。広々とした草原をイメージできることから、のびのびと健康に育ってほしいという願いを込めて。	蒼唯 あおい / 乃蒼 のあ / 蒼依 あおい	蒼空 そら / 蒼真 そうま / 蒼太 そうた
暖 13画	ダン・ノン・あたた・はる	**意味** ①あたたかい。あたためる。②あたたまる。 **願い** 人の心にふんわりとしたぬくもりを与える優しい心を持った人にという祈りを込めて。また、愛情的にも金銭的にも恵まれた人生が送れるようにという願いを託して。	暖乃 はるの / 心暖 こはる / 果暖 かのん	暖人 はると / 暖真 はるま / 暖斗 はると
椿 13画	チュン・チン・つばき	**意味** ①つばき。ツバキ科の常緑高木。暖地に自生し、早春に紅色や白色の花をつける。葉は厚くてつやがある。果実から油をとる。②木の器。④「鉄道」の略。 **願い** 雪の中で美しい花を咲かすことから、忍耐強く控えめながらも、しんの強さや凛とした美しさを備えた人にという思いを込めて。	椿 つばき / 椿季 つばき / 椿姫 つばき	椿樹 つばき
鉄 13画	テチ・テツ・かね・きみ・とし・まがね	**意味** ①てつ。くろがね。金属元素の一つ。かたくにおいがする。②鉄のようにかたい。③刃物、武器。④「鉄道」の略。 **願い** 強い意志を持ち、強靭な精神力を兼ね備えた人に。打って鍛えるほど丈夫になる鉄にあやかって、不屈の精神力を持った強い人になることを願って。	鉄心 てっしん	虎鉄 こてつ / 鉄平 てっぺい
楠 13画	ナン・くす・くすのき	**意味** クスノキ科の常緑高木。材はかたく、よい香りがする。樟脳の原料となる。 **願い** 楠は、成長はゆっくりだが大きく丈夫な木に育ち、古くから船の材料としても重宝されている。そのことから自分の目標を達成できるか、努力や忍耐力のある人に育ってほしいという期待を込めて。	遥楠 はるな / 可楠子 かなこ / 真楠 まな	佳楠 かなん / 虎楠 こなん

おすすめ漢字 13〜13画

画数・漢字	主な読み	主な意味と込めたい願い	女の子の名前例	男の子の名前例
楓 13画	フウ・かえで	**意味** ①かえで。カエデ科の落葉高木の総称。葉は、多くは手のひら形で、秋に美しく紅葉するものが多い。一般に、もみじとよばれる。②ふう。中国原産のマンサク科の落葉高木。樹脂に薬用になる。 **願い** 晩秋に美しく紅葉する楓のイメージから、人に鮮やかな印象を残すような気品ある人にという願いを込めて。	楓（かえで）／楓花（ふうか）／楓菜（ふうな）	楓真（ふうま）／楓雅（ふうが）／楓斗（ふうと）
睦 13画	ボク・モク・あつし・ちか・のぶ・まこと・む・むつみ	**意味** ①むつまじい。仲がよい。②むつむ。むつぶ。敬いあって仲よくする。 **願い** たくさんの仲間や友人に恵まれるように。また、将来、家族仲のよい温かな家庭が築けるようにという願いを込めて。	睦（むつみ）／睦美（むつみ）／睦実（むつみ）	睦人（むつと）／睦月（むつき）／睦樹（むつき）
稔 13画	ジン・ニン・ネン・とし・なり・なる・みのる	**意味** ①穀物がよく熟する。②植物が実を結ぶ。③穀物が一回実る期間。一年。④積み重なること。 **願い** 実りを意味することから、こつこつと努力したことが報われ、豊かで幸せな人生を送れるようにという願いを込めて。	稔梨（みのり）／稔莉（みのり）／稔里（みのり）	稔樹（としき）／稔和（としかず）／稔（みのる）
夢 13画	ボウ・ム・のぞむ・み・も・ち・ゆめ	**意味** ①眠っているときに見る、心理現象。②理想。③ゆめみる。とりとめもなく思う。 **願い** 眠っているときに見る夢、希望などを意味することから、いつも希望や理想を持ち続ける人に成長することを祈って。また、将来、自分の夢を実現することができるようにという願いを込めて。	夢（ゆめ）／夢乃（ゆめの）／夢香（ゆめか）	歩夢（あゆむ）／大夢（ひろむ）／拓夢（たくむ）
稜 13画	リョウ・ロウ・いず・かど・たか	**意味** ①かど。すみ。多面体の二面が交わるところの直線。②おごそかな威光。 **願い** 整った印象の字形ときっちりとしたイメージの意味を併せ持つ漢字。何事にも毅然とした態度で取り組むことができ、まじめな人になることを期待して。	稜（りょう）／稜子（りょうこ）／稜花（りょうか）	稜真（りょうま）／稜太（りょうた）／稜司（りょうじ）
鈴 13画	リョウ・リン・レイ・すず	**意味** ①小さな球形で中に玉や石を入れて振り鳴らすもの。また、中に金属の舌をもった小さな鐘。②よびりん。 **願い** 振ると澄んだ音を奏でる鈴のイメージから、周囲の人の気持ちを穏やかに、みんなに愛される人に育ってほしいという思いを込めて。	鈴音（すずね）／香鈴（かりん）／美鈴（みすず）	鈴太郎（りんたろう）／鈴之助（すずのすけ）／鈴太（りんた）

おすすめ漢字 13〜14画

画数・漢字	主な読み	主な意味と込めたい願い	女の子の名前例	男の子の名前例
蓮 13画	レン・はす	**意味** はす。はちす。スイレン科の多年生水草。夏に淡紅色の花が咲く。種子と根茎は食用になる。**願い** 泥の中から、美しく清らかな花を水面に咲かせる蓮の花は、美しく清らかなイメージ。また、蓮は極楽浄土に咲く花とされ、仏像の台座である蓮華座の「蓮華」は、蓮の花の意味。すがすがしさと穏やかさを持った人に成長してほしいという願いを込めて。	華蓮 かれん／純蓮 すみれ／蓮花 れんか	蓮 れん／蓮斗 れんと／蓮介 れんすけ
暉 13画	キ・あき・あきら・てる	**意味** ①光。日の光。②輝く。**願い** 周囲の人を明るく照らすことができる、元気で朗らかな人になるような才能や、魅力的な個性を持った人に成長してほしいという思いを込めて。また、明るく輝かしい未来への希望を託して。「き」の音を持つ字の中では、新鮮な印象の名前に。	夏暉 なつき／咲暉子 さきこ	晃暉 こうき／竜暉 りゅうき／将暉 まさき
煌 13画	コウ・きらめ	**意味** 輝く。きらめく。きらきらと光り輝く様子を表す。華麗な印象の漢字。**願い** きらめくような才能や、魅力的な個性を持った人に成長してほしいという期待を込めて。強さと華やかさをイメージさせる人気の漢字。	煌里 きらり／煌乃 こうの／煌莉 きらり	煌太 こうた／煌生 こうせい／煌 こう
綾 14画	リョウ・あや	**意味** ①あやぎぬ。あや入り組んだ仕組みやたくみな言いまわし。②あや。③つな。④これ。次にくる語を強調するために用いることば。**願い** 人気の「あや」の音を持つ字の中でも、ひときわ繊細さを感じさせる漢字。優美な絹織物のように、洗練された身のこなしや細やかな心づかいを身につけた人に成長することを願って。	綾乃 あやの／綾美 あやみ／綾音 あやね	綾人 あやと／綾太 りょうた／綾斗 あやと
維 14画	イ・これ・しげ・すみ・ただ・たもつ・つな・つなぐ・ふさ	**意味** ①つなぐ。つなぎとめる。②すじ。糸。③つな。道徳を支えるもと。**願い** 人とのつながりがずっと続くようにという思いを託すことができる漢字。友だちに恵まれ、友情や家族の結びつきを大切にする人に育つようにという願いを込めて。	優維 ゆい／麻維 まい／維吹 いぶき	維月 いつき／維吹 いぶき／斗維 とうい
嘉 14画	カ・ひろ・よし・よしみ・よみし	**意味** ①よい。喜ばしい。めでたい。ほめる。②うまい。③よいとする。**願い** よいこと全般を表すとてもたいそうによい字。おめでたいことや、お祝いをされたり、ご縁起がよい字。ほめられたり、お祝いをされることの多い、幸せな人生を送れるようにという願いを込めて。	嘉乃 かの／嘉菜 かな／嘉音 かのん	嘉人 よしと／晃嘉 あきひろ／嘉紀 よしのり

画数・漢字	主な読み	主な意味と込めたい願い	女の子の名前例	男の子の名前例
歌 ⑭画	カ・うた	**意味** ①節をつけてうたう。うた。②やまとうた。和歌。③うたう。 **願い** いつも歌を口ずさんでいるような、明るく朗らかな人に育ってほしいという願いを込めて。また、音楽や文学の分野で才能を発揮できるようにとの期待も託して。	彩歌 あやか／歌純 かすみ／歌奏 かなで	歌音 かのん／歌月 かづき
緒 ⑭画	ショ・チョ・お・つぐ	**意味** ①糸口。糸のはし。②物事のはじめ。起こり。③心。気分。④糸やひもなどの細長いもの。はきものなどのひもや弓に張る糸など。 **願い** 繊細な心の動きをイメージする字。人とのつながりを大切にし、人の心の機微がわかる優しい人に成長するようにという願いを込めて。	莉緒 りお／美緒 みお／真緒 まお	理緒 りお／怜緒 れお／那緒 なお
彰 ⑭画	ショウ・あき・あきら・ただ	**意味** ①明らか。②あや。美しいかざり。③あらわれる。あらわす。明らかにする。鮮やかな模様や、ものを明らかにするという意味から、知的な魅力を感じさせる漢字。頭脳明晰で自分の意見をはっきりと持った人に成長するようにという期待を込めて。	彰子 しょうこ／彰花 あやか	彰太 しょうた／彰人 あきと／千彰 ちあき
静 ⑭画	ジョウ・セイ・きよ・しず・しずか・やす・やすし・よし	**意味** ①しずか。ひっそりとしている。②活動しない。あらそわない。③安らか。落ち着いている。④しずめる。しずまる。 **願い** 穏やかで物静かだが、どんなときにも落ち着いて正しく対処できる、しんの強さを持った人に成長してほしいという思いを込めて。	静香 しずか／静那 しずな／静花 しずか	静希 しずき／静悟 せいご／静也 せいや
聡 ⑭画	ソウ・あき・あきら・さと・さとし・さとる・とき・とし・とみ	**意味** ①さとい。聞いてよく分かる。かしこい。②聞く。 **願い** 物事の理解や飲み込みが早く、明るく賢い人に育つようにという願いを込めて。また、学ぶことが好きな人に育ってほしいという期待も託して。人の話をしっかりと聞くという意味から、謙虚で落ち着いたイメージも。	聡子 さとこ／聡香 さとか／聡美 さとみ	聡太 そうた／聡 さとし／聡真 そうま
寧 ⑭画	デイ・ニョウ・ネイ・しず・やす・やすし	**意味** ①安い。安らか。穏やか。②安んじる。安らかにする。③ねんごろにする。④むしろ。⑤なんぞ。どちらかといえば。疑問や反語を表すことば。 **願い** 穏やかで温かなイメージを持つ漢字。それだけで周囲の人をホッと和ませるような、ぬくもりのある人に育ってほしいという願いを込めて。	寧々 ねね／桃寧 ももね／彩寧 あやね	寧央 ねお／寧彦 やすひこ／寧生 ねお

おすすめ漢字 14〜14画

おすすめ漢字 14画〜14画

男の子の名前例	女の子の名前例	主な意味と込めたい願い	主な読み	画数・漢字
碧葉 あおば 碧斗 あおと 碧 あおい	碧唯 あおい 碧乃 あおの 碧依 あおい	意味 ①緑。青。青緑。②濃い青色。③青く美しい石。 願い 青色の美しい石という意味から、抜けるような青空や透き通った海がイメージできる澄んだ心を持った曇りのない人に育ってほしいという祈りを込めて。	ヘキ・あお・きよし・みどり	碧 14画
龍輔 りゅうすけ 大輔 だいすけ 俊輔 しゅんすけ		意味 ①力をそえて助ける。②車のそえ木。③すけ。むかしの役人の階級で、省の四等官のうちの二番目の地位。 願い 人のためにそばに寄り添って尽力できる人になれることを願って。友人の意味もあることから、多くの友人に恵まれて、信頼し、助け合いながら生きていくことができるような人に。	フ・ブ・ホ・すけ・たすく・たすけ	輔 14画
鳳真 ほうま	真鳳 まほ 美鳳 みほう	意味 ①おおとり。麒麟とともに、聖天子の治世にあらわれるといい伝えられる想像上の鳥。雄を鳳、雌を凰という。②天子や宮中に関する物事にそえることば。 願い 神秘的で気高い印象を与える漢字。大空を舞うような鳥のようなおおらかさと、優れた才能を併せ持った人に成長するような期待を込めて。	ブ・ホウ・おおとり	鳳 14画
春瑠 はる 瑠希 るき 瑠星 りゅうせい	瑠花 るか 瑠菜 るな 愛瑠 あいる	意味 〔瑠璃(るり)〕は、宝石の名。七宝の一つ。美しい青色の宝石。また、ガラスの古いよびな。 願い 深い青色の美しい宝石「瑠璃」をイメージすることから、わが子を宝石のように大切に思う気持ちを込めて。また、心も容姿も、瑠璃のように美しく成長してほしいという願いを込めて。	リュウ・ル	瑠 14画
颯介 そうすけ 颯真 そうま 颯太 そうた	颯貴 さつき 颯稀 さつき 颯空 そら	意味 ①はやて。急に吹く強い風。疾風。②風がさっと吹くよう。③きびしているよう。長く続いているよう。さまよう。ぶらぶら歩く。 願い 一陣の風のようにシャープで軽やかな雰囲気を持つ漢字。きびきびと行動する、明るくさわやかな人に成長してほしいという思いを込めて。	サツ・ソウ	颯 14画
遙太 ようた 遙貴 はるき 遙彦 はるひこ	遙花 はるか 遙奈 はるな 遙乃 はるの	意味 〔遥〕の旧字体 ①はるか。遠い。へだたりが大きい。②長い。長く続く。 願い スケールの大きさを感じさせる漢字。さまざまな体験をしながらたくましい子に成長するように、可能性ある未来が長く続くようにという願いを込めて。	ヨウ・はる・はるか	遙 14画

おすすめ漢字 15〜15画

画数・漢字	主な読み	主な意味と込めたい願い	女の子の名前例	男の子の名前例
駕 15画	ガ・カ	**意味** ①車や馬に乗る。②乗り物。車や馬。③しのぐ。乗り越える。その上に出る。 **願い** 趣のある字体で個性的な名前に。困難を克服し、目標を達成する頑張り屋に。才能豊かで、人前でも堂々としている人になれるよう願って。	駕奈子（かなこ）／美駕（みか）／由駕（ゆか）	大駕（たいが）／竜駕（りゅうが）／凌駕（りょうが）
輝 15画	キ・あきら・かがや・てる・ひかる	**意味** ①輝く。輝き。光が四方に広がる。②輝かしい。りっぱな。華やかさの中に力強さを感じられることから、とくに男の子に人気の漢字。将来、輝かしい成功を収めることができるようにとの期待を込めて。また、魅力にあふれ、いつも輝いている人に成長することを願って。	明輝（あき）／沙輝（さき）／咲輝（さき）	優輝（ゆうき）／陽輝（はるき）／輝（ひかる）
慶 15画	キョウ・ケイ・のり・やす・よし	**意味** ①よろこぶ。よろこび。いわう。②めでたいこと。さいわい。③ほうび。たまもの。さまざまなめでたいことを表す縁起のよい漢字。わが子の誕生を心から祝う気持ちと、喜びの多い幸せな人生を送ってほしいという願いを込めて。	慶子（けいこ）／慶花（けいか）／慶乃（よしの）	慶太（けいた）／慶悟（けいご）／慶祐（けいすけ）
慧 15画	エ・ケイ・さと・さとし・さとる	**意味** ①さとい。かしこい。理解がはやい。②知恵。仏教では、物事をよく見極め、道理を正しく把握するという意味を持つ漢字。真実を察知する力に優れた、賢い人に成長してほしいという期待を込めて。	慧子（さとこ）／慧奈（えな）／美慧（みさと）	慧太（けいた）／慧人（けいと）／慧（さとし）
潤 15画	ジュン・うる・うるう・さかえ・ひろ・ひろし・まさる・みつ	**意味** ①うるおう。うるおす。水分をふくむ。うるおい。しめり。②飾る。つやを出す。恵み。③まじめな顔をする。静める。④利益。物心共に恵まれた人生を送れるようにという願いを託して。また、ほかの人の心を和らげる優しい人に成長してほしいという思いを込めて。	千潤（ちひろ）／潤奈（じゅんな）／潤（じゅん）	潤也（じゅんや）／潤平（じゅんぺい）／潤弥（じゅんや）
澄 15画	チョウ・きよし・きよむ・す・すみ・すめる・とおる	**意味** ①水などに入れる。にごりがない。清らかにする。静める。②澄ます。つやを出す。③まじめな顔をする。気取る。水が澄んだ状態を表すことから、にごりのない純真な心を持った感のあるさわやかな人に育ってほしいという思いを込めて。また、透明感のあるさわやかな人に成長することを期待して。	香澄（かすみ）／澄乃（すみの）／澄良（きよら）	澄晴（すばる）／澄人（すみと）／泉澄（いずみ）

おすすめ漢字 15〜15画

画数・漢字	主な読み	主な意味と込めたい願い	女の子の名前例	男の子の名前例
蔵 15画	ソウ・ゾウ・おさむ・くら・ただ・とし・まさ・よし	意味 ①おさめる。たくわえる。しまっておく。②かくす。人目につかないようにする。③物をしまっておくところ。 願い 蔵は富の象徴。必要なものを備えて、管理することができる豊かな生活を送れる人に。豊かさと落ち着きを感じられる人になることを願って。		武蔵 むさし / 泰蔵 たいぞう / 恵蔵 けいぞう
潮 15画	チョウ・うしお・しお	意味 ①海水が満ちたり引いたりする現象。②海水の流れ。③海のみず。④とき。おり。⑤さす。あらわれ出る。ころあい。⑥時世の傾向。色づく。事のなりゆき。 願い 潮の満ち引きを表す壮大な印象の漢字。大きな可能性を秘め、未来に向かって前向きに歩いていける人にと願って。	潮香 しおか / 潮音 しおね / 美潮 みしお	潮音 しおん / 真潮 ましお / 潮 うしお
舞 15画	ブ・ム・ま・まい	意味 ①まう。まい。足ぶみして踊る。また、その踊り。②はげます。 願い 元は、足を踏みならして踊ることを表す漢字。踊りを舞うような、洗練された雰囲気と力強さを併せ持つ人に成長し、周囲の人を明るく元気づける存在になってほしいという願いを込めて。	舞 まい / 舞華 まいか / 結舞 ゆま	龍舞 りゅうま / 天舞 てんま / 悠舞 ゆうま
穂 15画	スイ・お・ほ・みのる	意味 ①稲や麦の茎の先に花や実がむらがりついたもの。②ほうきのような、ほの形をしたもの。筆とがったものの先。先。ろうそくなどのともしび。 願い 素朴で温かい印象を与える漢字。黄金色に輝く稲穂のように、実り豊かな人生を願って。	穂香 ほのか / 千穂 ちほ / 穂香 かほ	穂高 ほたか / 瑞穂 みずほ / 穂 みのる
璃 15画	リ・あき	意味 ①〔琉璃（るり）〕は、宝石の名の一つ。紺青色の古い呼び名。また、ガラスの古いよび名。②〔玻璃（はり）〕は、水晶の古いよび名。七宝の一つ。ガラスの古いよび名。 願い わが子を宝石のように大切に思う気持ちを込めて。また、透明感のある上品な雰囲気を持つ人にという願いを込めて。	璃桜 りお / 璃子 りこ / 璃音 りおん	璃空 りく / 璃久 りく / 璃人 りひと
諒 15画	リョウ・あき・まこと・ま・さ	意味 ①まこと。真実味がある。②思いやる。察する。③認める。 願い 「リョウ」の音のさわやかさを感じさせる漢字。物事の本質をしっかりと見極められる人に。また、相手の気持ちを思いやり、だれにでも優しい態度で接することができる人に成長してほしいという願いを込めて。	諒花 りょうか / 諒香 りょうか / 諒子 りょうこ	諒 りょう / 諒太 りょうた / 諒真 りょうま

おすすめ漢字 15〜16画

画数・漢字	主な読み	主な意味と込めたい願い	女の子の名前例	男の子の名前例
遼 15画	リョウ・はるか	**意味** ①遠くへだたっている。②りょう。中国の王朝の名。 **願い** はるか彼方の天空や山河をイメージする、無限の広がりが感じられる漢字。心が広く、スケールの大きな人に成長してほしいという願いを込めて。	遼子（りょうこ）／遼奈（はるな）／遼香（はるか）	遼太郎（りょうたろう）／遼也（りょうや）／遼馬（りょうま）
凛 15画	リン	**意味** ①身にしみて寒い。冷たい。寒さがきびしい。②きびしい。心がひきしまる。おそれつつしむ。りりしい。 **願い** 身も心もピリッと引き締まるイメージから、てきぱきとした明るい人に成長してほしいという思いを込めて。	凛（りん）／凛菜（りんな）／香凛（かりん）	凛都（りんと）／凛人（りんと）／凛太郎（りんたろう）
穏 16画	オン・おだ・しず・とし・やす・やすき	**意味** おだやか。落ち着いて静か。安らか。 **願い** だれとでも仲よくできる、穏やかで優しい性格の人に育ってほしいという願いを込めて。また、波風の立たない平穏で幸せな人生を送ることができるようにという祈りを込めて。	里穏（りおん）／美穏（みおん）／花穏（かのん）	至穏（しおん）／里穏（りおん）／怜穏（れおん）
薫 16画	クン・かお・かおる・しげ・つとむ・にお・ひで・ほう・ゆき	**意味** ①よいにおいがする。②よいにおい。③か。おりぐさ。マメ科の多年草。らんの一種。④くすぶる。煙が出る。⑤感化する。善に導く。 もともとは、香りのよい草を意味したことからも、素朴な魅力と温かい心を持った人にというイメージを持つ漢字。よい香りで人を包み込むような、穏やかな魅力と温かい心を持った人にという思いを込めて。	薫子（かおるこ）／薫里（かおり）／薫花（ゆきか）	薫（かおる）／薫平（くんぺい）
賢 16画	ケン・さと・さとし・さとる・すぐる・たか・ただ・ただし・とし	**意味** ①かしこい。りこう。才知がすぐれている。②すぐれた人。かしこい人。徳行のすぐれた人。③まさる。すぐれる。よぶ。④とうとぶ。たっとぶ。⑤他人のことに対して敬いの気持ちを表すことば。 **願い** 知性があり、学業や仕事で能力を発揮できる人に。また、その能力が人のために役立ち、尊敬されるようにと願って。	智賢（ちさと）／美賢（みさと）	賢太（けんた）／賢一（けんいち）／賢志（さとし）
樹 16画	ジュ・いつき・き・しげ・たつ・たつき・みき・むら	**意味** ①立ち木。②植え。立ち木などの意味から、天に向かって成長する樹木のような意味から、素直でまっすぐな性格の人に成長してほしいという祈りを込めて。	沙樹（さき）／杏樹（あんじゅ）／樹里（じゅり）	樹（いつき）／春樹（はるき）／直樹（なおき）

おすすめ漢字 16〜16画

篤 (16画)

主な読み: トク・あつ・あつし・すみ

意味: ①人情があつい。②もっぱら。熱心である。③病気が重い。

願い: 人情に厚く、困った人をほうっておけない人に育ってほしいという期待を込めて。また、何事にも一生懸命に取り組む熱い心を持った人に成長することを願って。

女の子の名前例:
- 篤子 あつこ
- 篤美 あつみ

男の子の名前例:
- 篤人 あつと
- 篤志 あつし
- 篤樹 あつき

磨 (16画)

主な読み: マ・みが

意味: ①玉や石などをする。②努めはげむ。③する。すれる。すりへる。

願い: 玉や石を磨くという意味から、自分自身を高めるため、真摯（しんし）な努力ができるようにという願いを込めて。学業や習い事にまじめに取り組む努力家になってほしいという思いも込めて。

女の子の名前例:
- 志磨 しま
- 磨依 まい
- 磨耶 まや

男の子の名前例:
- 拓磨 たくま
- 悠磨 ゆうま
- 颯磨 そうま

頼 (16画)

主な読み: ライ・たの・たよ・のり・よ・よし・より

意味: ①たよる。あてにする。②ねがう。ことづける。伝言する。まかせる。③たのもしい。たよりになる。【無頼（ぶらい）】は、ごろつき。

願い: 人から頼りにされる優れた能力やリーダーシップを持った、しっかりとした人に成長してほしいという期待を込めて。

女の子の名前例:
- 聖頼 せら
- 一頼 ひより
- 頼沙 らいさ

男の子の名前例:
- 頼希 らいき
- 頼人 らいと
- 頼 らい

龍 (16画)

主な読み: リュウ・リョウ・ロウ・き・み・しげみ・たつ・とおる・めぐむ

意味: 〔「竜」の旧字体〕①たつ。りゅう。想像上の動物。形は巨大なへびに似てかたいうろこと角をもち、雲をよび天にのぼるといわれる。②天子に関係する物事につけることば。③英雄や豪傑のこと。④名馬のこと。特別にすぐれているもの。

願い: 強さと躍動感を感じられる漢字。目標を次々と成し遂げていける人に。

男の子の名前例:
- 龍生 りゅうせい
- 龍輝 りゅうき
- 龍之介 りゅうのすけ

橙 (16画)

主な読み: トウ・だいだい

意味: ①だいだい。ミカン科の常緑小高木。初夏、かおりのある白い花が咲く。果実は芳香があって酸味が強い。果汁は調理に使う。果皮は薬用になる。縁起物として新年の飾り字。②赤みがかった黄色。だいだい色。

願い: 柑橘類のさわやかさから、明るい性格とみずみずしい感性を持った人に成長してほしいという願いを込めて。

女の子の名前例:
- 橙子 とうこ
- 橙佳 とうか
- 橙花 とうか

男の子の名前例:
- 橙弥 とうや
- 橙馬 とうま
- 橙伍 とうご

澪 (16画)

主な読み: レイ・みお

意味: みお。舟が通るための水路。海や川で船が安全に通れる深い水路を表す。

願い: 着きがイメージでき、安心感や落ち着きがイメージできる漢字。困った人を助ける優しくて面倒見のよい人になってほしいという祈りを込めて。

女の子の名前例:
- 澪奈 みおな
- 澪里 みおり
- 澪 みお

男の子の名前例:
- 澪央 れお
- 澪斗 みおと
- 澪 れい

おすすめ漢字 17〜18画

画数・漢字	主な読み	主な意味と込めたい願い	女の子の名前例	男の子の名前例
謙 17画	ケン・あき・かた・かね・しず・のり・ゆずる・よし	【意味】へりくだる。ゆずる。正しい言葉づかいをする、礼儀正しい人に。【願い】謙虚で聡明な印象があり、だれからも愛される人柄や素直さを感じさせる名前に。満ち足りる、快いという意味もあることから、すべてにおいて満ち足りた人生を歩むことができるよう願って。		謙心 けんしん 謙太郎 けんたろう 謙吾 けんご
駿 17画	シュン・スン・たかし・とし・はや・はやお・はやし	【意味】①足の速いすぐれた馬。②すぐれた人。すぐれていること。③速い。すみやか。【願い】サラブレッドのように、優美で軽やかな印象を与える漢字。さわやかでスピード感にあふれ、敏腕で、判断力に優れた人になることを願って。		駿太 しゅんた 駿斗 しゅんと 駿介 しゅんすけ
優 17画	ユウ・かつ・すぐ・ひろ・まさ・まさる・やさ・ゆたか	【意味】①すなおでおとなしい。②穏やか。ゆったりしている。③しとやかでいる。④ひいでている。上品。⑤成績や程度の序列で、もっともすぐれていることを表すことば。⑥手厚い。⑦役者。【願い】優秀で、温かい心を持った穏やかな人に成長してほしいという期待を込めて。	優衣 ゆい 優花 ゆうか 美優 みゆ	優斗 ゆうと 優太 ゆうた 優真 ゆうま
翼 17画	ヨク・すけ・たすく・つばさ	【意味】①つばさ。鳥や虫、また飛行機などの羽。②助ける。かばう。③左右にあるもの。【願い】大空を舞うように、のびのびと自由にできる優しさや、物事をじっくり考える繊密さを持った人に成長してほしいという思いを。「助ける」という意味もあることから、親鳥が翼でひなを守るように、人を守り助けることができる頼もしい人になるようにとの思いも込めて。	翼紗 つばさ 翼沙 つばさ	翼 つばさ 龍翼 りょうすけ 悠翼 ゆうすけ
織 18画	シ・シキ・ショク・お・おり・り	【意味】①はたをおる。布をおる。②物を組み立て助ける。【願い】繊細さや奥深さをイメージさせる漢字。人に細やかな心づかいができる優しさや、物事をじっくり考える繊密さを持った人に成長してほしいという思いを込めて。少し古風な和の雰囲気を感じさせる名前に。	詩織 しおり 美織 みおり 妃織 ひおり	伊織 いおり 織人 おりと 唯織 いおり
藍 18画	ラン・あい	【意味】①あい。たであい。タデ科の一年草。葉から青色の染料をとる。②あいいろ。濃い青色。ぽろきれ。【願い】鮮やかな濃い青色は、気高く落ち着いたイメージ。藍の字を使った故事「出藍の誉れ」は、弟子が師よりも優れた才能を発揮するたとえ。高い志を持ち、優れた才能を発揮できる人にと期待を込めて。	藍里 あいり 藍 らん 藍衣 あい	藍斗 あいと 藍希 あいき 藍琉 あいる

おすすめ漢字 19〜20画

画数・漢字	主な読み	主な意味と込めたい願い	女の子の名前例	男の子の名前例
羅 19画	ラ・つら	**意味** ①鳥をつかまえる網。②網でつかまえる。③全部をくるむ。④連ねる。⑤うすぎぬ。 **願い** 梵語の音訳にも使われることから、名前に神秘的な雰囲気を加えることができる漢字。一文字で「ラ」と読めるので、個性的な名前をつけたいときにも使いやすい。	沙羅（さら）／咲羅（さくら）／聖羅（せいら）	朱羅（しゅら）／蒼羅（そら）／平羅（たいら）
蘭 19画	ラン	**意味** ①らん。ラン科植物の総称。美しく、よいかおりがあり、観賞用に栽培される。②ふじばかま。キク科の多年草。うすむらさきの花を咲かせ、秋の七草の一つ。③気品が高く、美しいもののたとえ。④「和蘭（オランダ）」の略。 **願い** 独特の美しさで人を魅了するらんの花のように、魅力的な人にと願いを込めて。	蘭（らん）／麗蘭（れいら）／美蘭（みらん）	蘭丸（らんまる）／亜蘭（あらん）／蘭馬（らんま）
麗 19画	レイ・あきら・うるわ・か・つら・よし	**意味** ①うるわしい。美しい。②うららか。のどか。③りっぱな。すぐれた。④華やかな。きらびやかな。 **願い** 元は、鹿が群れをなして走っているさまを表す漢字。女の子に多く使われるが、音も字形も美しく、男の子の名前としても人目を引く。華やかさと上品さを併せ持った人に成長してほしいという思いを託して。	麗（れい）／麗加（れいか）／麗菜（れいな）	麗音（れおん）／麗矢（れいや）／麗央（れお）
響 20画	キョウ・ひび・ひびき	**意味** ①音がひびきわたる。こだまする。ひびき。こだま。②他の物に変化をおよぼす。 **願い** 音が広がるイメージから、そこにいるだけでまわりの人が幸せな気持ちになるような、よい影響を与えられる人になってほしいという祈りを込めて。また、広い分野で活躍できる人になってほしいという期待も込めて。	響香（きょうか）／響子（きょうこ）／響希（ひびき）	響（ひびき）／響介（きょうすけ）／響平（きょうへい）
護 20画	コ・ゴ・まもる・もり	**意味** ①守る。かばう。②助ける。③守り。お守り。 **願い** 中のものを傷つけないように細工をしながら守るという意味から、自分のいちばん大事な家族や友だちを守る人になってほしいと願って。優しさと強さ、聡明さを兼ね備えた人に。	優護（ゆうご）／一護（いちご）	護（まもる）
耀 20画	ヨウ・あき・あきら・てる	**意味** ①輝く。光る。②輝き。光。 **願い** 元は火の光を表し、勢いが感じられる漢字。いつも輝いて見える魅力あふれた人に成長してほしいという期待と、輝かしい未来への想いを託して。	耀子（ようこ）／耀（あき）	耀大（ようた）／大耀（たいよう）／耀一朗（よういちろう）

422

第5章

イメージから選ぶ名づけ

こんな雰囲気の名前にしたい、こんな子に育ってほしい…。
そんなイメージや願いから名前を考えたい人は
この章を活用しましょう。
さまざまなイメージや親の願いから連想される
名前例を挙げています。

イメージから選ぶ名づけについて

名前の持つイメージは印象的なことが多いもの。生まれてくる赤ちゃんの輝かしい未来のためにも、たっぷりの愛情と希望を、それぞれのイメージに託してあげましょう。

※漢字の右側の数字は画数、名前下の数字は「仮成数」を加えていない地格です。
※漢字の意味はP327からの「おすすめ漢字から選ぶ名づけ」を参照してください。
※名前例は実例ですので、あて字も含まれています。ご了承ください。
※ここでは「仮成数」を加えて吉数にする場合も考えて、画数としてそのままでは吉数ではない名前例も掲載しています。

好きなことや希望から イメージを連想して

　幸せ、健康、美しさ、やさしさ、強さ……。子どもに託したい願いは人それぞれです。まずは好きなこと、子どもに願うことを素直な気持ちでイメージし、次々と連想していきましょう。そしていくつかのイメージが固まったら、音の響きや漢字の意味から字を組み合わせていきます。

　次のページからは、イメージと漢字の組み合わせのヒントがたくさん。名前はわが子への最初のプレゼントだからこそ、愛情をたっぷり託したイメージをふくらませて、すてきな名前を考えてあげましょう。

イメージから選ぶ名づけのコツ

① 好きな漢字から考える
「陽」という漢字が好きなら「陽太」など、意味や音などが好きな漢字をメインに、ほかの字と組み合わせたりして名前を考えてみましょう。

② 好きなものから発想を広げる
夏の海が好きなら「夏海」、ピンクの花が好きなら「桃花」など、ママやパパの好きなものから発想を広げて名前を考えてみましょう。

③ 名前に込めたい願いから考える
たとえば「おおらかな子に」の願いを込めて、「大」や「悠」を使った名前にするなど、漢字の持つ意味やイメージから考えてみましょう。

④ ママとパパのエピソードから発想する
2人が出会った春から「春菜」、旅先で見た美しい星から「悠星」など、想い出からイメージしてもいいですね。

⑤ 実際にある名前にあやかる
坂本龍馬から「龍馬」など、歴史上の人物などにあやかるのも一つの方法。ただし、先入観をもって見られることもあるので、ひと工夫を。

→ ①〜⑤をヒントに名前を考える
→ 漢字の意味を調べてチェック
→ 姓とのバランスをチェック
→ 気になる人は、画数を調べてチェック
→ イメージ名づけの完成！

Image Keyword 春

新しい命の強さと
やわらかな春の日ざし
を併せ持つ人に

イメージ漢字

陽[12] 爽[11] 華[10] 風[9] 花[7]
颯[14] 菫[11] 桜[10] 春[9] 芽[8]
麗[19] 萌[11] 菜[11] 桃[10] 若[8]

イメージから選ぶ名づけ

男の子

名前	よみ	画数
春希[9][7]	はるき	16
颯人[14][2]	はやと	16
爽太[11][4]	そうた	15
爽介[11][4]	そうすけ	15
颯介[14][4]	はやて	14
桜太[10][4]	おうた	14
桜介[10][4]	おうすけ	14
華丸[10][3]	はなまる	13
陽[12]	はる	12
春陽[9][12]	はるひ	21
春翔[9][12]	はると	21
爽真[11][10]	そうま	21
爽良[11][7]	そら	18
颯太[14][4]	そうた	18
陽平[12][5]	ようへい	17
桃吾[10][7]	とうご	17
陽太[12][4]	ようた	16
陽仁[12][4]	はるひと	16
陽斗[12][4]	はると	16

女の子

名前	よみ	画数
桜[10]	さくら	10
花[7]	はな	7
麗音[19][9]	れおん	28
麗弥[19][8]	れいや	27
華樹[10][16]	かずき	26
颯真[14][10]	そうま	24
菫太郎[11][4][9]	きんたろう	24
桜雅[10][13]	おうが	23
風稀[9][12]	ふうき	21
風花[9][7]	ふうか	16
菜央[11][5]	なお	16
花歩[7][8]	かほ	15
桃子[10][3]	ももこ	13
芽生[8][5]	めい	13
桜子[10][3]	さくらこ	13
花帆[7][6]	かほ	13
風子[9][3]	ふうこ	12
春乃[9][2]	はるの	11
菫[11]	すみれ	11
麗[19]	うらら	19
萌花[11][7]	もえか	18
爽来[11][7]	そら	18
花梨[7][11]	かりん	18
桃花[10][7]	ももか	17
萌衣[11][6]	めい	17
春奈[9][8]	はるな	17
菜々子[11][3][3]	ななこ	17
桜花[10][7]	おうか	17
若奈[8][8]	わかな	16
麗華[19][10]	れいか	29
麗良[19][7]	れいら	26
陽菜乃[12][11][2]	ひなの	25
菜摘[11][14]	なつみ	25
華凛[10][15]	かりん	25
桜彩[10][11]	さや	21
颯希[14][7]	さつき	21
若葉[8][12]	わかば	20
陽依[12][8]	ひより	20
若菜[8][11]	わかな	19

425

Image Keyword

夏

明るくすがすがしい
イメージの人に。
トロピカルな雰囲気も

イメージから選ぶ名づけ

イメージ漢字

蓮13	涼11	航10	風9	帆6
雷13	陽12	夏10	海9	波8
榎14	葉12	蛍11	南9	虹9

男の子

航10 わたる 10	海9人2 かいと 11	虹9太4 こうた 13	蓮13生5 かいせい 13	陽12人2 はると 14	蛍11太4 けいた 15	航10生5 こうき 15	虹9成6 こうせい 15

航10平5 こうへい 15	涼11介4 りょうすけ 15	蓮13人2 れんと 15	海9里7 かいり 16	帆6高10 ほだか 16	涼11平5 りょうへい 16	波8音9 なおと 17	陽12生5 はるき 17	風9河8 ふうが 17	雷13斗4 らいと 17

榎14月4 かづき 18	涼11真10 りょうま 21	風9雅13 ふうが 22	航10太4郎9 こうたろう 23	葉12琉11 はる 23	蓮13太4郎9 れんたろう 26	南9 みなみ 9	心4海9 ここみ 13	虹9心4 こころ 13

女の子

帆6花7 ほのか 13	帆6乃2 はの 14	葉12乃2 はの 14	帆6南9 ほなみ 15	海9羽6 みう 15	夏10帆6 かほ 16	葉12月4 はづき 16	海9里7 みさと 16	夏10希7 なつき 17	波8音9 なみね 17	南9佳8 みか 17

涼11花7 すずか 18	虹9香9 にじか 18	風9香9 ふうか 18	海9音9 みおん 18	海9咲9 みさき 18	南9風9 なつみ 18	夏10海9 なつみ 19	榎14帆6 かほ 20	涼11音9 すずね 20	陽12奈8 はるな 20

風9菜11 ふうな 20	蓮13花7 れんか 20	葉12奈8 れな 20	虹9愛13 にいな 22	陽12夏10 ひなつ 22	涼11葉12 すずは 23	蓮13華13 れんげ 23	南9穂15 なほ 24	蓮13桜10菜11 れおな 34

秋

実り多き人生に。
移りゆく自然の美しさも
イメージして

イメージ漢字

豊13	萩13	菊	実8	夕
澄15	楓13	梨11	秋9	月4
穂15	稔13	椛11	紅9	天4

男の子

| 夕翔12 ゆうと 15 | 夕稀12 ゆうき 15 | 天眞10 てんま 14 | 豊13 ゆたか 13 | 稔13 みのる 13 | 天音13 あまね 13 | 月虎9 つきと 12 | 天空8 そら 12 | 実8 みのる 8 |

| 秋翔12 しゅうと 21 | 秋悟12 しゅうご 19 | 梨玖11 りく 18 | 萩成12 しゅうせい 18 | 楓太13 ふうた 17 | 豊仁6 とよひと 17 | 澄人15 きよと 17 | 天晴15 てんせい 16 | 月陽13 つきひ 16 | 天翔15 たかと 16 |

女の子

| 夕奈8 ゆな 11 | 椛11 かえで 11 | 月乃2 つきの 6 |

| 穂敬15 ほだか 27 | 澄眞15 とうま 25 | 実輝15 みつき 23 | 楓眞13 ふうま 23 | 澄空13 そら 23 | 楓芽13 ふうが 21 |

| 月紫12 つくし 16 | 月葉12 つきは 16 | 紅花7 こはな 16 | 夕葵3 ゆうき 15 | 実希8 みき 15 | 月華10 つきか 14 | 梨乃11 りの 13 | 夕真5 ゆま 13 | 実央5 みお 13 | 月美4 つきみ 13 |

| 梨紗11 りさ 21 | 実乃梨10,11 みのり 21 | 澄羽15 すみは 21 | 紅葉12 くれは 21 | 梨奈11 りな 19 | 美紅9 みく 18 | 紅音9 あかね 18 | 実咲8 みさき 17 | 夕愛3 ゆあ 16 | 楓子13 ふうこ 16 |

| 穂奈美15,9 ほなみ 32 | 実優17 みゆ 25 | 稔琉11 みのる 24 | 椛鈴11 かりん 24 | 楓梨13 かりん 24 | 香澄9 かすみ 24 | 楓華13 ふうか 23 | 穂花15 ほのか 22 | 澄花15 すみか 22 | 澄良15 きよら 22 |

Image Keyword

冬

冬の空気のように澄みきったピュアな心を持つ人に

イメージ漢字

凛 雪 透 柊 白
温 純 星 冬
聖 清 玲 冴

イメージから選ぶ名づけ

男の子

漢字	読み	画数
柊⁹	しゅう	9
柊人⁹	しゅうと	11
星七²	せな	11
純也³	じゅんや	13
透也¹⁰	とうや	13
星矢⁹	せいや	14
温人¹²	はると	14
玲史⁹	れいじ	14
玲央⁹	れお	14

漢字	読み	画数
純¹⁰	じゅんぺい	15
清太¹¹	せいた	15
冬悟⁵	とうご	15
冬真⁵	とうま	15
聖人¹³	まさと	15
清正¹¹	きよまさ	16
冴祐⁷	さすけ	16
柊吾⁹	しゅうご	16
純乃介¹⁰	じゅんのすけ	16
冬埜⁵	とうや	16

漢字	読み	画数
温太¹²	はるた	16
星空⁹	そら	17
白瑛⁵	はくえい	17
柊哉⁹	しゅうや	18
透茉¹⁰	とおま	18
玲音⁹	れおん	18
雪之丞¹¹	ゆきのじょう	20
透琉¹⁰	とおる	21
悠聖¹¹	ゆうせい	24
凛太朗¹⁵	りんたろう	29

女の子

漢字	読み	画数
柊子⁹	とうこ	12
雪乃¹¹	ゆきの	13
冬香⁵	ふゆか	14
温子¹²	あつこ	15
冴弥⁷	さや	15
柊花⁹	しゅうか	16
柊里⁹	しゅうり	16
深冬¹¹	みふゆ	16
玲亜⁹	れいあ	16

漢字	読み	画数
星空⁹	せいら	17
透花¹⁰	とうか	17
雪衣¹¹	ゆい	17
玲奈⁹	れいな	17
純奈¹⁰	あやな	18
清良¹¹	きよら	18
純怜¹⁰	すみれ	18
雪花¹¹	ゆきか	18
凛子¹⁵	りこ	18

漢字	読み	画数
玲美⁹	れみ	18
温花¹²	はるか	19
清華¹¹	きよか	21
純菜¹⁰	じゅんな	21
聖奈¹³	せいな	21
雪菜¹¹	ゆきな	22
聖華¹³	せいか	23
聖梨¹³	ひじり	24
凛桜¹⁵	りお	25
凛々花¹⁵	りりか	25

Image Keyword
暦・干支（えと）

暦・干支を象徴。誕生の瞬間を忘れないで

イメージ漢字

子3　巳5　未5　卯5　文4
閏12　辰7　申5　如6　葉12
睦13　弥8　　　　　　閏12
　　　　　　　　　　睦13　弥8

男の子

- 文人 あやと 6
- 文太 ぶんた 8
- 子竜 しりゅう 13
- 未來 みらい 13
- 文梧 ぶんご 15
- 睦人 むつと 15
- 辰郎 たつろう 16
- 弥空 みく 16
- 葉太 ようた 16
- 睦生 むつき 18

女の子

- 閏弥 じゅんや 20
- 葉瑠 はる 26
- 文乃 あやの 6
- 未希 みき 12
- 文音 あやね 13
- 未和 みわ 13
- 睦 むつみ 13
- 弥生 やよい 13
- 睦月 むつき 17
- 弥恩 みおん 18
- 弥夏 みか 18
- 未夢 みゆ 18
- 葉音 はのん 21
- 葉菜 はな 23

!イメージヒント集

季語や月の異名から探す

季節のイメージは、季語や各月の異名（読み方）も大きなヒントとなります。左の各表を参考に、うまくイメージと結びつけてみましょう。

●季語

	季語	意味
春	春暁（しゅんぎょう）	春の明け方
	陽炎（かげろう）	透明なゆらゆら立ちのぼるゆらめき
	百日紅（さるすべり）	盛夏に咲く赤い花
夏	薫風（くんぷう）	初夏の風
秋	芙蓉（ふよう）	初秋に咲く薄紅の花
	紫苑（しおん）	紫色の小さな花
冬	柊（ひいらぎ）	節分の魔よけに使われる木
	風花（かざはな）	風に舞う小雪

●月の異名

月	異名	読み
1月	睦月	むつき
2月	如月	きさらぎ
3月	弥生	やよい
4月	卯月	うづき
5月	皐月	さつき
6月	水無月	みなづき
7月	文月	ふづき
8月	葉月	はづき
9月	長月	ながつき
10月	神無月	かんなづき
11月	霜月	しもつき
12月	師走	しわす

Image Keyword

大地

大地のようにおおらかな存在感を持つ人に

イメージから選ぶ名づけ

イメージ漢字

大3	実10	野11	陸11	壊16
広5	恵10	萌11	雄12	樹16
拓8	耕10	悠11	颯14	穣18

男の子

大3 だい 3	大介3 だいすけ 7	広大5 こうだい 7	大地3 だいち 8	大吾3 だいご 9	拓人8 たくと 10	陸11 りく 11	知広8 ともひろ 13	恵太10 けいた 14
雄大12 ゆうだい 15	陸斗11 りくと 15	悠生11 ゆうせい 16	耕佑10 こうすけ 17	颯大14 そうた 17	颯也14 そうや 17	拓海8 たくみ 17	広翔12 ひろと 17	拓真8 たくま 18
大樹16 だいき 19	樹生16 いつき 21	恵都10 けいと 21	颯志14 そうし 21	悠一郎11 ゆういちろう 21	雄飛12 ゆうひ 21	悠真11 ゆうま 22	雄悟12 ゆうご 23	悠翔11 ゆうと 23	耕太朗10 こうたろう 24

女の子

悠11 はるか 11	恵子10 けいこ 13	野乃11 のの 13	萌々11 もも 14	悠月11 ゆづき 15	夏実10 なつみ 18	実桜8 みお 18	陸花11 りっか 18	萌依11 めい 19
恵美10 めぐみ 19	悠奈11 ゆうな 19	恵真10 えま 20	颯妃14 さつき 20	野乃花11 ののか 20	実結8 みゆ 20	野恵11 のえ 21	颯良14 そら 21	悠莉11 ゆうり 21	杏樹7 あんじゅ 23
沙樹7 さき 23	樹花16 じゅか 23	樹里16 じゅり 23	実穂8 みほ 23	萌々香11 ももか 23	詩野13 しの 24	菜々恵11 ななえ 24	萌愛11 もえ 24	美樹9 みき 25

Image Keyword 山・河

雄々しくそして悠々と そんな人生を送ってほしい

イメージ漢字

山 河 峰 渉 嵩
岳 峡 渓 森 遼
林 高 崇 稜 瀬

男の子

名前	読み	ページ
岳	がく	8
岳人	がくと	10
大河	たいが	11
渉	わたる	11
風山	ふうや	12
岳弘	たかひろ	13
崇也	たかなり	14
渓太	けいた	15
渓斗	けいと	15
渉太	しょうた	15
崇太	そうた	15
崇文	たかふみ	15
遼	りょう	15
稜人	りょうと	15
高汰	こうた	17
山太朗	さんたろう	17
崇伍	しゅうご	17
星河	せいが	17
高志	たかし	17
遼人	はると	17
稜太	りょうた	17
稜平	りょうへい	18
崇虎	たけとら	19
岳琉	たける	19
遼太	りょうた	19
遼生	りょうせい	20
清高	きよたか	21
渓一郎	けいいちろう	21
嵩明	こうめい	21
銀河	ぎんが	22
渉琉	わたる	22
諒河	りょうが	23
稜真	りょうま	23
高輝	こうき	25
嵩偉	たかひで	25
陽嵩	ひだか	25
遼真	りょうま	25
遼太郎	りょうたろう	28
森羅	しんら	31

女の子

名前	読み	ページ
遼	はるか	15
果林	かりん	16
美河	みか	17
稜叶	りょうか	18
遼子	りょうこ	18
七瀬	ななせ	21
美森	みもり	21
萌峰	もね	21
千瀬	ちせ	22
遼佳	はるか	23
遼奈	はるな	23
遼華	りょうか	25
林檎	りんご	25
瀬里	せり	26
瀬奈	せな	27
奈々瀬	ななせ	30
綾瀬	あやせ	33
瀬理奈	せりな	38

Image Keyword

海・水

さわやかな水辺のイメージを持つ人に

イメージ漢字

澄 港 航 沙 水
潤15 湘12 渚 波8 汐6
潮 湊12 清 渚10 帆6

イメージから選ぶ名づけ

男の子

| 巧波5 こうは 13 | 航也10 こうや 13 | 春水4 しゅんすい 13 | 千理3 せんり 13 | 航介10 こうすけ 13 | 航太10 こうた 14 | 汐弥6 しおや 14 | 清也11 せいや 14 | 湊人12 みなと 14 |

| 潮15 うしお 15 | 和沙7 かずさ 15 | 清仁11 きよひと 15 | 汐音6 しおん 15 | 潤15 じゅん 15 | 帆高10 ほだか 16 | 航成10 こうせい 16 | 潤一15 じゅんいち 16 | 渚生11 しょう 16 | 湘太12 しょうた 16 |

| 世渚11 せな 16 | 陸帆10 りくほ 17 | 潤也15 じゅんや 18 | 渚空10 りく 18 | 波琉8 なる 19 | 琉清11 りゅうせい 22 | 青澄15 あずみ 23 | 空澄8 あすむ 23 | 真渚人10 まなと 23 | 清志朗11 きよしろう 28 |

女の子

| 水月4 みづき 8 | 千波3 ちなみ 11 | 有沙6 ありさ 13 | 志帆7 しほ 13 | 水音4 みお 13 | 美水9 みみ 13 | 渚子10 りこ 13 | 佳帆8 かほ 14 | 心渚4 ここな 15 |

| 沙季7 さき 15 | 沙弥7 さや 15 | 汐保6 しほ 15 | 帆乃花6 ほのか 15 | 汐音6 しおね 16 | 汐莉6 しおり 16 | 汐夏6 せな 16 | 真帆10 まほ 16 | 美波9 みなみ 17 |

| 渚花10 りな 17 | 千潤3 ちひろ 18 | 清音11 きよね 20 | 智波12 ちなみ 20 | 渚紗11 なぎさ 21 | 花澄7 かすみ 22 | 愛渚13 あいり 23 | 依澄8 いずみ 23 | 遥渚12 はるな 23 | 湊愛12 そあ 25 |

Image Keyword

豊か

豊かで幸せな人生を送れるように

イメージ漢字

充[6] 裕[12] 豊[13]
宝[8] 満[12] 福[13]
恵[10] 富[12] 潤[15]

男の子

- 充希 みつき 13
- 宝良 たから 15
- 満月 みつき 16
- 裕介 ゆうすけ 16
- 裕太 ゆうた 16
- 恵吾 けいご 17
- 恵汰 けいた 17
- 潤月 ひろき 19
- 拓豊 たくと 21
- 福真 ふくま 23

女の子

- 富太郎 とみたろう 25
- 潤哉 じゅんや 24
- 宝 たから 8
- 潤 じゅん 15
- 千裕 ちひろ 15
- 充咲 みさき 15
- 渚央 なお 16
- 恵茉 えま 18
- 富士子 ふじこ 18
- 裕花 ゆうか 19
- 愛恵 まなえ 23
- 美豊花 みゆな 29
- 優満 ゆま 29
- 満理奈 まりな 31

Image Keyword

生命

生命の尊さ、すばらしさをいつまでも

イメージ漢字

生[5] 芽[8] 営[12]
寿[7] 進[11] 喬[12]
育[8] 萌[11] 湧[12]

男の子

- 大芽 たいが 11
- 喬士 きょうじ 15
- 康生 こうせい 16
- 弥育 みつなり 16
- 湧太 ゆうた 16
- 琉生 るい 16
- 飛芽 ひゅうが 17
- 湧生 ゆうき 17
- 寿野 としや 18
- 英進 えいしん 19

女の子

- 優生 ゆうき 22
- 寿磨 かずま 23
- 寿々 すず 10
- 育実 はぐみ 16
- 寿美 ことみ 16
- 芽依 めい 16
- 萌生 めい 17
- 育美 いくみ 17
- 百萌 もも 17
- 愛生 あおい 18
- 瑞生 みずき 18
- 萌菜 もな 22
- 結萌 ゆめ 23
- 優芽 ゆめ 25

Image Keyword

光・風

まわりを明るくさわやかにしてくれるような人に

イメージから選ぶ名づけ

イメージ漢字

暉[13] 陽 爽 映 光
颯[14] 皓 涼 洸 明
輝[15] 煌 晴[12] 晃[10] 風[9]

男の子

漢字	よみ	ページ
光[6]	ひかる	6
孔明[4][8]	こうめい	12
晴[12]	はる	12
煌[13]	こう	13
洸介[9][4]	こうすけ	13
晃生[10][5]	こうせい	13
晃平[10][5]	こうへい	15
大晴[3][12]	たいせい	15
涼太[11][4]	りょうた	15
映汰[9][7]	えいた	16
一輝[1][15]	かずき	16
皓太[12][4]	こうた	16
爽平[11][5]	そうへい	16
大暉[3][13]	だいき	16
太陽[4][12]	たいよう	16
煌斗[13][4]	あきと	17
颯士[14][3]	そうし	17
光琉[6][11]	ひかる	17
爽汰[11][7]	そうた	18
隼風[10][9]	はやて	19
智明[12][8]	ともあき	20
直皓[8][12]	なおひろ	20
颯汰[14][7]	そうた	21
風雅[9][13]	ふうが	22
洸太朗[9][4][10]	こうたろう	23
直輝[8][15]	なおき	23
悠陽[11][12]	はるひ	23
悠晴[11][12]	ゆうせい	23

女の子

漢字	よみ	ページ
朝陽[12][12]	あさひ	24
晃輔[10][14]	こうすけ	24
颯馬[14][10]	そうま	24
悠暉[11][13]	ゆうき	24
涼雅[11][13]	りょうが	24
煌雅[13][13]	こうが	26
爽乃[11][2]	さやの	13
光希[6][7]	みつき	13
明里[8][7]	あかり	15
映凪[9][6]	えな	15
心晴[4][12]	こはる	16
光莉[6][10]	ひかり	16
涼帆[11][6]	すずほ	17
春風[9][9]	はるか	18
爽香[11][9]	さやか	19
風夏[9][10]	ふうか	20
陽和[12][8]	ひより	20
明日香[8][4][9]	あすか	21
涼華[11][10]	すずか	21
晴香[12][9]	はるか	21
春陽[9][12]	はるひ	21
美陽[9][12]	みはる	21
颯季[14][8]	さつき	22
愛洸[13][9]	まひろ	22
晴菜[12][11]	はるな	23
煌梨[13][11]	きらり	23
咲輝[9][15]	さき	24
美輝[9][15]	みき	24

Image Keyword

色・香

かぐわしさ、繊細な色合いからイメージ

男の子

名前	読み	ページ
朱里[6]	しゅり	13
桃矢[10]	とうや	15
碧人[14]	あおと	16
薫[16]	かおる	16
紫月[12]	しづき	16
蒼太[13]	そうた	17
元緋[14]	あさひ	18
碧生[14]	あおい	19
薫平[16]	くんぺい	21
紫音[12]	しおん	21

女の子

名前	読み	ページ
蒼空[13]	そら	21
虹翔[12]	ななと	21
茜[9]	あかね	9
七虹[9]	ななこ	11
紫乃[12]	しの	14
朱音[12]	あかね	15
紅亜[9]	くれあ	16
桃果[10]	ももか	18
薫子[16]	かほるこ	19
蒼依[13]	あおい	21
萌々花[11]	ももか	21
碧海[14]	あみ	23
美緑[14]	みのり	23
緋彩[14,11]	ひいろ	25

イメージ漢字

朱[6] 紅[10] 紫[12] 緋[14]
虹[9] 桃[10] 蒼[13] 碧[14]
茜[9] 萌[11] 緑[14] 薫[16]

! イメージヒント集

日本の自然の色から探す

青や赤、といった単色ではなく、自然の淡い色合いを表現しているのが、日本ならではの伝統色。情緒的で和風のイメージを持つため、これも、イメージ名づけの大きなヒントになります。

● 赤系
桜色（さくらいろ）・曙（あけぼの）・薄紅（うすくれない）
緋色（ひいろ）・茜色（あかねいろ）・朱紫（しゅし）
紅梅（こうばい）・深紅（しんく）・紅（くれない）

● 青・紫系
露草色（つゆくさいろ）・千草色（ちぐさいろ）・紺碧（こんぺき）
桔梗色（ききょういろ）・群青色（ぐんじょういろ）・藤色（ふじいろ）
杜若色（かきつばたいろ）・菫色（すみれいろ）

● 緑系
若草色（わかくさいろ）・萌黄色（もえぎいろ）
若苗色（わかなえいろ）・青葉色（あおばいろ）

● 黄・茶・橙系
雄黄（ゆうおう）・雌黄（しおう）・利休色（りきゅういろ）
亜麻色（あまいろ）・胡桃色（くるみいろ）

Image Keyword

宇宙

はるかなる宇宙への
あこがれ、
希望を持つ人に

イメージから選ぶ名づけ

イメージ漢字

輝[15] 昊[8] 来[7] 未[5] 月[4]
星[9] 空[8] 世[5] 天[4]
昴[9] 宙[8] 宇[6] 斗[4]

男の子

| 空 そら 8 | 昴 すばる 9 | 来人 らいと 9 | 昊大 こうだい 11 | 世那 せな 12 | 心宙 みひろ 12 | 天飛 あまと 13 | 拓未 たくみ 13 | 修斗 しゅうと 14 |

| 宇宙 そら 14 | 健斗 けんと 15 | 侑希 こうき 15 | 凱斗 かいと 15 | 翔天 しょうま 16 | 未希斗 みきと 16 | 悠世 ゆうせい 16 | 隆世 りゅうせい 16 |

| 蒼月 あつき 17 | 睦月 むつき 17 | 悠宇 ゆう 17 | 颯天 そうま 18 | 大輝 だいき 18 | 凌空 りく 18 | 宙翔 ひろと 20 | 悠星 ゆうせい 20 | 琉星 りゅうせい 20 | 優斗 ゆうと 21 |

女の子

| 由宇 ゆう 11 | 希未 のぞみ 12 | 未来 みく 12 |

| 優月 ゆづき 21 | 来輝 らいき 22 | 和輝 かずき 23 | 航輝 こうき 25 | 未來翔 みくと 25 | 優輝 ゆうき 32 |

| 天音 あまね 13 | 世奈 せな 13 | 美月 みづき 13 | 柚月 ゆづき 13 | 来実 くるみ 15 | 世莉 せり 15 | 菜月 なつき 15 | 希空 のあ 15 | 未桜 みお 15 |

| 咲来 さくら 16 | 星来 せいら 16 | 明星 あかり 17 | 美空 みそら 17 | 美昊 みく 17 | 碧天 あおい 18 | 愛未 あみ 18 | 真宙 まひろ 18 | 輝紗 きさ 25 | 優空 ゆら 25 |

Image Keyword

幻想

神秘的な魅力を持つ人に

男の子

漢字	読み	ページ
佳大 8	けいた	11
覚 12	さとる	12
一路 13	いちろ	14
大夢 5	ひろむ	16
佳明 8	よしあき	16
佳祐 8,9	けいすけ	17
想太 13,4	そうた	17
琉伽 11,7	るか	18
想良 13,7	そら	20
歩夢 8,13	あゆむ	21

女の子

漢字	読み	ページ
竜偲 11	りゅうじ	21
瑞樹 13	みずき	29
佳乃 8	よしの	10
夢 13	ゆめ	13
夢七 13,2	ゆめな	15
夢乃 13,2	ゆめの	15
伽恋 7	かれん	17
彩伽 7	あやか	18
桃佳 8	ももか	18
瑞希 13	みずき	20
愛佳 8	あいか	21
路真 13	ろま	23
瑞葉 13	みずは	25
想愛 13	そあ	26

イメージ漢字

伽 7　覚 12　路 13
佳 8　想 13　瑞 13
偲 11　夢 13

Image Keyword

清潔

クリアで潔い人生を送れるように

男の子

漢字	読み	ページ
怜央 8,5	れお	13
廉 10	れん	13
純正 10	じゅんせい	15
光透 6	みつゆき	16
光清 6	こうせい	17
陸透 11,6	りくと	21
凛空 15	りく	23
怜穏 8,16	れおん	24
純輝 10,15	じゅんき	25
晴澄 12,15	はると	27

女の子

漢字	読み	ページ
龍清 16	りゅうせい	27
麗音 19,9	れおん	28
花怜 7	かれん	15
怜奈 8,10	れいな	16
美怜 9,8	みれい	17
凛乃 15,2	りの	22
花凛 7,15	かりん	22
愛純 10	あすみ	23
澄佳 15	すみか	23
実操 16	みさ	24
凛音 15,9	りおん	26
麗花 19	れいか	26
麗羅 19	れいら	38

イメージ漢字

怜 8　清 11　澄 15　操 16
純 10　廉 10　凛 15　麗 19
透 10　潔 16　衛 16

437

Image Keyword

さわやか

さわやかですがすがしい印象を与えてくれる人に

イメージ漢字

輝15 晴12 爽11 直8 白5
澄15 颯14 涼11 風9 快7
駿17 緑14 健11 海9 青8

イメージから選ぶ名づけ

男の子

名前	読み	画数
直人 8,2	なおと	10
快斗 7,4	かいと	11
健 11	たける	11
直也 8,3	なおや	11
海斗 9,4	かいと	13
健人 11,2	けんと	13
一颯 1,14	いぶき	15
海吏 9,6	かいり	15
健心 11,4	けんしん	15

名前	読み	画数
健介 11,4	けんすけ	15
健太 11,4	けんた	15
匠海 6,9	たくみ	15
直希 8,7	なおき	15
一輝 1,15	いっき	16
克海 7,9	かつみ	16
青波 8,8	せいは	16
快音 7,9	はやと	16
晴斗 12,4	はると	16
琥白 12,5	こはく	17

名前	読み	画数
駿 17	しゅん	17
奏風 9,9	かなた	18
航晴 10,12	こうせい	22
快晴 7,12	かいせい	19
元輝 4,15	げんき	19
爽明 11,8	そうめい	19
晴希 12,7	はるき	19
流風 10,9	るか	19
海晴 9,12	かいせい	21
駿太 17,4	しゅんた	21

名前	読み	画数
光輝 6,15	みつき	21
勇晴 9,12	ゆうせい	21
涼馬 11,10	りょうま	21
直太朗 8,4,10	なおたろう	22
颯弥 14,8	そうや	22
颯音 14,9	はやと	23
勇輝 9,15	ゆうき	24
涼聖 11,13	りょうせい	24
七海 2,9	ななみ	11

女の子

名前	読み	画数
青衣 8,6	あおい	14
緑 14	みどり	14
快和 7,8	ここな	15
小晴 3,12	こはる	15
真白 10,5	ましろ	15
晴月 12,4	はづき	16
晴日 12,4	はるひ	16
爽羽 11,6	さやは	17
直美 8,9	なおみ	17
美海 9,9	みう	18

名前	読み	画数
青葉 8,12	あおば	20
涼風 11,9	すずか	20
美涼 9,11	みすず	20
涼香 11,9	りょうか	20
直緒 8,14	なお	22
佳澄 8,15	かすみ	23
來輝 8,15	らいき	23
颯夏 14,10	ふうか	24
穂風 15,9	ほのか	24
優海 17,9	ゆうみ	26

Image Keyword

夢・希望

夢と希望をずっと持ち続けていてほしい

イメージ漢字

創[12] 望[11] 歩[9] 志[7] 一[1]
夢[13] 進[11] 明[9] 拓[8] 叶[5]
誉[13] 開[12] 展[10] 育[8] 希[7]

イメージから選ぶ名づけ

男の子

漢字	ふりがな	画数
開[12]	かい	12
友希[4・7]	ともき	11
千明[3・8]	ちあき	11
拓也[8・3]	たくや	11
一真[1・10]	かずま	11
大志[3・7]	たいし	10
一冴[1・7]	いっさ	8
一平[1・5]	いっぺい	6
太一[4・1]	たいち	5

一樹[1・16]	かずき	17
明彦[8・9]	あきひこ	17
拓実[8・8]	たくみ	16
大誉[3・13]	たいよう	16
創太[12・4]	そうた	16
夢人[13・2]	ゆめと	15
創士[12・3]	そうし	15
和志[8・7]	かずし	15
光希[6・7]	こうき	13
拓斗[8・4]	たくと	12

創哉[12・9]	そうや	21
志道[7・12]	しどう	19
広夢[5・13]	ひろむ	18
悠希[11・7]	はるき	18
進之介[11・3・4]	しんのすけ	18
叶夢[5・13]	かなむ	18
歩真[8・10]	あゆま	18
知斗[8・4]	あきひろ	17
誉[13]	たかと	17
叶翔[5・12]	かなと	17

女の子

望乃[11・2]	のの	13
一葉[1・12]	かずは	13
叶羽[5・6]	かのは	11
一花[1・7]	いちか	8

優志[17・7]	ゆうし	24
優希[17・7]	ゆうき	24
望夢[11・13]	のぞむ	24
拓磨[8・16]	たくま	24
拓夢[8・13]	たくむ	21

真歩[10・8]	まほ	18
叶夢[5・13]	かのん	18
明莉[8・10]	あかり	18
咲歩[9・8]	さほ	17
夢子[13・3]	ゆめこ	16
明依[8・8]	めい	16
咲実[9・8]	さき	16
希実[7・8]	のぞみ	15
志歩[7・8]	しほ	15
有希[6・7]	ゆき	13

優育[17・8]	ゆい	25
愛望[13・11]	まなみ	24
望愛[11・13]	のあ	24
夢奈[13・8]	ゆな	21
実夢[8・13]	みゆ	21
開耶[12・9]	さくや	21
来夢[7・13]	らいむ	20
明日花[8・4・7]	あすか	19
夢叶[13・5]	ゆめか	18
望来[11・7]	みく	18

Image Keyword

未来
来るべき未来への
大きな夢
飛躍を託して

イメージ漢字

遥12	時10	来7	未5	千3
開12	将10	飛9	永5	久3
翼17	翔12	紀9	行6	元4

イメージから選ぶ名づけ

男の子

| 千隼 ちはや 13 | 一翔 かずと 13 | 未来 みらい 12 | 来斗 らいと 11 | 千宙 ちひろ 11 | 匠未 たくみ 10 | 千里 せんり 10 | 元気 げんき 10 | 元 はじめ 4 |

| 時成 はるなり 16 | 真永 まなと 15 | 大翔 ひろと 15 | 信行 のぶゆき 15 | 智久 ともひさ 15 | 大遥 たいよう 14 | 遥人 はると 14 | 将太 しょうた 13 | 凌久 りく 13 | 時也 ときや 13 |

| 智紀 ともき 21 | 来夢 らいむ 20 | 悠飛 ゆうひ 20 | 将真 しょうま 20 | 飛鳥 あすか 18 | 行雲 ゆくも 18 | 永遠 とわ 17 | 翼 つばさ 17 | 将吾 しょうご 17 | 義久 よしひさ 13 |

女の子

| 遥 はるか 12 | 未羽 みう 11 | 千乃 ゆきの 5 |

| 優翔 ゆうと 29 | 開智 かいち 24 | 悠翔 はると 23 | 光翼 こうすけ 23 | 裕紀 ゆうき 21 | 陽紀 はるき 21 |

| 柚紀 ゆずき 18 | 美紀 みき 18 | 心遥 こはる 16 | 千尋 ちひろ 15 | 幸来 さら 15 | 早紀 さき 15 | 紗永 さえ 15 | 千夏 ちなつ 13 | 來未 くるみ 13 | 美久 みく 12 |

| 愛翔 あいか 25 | 友紀菜 ゆきな 24 | 遥陽 はるひ 24 | 翼沙 つばさ 24 | 千鶴 ちづる 24 | 遥菜 はるな 23 | 未優 みゆ 22 | 希来里 きらり 21 | 翔音 かのん 21 | 時音 ときね 19 |

Image Keyword 若さ

いつまでも若々しく そして強く育って

イメージ漢字

生[5] 早[5] 芽[8] 新[13]
仔[7] 初[7] 春[9]
成[6] 若[6] 萌[11]

男の子

名前	読み	ページ
春人[9]	はると	11
直生[9]	なおき	13
海成[12]	かいせい	15
敦太[12]	あつき	17
新太[13]	あらた	17
初途[10]	ういと	17
瑞生[5]	みずき	18
早太郎[6]	はやたろう	19
若葉[8]	わかば	20
優成[17]	ゆうせい	23

女の子

名前	読み	ページ
春樹[16]	はるき	25
優芽[8]	ゆうが	25
心春[4]	こはる	13
初花[7]	さき	13
早希[6]	ういか	14
成美[6]	なるみ	15
真生[10]	まお	15
初音[9]	はつね	16
葵生[12]	あおい	17
萌々子[11]	ももこ	17
早智[8]	さち	18
春菜[9]	はるな	20
新菜[13]	にいな	24
綾萌[14]	あやめ	25

Image Keyword 自由

自由に自らの人生を 歩んでいってほしい

イメージ漢字

由[5] 逸[11] 達[12]
希[7] 望[11] 遥[12]
伸[7] 翔[12] 翼[17]

男の子

名前	読み	ページ
大希[3]	たいき	10
由弥[5]	ゆうや	13
伸弥[7]	しんや	15
達也[12]	たつや	15
逸平[11]	いっぺい	16
遥斗[12]	はると	16
柚希[9]	ゆずき	17
匠望[6]	たくみ	21
由樹[5]	ゆうき	21
勇翔[9]	ゆうと	21

女の子

名前	読み	ページ
謙伸[17]	けんしん	24
翼冴[17]	つばさ	24
由依[5]	ゆい	13
由奈[5]	ゆな	13
叶望[5]	かのん	16
希乃花[7]	ののか	16
希望[7]	のぞみ	18
翔花[12]	しょうか	19
遥奈[12]	はるな	20
逸姫[11]	いつき	21
遥香[12]	はるか	21
優希[17]	ゆうき	24
夢翔[13]	ゆめか	25

Image Keyword

超える

親を追い越して立派な人になって

イメージから選ぶ名づけ

イメージ漢字

遥12 琢11 梁11 卓8 己3
越12 逸11 乗9 凌10 右5
偉12 隆11 凌10 克7

男の子

| 克己 かつみ 10 | 拓己 たくみ 11 | 卓也 たくや 11 | 知己 ともき 11 | 越一 えつ 12 | 右京 うきょう 13 | 佳右 けいすけ 13 | 航己 こうき 13 |

| 逸人 はやと 13 | 侑右 ゆう 13 | 凌大 りょうた 13 | 越人 えつと 14 | 卓行 たくゆき 14 | 凌介 りょうすけ 15 | 克幸 かつゆき 15 | 智大 ともき 15 | 遥大 はると 15 | 隆介 りゅうすけ 15 |

| 隆太 りゅうた 15 | 凌央 りょう 15 | 凌生 りょうせい 15 | 卓武 たくむ 16 | 遥太 はるた 16 | 瑞己 みずき 16 | 遥生 はるき 17 | 泰克 よしかつ 17 | 隆成 りゅうせい 17 | 卓真 たくま 18 |

| 隆之介 りゅうのすけ 18 | 遥希 はるき 19 | 琢真 たくま 21 | 琢朗 たくろう 21 | 隆真 りゅうま 21 | 逸貴 いつき 21 | 克樹 かつき 23 | 偉琉 たける 23 | 凌雅 りょうが 23 | 遥陽 はるひ 24 |

女の子

| 凌 りょう 10 | 莉己 りこ 13 | 遥乃 はるの 14 | 椿己 つばき 16 |

| 義隆 よしたか 24 | 梁太郎 りょうたろう 24 | 蒼偉 あおい 25 | 幸琢朗 こうたろう 29 | 偉織 いおり 30 |

| 愛己 まこ 16 | 遥羽 とわ 18 | 遥名 はるな 19 | 遥花 はるな 19 | 梁奈 りょうな 19 | 隆香 りゅうか 20 | 紗梁 さやな 21 | 遥音 はるね 21 | 梁華 りょうか 21 | 琉偉 るい 23 |

Image Keyword 生物

実在、架空の生物からイメージをふくらませて

男の子

名前	読み	ページ
竜也	たつや	13
竜之介	りゅうのすけ	17
鳳太	ふうた	18
竜弥	りゅうや	18
駿介	しゅんすけ	21
駿斗	はやと	21
悠馬	ゆうま	21
獅音	しおん	22
翔馬	しょうま	22
蒼馬	そうま	23

女の子

名前	読み	ページ
鴻志	こうし	24
獅堂	しどう	24
駿吾	しゅんご	24
羚雅	りょうが	24
夢獅	ゆうし	26
雛	ひな	18
繭	まゆ	18
羚亜	れあ	18
羚来	れいら	18
羚那	れな	18
雛乃	ひなの	20
蝶羽	あげは	21
雛子	ひなこ	21
美鳳	みほ	23

イメージから選ぶ名づけ

イメージ漢字

馬13 鳩15 駒15 駿17
竜10 獅10 蝶15 繭18
羚11 鳳14 鴻15 雛18

Image Keyword めでたい

神様や幸せの象徴に守られる人生に

男の子

名前	読み	ページ
天斗	たかと	8
大吉	だいきち	9
晴人	はると	14
寿哉	としや	16
大嘉	たいが	17
悠吉	ゆうきち	17
慶太	けいた	19
幸輝	こうき	23
祥太郎	しょうたろう	23
雄喜	ゆうき	24

女の子

名前	読み	ページ
愛翔	まなと	13
瑞貴	みずき	25
幸	みゆき	8
天花	てんか	11
祥子	しょうこ	13
乃愛	のあ	13
心愛	ここあ	17
咲幸	さゆき	17
美喜	みき	21
美晴	みはる	21
瑞姫	みずき	23
明寿香	あすか	24
慶香	のりか	24
悠嘉	はるか	25

イメージ漢字

天4 幸8 喜12 誉13
吉6 祥10 瑞14 嘉14
寿7 晴12 愛13 慶15

Image Keyword

誠実

いつまでも誠実な気持ちを大切にしてほしいとの願いから

イメージ漢字

礼・正・信・善・義・憲
英・淑・真・誠・廉
聡・慎

イメージから選ぶ名づけ

男の子

漢字	読み	画数
礼人	あやと	7
正人	まさと	7
礼央	れお	10
英之	ひでゆき	11
善	ぜん	12
正虎	まさとら	13
英汰	えいた	15
英利	ひでとし	15
礼恩	れおん	15
信之介	しんのすけ	16
大誠	たいせい	16
匠真	たくま	16
淑矢	としや	16
義士	よしと	16
廉士	れんじ	17
幸信	ゆきのぶ	18
和真	かずま	18
正太郎	しょうたろう	18
慎平	しんぺい	18
聡太	そうた	20
翔英	しょうえい	20
慎吾	しんご	20
慎之介	しんのすけ	21
智信	とものぶ	21
善哉	よしや	23
憲志	けんし	23
泰慎	たいしん	23
康誠	こうせい	24
聡真	そうま	24
憲哉	けんや	25
義晴	よしはる	25
謙信	けんしん	26
義誠	よしなり	26
廉太郎	れんたろう	26
優真	ゆうま	27

女の子

漢字	読み	画数
信乃	しの	11
真乃	まの	12
礼良	れいら	12
淑乃	よしの	13
礼奈	れいな	13
美礼	みれい	14
英里	えり	15
純礼	すみれ	15
由真	ゆま	15
慎子	のりこ	16
礼菜	れな	16
英美	えいみ	17
聡子	さとこ	17
紗英	さえ	18
真依	まい	18
真佳	まなか	18
紗英子	さえこ	21
信愛	のあ	22
聡美	さとみ	23
美怜奈	みさと	23
英怜奈	えれな	24
真優	まゆ	27

Image Keyword

平和

この時代だからこそ平和を願って

男の子

名前	よみ	画数
安里	あさと	13
俊太	しゅんた	13
亮太	りょうた	13
泰斗	たいと	14
恭平	きょうへい	15
哲平	てっぺい	15
和弥	かずや	16
泰地	たいち	16
悠平	ゆうへい	16
寧杜	ねいと	21

女の子

名前	よみ	画数
優太	ゆうた	21
和樹	かずき	24
和	なごみ	8
安希	あき	13
安那	あんな	13
泰子	やすこ	13
佐和	さわ	15
和花	のどか	16
安純	あんじゅん	16
寧々	ねね	17

和奏	わかな	17
心寧	ここね	18
紅寧	あかね	23
桃寧	ももね	24

イメージ漢字

太4	均7	等12	融16
平5	和8	鳩13	
安6	泰10	寧14	

Image Keyword

調和

だれとでも仲よく、幸せな人生を

男の子

名前	よみ	画数
大和	やまと	11
修也	しゅうや	13
理久	りく	14
順大	じゅんだい	15
正真	しょうま	15
和季	かずき	16
直法	なおのり	16
友翔	ゆうと	16
律希	りつき	16
晃則	あきのり	19

女の子

名前	よみ	画数
友樹	ゆうき	20
憲吾	けんご	23
智規	とものり	23
共騎	ともき	24
律	りつ	9
日和	ひより	12
理子	りこ	14
順子	じゅんこ	15
友唯	ゆい	15
友菜	ゆな	15

和花	わか	15
理央	りお	16
和音	かずね	17
愛理	あいり	24

イメージ漢字

友4	和8	律9	規11
正5	法8	修10	順12
共6	則9	理11	憲16

Image Keyword

思いやり

やさしく思いやりのある人に育ってほしい。親の願いを込めて

イメージ漢字

仁　安　良　淳　敦　篤
助[6]　和[8]　順[11]　愛[13]　優[17]
惇[11]　温[12]　輔[14]

男の子

漢字	よみ	画数
仁[4]	じん	4
淳[11]	じゅん	11
良介[7][4]	りょうすけ	11
斗和[4][8]	とわ	12
一順[1][12]	いより	13
敦大[12][3]	あつひろ	15
空良[8][7]	そら	15
温大[12][3]	はると	15
惇司[11][5]	じゅんじ	16
惇生[11][5]	じゅんせい	16
順斗[12][4]	じゅんと	16
奏良[9][7]	そら	16
智仁[12][4]	ともひと	16
敦史[12][5]	あつし	17
大輔[3][14]	だいすけ	17
愛斗[13][4]	まなと	17
和馬[8][10]	かずま	18
幸之助[8][3][7]	こうのすけ	18
淳吾[11][7]	じゅんご	18
惇之介[11][3][4]	じゅんのすけ	18
温行[12][6]	はるゆき	18
虎之助[8][3][7]	とらのすけ	18
悠良[11][7]	ゆら	18
優人[17][2]	ゆうと	19
和貴[8][12]	かずき	20
優大[17][3]	ゆうだい	20
優仁[17][4]	ゆうと	21
篤志[16][7]	あつし	23
俊輔[9][14]	しゅんすけ	23
慎之助[13][3][7]	しんのすけ	23
祐輔[9][14]	ゆうすけ	23
愛琉[13][11]	あいる	24
篤季[16][8]	あつき	24
篤弥[16][8]	あつや	24
優弥[17][8]	ゆうや	25
優和[17][8]	ゆうわ	25
愛夢[13][13]	あゆむ	26
優音[17][9]	ゆうと	26
温謙[12][17]	はるのり	29

女の子

漢字	よみ	画数
愛[13]	あい	13
和心[8][4]	なごみ	12
仁美[4][9]	ひとみ	13
和叶[8][5]	わかな	13
安奈[6][8]	あんな	14
敦子[12][3]	あつこ	15
仁菜[4][11]	にな	15
心温[4][12]	こはる	16
咲良[9][7]	さくら	16
紗良[10][7]	さら	17
優[17]	ゆう	17
桜和[10][8]	さわ	18
優子[17][3]	ゆうこ	20
優月[17][4]	ゆづき	21
愛美[13][9]	まなみ	22
優愛[17][13]	ゆうあ	24
悠愛[11][13]	ゆうあ	24
詩温[13][12]	しおん	25
優奈[17][8]	ゆうな	25

Image Keyword

愛される

だれからも愛され
そしてみんなに
愛をそそげる人に

イメージ漢字

慈13	純10	真10	朋8	友4
誠13	博12	恋10	幸8	仁4
愛13	聖13	恵10	信9	好6

男の子

| 友斗4 ゆうと 8 | 好也6 このや 9 | 朋也8 ともや 11 | 幸太8 こうた 12 | 恵大10 けいた 13 | 友哉4 ともや 13 | 一聖1 いっせい 14 | 純太10 じゅんた 14 | 信司9 しんじ 14 |

| 幸佑8 こうすけ 15 | 巧真7 たくま 15 | 悠仁11 ゆうと 15 | 幸村8 ゆきむら 15 | 大聖13 たいせい 16 | 遥仁12 はると 16 | 博斗12 ひろと 16 | 慈士13 よしひと 16 | 愛介13 あいすけ 17 | 純之介10 じゅんのすけ 17 |

| 佑真7 ゆうま 17 | 好誠6 こうせい 19 | 信勝9 のぶかつ 21 | 恒慈9 こうじ 22 | 朋輝8 ともき 23 | 恵輔10 けいすけ 24 | 智博12 ともひろ 24 | 悠誠11 ゆうせい 24 | 琉誠11 りゅうせい 24 | 恋太朗10 れんたろう 24 |

女の子

| 恵10 めぐみ 10 | 朋子8 ともこ 11 | 友里4 ゆり 11 | 仁奈4 にな 12 | 好花6 このか 13 | 真子10 まこ 13 | 友香4 ゆうか 13 | 朋花8 ともか 15 | 真央10 まお 15 |

| 友彩4 ゆい 15 | 恋羽10 こはね 16 | 幸奈8 ゆきな 16 | 花恋7 かれん 17 | 仁瑚4 にこ 17 | 佳音8 かすみ 17 | 真奈10 まな 18 | 幸姫8 ゆき 18 | 純香10 すみか 19 |

| 恵麻10 えま 21 | 実愛8 みあ 21 | 絵恋12 えれん 23 | 純蓮10 すみれ 23 | 聖夏13 せな 23 | 聖恋13 せれん 23 | 愛莉13 あいり 24 | 慈結13 じゅう 25 | 優愛17 ゆうあ 30 |

447

Image Keyword

勇気

どんなときにも勇気を持って立ち向かっていく人に

イメージ漢字

豪14 貫11 果8 志7 大3
徹15 雄12 勇9 克7 牙4
鉄13 猛11 武8 壮6

男の子

漢字	読み	画数
大也	だいや	6
武	たける	8
克之	かつゆき	10
壮太	そうた	10
大我	たいが	10
勇一	ゆういち	10
孔志	こうし	11
太志	たいし	11
勇人	ゆうと	11
壮志	そうし	13
大悟	だいご	13
勇心	ゆうしん	13
勇太	ゆうた	13
勇仁	ゆうと	13
豪	ごう	14
貫太	かんた	15
創大	そうだい	15
壮哉	そうや	15
大智	だいち	15
善大	よしはる	15
歩武	あゆむ	16
果門	かもん	16
小鉄	こてつ	16
壮一郎	そういちろう	16
勇馬	そうま	16
勇希	ゆうき	16
雄斗	ゆうと	16
剛志	つよし	17
貫汰	かんた	18
鉄平	てっぺい	18
勇紀	ゆうき	18
徹平	てっぺい	20
貫一郎	かんいちろう	21
豪志	つよし	21
勇真	ゆうま	21
勇雲	ゆくも	22
雄志	つよし	22
虎徹	こてつ	23
志穏	しおん	23
鉄馬	てつま	23
徹弥	てつや	23
武蔵	むさし	23
雄翔	ゆうと	24
徹清	てっしん	26

女の子

漢字	読み	画数
志乃	しの	9
希果	ののか	15
果歩	かほ	16
志音	しのん	16
歩果	ほのか	16
果音	かのん	17
真勇	まゆ	19
果蓮	かれん	21
志緒	しお	21
愛果	まなか	21
果穂	しほ	23
志凛	かりん	23
志織	しおり	25
優果	ゆうか	25

Image Keyword
かわいい
いつまでもかわいさを忘れない人に

イメージ漢字
小[3] 月 苺[14] 綾[14]
子 円 珠[10] 薗[16]
丸 花 瑶[13]

イメージから選ぶ名づけ

男の子
- 大珠[3] たいじゅ 13
- 悠月[11] ゆづき 15
- 嵐丸[12] らんまる 15
- 瑶大[13] ようた 16
- 綾斗[14] あやと 18
- 小次郎[3] こじろう 18
- 子龍[3] しりゅう 19
- 亜子[7] あこ 10
- 小町[3] こまち 10

女の子
- 円花[4] まどか 11
- 小春[9] こはる 12
- 小雪[11] こゆき 14
- 苺花[7] いちか 15
- 綾乃[2] あやの 16
- 苺佳[8] いちか 16
- 結月[12] ゆづき 16
- 杏珠[7] あんじゅ 17
- 珠希[10] たまき 17
- 彩花[11] あやか 18
- 日菜子[4][11][3] ひなこ 18
- 唯花[11] ゆいか 18
- 綾音[11] あやね 23
- 花薗[16] かおん 23
- 瑶菜[13] たまな 24

イメージヒント集
人気の俳優から探す
人気も実力も兼ね備えた俳優からも、すてきな名前が探せます。女優にはひらがな名が多いのが目立ちますね。

●男性
- 神木隆之介 かみきりゅうのすけ
- 志尊 淳 しそんじゅん
- 小栗 旬 おぐりしゅん
- 菅田将暉 すだまさき
- 竹内涼真 たけうちりょうま
- 福士蒼汰 ふくしそうた
- 松坂桃李 まつざかとおり
- 松田龍平 まつだりゅうへい
- 向井 理 むかいおさむ
- 吉沢 亮 よしざわりょう

●女性
- 綾瀬はるか あやせはるか
- 新垣結衣 あらがきゆい
- 有村架純 ありむらかすみ
- 桐谷美玲 きりたにみれい
- 柴咲コウ しばさきこう
- 長澤まさみ ながさわまさみ
- 広瀬すず ひろせすず
- 宮﨑あおい みやざきあおい

Image Keyword

幸福

幸運に恵まれた幸せな人生を歩んでほしい

イメージ漢字

裕¹² 祥¹⁰ 泰¹⁰ 寿⁷ 平⁵
愛¹³ 晏¹⁰ 朗¹⁰ 和⁸ 多⁶
慶¹⁵ 結¹² 恵¹⁰ 幸⁸ 安⁶

男の子

寿⁷	一晏¹⁺¹⁰	叶多⁵⁺⁶	恵人¹⁰⁺²	柊平⁹⁺⁵	祥太¹⁰⁺⁴	結人¹²⁺²	幸希⁸⁺⁷
ひさし	いあん	かなた	けいと	しゅうへい	しょうた	ゆいと	こうき
7	11	11	12	14	14	14	15

結太¹²⁺⁴	祥吾¹⁰⁺⁷	悠多¹¹⁺⁶	安慈⁶⁺¹³	慶次¹⁵⁺⁶	幸太郎⁸⁺⁴⁺⁹	裕哉¹²⁺⁹	龍平¹⁶⁺⁵	虎太朗⁸⁺⁴⁺¹⁰	泰雅¹⁰⁺¹³
ゆうた	しょうご	ゆうた	あんじ	けいじ	こうたろう	ゆうや	りゅうへい	こたろう	たいが
16	17	17	19	21	21	21	21	22	23

女の子

結¹²	千祥³⁺¹⁰	慶¹⁵	知寿⁸⁺⁷
ゆい	ちさき	けい	しず
12	13	15	15

寿音⁷⁺⁹	和佳⁸⁺⁸	心結⁴⁺¹²	晏里¹⁰⁺⁷	恵那¹⁰⁺⁷	沙恵⁷⁺¹⁰	美幸⁹⁺⁸	晏奈¹⁰⁺⁸	愛叶¹³⁺⁵	日奈多⁴⁺⁸⁺⁶
かずね	のどか	みゆ	あんり	えな	さえ	みゆき	あんな	まなか	ひなた
16	16	16	17	17	17	17	18	18	18

幸恵⁸⁺¹⁰	和華⁸⁺¹⁰	愛奈¹³⁺⁸	愛來¹³⁺⁸	安璃⁶⁺¹⁵	恵梨¹⁰⁺¹¹	愛実¹³⁺⁸	美裕⁹⁺¹²	愛依¹³⁺⁸	裕香¹²⁺⁹
ゆきえ	わか	あいな	あいら	あんり	えり	まなみ	みひろ	めい	ゆうか
18	18	21	21	21	21	21	21	21	21

安優⁶⁺¹⁷	慶波¹⁵⁺⁸	結菜¹²⁺¹¹	幸穂⁸⁺¹⁵	裕菜¹²⁺¹¹	愛結¹³⁺¹²	結愛¹²⁺¹³	和香奈⁸⁺⁹⁺⁸	恵美花¹⁰⁺⁹⁺⁷	陽菜多¹²⁺¹¹⁺⁶
あゆ	のりは	ゆいな	ゆきほ	ゆな	あゆ	ゆあ	わかな	えみか	ひなた
23	23	23	23	23	25	25	25	26	29

Image Keyword

おおらか

小さなことにこだわらず
広い視野を持った
人生を

イメージ漢字

寛 裕 淳 安 大
寧 敦 康 汎 広
樹 靖 悠 泰 平

男の子

漢字	読み	画数
大空	そら	11
大知	だいち	11
敦	あつし	12
広英	こうえい	13
広河	こうが	13
周平	しゅうへい	13
悠人	ゆうと	14
悠也	ゆうや	14
敦己	あつき	15

漢字	読み	画数
康介	こうすけ	15
康太	こうた	15
峻平	しゅんぺい	15
泰生	たいせい	15
大翔	だいと	15
寛人	ひろと	15
悠介	ゆうすけ	15
裕大	ゆうや	15
裕也	ゆうや	16
樹	いつき	16

漢字	読み	画数
脩平	しゅうへい	16
裕斗	ひろと	16
寛太	かんた	17
広暉	こうき	18
淳之介	じゅんのすけ	18
泰知	たいち	18
悠利	ゆうり	18
安澄	あずみ	21
康晟	こうせい	21
靖春	やすはる	22

漢字	読み	画数
真寛	まひろ	23
佑樹	ゆうき	23
智裕	ともひろ	24
直樹	なおき	24
裕貴	ゆうき	24
洸樹	こうき	25
奏樹	そうじゅ	25
泰輝	たいき	25
靖貴	やすたか	25
寛樹	ひろき	29

女の子

漢字	読み	画数
安寿	あんじゅ	13
悠乃	ゆの	13
安純	あずみ	16
千寛	ちひろ	16
悠加	はるか	17
悠妃	ゆうひ	18
悠花	ゆうか	18
悠希	ゆうき	18
茉寛	まひろ	21

漢字	読み	画数
美裕	みゆう	21
裕香	ゆうか	21
音寧	おとね	23
寧音	ねね	23
裕理	ゆうり	23
実樹	みつき	24
咲樹	さき	25
樹理	じゅり	27
綾寧	あやね	28
樹莉亜	じゅりあ	33

知的

Image Keyword

知性に満ちあふれた人。そして人の気持ちがわかる人に

イメージ漢字

賢 理 悟 知 冴
諭 智 哲 俐 英
優 聡 啓 敏 佳

イメージから選ぶ名づけ

男の子

漢字	よみ	画数
太冴	たいが	11
知也	ともや	11
佳太	けいた	12
啓人	けいと	13
朱冴	しゅうが	13
英佑	えいすけ	15
啓介	けいすけ	15
啓太	けいた	15
敏矢	としや	15
知希	ともき	15
知宏	ともひろ	15
快俐	かいり	16
圭悟	けいご	16
知弥	ともや	16
朋佳	ともよし	16
英虎	ひでとら	16
理央	りお	16
俐希	りき	16
理功	りく	16
哲汰	てった	17
哲兵	てっぺい	17
敏幸	としゆき	18
理玖	りく	18
琉佳	るか	19
将悟	しょうご	20
英新	えいしん	21
啓悟	けいご	21
健悟	けんご	21
誠佳	まさよし	21

女の子

漢字	よみ	画数
悠悟	ゆうご	21
響冴	きょうが	27
佳代	かよ	13
啓乃	ひろの	13
理乃	りの	13
沙英	さえ	15
知里	ちさと	15
千智	ちさと	15
佳奈	かな	16
美冴	みさえ	16
朱理	あかり	17
千聡	ちさと	17
理名	りな	17
知紗	ちさ	18
智花	ともか	19
佳暖	かのん	21
佳蓮	かれん	21
美智	みさと	21
俐琴	りこ	21
愛俐	あいり	22
優妃	ゆうひ	23
知優	ちひろ	25
優依	ゆい	25
優佳	ゆうか	25
優実	ゆうみ	25
理緒	りお	25
英里菜	えりな	26
知英莉	ちえり	26
優希菜	ゆきな	35

Image Keyword 論理的

しっかりと自分の信念を貫くことができる人に

男の子

漢字	よみ	ページ
忍	しのぶ	7
一信	いっしん	10
理人	りひと	13
堅人	けんと	14
丈翔	たける	15
初実	はつみ	15
理斗	りと	15
堅心	けんしん	16
丈太郎	じょうたろう	16
柊実	しゅうま	17

漢字	よみ	ページ
悠信	ゆうしん	20
理音	りおん	20
拓義	たくよし	21
義尚	よしなお	21
義信	よしのぶ	22
龍実	たつみ	24
理樹	りき	27

女の子

漢字	よみ	ページ
実佑	みゆう	15
理心	りこ	15
実和	みわ	16

漢字	よみ	ページ
愛実	あみ	21
理桜	りお	21
理紗	りさ	21
理愛	りな	24

イメージ漢字: 丈 信 堅 確 忍 唱 義 論 実 理 説

Image Keyword リーダー

信頼を得、みんなをまとめていく人に

男の子

漢字	よみ	ページ
一太	いちた	5
一心	いっしん	5
一希	いつき	8
大将	ひろまさ	13
魁	かい	14
将斗	まさと	14
統士	とうじ	15
統也	とうや	15
光将	こうすけ	16
太揮	たいき	16

漢字	よみ	ページ
上総	かずさ	17
魁斗	かいと	18
総太	そうた	18
将弥	まさみ	18
統冴	とうご	18
将貴	まさき	22
魁晟	かいせい	24
晴揮	はるき	24

女の子

漢字	よみ	ページ
一乃	いちの	3
一姫	かずき	11

漢字	よみ	ページ
一紗	かずさ	11
一椛	いちか	14
一愛	ちなり	14
梁花	りょうか	18

イメージ漢字: 一 揮 魁 将 統 総 梁 督 監

Image Keyword

華やか

華やかで人をひきつける魅力を持った人に

イメージから選ぶ名づけ

イメージ漢字

璃15	雅13	華10	珂9	花7
舞15	綺14	彩11	珈9	冴7
麗19	瑠14	琉11	珠10	咲9

男の子

瑠斗14	啓冴11	咲弥9	大雅3	珠羽10	雅人13	咲太9	彩人11	琉11
りゅうと	けいご	さくや	たいが	しゅう	まさと	しょうた	あやと	りゅう
18	18	17	16	16	15	13	13	11

蓮珠13	瑠珂14	琉偉11	瑠星14	璃空15	陽彩12	晴琉12	空舞8	綺良14	琉之介11
れんじゅ	るか	るい	りゅうせい	りく	ひいろ	はる	くうま	きら	りゅうのすけ
23	23	23	23	23	23	23	23	21	18

女の子

彩11	咲9
あや	さき
11	9

麗臣19	竜舞10	華輝10	璃音15	優冴17	悠雅11	海璃9
れおん	りゅうま	はるま	りおん	ゆうご	ゆうが	かいり
26	25	25	24	24	24	24

姫花10	百華6	珠由10	舞15	有咲6	雅13	乃彩2	彩乃11	心花4	一華1
ひめか	ももか	みゆ	まい	ありさ	みやび	のあ	あやの	ここな	いちか
17	16	15	15	15	13	13	13	11	11

舞花15	綺那14	彩華11	日珂里4	珠莉10	愛花13	琉奈11	美咲9	珈音9	琉衣11
まいか	あやな	あやか	ひかり	じゅり	あいか	るな	みさき	かのん	るい
22	21	21	20	20	20	19	18	18	17

麗梨19	麗奈19	愛瑠13	瑠菜14	雅結13	舞桜15	紗綺10	珂凛9	愛琉13	蓮珈13
りな	れいな	める	るな	みゆ	まお	さき	かりん	あいる	れんか
30	27	27	25	25	25	24	24	24	22

Image Keyword

芸術的

表現力・想像力に富む人になって

イメージ漢字

漢字	画数
吟	7
音	—
奏	—
奎	—
映	—
笙	—
絃	11
絵	—
琴	—
楽	13
鈴	—
響	20

男の子

名前	読み	頁
吟	ぎん	7
奏	かなで	9
映人	えいと	11
奎介	けいすけ	13
奏太	そうた	13
絃人	がくと	15
楽人	がくと	15
笙史	そうすけ	16
鈴太	りんた	17
奏音	かなと	18

女の子

名前	読み	頁
響	ひびき	20
麻琴	まこと	23
奏心	かなみ	13
心音	ここね	13
奏羽	かなは	15
由楽	ゆら	18
彩音	あやね	20
琴音	ことね	21
鈴音	すずね	22
絵菜	えな	23
絵麻	えま	23
絃葉	いとは	23
映里奈	えりな	24
琴葉	ことは	24

イメージヒント集

芸術家から探す

世界的に高い評価を得ている日本の芸術家や作家、音楽家をピックアップしました。個性的な名前もたくさん。そのたぐいまれな才能にあやかりたいものです。

●男性

- 大友克洋 おおともかつひろ
- 小澤征爾 おざわせいじ
- 宮崎 駿 みやざきはやお
- 黒澤 明 くろさわあきら
- 五嶋 龍 ごとうりゅう
- 奈良美智 ならよしとも
- 荒木飛呂彦 あらきひろひこ
- 村上春樹 むらかみはるき
- 坂本龍一 さかもとりゅういち
- 村上 隆 むらかみたかし

●女性

- 草間彌生 くさまやよい
- 蜷川実花 にながわみか
- 河瀬直美 かわせなおみ
- 桐野夏生 きりのなつお
- 矢野顕子 やのあきこ
- 川久保 玲 かわくぼれい
- 森 万里子 もりまりこ
- 内藤 礼 ないとうれい

Image Keyword

創造的

何かを生み出せる創造力のある人になってほしい

イメージ漢字

創[12]	建[9]	匠[6]	立[5]
新[13]	造[10]	成[6]	生[5]
織[18]	能[10]	作[7]	加[5]

イメージから選ぶ名づけ

男の子

- 匠[6] たくみ 6
- 一成[1][6] いっせい 7
- 大成[3][6] たいせい 9
- 建[9] たける 9
- 建人[9][2] けんと 11
- 創[12] そう 12
- 新生[13][5] あらた 13
- 和生[8][5] かずき 13
- 侑生[8][5] ゆうき 13

- 立空[5][8] りっくう 13
- 俊成[9][6] しゅんせい 15
- 創也[12][3] そうや 15
- 亮音[9][9] りょうせい 15
- 新士[13][3] あらし 16
- 匠馬[6][10] しょうま 16
- 泰成[10][6] たいせい 16
- 倖成[10][6] こうせい 16
- 琉生[11][5] りゅうせい 16

- 立崇[5][11] りゅうそう 16
- 耕作[10][7] こうさく 17
- 峻作[10][7] しゅんさく 17
- 創正[12][5] そうせい 17
- 悠生[11][5] ゆうせい 17
- 蒼成[13][6] あおい 18
- 宗能[8][10] かずたか 18
- 健作[11][7] けんさく 18
- 新平[13][5] しんぺい 18
- 匠太朗[6][4][10] しょうたろう 20

- 立樹[5][16] たつき 21
- 建太郎[9][4][9] けんたろう 22
- 創規[12][11] そうき 23
- 駿作[17][7] しゅんさく 24
- 優作[17][7] ゆうさく 24
- 響生[20][5] ひびき 25
- 新太郎[13][4][9] しんたろう 26
- 唯織[11][18] いおり 29

女の子

- 七生[2][5] ななみ 7
- 加奈[5][8] かな 13
- 成実[6][8] なるみ 14
- 紗生[10][5] さき 15
- 紘加[10][5] ひろか 15
- 桃加[10][5] ももか 15
- 彩加[11][5] あやか 16
- 菜生[11][5] なお 16
- 成琉[6][11] なる 17
- 愛加[13][5] あいか 18

- 詩生[13][5] しき 18
- 夢成[13][6] ゆめな 19
- 新奈[13][8] にいな 21
- 伊織[6][18] いおり 24
- 織羽[18][6] おりは 24
- 眞成果[10][6][8] まなか 24
- 愛加里[13][5][7] あかり 25
- 沙織[7][18] さおり 25
- 香織[9][18] かおり 27
- 詩織[13][18] しおり 31

Image Keyword

努力

どんなことにも まじめにこつこつと 取り組める人に

イメージ漢字

達[12]	勉	努	己[3]
徹[15]	耕	芯	志
磨[16]	脩	励	克

男の子

- 芯 しん 7
- 励 れい 7
- 卓己 たくみ 11
- 耕平 こうへい 15
- 脩太 しゅうた 15
- 脩斗 しゅうと 15
- 陽己 はるき 15
- 克郎 かつろう 16
- 哉努 かなと 16
- 煌己 こうき 16
- 達矢 たつや 17
- 健志 けんし 18
- 達彦 たつひこ 21
- 耕太郎 こうたろう 23
- 志龍 しりゅう 23
- 侑磨 ゆうま 24
- 柊磨 しゅうま 25
- 琥徹 こうてつ 27

女の子

- 志希 しき 14
- 志苑 しおん 15
- 志保 しほ 16
- 志磨 しま 23
- 志桜里 しおり 24
- 磨理奈 まりな 35

Image Keyword

正直

正直で、 常に清廉潔白な人で いてほしい

イメージ漢字

誠[13]	律	忠	公[4]
義[13]	真[10]	直	正
厳[17]	清[11]	実	竹[6]

男の子

- 公平 こうへい 9
- 忠士 ただし 11
- 正宗 まさむね 13
- 一誠 いっせい 14
- 竹彪 たけとら 17
- 直哉 なおや 17
- 勇真 ゆうま 19
- 清翔 きよと 23
- 清裕 きよひろ 23
- 晃誠 こうせい 23

女の子

- 律子 りつこ 10
- 七実 ななみ 12
- 実来 みく 15
- 歩佳 なおか 16
- 直歩 なほ 16
- 奨真 しょうま 23
- 律輝 りつき 24
- 義暉 よしき 26
- 実優哉 みうや 34
- 清花 さやか 18
- 真和 まな 18
- 実沙季 みさき 23
- 日真莉 ひまり 24

Image Keyword

行動的

バイタリティーにあふれ
信じた道を
まっすぐ進む人に

イメージ漢字

大 志 勇 進 陽
行 歩 飛 晴 渡
壮 海 夏 翔 輝

イメージから選ぶ名づけ

男の子

漢字	読み	画数
歩 8	あゆむ	8
夏 10	なつ	10
幸大 5/3	こうだい	11
正行 5/6	まさゆき	11
侑大 8/3	ゆうだい	11
翔 12	しょう	12
壮汰 6/7	そうた	13
壮良 6/7	そら	13
伸行 7/6	のぶゆき	13
友海 4/9	ゆう	13
巧海 5/9	たくみ	14
大貴 3/12	だいき	15
太進 4/11	たいしん	15
晴久 12/3	はるひさ	15
勇気 9/6	ゆうき	15
秀飛 7/9	しゅうと	16
隆行 11/6	たかゆき	17
広渡 5/12	ひろと	17
勇飛 9/9	ゆうひ	18
壮瑚 6/13	そうご	19
勇悟 9/10	ゆうご	19
雄志 12/7	ゆうし	19
歩翔 8/12	あゆと	20
海翔 9/12	かいと	21
海渡 9/12	かいと	21
銀志 14/7	ぎんじ	21
聡志 14/7	さとし	21
陽飛 12/9	はるひ	21
健翔 11/12	けんと	23
知輝 8/15	ともき	23
雄進 12/11	ゆうしん	23
來輝 8/15	らいき	23
琉翔 11/12	りゅうと	23
春輝 9/15	はるき	24
晴翔 12/12	はると	24
陽翔 12/12	はると	24
歩積 8/16	ほづみ	24
夏輝 10/15	なつき	25
晴輝 12/15	はるき	27

女の子

漢字	読み	画数
志央 7/5	しお	12
小夏 3/10	こなつ	13
志季 7/8	しき	15
千晴 3/12	ちはる	15
希歩 7/8	のあ	15
来海 7/9	くるみ	16
心陽 4/12	こはる	16
歩美 8/9	あゆみ	17
歩乃花 8/2/7	ほのか	17
志菜 7/11	ここな	18
美海 9/9	みみ	18
夏美 10/9	なつみ	19
飛鳥 9/11	あすか	20
夏姫 10/10	なつき	20
晴奈 12/8	はるな	20
春翔 9/12	はるか	21
晴南 12/9	はるな	21
愛海 13/9	まなみ	22
陽彩 12/11	ひいろ	23

あの星をめざす!!

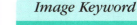

Image Keyword 文学的

読書が好きで教養豊かな人に

イメージ漢字

文[4] 華[8] 記[10] 詠[14] 歌[14]
知[8] 庵[11] 絢[12] 綾[14]
学[8] 詩[13] 織[18]

イメージから選ぶ名づけ

男の子

名前	読み	ページ
学人[8+2]	まなと	10
文祐[4+9]	ふみひろ	13
絢斗[12+4]	あやと	13
光記[6+10]	こうき	16
志庵[7+11]	しあん	18
詠汰[12+7]	えいた	19
詩音[13+9]	しおん	22
楓華[13+10]	ふうが	23
伊織[6+18]	いおり	24
知樹[8+16]	ともき	24

女の子

名前	読み	ページ
綾太郎[14+4+9]	りょうたろう	27
文香[4+9]	ふみか	13
絢子[12+3]	あやこ	15
詩乃[13+2]	しの	15
美知[9+8]	みさと	17
沙詠[7+12]	さえ	19
姫華[10+10]	ひめか	20
絢音[12+9]	あやね	21
愛華[13+10]	あいか	23
綾香[14+9]	あやか	23
絢菜[12+11]	あやな	23
史織[5+18]	しおり	23
風歌[9+14]	ふうか	23
美織[9+18]	みおり	27

イメージヒント集

『源氏物語』から探す

平安時代に書かれた紫式部の『源氏物語』は、世界の文学史上でも燦然と輝く日本の古典文学の傑作です。ここから雅な名づけの参考に。

● 登場人物名から

名前	読み方	名前	読み方
葵上	あおいのうえ	光源氏	ひかるげんじ
紫上	むらさきのうえ	朱雀帝	すざくてい
夕顔	ゆうがお	夕霧	ゆうぎり
明石の君	あかしのきみ	柏木	かしわぎ
花散里	はなちるさと	薫	かおる
浮舟	うきふね	匂宮	におうのみや

● 巻名から

名前	読み方	名前	読み方
須磨	すま	常夏	とこなつ
若紫	わかむらさき	行幸	みゆき
若菜	わかな	早蕨	さわらび
澪標	みおつくし	蛍	ほたる
初音	はつね	胡蝶	こちょう

Image Keyword

無邪気

いつまでも子どものころの純粋な気持ちを忘れない人に

イメージから選ぶ名づけ

イメージ漢字

正[5] 良[7] 明[8] 素[10] 醇[15]
生[5] 実[8] 純[10] 清[11]
至[6] 直[8] 真[10] 潔[15]

男の子

漢字	よみ	ページ
明[8]	あきら	8
明也[3]	あきなり	11
心良[7]	こころ	11
良太[4]	りょうた	11
直斗[4]	なおと	12
昂生[5]	こうせい	13
直史[5]	なおふみ	13
正和[5]	まさかず	13
友真[10]	ゆうま	14
泰正[5]	たいせい	15
夏生[5]	なつき	15
明希[7]	はるき	15
至恩[6]	しおん	16
直季[8]	なおき	16
直弥[8]	なおや	16
真之介[4]	しんのすけ	17
正道[5]	まさみち	17
醇也[15]	じゅんや	18
暖生[13]	はるき	18
純星[10]	じゅんせい	19
奏真[9]	そうま	19
良太郎[4]	りょうたろう	20
純一朗[10]	じゅんいちろう	21
清一郎[11]	せいいちろう	21
聖直[13]	せな	21
颯良[14]	そら	21
正樹[5]	まさき	21
素晴[10]	すばる	22
暖真[13]	はるま	23

女の子

漢字	よみ	ページ
明日翔[4]	あすと	24
清照[11]	きよてる	24
明子[8]	あきこ	11
心実[4]	ここみ	12
明李[7]	あかり	15
亜実[7]	あみ	15
実良[8]	みら	15
純名[10]	じゅんな	16
奈生子[3]	なおこ	16
実奈[8]	みな	16
悠生[11]	ゆう	16
柚良[9]	ゆら	16
明香[8]	あすみ	17
純花[10]	あやか	17
杏香[7]	なおか	17
直香[8]	さら	17
彩良[11]	すみか	18
純佳[10]	あおい	18
碧生[14]	あおい	19
香純[9]	かすみ	19
愛良[13]	あいら	20
明日佳[8]	あすか	20
明日美[8]	あすみ	21
真悠[10]	まゆ	21
菜々実[11]	ななみ	22
明璃[8]	あかり	23
清楓[11]	さやか	24
真奈美[10]	まなみ	27
優真[17]	ゆま	27

Image Keyword: ユーモア

まわりを楽しませることができる機知に富んだ人に

イメージ漢字: 壮6 妙6 知10 明8 良10 喜12 悦10 爽11 愉12 嬉15 朗10 機16

男の子

名前	よみ	ページ
爽人	あきと	13
大喜	たいき	15
明郎	あきお	17
桜良	おうら	17
知真	かずま	18
壮太朗	そうたろう	20
明煌	あきら	21
孝太朗	こうたろう	21
知寛	ともひろ	21
煌喜	こうき	25

女の子

名前	よみ	ページ
勝機	かつき	28
優太朗	ゆうたろう	31
妙	たえ	7
沙良	さら	14
知那	ちな	15
万喜	まき	15
玲良	れいら	16
知美	ともみ	17
明紗	めいさ	18
美愉	みゆ	21
明香里	あかり	24
爽楽	そら	24
睦喜	むつき	25
悠嬉乃	ゆきの	28

Image Keyword: 心

心優しく、豊かな気持ちを持つ人に

イメージ漢字: 心4 妙6 恒9 考6 知10 明8 真10 信9 想13 恭10 惟11 悦10 精14 愉12 朗10 誠13

男の子

名前	よみ	ページ
心	しん	4
恒介	こうすけ	13
恒太	こうた	13
誠	まこと	13
真斗	まなと	14
圭信	けいしん	15
考星	こうせい	15
恭吾	きょうご	17
惟吹	いぶき	18
健信	けんしん	20

女の子

名前	よみ	ページ
悠真	はるま	21
優心	ゆうしん	21
海誠	かいせい	22
想真	そうま	23
恭輔	きょうすけ	24
恒樹	こうき	25
真夕	まゆ	13
心晴	みはる	16
恭佳	きょうか	18
真姫	まき	20
想來	そら	8
真唯	まい	21
心優	みゆ	21
惟愛	ありあ	24

Image Keyword

明るい

いつも明るさを忘れず
いきいきと毎日を
過ごせるように

イメージ漢字

日[4] 明[8] 夏[10] 晴[12] 喜[12]
光[6] 春[10] 笑[10] 陽[12] 彰[14]
旭[6] 晃[10] 朗[10] 晶[12] 輝[15]

イメージから選ぶ名づけ

男の子

漢字	読み	画数
日向	ひなた	10
日和	ひより	12
旭希	あさき	13
光佑	こうすけ	13
晃太	こうた	14
旭飛	あさひ	15
大陽	たいよう	15
彰人	あきと	16
朝日	あさひ	16
晶太	しょうた	16
知明	ともあき	16
友喜	ともき	16
晴太	はるた	16
晴仁	はるひと	17
夏希	なつき	17
力輝	りき	18
春哉	はるや	19
宗一朗	そういちろう	19
光輝	こうき	21
義明	よしあき	21
海輝	かいき	24
俊輝	しゅんき	24
彰真	しょうま	24
蒼一朗	そういちろう	24
陽登	はると	24
晴陽	はるひ	24
晶翔	まさと	24
琉輝	りゅうき	26
陽輝	はるき	27

女の子

漢字	読み	画数
優喜	ゆうき	29
千春	ちはる	12
光里	ひかり	13
小陽	こはる	15
千晶	ちあき	15
千陽	ちはな	15
日菜	ひな	15
光咲	みさき	15
明花	めいか	15
日葵	ひまり	16
明美	あみ	17
明咲	めいさ	17
胡春	こはる	18
光結	みゆ	18
笑美	えみ	19
夏音	かのん	19
晴花	はるか	19
春姫	はるひ	19
笑莉	えみり	20
彩夏	あやか	21
萌笑	もえ	21
向日葵	ひまり	22
晴真	はるま	22
日陽里	ひより	23
陽愛	ひな	23
光優	みゆう	25
真輝	まき	25
凛夏	りんか	25
喜璃	きり	27

Image Keyword: 強い

どんなときも強い意志力を持った人に

イメージ漢字
勝12 強10 烈10 力2
獅13 隆11 隼10 勇9
豪14 健11 将10 剛10

男の子

| 剛 つよし 10 | 烈 れつ 10 | 力哉 りきや 11 | 隼人 はやと 12 | 勇大 ゆうだい 12 | 将也 まさや 13 | 隆斗 りゅうと 15 | 烈生 れお 15 | 勝斗 まさと 16 |

| 勇佑 ゆうすけ 16 | 力駆 りく 16 | 将汰 しょうた 17 | 将希 まさき 17 | 健吾 けんご 18 | 健汰 けんた 18 | 志隆 しりゅう 18 | 健真 けんしん 21 | 剛琉 たける 21 | 隼輔 しゅんすけ 24 | 勝太郎 かつたろう 25 |

| 獅童 しどう 25 | 隆磨 りゅうま 27 | 豪輝 ごうき 29 |

Image Keyword: 独立心

どんな時代でも、しっかりとひとり立ちできる人に

イメージ漢字
耕10 歩8 志7 力2
展10 卓8 芯7 立5
創12 能10 拓8 行6

男の子

| 力 ちから 2 | 力斗 りきと 6 | 歩太 あゆた 12 | 耕大 こうた 13 | 寿行 ひでゆき 13 | 耕介 こうすけ 14 | 立真 たつま 15 | 卓典 たくのり 16 | 拓歩 たくほ 16 | 真行 まゆき 16 |

女の子

| 祐志 ゆうし 16 | 航志 こうし 17 | 芯之助 しんのすけ 17 | 創史 そうし 17 | 拓哉 たくや 17 | 歩高 ほたか 18 | 拓幹 たくみ 21 | 歩 あゆみ 8 | 歩花 ほのか 15 | 志帆子 しほこ 16 |

| 志姫 しき 17 | 歩菜 あゆな 19 | 志穏 しおん 23 | 優歩 ゆうほ 25 |

Image Keyword

気品

凜とした
気品のただよう
魅力的な人になって

イメージから選ぶ名づけ

イメージ漢字

優[17] 貴[12] 崇[11] 美[9] 秀[7]
麗[19] 敬[12] 尊[12] 格[10] 典[8]
　　　雅[13] 喬[12] 高[10] 品[9]

男の子

漢字	読み	画数
秀一 秀[7] 一[1]	しゅういち	8
格 格[10]	いたる	10
秀太 秀[7] 太[4]	しゅうた	11
秀斗 秀[7] 斗[4]	しゅうと	11
崇人 崇[11] 人[2]	たかと	13
大高 大[3] 高[10]	ひろたか	13
貴之 貴[12] 之[3]	たかゆき	15
佑典 佑[7] 典[8]	ゆうすけ	15
喬介 喬[12] 介[4]	きょうすけ	16
敬太 敬[12] 太[4]	けいた	16
秀哉 秀[7] 哉[9]	しゅうや	16
貴斗 貴[12] 斗[4]	たかと	16
友真 友[4] 真[10]	ともき	16
秀真 秀[7] 真[10]	しゅうま	17
太雅 太[4] 雅[13]	たいが	17
典真 典[8] 真[10]	てんま	18
敬利 敬[12] 利[7]	たかとし	19
武尊 武[8] 尊[12]	たける	20
空雅 空[8] 雅[13]	くうが	21
優介 優[17] 介[4]	ゆうすけ	21
雅紀 雅[13] 紀[9]	まさき	22
美寛 美[9] 寛[13]	みひろ	22
悠貴 悠[11] 貴[12]	ゆうき	23
麗王 麗[19] 王[4]	れお	23
高輔 高[10] 輔[14]	こうすけ	24
滋尊 滋[12] 尊[12]	しげる	24
晴貴 晴[12] 貴[12]	はるき	24
彪雅 彪[11] 雅[13]	ひゅうが	24
優吾 優[17] 吾[7]	ゆうご	24

女の子

漢字	読み	画数
心美 心[4] 美[9]	ここみ	13
貴子 貴[12] 子[3]	たかこ	15
美羽 美[9] 羽[6]	みう	15
優汰 優[17] 汰[7]	ゆうた	24
穂高 穂[15] 高[10]	ほだか	25
美樹 美[9] 樹[16]	よしき	25
優馬 優[17] 馬[10]	ゆうま	27
優雅 優[17] 雅[13]	ゆうが	30
優樹 優[17] 樹[16]	ゆうき	33
亜美 亜[7] 美[9]	あみ	16
千雅 千[3] 雅[13]	ちか	16
希美 希[7] 美[9]	のぞみ	16
秀美 秀[7] 美[9]	ひでみ	16
麗 麗[19]	れい	19
柚貴 柚[9] 貴[12]	ゆずき	21
愛美 愛[13] 美[9]	まなみ	22
雅姫 雅[13] 姫[10]	みやび	23
優衣 優[17] 衣[6]	ゆい	23
優羽 優[17] 羽[6]	ゆう	23
結貴 結[12] 貴[12]	ゆき	24
里優 里[7] 優[17]	りゆ	24
瑞貴 瑞[13] 貴[12]	みずき	25
美優 美[9] 優[17]	みゆう	26
麗香 麗[19] 香[9]	ゆうか	26
優香 優[17] 香[9]	ゆうか	26
麗那 麗[19] 那[7]	れな	26
優麗 優[17] 麗[19]	ゆうな	28
麗菜 麗[19] 菜[11]	れいな	30
麗美華 麗[19] 美[9] 華[10]	れみか	38

Image Keyword

学業優秀

研究心旺盛で頭のいい人に育ってほしい

男の子

- 学⁸ がく 8
- 学士³ まなと 11
- 俐人² りひと 11
- 巧馬⁵ しゅうた 14
- 秀汰⁷ しゅうた 14
- 巧作⁷ たくま 15
- 勇玖⁹ ゆうさく 16
- 俐玖⁹ りく 16
- 優¹⁷ ゆう 17
- 勝重¹² かつしげ 21
- 創思¹² そうし 21

女の子

- 徳馬¹⁴ とくま 24
- 創太郎¹² そうたろう 25
- 真優¹⁰ まひろ 27
- 優陽¹⁷ ゆうひ 29
- 秀佳⁷ しゅうか 15
- 杏美⁷ あみ 16
- 真秀¹⁰ まほ 17
- 奈々美⁸ ななみ 20
- 徳花¹⁴ のりか 21
- 優那¹⁷ ゆな 24
- 咲優⁹ さゆ 26
- 優美¹⁷ ゆみ 26
- 菜優¹¹ なゆ 28
- 美優菜⁹ みゆな 37

イメージ漢字

巧⁷ 秀⁷ 俐⁹ 勝¹²
究⁷ 学⁸ 能¹⁰ 徳¹⁴
作⁷ 美⁹ 創¹² 優¹⁷

Image Keyword

満足感

満たされ、充実した人生を送ってほしい

男の子

- 充生⁶ あつき 11
- 栄太⁹ えいた 13
- 晏久¹⁰ はるひさ 13
- 旺佑⁸ おうすけ 15
- 旺汰⁸ おうた 15
- 晏立¹⁰ はると 16
- 心温⁴ しおん 16
- 望実¹¹ のぞみ 19
- 充輝⁶ みつき 21
- 栄輔⁹ えいすけ 23

女の子

- 蓮温¹³ れん 25
- 満樹¹² みつき 28
- 温² はる 12
- 温乃² はるの 14
- 安珠⁶ あんじゅ 16
- 美旺⁹ みお 17
- 満帆¹² まほ 18
- 実悠⁸ みゆ 19
- 弥栄子⁸ やえこ 20
- 安佳里⁶ あかり 21
- 奈那実⁸ ななみ 23
- 紫温¹² しおん 24
- 満菜実¹² まなみ 31

イメージ漢字

安⁶ 実⁸ 栄⁹ 晏¹⁰
充⁶ 旺⁸ 能¹⁰ 満¹²
足⁷ 為⁹ 悦¹⁰ 温¹²

イメージから選ぶ名づけ

Image Keyword

情熱的

何事にも一生懸命
取り組める
情熱を持つ人に

イメージから選ぶ名づけ

イメージ漢字

鋭[15] 温[12] 途[10] 専[9] 至[6]
勢[13] 夏[10] 勇[9] 利[7]
精[14] 盛[11] 真[10] 昇[8]

男の子

漢字	読み	画数
昇	しょう	8
真	しん	10
温	おん	12
大途	だいと	12
壮利	たけと	13
夏也	なつや	13
真大	まひろ	13
勇司	ゆうじ	14
久温	くおん	15
昇吾	しょうご	15
盛心	せいご	15
盛太	せいた	15
利空	りく	15
勇吹	いぶき	16
倖至	こうし	16
昇英	しょうえい	16
温仁	はるひと	16
悠至	ゆうし	17
盛志	せいじ	18
到真	とうま	18
至温	しおん	18
至道	よしみち	18
勝利	かつとし	19
柊真	しゅうとし	19
勇登	しゅうと	19
翔真	まなと	22
真翔	まなと	22
利毅	りき	22
隆盛	りゅうせい	22
義途	あきと	23
昇輝	しょうき	23
真太郎	しんたろう	23
利樹	としき	23
温基	はるき	23
蒔温	しおん	25
勇磨	ゆうま	25
夏樹	なつき	26
藍夏	あいか	28

女の子

漢字	読み	画数
真由	まゆ	15
利奈	りな	15
真衣	まい	16
真花	まなか	17
利華	りか	18
和夏	のどか	19
琴利	ことり	20
真桜	まお	20
真彩	まあや	21
真菜	まな	21
唯夏	ゆいか	21
利緒	りお	22
真琴	まこと	23
夏蓮	かれん	23
楓夏	ふうか	23
日愛利	ひなり	24
夏凛	かりん	25
優夏	ゆか	27
優利杏	ゆりあ	31

Image Keyword

日本的

日本の心、美しい伝統を忘れない人に

イメージ漢字

乃 2	京 8	庵 11	琴 12
之 4	桜 10	都 11	雅 13
介 4	姫 10	梗 11	鶴 21

男の子

庵 いおり	11
京介 きょうすけ	11
俊介 しゅんすけ	12
伸乃介 しんのすけ	13
智之 ともゆき	13
雅也 まさや	15
竜乃介 りゅうのすけ	16
桜亮 おうすけ	19
海都 かいと	20
龍之介 りゅうのすけ	23

女の子

礼乃 あやの	5・2
京香 きょうか	9・9
琴乃 ことの	12・2
璃乃 りの	15・2
奈桜 なお	8・10
姫奈 ひな	10・8
美桜 みお	9・10
桔梗 ききょう	10・10
琴美 ことみ	12・9
彩姫 さき	11・10
莉都 りと	10・11
美雅 みやび	9・13
愛桜 あいら	13・10
穂乃花 ほのか	15・7

イメージヒント集

日本の地名や四字熟語から探す

歴史や伝統が息づいた地名や、深い意味を持つ四字熟語も名前のヒントになります。歴史あふれる漢字の奥深さを再認識できそうですね。

●地名

空知	そらち	空知郡（北海道）
留萌	るもい	留萌市（北海道）
邑楽	おうら	邑楽郡（群馬県）
三郷	みさと	三郷市（埼玉県）
恵那	えな	恵那市（岐阜県）
大和	やまと	大和郡山市（奈良県）
世羅	せら	世羅郡（広島県）
伊万里	いまり	伊万里市（佐賀県）

●四字熟語

四字熟語	読み	意味
一望千里	いちぼうせんり	広く、見晴らしがよい
真実一路	しんじついちろ	正直に真実を求めて生きる
初志貫徹	しょしかんてつ	志を貫きとおす
質実剛健	しつじつごうけん	飾りけがなくまじめ

Image Keyword

名声

望み高く、みんなに認められる人になってほしい

イメージ漢字

響[20] 誉[13] 栄[9] 令[5]
耀[20] 暉[10] 高[10] 明[8]
　　　輝[15] 望[11] 知[8]

イメージから選ぶ名づけ

男の子

漢字	読み	画数
栄[9]一[1]	えいいち	10
望[11]	のぞむ	11
栄[9]心[4]	えいしん	13
誉[13]	ほまれ	13
輝[15]	ひかる	15
令[5]真[10]	りょうま	15
幸[8]明[8]	こうめい	16
知[8]季[8]	ともき	16
知[8]典[8]	とものり	16
重[9]明[8]	しげあき	17
晃[10]明[8]	こうめい	18
知[8]泰[10]	ともやす	18
望[11]来[7]	みらい	18
一[1]耀[20]	かずあき	21
和[8]暉[13]	かずき	21
翔[12]栄[9]	しょうえい	21
純[10]誉[13]	あつたか	23
空[8]輝[15]	そら	23
大[3]耀[20]	たいよう	23
響[20]己[3]	ひびき	23
望[11]蒼[13]	のあ	24
耀[20]介[4]	ようすけ	24
耀[20]太[4]	ようた	24
響[20]平[5]	きょうへい	25
智[12]暉[13]	ともき	25
竜[10]輝[15]	りゅうき	25
悠[11]輝[15]	ゆうき	26
響[20]真[10]	きょうま	30
響[20]太[4]郎[9]	きょうたろう	33

女の子

漢字	読み	画数
明[8]	めい	8
暉[13]	ひかり	13
令[5]奈[8]	れな	13
明[8]希[7]	あき	15
純[10]令[5]	すみれ	15
知[8]花[7]	ちか	15
知[8]佳[8]	ちか	16
心[4]々[3]望[11]	ここみ	18
知[8]華[10]	ともか	18
望[11]亜[7]	のあ	18
明[8]華[10]	めいか	18
耀[20]	あき	20
響[20]	ひびき	20
望[11]華[10]	もか	20
令[5]緒[14]	れい	21
明[8]凛[15]	あかり	23
響[20]子[3]	きょうこ	23
知[8]穂[15]	ちほ	23
陽[12]望[11]	はるの	23
耀[20]子[3]	ようこ	23
明[8]日[4]翔[12]	あすか	24
心[4]響[20]	ここね	24
響[20]心[4]	ことみ	24
望[11]夢[13]	みゆ	24
紗[10]輝[15]	さき	25
夏[10]輝[15]	なつき	25
栄[9]美[9]莉[10]	えみり	28
徠[11]耀[20]	くるみ	31
美[9]知[8]瑠[14]	みちる	31

Image Keyword

歴史

時代を
リードしていける
立派な人に

イメージから選ぶ名づけ

男の子

漢字	よみ	ページ
拓史	たくみ	13
史弥	ふみや	13
由莉	ゆうり	15
蒼大	そうた	16
蒼介	そうすけ	17
由翔	ゆいと	17
理来	りく	18
京太郎	きょうたろう	21
蒼真	そうま	23
悠統	ひさのり	23

女の子

漢字	よみ	ページ
来樹	らいき	23
興覇	こうは	35
京	みやこ	8
由衣	ゆい	11
未来	みらい	12
京叶	きょうか	13
史奈	ふみな	13
史華	ふみか	15
美来	みく	16
美来	みく	7
蒼	あおい	13
由菜	ゆな	16
京美	みやび	17
蒼空	そら	21
楓霞	ふうか	30

イメージ漢字

史5　由来5
京10
街12
霞17
蒼13　記10
興12　統12

イメージヒント集

歴史上の人物から探す

有名な歴史上の人物も、名づけのヒントに。インパクトが強いため、覚えやすい名前となります。また、名前から1文字もらったり、読みは同じでも別の漢字を当てはめたりと、アレンジも可能です。

●男性

人物	よみ
高杉晋作	たかすぎしんさく
野口英世	のぐちひでよ
勝 海舟	かつかいしゅう
坂本龍馬	さかもとりょうま
源 義経	みなもとのよしつね
平 清盛	たいらのきよもり
大伴旅人	おおとものたびと
上杉謙信	うえすぎけんしん
徳川吉宗	とくがわよしむね
西郷隆盛	さいごうたかもり
大久保利通	おおくぼとしみち
伊能忠敬	いのうただたか

●女性

人物	よみ
金子みすゞ	かねこみすず
北条政子	ほうじょうまさこ
与謝野晶子	よさのあきこ
小野小町	おののこまち
樋口一葉	ひぐちいちよう
平塚雷鳥	ひらつからいちょう

Image Keyword

国際的

外国でも呼びやすい名前。国際的に活躍して

イメージから選ぶ名づけ

男の子

漢字	読み	ページ
快 7	かい	7
莉生 10/5	りお	15
怜旺 8/8	れお	16
来飛 7/9	らいと	16
海音 9/9	かいと	18
瑠生 14/5	るい	19
謙人 17/2	けんと	19
蓮音 13/9	れおん	22
琉翔 11/12	るか	23
澄海 15/9	すかい	24

女の子

漢字	読み	ページ
翔夢 12/13	とむ	25
璃澄 15/15	りずむ	30
芽衣 8/6	めい	14
里咲 7/9	りさ	16
茉莉 8/10	まり	18
希愛 7/13	のあ	20
紅愛 9/13	くれあ	22
瑠奈 14/8	るな	22
杏璃 7/15	あんり	22
瑛麻 12/11	えま	23

漢字	読み	ページ
華蓮 10/13	かれん	23
星羅 9/19	せいら	28
真梨亜 10/11/7	まりあ	28
慧燈 15/16	けいと	31

イメージヒント集

海外に行くと性別が逆転する名前

漢字や読みのイメージから、日本では男の子（または女の子）の名前と一般的には認識されるものでも、海外では性別が逆転してしまう名前もあります。「国際的に」を優先させるなら、要チェックですね。

●性別が逆転してしまう名前●

女性名は男性名に

いあん（依杏）
▼
Ian

くりす（来莉朱）
▼
Chris

男性名は女性名に

えま（瑛馬）
▼
Emma

けいと（圭人）
▼
Kate

名前に使える漢字リスト

名づけに使える漢字は、常用漢字と人名用漢字です。
画数については『福武漢和辞典』『ベネッセ新修漢和辞典』と
監修者・栗原里央子先生の見解をもとにしています。

※P.471〜480に記載された情報は2024年9月現在のものです。名前の届け出の前に、法務省のホームページ内「戸籍統一文字情報」で確認することをおすすめします。

1画
一 乙

2画
丁七九了二人入八刀
力十卜又乃

3画
丈三上下丸久亡凡刃
勺千叉及口土士夕大
女子寸小山川工己已
巾干弓才万与之也巳
乞

4画
不中丹乏云屯互五井

仁仏今介元内公六冗
凶分切刈勾匂勿匆化
匹区升午廿厄友壬反
円天太尤孔少尺幻
弔引心戸手支収文斗
斤方日月木止比毛氏
水火爪父片牛牙犬王
欠予双丑允巴

5画
且世丘丙主乎付仕仔
仙他代令以兄冊冬凧
凹出凸刊功加包北半
占去古句召可史右司

囚四圧外央失奴写尼
左巧巨市布平幼広庁
必戊打払斥未末本札
正母民永氷汁犯玄玉
瓦甘生用田由甲申疋
白皮皿目矛矢石示礼
穴禾立台旧処号弁込
辺卯只叶弘旦汀叱尻
丼氾

⑥画

交仰仲件任企伏伐休
仮伝充兆先光全両共
再刑列劣匠印危叫各

合同吉名后吏吐向回
吸因団在地壮多夷好
如妃妄存字宅宇守安
寺尖州帆年式弛忙成
扱托収旨早曳旬曲会
有朱机朽朴次此死毎
気汚江汝池汎汗灰灯
牟争当百尽竹米糸缶
羊羽老考而耳肉肌肋
自至白舌舟色芝芋虫
血行衣西辻弐巡迅丞
亘亙亥亦伊伍伎凪匡
圭庄旭汐瓜

⑦画

串乱亜来伯伴伸伺似
位但低佃住佐何作佛
克児兎兵冷初判別利
劫助努励即却卵君吟
吞否吻含呈呉吹告吟
困囲図坂均坐坊坑壱
壮寿対尾尿局岐希床
完宋妊妙妥妨妖孝孜
庇序廷弟形役忌忍志
忘快応我戒戻扶批技
抄抑投抗折抜択把改
攻更材杉村条杖束步

每求汲決汽沈沌没沖
沢灸災灼牡状狂男町
社秀私究系声肖肘肝
臣良芥芦花芳芸芯芭
見角言谷豆貝売赤足
走身車辛迂迄迅迎近
返邦医里阪防余体麦
亨伶伽佑冴治吾呂宏
李杏杜汰沙玖甫芙芹
辰邑那酉沃弄巫

8画

乳事亞些享京佳使例
侍供依価侮併來免兒

其具典函到制刹刷券
刺刻効劾卒卓協卑卷
参叔取受周味呼命和
宛定宕宜宗官宙実宝
奔妹妻姉始姓委季学
固国坦坪垂夜奄奉奇
参叔取受周味呼命和
沓河沸油泣沿沼況泊泌
法波沿泣注泳泥泡沫
炊炎炉争版牧物狀画
玩的盲直知祈祉社空
突竺並者肥肩肪肯育
肴肢舎苗若苦英茂茎
芽苔苺表迭迫述金長
門阜祁邸邪阻陀附雨
青非斉侃侑尭奈孟弥
怜於旺昂昌朋欣苑茉
茄茅虎迪采阿穹苟股

拒拓拘抽招拝担拡拠
拐披抹拔拂放斧昊昏
昇明易昔昆服杭杯東

念房所承抱抵押拙拍
彼征径怖忽忠性怪或
帖幸庚底店府延弦往
尚居屈届岩岸岳岬岡

呪狙妬拉

9画

乗亭俄俠侯侵便係促
俗保信俊侮俣俐侶冠
則削前勅勃勇勉南卑
巻巷卸即厘厚単咲哀
品型城垣奏契娃姻姿
姪姥威孤客宣室封専
屋峠峡帝帥幽度廻建
弧待律後怒思怠急恒
恆恨悔恢恰按括挟拷
拶拾持指拭挑拝叙政
故施星映春昨昭是昼

冒昧枯柄架柑某染柔
査柵柿柘柱栃柏柳殆
栄段毘泉洋洗津活派
海浄浅洪洞洛炭為牲
狩狭独珍珈珂珊珀甚
畏界畑疫発皇皆盃盆
相盾省看砂研砕祖祢
祝神祇祉秋科秒窃窈
穿突竿籾紀約紅糾級
県美者耐肺胃背胎胞
胆臭茶草荒荘茨茸虐
衷要計訂変負貞赴軌
軍迷追退送迦逃逆郊

郎重臥限面革音頁風
飛食首香点亮勁哉奎
宥彦昴柊柚柾洲洵洸
玲眉祐耶胡胤茜虹衿
郁咽怨訃

10画

乗俺俱倦修俳俵倣倉
個倍倒候借値倫倹俸
兼冥凍准凄剖剛剤
剣勉匿原哨員哲唆唐
唇哩圃埋夏套娘姫娯
娠娩孫宮宰害宴家容
宵射将屑展峨峰峯峡

島差師席帯座庫庭弱
徐徒従恐恋恭悦恥恩
息悟恵悩悔扇挨振挽
挺捉捕捜挿挙敏料旅
既晄晒時書朕朗桧桔
校桁柴株栖核根格栽
桃案桑梅桜桟栓帰殉
殊残殺氣流浦浪浮浴
浸消涙浜泰海渉涅烏
烈特狼狭班珠畔留畜
畠畝疾病疲症益真眞
眠砥砧砲破祥祝神祖
祕秘租秩称秤窄笊笑

11画

粉粋紋納純紙紛素紐
紡索翁耕耗耽胴胸脇
能脂脅脈臭致航般荻
莫荷華莊蚊蚕衰袖被
討訓託記訊豹財貢起
軒辱透逐途通速造連
遙逝郡郎配酒酎酌針
釘釜閃陛院陣除降陥
隻飢馬骨高鬼党竜倖
倭凌唄啄峻恕悌拳晃
晋晏晟朔栗栞桂桐浩
矩祐秦紗紘莉莞赳隼
挫恣脊捗剝哺

乾偏停健側偶偽偵兜
冨凰剰副動勘務唯唱
商問啓喝圏國域執培
基埼堂堀埴堆埜婚婆
婦宿寂寄密尉將專崖
崇崩崎巣巢常帶庵崖
庶庸康張強彩彫得從
徠患悪惚悼情惜慘悉
悠戚捨掃掛措授排描
掘捲採接控推揭据
捻捧掠掬教救敗敘敏
斜断旋族曹晦晝晚曾

望朗械條椛梛梗梯桶
梅梶梁欲殻液涼淑淡
深混清添渇渉渋済淡
渓淨淀淋涙牽猫猛猟
率現球理瓶産畢略異
盛盗眼眺砦票祭移窓
窒章笛符第粒粗粘笠
累紺細紹終組絆紳経
羚翌習粛脳脚脱舷舶
舵船菊菌菓菜著菅萄
菩萠菱莱虚蛍蛇術袋
袴規視祥訣訟訪設許
訳豚貧貨販貫責赦軟

12画

羞唾貪
鹿亀琉祷萎淫惧痕斬
笙笹紬絃脩菖董萌袈
梨毬淳渚爽猪琢皐眸
彬惇惟捷捺晨梓梢梧
麻黄黒斎偲寅崚彗彪
隆陥雀雫雪頃頂魚鳥
釣閉陪陰陳陵陶険陸
部郭郵都郷酔釈野釦
転這逞逗逢逮週進逸

勤博卿厨善喚喜喰喧
傍備偉傘割創剰勝募
渇焔焼焚無焦然煮営
滋温湿湘湊湛満湾渦
款殖淵減渡測港湖湯
棲棺植検極棚棟椀欺
替最曾朝期椅棋棒森
斑斯晩普景晴暁晶暑
揮援摇搭揭揃揚換握
悪惠戟扉掌提揚惰
復循悲惑惹愉慌惺惰御
就属帽幅幾廃廊弾御
塚奥婿媒富寓寒尊尋
堵堪報堅場塔塁堕塀
喪喫單喋圏堰堺堯堤

為犀猶琴琥琶琵甥番
畳疎疏痘痛痢登盗短
硯硝硫硬視税程童筈
筆等筋筒筑答策粥粧
粟結絶絡絞紫給統絵
着腔腕脹萱葺萬葡
落葉葛葬著虛虜蛮衆
街裁裂裕補裡装覚評
訴詐診詔詞詠証註象
貴買貰貸費貯貼貿賀
超越距軸軽遂遇遊運
遍過道達遅逸都酢釉
量鈍開閑間閏陽隊階

13画

随隅限雄雁集雇雲雰
順項飲飯黄黒捜歯凱
喬媛嵐異惣敦斐智椋
椎欽渚渥猪琢湧琳瑛
皓禄稀竣絢翔萩葵遥
須喉痩喻渾
僅催傑債傷傾働僧傳
傭勢勧勤嗣嘆嘩園圓
塊塑塘塞填塗墓夢奨
奥嫁嫌寝寛幌幕幹廉
廊微慎愼慨想愁意愚
愛感慈戦損搬携搾摂

搖数新暇暖暗暑業楽
棄楼栖楯楚楠歳殿溢
源準溶滅滑滞漠溜滝
溝漢温煙煌照煎煤煉
煩獻煮牒猿獅痴盟睡
督碁砕碓碑碗禍福禁
禽禅稚稟窟節絹継続
罪置署群義羨聖腹腰
腎腸艇蒸蓄葦蓋蓑蒐
蒲蒙虞虜蜂裏與裸褐
裾装解触該試詩詰詣
話詳詮詫誇誠誉豊賃
資賄賊跨跳跡践路載

⑭画

較辞農逗遠遣違酩酬
鈴鉛鉄鉱鉢隔隙雅零
雷電靴預頒頓頑飼飾
飽馴馳塩鼎鼓嵩嵯暉
椰椿楊楓楠滉瑚瑞瑶
睦禎祿稔稜舜蒔蒼蓉
蓮裳詢靖頌鳩彙楷毀
嗅傲嫉腫腺溺慄賂
像僚僕僞僧厩嘗嘆團
境増墨塾奬奪嫡察寡
實寧寢寛壽嶋層彰德
徴慢態慕慣摑摺摘

⑮画

幹旗暮暦榮構槍模概
槌樣榎榊歌歴漁漆漸
滴漂漫漏演漬漢滯漕
漣獄疑盡磁碑禍福種
穀稻窪端管箇箕算箔
精粹維綱網綿緑緒
蔭蔣蔓蓬蜜複製裳膜
誤誌誓説認誘読貌豪語
賑賓踊遡遜遭適遮
酵酷酸堅銀銃銃銅銘
錢閣閥関閤際障隠雜
雌需静鞄領頗駆駅駄

⑮画

髪魂鳶鳴鼻齊嘉暢榛
槙槇樺漱熊爾瑠瑳碧
碩蔦輔颯魁鳳熙箋綻
肇蔦輔颯魁鳳熙箋綻
瘍辣蔑
億儀價儉凛劇劍劉勲
噴器嘱噂墜墳増墨
審寮幡導履層幣廣廟
弊彈影徹撮徳憤慰慮
慶憂憎戯撮撲撰撞
播撫摩撲擊敵敷暴暫
樋標橫權樟槽樂樣歓

歎潔潤澄潮潜潟澁熟
熱畿痩盤監確磐稿穂
稼稽穀稻窮窯箱節箸
範篇糊緑縁緩編締
緊縄緒練罷膚舗舞蔵
蕎蕨蕃蕉蔽蝦衝褒課
諏請談調論誕諸誰諾
謁賓賜賠賦質賞賛売
趣踏輪輩輝遷遺遵選
鄭醉鋭鋳鋒閲震霊鞍
養餓餅駐駕駝髮魅魯
默凛嬉慧憧槻毅蕉蝶
誼諄諒遼醇駒黎璃潰

 **16画**
憬摯踪緻嘲罵膝餌

儒凝勲器壇墾壁壞壤
奮嬢憲憶憾憩懐戰擁
操整曇暁曆樽橙機
橋樹横歷激濁濃燕
燒燈獲獣磨積穏窺築
篤糖縛縦縫緯縞繁縣
膳膨興薪薦薄薫藥薗
薙蕾融衡衞衛親謂諤
謀諺諭謡謁諦諸賢頼
頼蹄輸輯還避醐醒醍
鋸鋼錯錘鋳錐錠錄錄

錫錬隣險隷靜鞘頰頭
館鴨默龍叡橘澪燎蕗
錦鮎黛憐諧骸鋼賭麺
17画
償優徽厳嚇壕懇應戯
戴擬擦擢擊曖檜檢檎
濬擁濡燭爵犠環療
瞥矯瓢翼礁禅穂簓薩
縦繁瓢翼臆聽薫藁薩
螺覧謙講謝謹謎謠膳
闇霜頻鮮齢嶺彌曙檀
燦瞭瞳磯霞鞠駿鴻

 **18画**

儲叢壘懲曜権濫癖癒
瞬礎禮穫簡糧織繕
繭薬藝職蟬臨藩襖襟
覆観謹贈蹟轉醬鎧
鎮鎖難雑鞭額顔題類
顕翻騎騒験闘燿穣
藤蔵鎌雛鯉鵜麿韓顎
璧

19画

壊寵懐懲曝櫛櫓瀨瀬
瀬瀧爆獣璽禱禰簿簾
繰繋繡臓羅蘇藻蟹覇

20画

麓艶蘭鯛鵬
厳嬢懸欄競籍纂議護
譲醸鐘響騰騒厳耀馨
霧韻願類髄鯨鶏麒麗
識譜警贈蹴鏡難離顧

21画

攝櫻欄纏艦轟躍露蠟
顧飜魔鰯鶏鶴
灘疊聽臓襲覧讃鑄響
饗驚驍穫鷗籠

22画

23画 鑑顕験厳繊鱒鷲

24画 譲醸鷹鷲麟鱗

25画 廳

29画 鬱

最終チェック10＆メモ

名前の候補が決まったら

名前の候補が決まったら、いろいろな視点からチェックしましょう。
子どもが大きくなってから名前で不便な思いをしないよう、
きちんと確認してから決定してあげたいですね。

Check 1 名前に使える字？
名前に使える字は法律で決まっています。人名に使えない字は、出生届を受理してもらえないので、P.471〜や漢和辞典で必ずチェックしましょう。

Check 2 姓とのバランスは？
視覚的なバランスをチェックするため姓と名前を続けて書いてみましょう。同じ部首の重なりはないか、画数や姓名の文字のバランスはどうかをチェック。

Check 3 読みやすい？
漢字の読み方にだれもが読めないような当て字を使うと子どもが将来苦労することもあり、出生届を受理してもらえない場合もあるので注意して。

Check 4 聞き取りやすい？
姓と名を続けて声に出し、第三者が聞き取りやすいかを確認。相手が何度も聞き返すなら再検討したほうがいい場合も。

Check 5 書きやすい？
姓名を実際に書き、漢字の数や画数の多さなどをもう一度チェック。画数が多いと書くのが大変で、子どもが将来、苦労する可能性もあります。

Check 6 変換しやすい？
パソコンやスマホなどで名前を入力・変換してみましょう。すぐに変換できない場合、第三者からのメールや文書で、間違われる可能性が大です。

Check 7 ローマ字＆イニシャルは？
ローマ字やイニシャルも書いてみましょう。マイナスイメージの強い単語やイニシャルにならないかをチェック。W・CやN・Gなどは避けたいもの。

Check 8 変な意味はない？
姓名を続けて読んだときに、たとえば「小田真理→おだまり→お黙り」のように別の意味にならないか確認しましょう。

Check 9 説明のしやすさは？
名前の漢字を第三者に説明するときに、たとえば、太陽の「よう」に、平和の「へい」で陽平（ようへい）など、相手にわかりやすく説明できることも大切なポイント。

Check 10 呼びやすさは？
同じ母音（アイウエオ）が続くなど、声に出して読んだときに呼びにくくないかも要チェック。「ともくん」「ゆうちゃん」など呼び名も考えてみましょう。

気になる人はここも！「画数」を確認
候補名の画数が気になる人は、P.217の五格の考え方を参考にチェック。吉数になるように、候補名をアレンジすることも可能です。

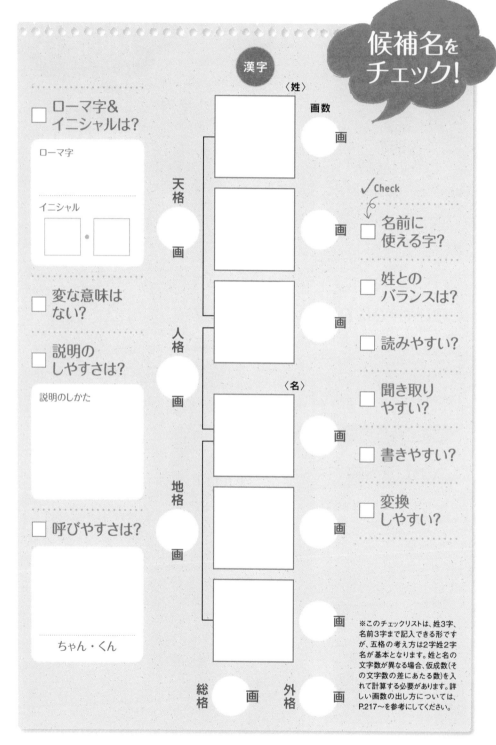

漢字

〈姓〉

□ ローマ字＆イニシャルは？

ローマ字

イニシャル

天格　画

画数

画

画

✓ Check

□ 名前に使える字？

□ 姓とのバランスは？

□ 変な意味はない？

人格　画

画

□ 読みやすい？

□ 説明のしやすさは？

説明のしかた

〈名〉

画

□ 聞き取りやすい？

□ 書きやすい？

地格　画

画

□ 変換しやすい？

□ 呼びやすさは？

画

ちゃん・くん

画

総格　画　外格　画

※このチェックリストは、姓3字、名前3字まで記入できる形ですが、五格の考え方は2字姓2字名が基本となります。姓と名の文字数が異なる場合、仮成数（その文字数の差にあたる数）を入れて計算する必要があります。詳しい画数の出し方については、P.217〜を参考にしてください。

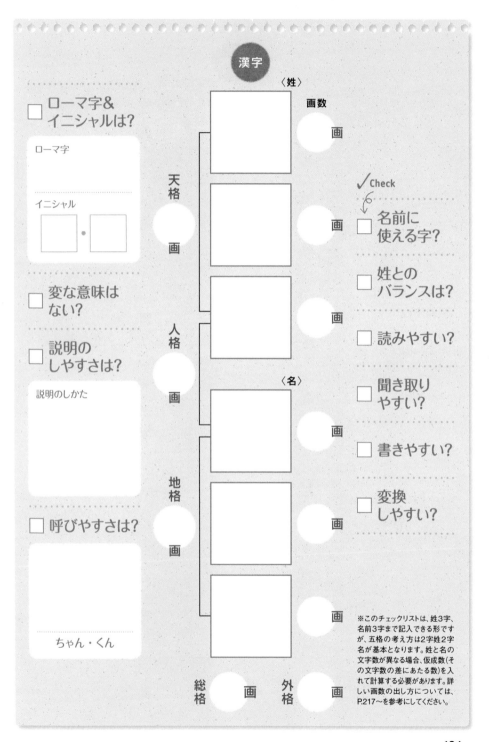

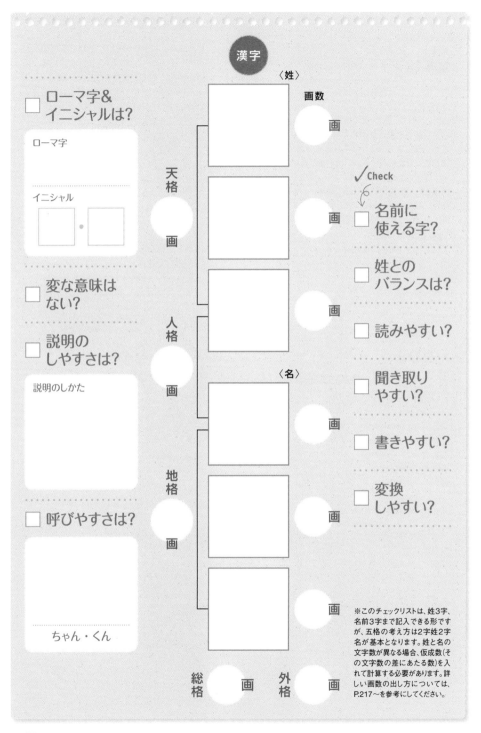

監修
栗原　里央子（くりはら　りおこ）

日本占術協会常任理事、認定占術士、ハワイ・台湾フォーチュン友の会主宰。20代から占術の不思議な魅力に惹かれ、故・大熊芽楊師に師事。周易をはじめ、命名・姓名判断・気学・人相・手相・家相・風水・生年月日によるバイオリズム周期などを合わせて、総合的に鑑定を行うほか、改名などの相談にも応じる。ハワイと台湾では、ボランティアでラジオ出演や講演を行い、精力的な活動を展開。一般の方から芸能人・プロスポーツ選手まで、幅広い支持を得ている。鑑定のモットーは"初心を忘れず　謙虚な心で"。

<連絡先>
ホームページ　https://fortune-rioko.com/

たまひよ
赤ちゃんのしあわせ名前事典
2025～2026年版

発行日　2024年11月30日　第1刷発行

編者　たまごクラブ編
発行人　松澤拓也
編集人　米谷明子

発行所　株式会社ベネッセコーポレーション
　　　　〒206-8686　東京都多摩市落合1-4-34
　　　　お問い合わせ　0120-68-0145

編集　株式会社ベネッセコーポレーション
　　　株式会社ベネッセクリエイティブワークス

印刷所／製本所　大日本印刷株式会社

©ベネッセコーポレーション2024　Printed in Japan
ISBN978-4-8288-7303-9 C2077

落丁・乱丁本はお取り替えいたします。
定価はカバーに表示してあります。

読者アンケート大募集

『たまひよ赤ちゃんのしあわせ名前事典 2025～2026年版』を読まれた感想などをぜひお寄せください！ 期間中にアンケートにお答えいただいた方の中から、抽選で10名様に図書カード2000円分をプレゼントいたします。

※当選者の発表は2025年7月下旬ごろのプレゼントの発送をもって代えさせていただきます。

パソコン・スマートフォンから
https://st.benesse.ne.jp/cam

たまひよ　プレゼント　検索

パスワード　**2412na**
（半角数字4ケタ、英小文字2字）

応募締め切り
2025年6月13日(金)
午前9:00（受付完了分まで）！

※上の二次元コードが読み込めない場合は、URLに直接アクセスしてください。
※スマートフォン以外の携帯電話およびハガキでのご応募はできません。
※パソコン・スマートフォンからの通信費はお客さまのご負担になります。
※一部のブラウザ・スマートフォンからは応募できない場合があります。

<個人情報の取り扱いについて>
ご提供いただく個人情報は、アンケートの集計・分析による商品評価、賞品発送の目的で利用します。
お客様の意思によりご提供いただけない部分がある場合、手続き・サービス等に支障が生じることがあります。また、商品発送等で個人情報の取り扱いを業務委託しますが、厳重に委託先を管理・指導します。個人情報に関するお問い合わせは、個人情報お問い合わせ窓口（0120-924721 通話料無料、年末年始を除く、9時～21時）にて承ります。
（株）ベネッセコーポレーション CPO（個人情報保護最高責任者）
上記をご確認の上、ご承諾くださる方はご記入ください。